CHRISTIAN SCHÜTZ
EINFÜHRUNG IN DIE PNEUMATOLOGIE

DIE THEOLOGIE

Einführungen in Gegenstand, Methoden und Ergebnisse
ihrer Disziplinen und Nachbarwissenschaften

1985

WISSENSCHAFTLICHE BUCHGESELLSCHAFT
DARMSTADT

CHRISTIAN SCHÜTZ

EINFÜHRUNG
IN DIE PNEUMATOLOGIE

1985
WISSENSCHAFTLICHE BUCHGESELLSCHAFT
DARMSTADT

CIP-Kurztitelaufnahme der Deutschen Bibliothek

Schütz, Christian:
Einführung in die Pneumatologie / Christian
Schütz. – Darmstadt: Wissenschaftliche
Buchgesellschaft, 1985.
    (Die Theologie)
    ISBN 3-534-08320-2

1 2 3 4 5

ⓦ Bestellnummer 8320-2

© 1985 by Wissenschaftliche Buchgesellschaft, Darmstadt
Satz: Maschinensetzerei Janß, Pfungstadt
Druck und Einband: Wissenschaftliche Buchgesellschaft, Darmstadt
Printed in Germany
Schrift: Linotype Garamond, 10/12

ISSN 0174-1063
ISBN 3-534-08320-2

INHALTSVERZEICHNIS

VORWORT

Es ist die Aufgabe und Absicht dieses Vorworts, dem Buch gewissermaßen eine Art Fahrkarte auszustellen. Eine Fahrkarte erteilt bekanntlich Aufschluß über Ausgangspunkt und Ziel der Reise, über Zeitpunkt und Art des zu benützenden Verkehrsmittels, über Entfernung und Kosten der Fahrt. Dieses Buch ist eine entfernte Frucht des Forschungssemesters, das mir im Winter 1981/82 an der Universität Regensburg gewährt wurde. Die im Februar 1982 erfolgte Bestellung zum Abt des Klosters Schweiklberg hat nicht nur meine wissenschaftlichen, sondern auch meine zeitlichen Pläne erheblich in Mitleidenschaft gezogen. Seiner erklärten Intention nach will das Buch nur eine „Einführung in die Pneumatologie" sein; es erhebt damit keineswegs den Anspruch, ein ausgereiftes Konzept einer Pneumatologie zu liefern. Einer Einführung wird man es nachsehen, wenn sie mehr Fragen als Antworten enthält und Lükken aufweist. Der Kenner findet im Literaturverzeichnis weiterführende Hinweise. Er weiß auch, wie sehr die Pneumatologie noch in den Kinderschuhen steckt. Entwicklung und Forschungslage mahnen zur Selbstbescheidung und laden zu verstärktem Studium ein. Vieles konnte daher nur angedeutet werden und harrt einer weiteren Erschließung. Es ist wohl auch eine Frucht des Geistes, daß die Beschäftigung mit der Pneumatologie auf den Bearbeiter eine ungeheuer faszinierende Kraft ausübt. Wieviel davon allerdings anhält und in die Tat umgesetzt werden kann, ist nicht nur eine Frage des Geistes und des guten Willens, sondern unter den gegebenen Umständen auch der Zeit. In der Hoffnung, daß dieses Bändchen für mich noch keinen endgültigen Abschied von der Theologie bedeutet, sei es auf die Reise geschickt.

Schweiklberg, im Januar 1984   Christian Schütz

HINFÜHRUNG ZUR PROBLEMSTELLUNG

Pneumatologie stellt vom Begriff her gesehen die Lehre vom Heiligen Geist dar. Innerhalb der westlichen Theologie führte und führt sie das Dasein eines Stiefkindes. Seit einigen Jahren häufen sich die Klagen über die Geistvergessenheit oder das pneumatologische Defizit der Theologie und des von ihr verantworteten Glaubens. Das Unbehagen darüber führt dazu, daß sich die Arbeitsgemeinschaft katholischer Fundamentaltheologen und Dogmatiker deutscher Sprache anläßlich ihrer vom 2. bis 5. Januar 1979 in München stattfindenden Tagung ausdrücklich dem Thema: „Gegenwart des Geistes. Aspekte gegenwärtiger Pneumatologie" gestellt hat.[1] Auf wesentlich breiterer Ebene hat dasselbe Anliegen ein aus Anlaß des 1600. Jahrestages des Ersten Konzils von Konstantinopel und des 1550. Jahrestages des Konzils von Ephesus in der Zeit vom 22. bis 26. März 1982 in Rom veranstalteter internationaler theologischer Kongreß für Pneumatologie aufgegriffen.[2]

---

[1] Vgl. W. Kasper (Hrsg.), Gegenwart des Geistes. Aspekte der Pneumatologie. Freiburg 1979; L. Scheffczyk, „Gegenwart des Geistes. Aspekte der Pneumatologie". Ein Tagungsbericht. In: MTZ 30 (1979), S. 59–63; A. M. Kothgasser, Gegenwart des Geistes. Aspekte der Pneumatologie. Ein Tagungsbericht. In: Sal. 41 (1979), S. 489–499; ders., Wege der katholischen Pneumatologie im 20. Jahrhundert. In: A. Bodem – ders. (Hrsg.), Theologie und Leben. Roma 1983, S. 200 (Hinweise auf weitere Veranstaltungen).

[2] Vgl. HerKorr 36 (1982), S. 258. Zur Entwicklung der Pneumatologie vgl. W. Breuning, Pneumatologie. In: H. Vorgrimler – R. Vander Gucht (Hrsg.), Bilanz der Theologie im 20. Jahrhundert, Bd. 3. Freiburg 1970, S. 120–126; J. Galot, Chi è lo Spirito Santo? In: CCA 127 (1976), S. 427–442; W. Strolz (Hrsg.), Vom Geist, den wir brauchen. Freiburg 1978; A. D. Galloway, Recent thinking on Christian Beliefs. The Holy Spirit in Recent Theology. In: ET 88 (1976/77), S. 100–103; R. Guelluy, Études récentes de pneumatologie. In: RTL 10 (1979), S. 86f.; W. Carr, Towards a Contemporary Theology of the Holy Spirit. In: SJTh 28 (1975), S. 501–516; Y. Congar, Actualité d'une pneumatologie. In: POC 23 (1973), S. 121–132; D. Coppieters de Gibson, Une session théologique pluridisciplinaire sur l'Esprit Saint. In: RTL 8 (1977), S. 504–509; P. Corcoran, Some Recent Writing on the Holy Spirit. In: ITQ 39 (1972), S. 276–287, 365–382; 40 (1973), S. 50–62; H. Cunliffe-Jones,

Wie ist dieses plötzliche Interesse am Hl. Geist zu deuten? Handelt es sich hier um eine Neuentdeckung oder um eine Wiederbelebung? Tatsache ist, daß die Theologie des Abendlandes im Unterschied zum Osten in ihrer klassischen Ausprägung der dogmatischen Traktate kein eigenes Lehrstück über den Hl. Geist gekannt hat. Das Pneuma kam eher nebenbei vor allem im Rahmen der Gottes- und Trinitätslehre sowie der Gnadentheologie, der Mystik und der spirituellen Theologie zur Sprache. Gemessen am pneumatologischen Reichtum der östlichen Theologie besteht bei uns gewiß ein nicht mehr zu verbergender Nachholbedarf. Dieser dürfte jedoch kaum mehr durch eine bloße Erweiterung des traditionellen Kanons der dogmatischen Traktandenliste um ein pneumatologisches Lehrstück zu decken sein. Das wird deutlich, wenn wir auf jene Zusammenhänge und Entwicklungen achten, die der Pneumatologie zu ihrer gegenwärtigen Aktualität verholfen haben.

An vorderster Stelle sind hier die *charismatischen Erneuerungsbewegungen* zu nennen. Ihre Physiognomie zeigt hinsichtlich ihrer Herkunft und ihrer Selbstdarstellung alles andere als einheitliche Züge. Sowohl die Selbstbezeichnung als „charismatisch" wie die Berufung auf Erfahrung bedürfen einer entsprechenden Unterscheidung und Klärung. Was unter dem Stichwort „Geisterfahrung" verstanden wird, was als „Geisttaufe" praktiziert und propagiert wird, was als „Geistesgabe" ausgegeben und beschworen wird, unterliegt vom phänomenalen Befund her einer rational nicht voll erhellbaren Dynamik. Auf dieser Ebene werden sich positive und negative Aspekte unmöglich voneinander sauber scheiden las-

Two Questions concerning the Holy Spirit. In: Theol. 75 (1972), S. 283–298; J. P. Gabus, Signification de la redécouverte de l'Esprit Saint pour la théologie. In: FV 72 (1973), S. 58–74; G. S. Henry, The Holy Spirit in Christian Theology. Philadelphia 1965; O. M. Ivey, Toward a Contemporary Understandig of the Holy Spirit. In: C. Courtney (Hrsg.), Hermeneutics and the Worldliness of Faith. Drew University 1975, S. 131–157; D. A. Pailin, The Holy Spirit and Theology. In: ET 82 (1971), S. 292–296; A. Schilson, Auf dem Weg zu einer neuen Geistes-Gegenwart. In: HerKorr 36 (1982), S. 609–613; A. R. van de Walle, De vergeten Geest. In: Tijdschrift voor Geest 29 (1973), S. 363–385; J. Verhees, Nieuwe vraag naar een pneumatologie? In: TTh 9 (1969), S. 406–430; P. Younger, A New Start towards a Doctrine of the Spirit. In: CJT 13 (1967), S. 123–133; A. M. Kothgasser, Wege der kath. Pneumatologie, S. 167–212.

sen.[3] Unabhängig von den Fragen, die sich aus dem Faktum der charismatischen Erneuerungsbewegungen für die Großkirchen und ihre Theologie ergeben, unabhängig auch von den Binnenproblemen, die mit den gegenwärtigen geistlichen Aufbrüchen hinsichtlich ihres Selbstverständnisses und ihrer Selbstrechtfertigung nach innen und außen verbunden sind, bleibt die Anfrage an Glaube und Theologie nach der Erfahrbarkeit ihrer „Sache" als Herausforderung bestehen. Das verstärkte Interesse an Spiritualität kann bestätigen, daß diese Dimension in der Vergangenheit zu wenig Aufmerksamkeit gefunden hat.[4] Die charismatisch-prophetischen Phänomene der Gegenwart offenbaren einen pneumatisch-pneumatologischen Nachhol- und Klärungsbedarf, welcher der Pneumatologie eine in dieser Weise nie vorhandene Aktualität verschafft.

Eher indirekt, aber deswegen nicht weniger eindringlich weist die *gegenwärtige Situation von Glaube, Kirche und Theologie* in Richtung Pneumatologie. Das von der Wissenschaft diktierte Weltbild der Moderne reduziert die Wirklichkeit auf Berechenbarkeit und Verfügbarkeit. Die Folgen davon sind Transzendenzschwund, Verarmung des Lebens und Nivellierung bestehender Verbindlichkeiten, die eine Verständigung über das Humanum nicht mehr gewährleisten. Die wachsende Säkularisierung führt zu einem Säkularismus des Lebens und Denkens, dessen Resultat ein völlig gleichgültiger Mensch darstellt. Diese Situation der Moderne stellt den christlichen Glauben vor die Kernfrage, wie in diesem Kontext der Glaube lebbar und verkündbar ist. Den Ausgangspunkt des Glaubens markiert immer weniger der Satz, daß Gott ist und daß

---

[3] Vgl. H. Mühlen, Der gegenwärtige Aufbruch der Geisterfahrung und die Unterscheidung der Geister. In: W. Kasper (Hrsg.), a. a. O. 24–53; K. McDonnell, Die Erfahrung des Heiligen Geistes in der katholischen charismatischen Erneuerungsbewegung. In: Conc (D) 15 (1979), S. 545–549; J. R. Bouchet, Die Unterscheidung der Geister. In: Conc (D) 15 (1979), S. 550–552; I. Pantschowski, Geist und Geistesgaben: Orthodoxe Stellungnahme. In: Conc (D) 15 (1979), S. 552–556; C. Heitmann – F. Schmelzer (Hrsg.), Im Horizont des Geistes. Hamburg 1971.

[4] Vgl. G. Ebeling, Die Klage über das Erfahrungsdefizit in der Theologie als Frage nach ihrer Sache. In: ders., Wort und Glaube, Bd. 3. Tübingen 1975, S. 3–28; P. Fransen, Dogmengeschichtliche Entfaltung der Gnadenlehre. In: J. Feiner – M. Löhrer (Hrsg.), Mysterium Salutis, Grundriß heilsgeschichtlicher Dogmatik, Bd. 4, 2. Einsiedeln 1973, S. 735–737.

sich mit dem Glauben an ihn der Zweifel verbinden kann. Die Plausibilitäten verschieben sich vielmehr zugunsten der Annahme, daß es Gott nicht gibt, und des eventuellen Zweifels, daß es ihn doch geben könnte. Die darin steckende Herausforderung des Glaubens erweist sich insofern als eine eminent pneumatische und pneumatologische, als sie sich auf die Frage konzentriert: Wie muß der Geist des Glaubens bzw. des Christentums beschaffen sein, um dem Geist der Moderne begegnen und gewachsen sein zu können? Hier handelt es sich um eine pneumatologische Brisanz ersten Ranges, die geistes- und kirchengeschichtlich mit dem Eintritt des Urchristentums in die griechisch-römische Welt verglichen werden kann.

Von der radikalen Infragestellung, welcher der Glaube ausgesetzt ist, kann die *Kirche* unmöglich ausgenommen werden. Schlagworte wie: „Jesus ja – Kirche nein" zeigen, wohin eine einseitig konzipierte Ekklesiologie führt. Das nie ganz zu fassende Wesen und Geheimnis der Kirche läßt sich ohne Polaritäten und Spannungen nicht begreifen. Sie ist sichtbar und unsichtbar zugleich, geschichtlich und zeitüberlegen, von unten und oben, Kirche der Sünder und der Heiligen, Bruderschaft und Hierarchie in einem. Das Gesetz des „Sowohl – als auch" prägt ihr Wesen, ihr Leben, ihre Struktur und Verfassung, wie dies vor allem durch das Gegenüber, Miteinander und Nebeneinander von Amt bzw. Institution und Charisma, Autorität bzw. Gehorsam und Freiheit, Wort und Sakrament, Lehre und Leben, Offenbarung und Überlieferung zum Ausdruck gebracht wird. Konkret läßt sich nirgendwo ein ausgewogener Zustand dieser Pole antreffen. Das bedeutet, daß die Kirche sich fortwährend in der Krisis befindet. Sie muß ständig mit einer Unmenge theoretischer wie praktischer Fragen rechnen und leben, die offen und umstritten sind. Es gibt die Kirche bei allem, was in und mit ihr bleibt, immer nur als werdende. Das verbietet ihr, sich selber oder etwas in ihr absolut zu setzen. Wo die Kirche die ihr eigene Relativität positiv erfaßt, dort lernt sie sich als Ort oder Sakrament des Geistes verstehen.[5] Schon die kirchliche Ursprungs-, Grund- und Dauererfahrung läßt sich als Geisterfahrung bestimmen. Die Kirche

---

[5] W. Kasper – G. Sauter, Kirche – Ort des Geistes. Freiburg 1976; M. Kehl, Kirche – Sakrament des Geistes. In: W. Kasper (Hrsg.), 155–180.

selber ist daher vor allem pneumatisch-pneumatologisch verfaßt und zu verstehen. Eine Kirche, die vom Geist her definiert wird, sieht sich selber, ihre Einrichtungen und ihre Geschichte in einem vorwiegend missionarischen Horizont. In ihr werden sich gar manche der herkömmlichen Probleme in einer anders gearteten und entschärften Perspektive stellen. Die vom Geist, von der Pneumatologie und von einer pneumatologisch konzipierten Ekklesiologie ausgehende Stoßkraft vermag hier weiterzuhelfen.

Von einer recht verstandenen Pneumatologie könnte schließlich auch die *Theologie* profitieren. Dieser Vorteil ist zunächst weniger in einer regionalen Bereicherung oder inhaltlichen Vertiefung der traditionellen Aussagen über den Hl. Geist bzw. anderer Glaubensaussagen zu sehen, auch nicht in einer Aufhebung oder Entflechtung gewisser Domestizierungs- und Monopolisierungsversuche des Geistes. Es ist kein Geheimnis, daß die Theologie und das Theologisieren heute in einer gewissen Verlegenheit stecken. Diese Verlegenheit äußert sich in dem Vorwurf intellektualistischer Verkopfung und geistlich-existentieller Sterilität. Diesem Mangel begegnet man teilweise durch eine wissenschaftstheoretische Neubesinnung auf die Funktion der Theologie als Theorie kommunikativen Handelns aus dem Glauben, durch eine theologische Reflexion des Theorie-Praxis-Verhältnisses, durch das Bemühen um einen theologieimmanenten Praxisbegriff oder die Konzeption praktischer Theologie als Handlungswissenschaft. Es fragt sich, ob auf diesem Weg dem desolaten Zustand der Theologie und ihrem fortschreitenden Funktionsverlust Einhalt geboten werden kann. Die Aporie der Theologie reicht tiefer. Die Frage nach ihrem eigentlichen Sitz im Leben des Glaubens und der Kirche weist hin auf den Verlust einer umfassenden Einheit zwischen den Methoden und dem Gegenstand der Theologie. Diese Spaltung macht sich deutlich in der Entgegensetzung von Theologie und Anthropologie, Vertikale und Horizontale, Transzendenz und Immanenz, einer Christologie von oben und von unten, Exegese bzw. Schrift und Dogma, Glaube und Ethos, Lehre und Erfahrung, Gnade und Wirklichkeit, Schöpfung und Erlösung usw. Darf Theologie es noch wagen, von der Einheit und Zusammengehörigkeit der genannten Größen, Faktoren und Phänomene aus zu denken? Oder hat man ihr das im Namen einer bestimmten Art von ratio schon längst verboten und abgewöhnt?

Solche und ähnliche Überlegungen führen mitten hinein in die hermeneutische Grundlagenkrise und -diskussion der Gegenwart. Darin aber meldet sich ein äußerst aktuelles pneumatologisches Anliegen zu Wort. Welcher Geist treibt den Geist des Menschen? Vor allem: Welcher Geist treibt die Theologie? In welchem Geist wird sie „sachgemäß" betrieben? Die Schrift als jenes Buch, in dem die normative Anfangserfahrung des Geistes bleibend enthalten und hinterlegt ist, kann nach christlicher Überzeugung nur im Geist richtig gelesen, verstanden und interpretiert werden. Dieser Geist aber ist nicht toter Buchstabe, sondern lebendiger und wirkender Geist, welcher der Kirche als der Gesamtheit der Gläubigen geschenkt ist. Für die Theologie, sofern sie Verständnis von Schrift und Offenbarung besagt, dürfte daher die pneumatologische Dimension konstitutiv sein. Wie sieht eine vom Geist getriebene und den Geist treibende Theologie aus? Angesichts dieser Grundfrage nehmen sich andere Probleme wie etwa die Personalität oder das Werk des Hl. Geistes als zweitrangig aus. Möglicherweise könnte die Entdeckung und Formulierung der geistlichen Dimension die gegenwärtige Theologie aus manchem Engpaß befreien und zugleich in einen konstruktiven Austausch mit den Anfragen des neuzeitlichen Geistes eintreten lassen.[6]

Man hat darauf aufmerksam gemacht, daß die heute angestellten Erwägungen zur Erneuerung der Pneumatologie vielfach in der Form von Desideraten, Möglichkeiten oder Postulaten, weniger in der Gestalt von Aussagen oder Feststellungen gehalten sind. Diesem Umstand kommt – abgesehen von der darin sich spiegelnden Problematik des Theologisierens – wohl auch eine zeichenhafte Bedeutung zu. Nimmt man die Redeweise der Bibel, die vom Geist in der Art der Verheißung spricht, und die der Liturgie, die sich in der Bitte um das Kommen an den Geist wendet, ernst, dann kann man vom Geist nicht nur indikativisch sprechen. Insofern macht es die Eigenart der Pneumatologie aus, daß sie bei aller Anstrengung um den Indikativ immer auch Anfragen, Erwartungen und Forderungen formuliert.

---

[6] Vgl. W. Kasper, Einführung. Aspekte gegenwärtiger Pneumatologie. In: ders. (Hrsg.), a. a. O. 22.

A. EINFÜHRUNG IN NOTWENDIGKEIT, VERSTÄNDNIS UND GESCHICHTE DER PNEUMATOLOGIE

In einer neueren Auslegung des Glaubensbekenntnisses heißt es: „Das Bekenntnis zum heiligen Geist gehört heute nicht zu den besonderes heftig umstrittetenen Aussagen der christlichen Überlieferung." Diese Ruhe muß aber keineswegs als Zeichen außerordentlicher Glaubensstärke gewertet werden; denn: „Der Grund dafür ist allerdings wohl weniger darin zu suchen, daß der christliche Glaube sich in diesem Punkt etwa allgemeiner Zustimmung erfreut, als vielmehr darin, daß die Rede vom heiligen Geist für die Gegenwart in besonderem Maße unverständlich geworden ist und man sie daher auf sich beruhen läßt." [7] Das Thema Geist ist also alles andere als eine sichere Barke in der wogenden Brandung des angefochtenen Glaubens. Das Schweigen, womit man es höflich übergeht, wirkt vielmehr äußerst betreten und peinlich. Man steht nicht an, die allenthalben in Erscheinung tretende innerchristliche Unsicherheit, die Brüchigkeit der kirchlichen Lehre, der überkommenen Ordnungen und Gewohnheiten sowie die sie flankierende reformerische Betriebsamkeit auf die „Verunsicherung in der pneumatischen Existenz" (W. Dantine) als eigentliche Ursache zurückzuführen. Diese Diagnose wird gerade dort bestätigt, wo man sich bald korrekt, bald massiv auf den Geist beruft. Die gern beschworene Stabilität und Statik kirchlicher Lehrsysteme und Lebensgewohnheiten von früher verrät zuweilen mehr Angst und Kleinglauben als spirituelle Effizienz. Die auf der Gegenseite registrierte Hektik, mit der religiöse, kirchliche oder gesellschaftspolitische Reformen und Experimente praktiziert und propagiert werden, hinterläßt nicht selten den Eindruck eines verworrenen Enthusiasmus und fragwürdiger theologischer Relevanz. Nachdenklich muß daran die Tatsache stimmen, daß der Geist selber auffallend unwirksam und stumm

---

[7] W. Pannenberg, Das Glaubensbekenntnis. Ausgelegt und verantwortet vor den Fragen der Gegenwart. München 1972, S. 136.

bleibt; er läßt sich nicht zitieren oder an vernehmbaren Resonanzen ablesen.

Es wäre jedoch ungerecht, wollte man diese Erscheinungen undifferenziert dem Heute oder der unmittelbaren Vergangenheit allein anlasten. Der Verlust der pneumatischen Effizienz reicht weiter zurück, er geht nicht zuletzt auf das Konto einer Fehleinschätzung des Geistes, welche die Geschichte des Christentums nicht erst von heute ab begleitet. Es leuchtet ein, daß all unser Denken und Reden vom Geist sowohl von vergangenen wie gegenwärtigen Erfahrungen her vorbelastet ist. Ob wir wollen oder nicht, wir alle leiden unter einer gewissen Voreingenommenheit gegenüber dem Geist. Von da aus versteht es sich, daß wir nicht unmittelbar bei einem angemessenen Nachdenken über den Hl. Geist einsetzen können, sondern zuerst Rechenschaft darüber abzulegen haben, wo unser Denken und Glauben dem Geist offensichtlich nicht gerecht werden, wo sie seine Wirklichkeit verkürzen. Dieser Prozeß stellt eine erste notwendige Stufe der Rede vom Geist heute dar.

I. Der Heilige Geist als Hypothek und Anfrage

Der Hl. Geist wird im kirchlichen Sprachgebrauch gerne als Gabe oder Gut der Gemeinde bezeichnet. Hierbei handelt es sich um eine genuin biblische Sicht des Geistes. Im Blick auf die Geschichte des Glaubens, der Kirche und der Theologie fragt es sich aber, ob diese Perspektive in der Tat auch durchgehalten wurde. Wurde und wird der Geist wirklich immer als Auszeichnung, nicht als Belastung erfahren und verstanden? Das gegenwärtige Unvermögen, zwischen heiligem und unheiligem Geist klar zu unterscheiden, verweist auf eine tiefer liegende Ohnmacht von Glaube und Theologie im Umgang mit dem Geist. Diese tritt gerade dann zutage, wenn man fragt, womit der Hl. Geist traditionellerweise gerne vorstellungsmäßig in Verbindung gebracht wird. Dafür sollen ausschnittweise, selbst auf die Gefahr einer gewissen Verzeichnung hin, einige Stichworte genannt werden.

1. Geist und Innerlichkeit

Der Geist gilt als Charisma, als freie Gabe. In dieser Eigenschaft wird er innerhalb des Glaubens, der Kirche und der Theologie der Institution als sichtbarer, äußerer und dauerhafter Größe in irgendeiner Weise immer auch gegenübergestellt. Dieser Gegensatz spiegelt sich in der Zuweisung des inneren Forums oder der Innerlichkeit als Wirkungsfeld an den Geist. Den Bereich des Äußeren besorgt in gewisser Hinsicht die Institution, während das Innere den Schauplatz für die Wirksamkeit des Geistes am Menschen und den Heilsgewinn abgibt. Mit dieser Verinnerlichung des Geistes verbindet sich eine gewisse Individualisierung und Verjenseitigung von Heil. Als ein vorrangiges Werk des Geistes kann die Vermittlung der Heilsgewißheit angesehen werden. Vertrauen und Trost gelten als Kennzeichen dieser Gewißheit. Die Kraft des Geistes erweist sich vorzugsweise in der Leidensfähigkeit und in der Bewährung einer Geduld, die an die stoische Grundhaltung erinnert. Nicht selten wird diese Art von „amor fati" (Liebe zum Schicksal) mit dem Gedanken der Vorsehung in Zusammenhang gebracht. Es liegt auf der Hand, daß hier die Dynamik des Geistes auf das Feld der Passivität und passiver Tugenden wie Geduld, Ergebung oder Beharrlichkeit verlagert wird. Dabei kommt der Bezug des Geistes zur Tat, nach außen, zur Welt und Zukunft merklich zu kurz.

2. Geist und Anfang

Das Wirken des Geistes wird außerdem mit einer bestimmten Vorliebe für ausgewählte Epochen der Vergangenheit in Anspruch genommen, die sich unter dem Oberbegriff des Anfangs charakterisieren lassen. Für die auf den Beginn konzentrierte Tätigkeit des Geistes scheint sogar die Schrift zu plädieren, wenn man an die Schöpfungsgeschichte (vgl. Gen 1, 2), die Herkunft und das erste Auftreten Jesu (vgl. Mt 1, 18; Lk 1, 35; Mk 1, 10–12) oder die Geburtsstunde der Kirche an Pfingsten (vgl. Apg 2, 1–13) denkt. Das Wirken des Geistes zeichnet vor allem den Anfang von etwas aus. Wie aber verhält sich dazu alles Spätere? Es mag sein, daß bei der Beantwortung dieser Frage eine in bestimmten Absichten gelesene

Bibel und ein gewisser Geschichtspessimismus nicht ganz unbeteiligt sind. Eine idealisierende Schau der kirchengeschichtlichen Zusammenhänge neigt nicht selten zu der Auffassung, die volle Wirksamkeit des Geistes nur für die Anfänge der Kirche in Anspruch zu nehmen.[8] Damit wird die Beziehung des Geistes zum kirchlichen Geschehen anderer Perioden automatisch relativiert. Nur für die Urkirche wird die Herrschaft des Geistes als eine voll wirksame anerkannt, während alle nachfolgende Geschichte häufig unter dem Zeichen des Ungeistes und Abfalls vom reinen Ursprung steht. Eine solche einseitige Betrachtungsweise kann nicht ohne Folgen bleiben.

Einmal idealisiert man in unzulässiger Weise die Urgemeinde und ihre Verhältnisse („Urkirchenromantik"); ihre normative Kraft wird zuweilen mehr aus ihr selber als aus dem Geist hergeleitet. Man entdeckt in ihr auf Schritt und Tritt Spuren und Vorbilder der Gegenwart des Geistes Gottes und überspielt dabei die konkreten, menschlich-geschichtlichen Momente der Entfaltung. Zur heilsamen Ernüchterung würde es genügen, nur einmal die beiden Korintherbriefe zu lesen. Auf der anderen Seite entkleidet man damit die eigene Gegenwart und Umgebung der wirksamen Präsenz des Geistes. Wenn man alles Wahre und Richtige in die vom Geist beglaubigten Erscheinungen des Anfangs allein verlegt, fixiert man sich auf den Ursprung und handelt sich auf die Dauer eine bedenklich stimmende Sinnentleerung der eigenen kirchlichen Existenz und des Geistes ein. Der Geist selber wird damit zu einer geschichtlichen Größe, die man nur in der Vergangenheit aufsuchen und auf die man sich in der Gegenwart nicht mehr berufen kann. Die Geschichte und die eigene Zeit können unter diesen Umständen unmöglich mehr in die Wirk- und Wirkungsgeschichte des Geistes eingebracht werden. Das Ergebnis davon stellt einen gefährlichen Dualismus dar, der die eigene Existenz und Zeit als buchstäblich geist-los erscheinen läßt.

---

[8] Vgl. W. Dantine, Der Heilige und der unheilige Geist. Stuttgart 1973, S. 18–21; R. Pawelitzki, Zeitgeist und Heiliger Geist. In: ZRGG 29 (1977), S. 97–104.

3. Geist und Intellekt

Es geschieht nicht von ungefähr, daß der Hl. Geist mit einer gewissen Vorliebe im Zusammenhang mit den geistigen Fähigkeiten des Menschen bemüht wird, entweder zu deren Aktivierung und Erweiterung oder als deren Ersatz und Lückenbüßer. Die damit gegebene Intellektualisierung des Geistes kennt viele Variationen. Eine Station auf diesem Weg stellt in gewisser Hinsicht der Eintritt des Geistes in das Dogma dar. Das Dogma legt gleichsam fest, was Hl. Geist ist und worin er sich äußert. Damit ist prinzipiell die Möglichkeit gegeben, daß der Geist unter eine gewisse Kontrolle des Denkens gerät. Eine zusätzliche Intellektualisierung des Geistes kann sich aus der Zuordnung von Geist und Lehre bzw. Lehramt ergeben. Nach dem Verständnis von Amt und Lehre richtet sich dann die Auffassung vom Geist und seine Bindung an feste Institutionen.[9] Ein geradezu klassisches Beispiel für die Kombination von Geist und Intellekt liefert die Vorstellung von der Inspiration der Schrift, wie sie in bestimmten Erklärungsmodellen entwickelt wurde (vgl. Verbalinspiration). Der an sich richtige Gedanke vom Geistwirken als einem Sprachgeschehen kann aufgrund intellektualistischer Verengungen zu recht einseitigen Deutungen führen. Wie weit die Verwandtschaft zwischen Geist und Intellekt reicht, kann man nicht zuletzt daraus ersehen, daß ein für das Wirken des Geistes typisches Wort zum säkularisierten Kennwort einer Bewegung der Geistesgeschichte geworden ist, nämlich die Bewegung des Illuminismus. Die Einschränkung des Geistes auf den Intellekt bleibt nicht ohne Folgen. Wohl eine der verhängnisvollsten begegnet im Verlust und in der Entgeistigung der Welt des „homo faber" sowie in den Erscheinungen des Dogmatismus.

4. Konsequenzen

Wohin führten bzw. führen diese Verbindungen, die der Geist im Lauf der Geschichte seiner Aneignung durch den Glauben, durch Kirche und Theologie eingegangen ist?

---

[9] Vgl. W. Dantine, a. a. O. 23–54.

Es läßt sich zunächst wohl nicht verheimlichen, daß christliches Leben nicht immer grundsätzlich genug als Wandel im und aus dem Geist gefaßt wurde. Dadurch, daß der Geist mit bestimmten Gelegenheiten im Leben der Kirche und des einzelnen, mit gewissen Ausschnitten des Daseins und der Wirklichkeit identifiziert wird, wird er mehr oder weniger in eine Randposition abgedrängt. Das gilt sowohl von der Trinitätstheologie wie vom Glauben überhaupt, wo der Geist sehr leicht in die gefährliche Nähe einer Leerformel gerückt werden kann.

Eine weitere Gefahr steckt in der Inkarnationslosigkeit des Geistes. Wo der Geist in die Rolle eines Rand- oder außerordentlichen Phänomens versetzt wird, dort entzieht man ihm leicht die Möglichkeit, sich in der tatsächlichen Welt zu inkarnieren. Die Folge einer allzu idealisierenden bzw. idealistischen Konzeption des Geistes bildet der unablässige Ruf nach dem Geist, eine unaufhaltsame Halbierung und Entseelung des Lebens. Die Frage nach der Vermittlung des Geistes entfällt in diesem Rahmen.

Wohl die katastrophalste Konsequenz stellt die Geschichtslosigkeit des Geistes dar. Geist und Geschichte stehen sich wie zwei Fremdkörper gegenüber. Der Geist schwebt gleichsam über der Geschichte, die Geschichte aber wird zum Feld, das vom Ungeist beherrscht wird. Damit kann der Geist leicht zum Anwalt einer geschichtslosen Wahrheit, des Dogmatismus und der Unveränderlichkeit gestempelt werden. Er hat von dieser Warte aus der Geschichte auch nichts zu sagen, vor allem keine Impulse zu vermitteln. Ein solcher Geist beraubt sich selber seiner Dynamik und Kreativität. Seine angebliche Stärke und Überlegenheit erweist sich bei näherem Zusehen als Schwäche und Unterlegenheit. Diese Sicht mündet in eine bedauernswerte Unwirksamkeit und Vergessenheit des Geistes. Der Geist vermag dann keine verheißende und verändernde Kraft mehr zu entfalten; er zieht sich in das Getto der eigenen Untätigkeit zurück und spricht sich selber das Urteil. Außer dem Posten eines Zuschauers der Geschichte verbleibt ihm nichts mehr. An die Stelle des Glaubens an den wirkenden Geist tritt der Schicksalsglaube in seinen bis zum puren Säkularismus reichenden Variationen.

Diese wenigen Überlegungen machen deutlich, wieso den Glauben Unbehagen überkommt, wenn der Geist zur Debatte steht. Ein Blick in die Geschichte lehrt, daß die Auseinandersetzung um den Geist eigentlich zu jeder Zeit ansteht. Die Kirche hat im Grunde genommen die Angst vor dem Geist nie ganz verloren; die Unsicherheit charismatischen, schwärmerischen und enthusiastischen Strömungen gegenüber unterstreicht das. Die gewöhnliche Reaktion darauf besteht nicht selten in einer leisen oder offenen Verdächtigung des Geistes. Damit stehen wir neu vor der Frage nach dem Zueinander von Geist und Glaube. Der Glaube wird verschärft mit der Anfrage konfrontiert, ob er willens ist, die ihm zugefallene Erbschaft des Geistes anzutreten. Für ihn stellt sich damit die Ausgangsposition gleichsam von neuem ein. Zusammen mit ihm stehen Kirche und Theologie am Anfang dieses Weges mit dem Geist. Was gefordert ist und zählt, ist allein das Einschwenken auf die Kurslinie des Geistes, nicht das Wissen um deren Verlauf oder Resultat.

II. Orts- und Aufgabenbestimmung der Pneumatologie

Der Weg des Glaubens mit dem Geist kann sich auf normative Erfahrungen berufen, die sowohl am Beginn wie innerhalb der Geschichte des christlichen Glaubens einen prägenden Einfluß ausgeübt haben. Diese Erfahrungen sind uns nicht als solche zugänglich, wohl aber in Gestalt zweier fundamentaler Texte „aufgehoben"; an ihnen kann sich eine Pneumatologie, die über ihr Selbstverständnis, ihre Stellung und Aufgabe nachdenkt, zweckmäßig orientieren. Der erste dieser Texte ist der Taufbefehl von Mt 28, 19: „Darum geht zu allen Völkern, und macht alle Menschen zu meinen Jüngern; tauft sie auf den Namen des Vaters und des Sohnes und des Heiligen Geistes." Diese Stelle bildet den Grundtext für eine Reihe anderer Gebets- und Kurzformeln des trinitarischen Glaubens, wie er im Kreuzzeichen oder „Ehre sei dem Vater" zum Ausdruck kommt. Eine ähnlich fundamentale Bedeutung kommt dem dritten Artikel des Glaubensbekenntnisses zu, der im Apostolikum lautet: „Ich glaube an den Heiligen Geist, die heilige katholische Kirche, Gemeinschaft der Heiligen, die Vergebung der Sünden, die Auferstehung der Toten und das ewige Leben." In der älteren Form der apostolischen Tradition hat er einen etwas anderen Wortlaut; dort

wurde der Täufling befragt: „Glaubst du an den Heiligen Geist, der
in der heiligen Kirche gegenwärtig ist zur Auferstehung des Fleisches?" Im ausführlicheren Text des nizänischen Glaubensbekenntnisses heißt es: „Wir glauben an den Heiligen Geist, der Herr
ist und lebendig macht, der aus dem Vater und dem Sohn hervorgeht, der mit dem Vater und dem Sohn angebetet und verherrlicht
wird, der gesprochen hat durch die Propheten, und die eine, heilige,
katholische und apostolische Kirche. Wir bekennen die eine Taufe
zur Vergebung der Sünden. Wir erwarten die Auferstehung der Toten und das Leben der kommenden Welt."

Was hat es zu bedeuten, daß sowohl Schrift wie Glaubensbekenntnis von Gott dem Vater und dem Sohn und dem Hl. Geist
sprechen? Gewiß kann der Glaube auch anders und verkürzend von
Gott sprechen, zur Vollform seiner Rede von Gott aber scheint jenes den Hl. Geist anfügende „und" zu gehören. Daran schließt sich
die weitere Frage, in welchem Sinn dieses „und" des Geistes wohl
gemeint sein mag, das sich sowohl auf den Sohn wie auf den Vater
bezieht. Die Erwähnung des Geistes ist allem Anschein nach für den
christlichen Glauben im Hinblick auf die Wirklichkeit Gottes wie
das Bekenntnis zu ihm unerläßlich. Bezeichnend ist weiterhin, daß
derselbe Glaube vom Geist in unlösbarem Zusammenhang mit der
Kirche und verschiedenen Gaben und Daten wie Taufe, Sündenvergebung, Auferstehung der Toten oder ewigem Leben spricht. Handelt es sich hier um ein zufälliges Nebeneinander oder ein wesentliches Mit- bzw. Ineinander? Die eben skizzierten Zusammenhänge
bezeichnen zunächst einfach den Umfang und die Grenzen dessen,
was Pneumatologie zur Sprache zu bringen hat.[10] Ihnen zufolge
kann Pneumatologie mit nahezu allen Themen des Glaubens in
Verbindung gebracht werden. Das Pneuma schließt wie eine
Klammer von rückwärts die Aussagen des Glaubens über Gott und
Jesus Christus ab, es faßt sie gleichsam ein und zusammen. Es stellt
die Nahtstelle zwischen Christus und der Kirche dar. Das „Ich

---

[10] Vgl. G. Ebeling, Dogmatik des christlichen Glaubens, Bd. III. Tübingen 1979,
S. 3 f.; H. Cazelles – P. Evdokimov – A. Greiner, Le mystère de l'Esprit Saint. Paris
1968; Y. Congar, La Pneumatologie dans la théologie catholique. In: RSPhTh 51
(1967), S. 250–258; E. J. Dobbin, Towards a Theology of the Holy Spirit. In: HeyJ
17 (1976), S. 129–149.

glaube an den Heiligen Geist" eröffnet gewissermaßen das Bekenntnis zur Kirche, ihrem Leben und Wesen, ihrer Zeit und Vollendung. Damit sind bestimmte, nicht immer leicht lokalisierbare
Querverweise regionaler Art bereits vorgegeben. Da es sich dabei
nach heutigem inhaltlichen Verständnis um alles andere als eine rein
horizontale Aufzählung gleichrangiger Größen mit einheitlichem
Profil handelt, verpflichtet die Sorge um ihr Relief dazu, sich in
einer mehr grundsätzlichen Reflexion mit dem Verhältnis von
Pneuma bzw. Pneumatologie und Theologie zu befassen.

1. Theologie als pneumatologisches Denken

Schon im Konzept einer heilsgeschichtlichen Dogmatik wurde
auf die unverzichtbare Funktion des pneumatischen und pneumatologischen Momentes hingewiesen.[11] Dieses wurde vor allem in dem
durch die Bestimmung der Theologie als Glaubensverständnis vorgegebenen Rahmen entfaltet. Der Glaube trägt, sofern er das vom
Wirken des Geistes gesteuerte Geschehen der Offenbarung meint,
wesentlich pneumatischen Charakter. Sein Verständnis kann
gleichfalls unmöglich auf die Inspiration des Geistes verzichten.
Dieser Ansatz bedarf im Horizont heutiger Glaubens- und Theolo-
gieerfahrung einer ergänzenden Vertiefung.

Eine Theologie, die pneumatologisch denkt, stellt zum gegenwärtigen Zeitpunkt mehr ein Programm als ein fertiges Konzept
dar; sie will der herrschenden Theologie keineswegs Konkurrenz
machen, diese aber sehr wohl korrigieren und modifizieren. Während die bisherige dogmatische Tradition und Pneumatologie dem
Modell der Christologie nachdachten, soll ein pneumatologisches
Denken bewußt nicht im Abstand des Zuschauers verharren, sondern von der Überein- und Zusammenstimmung des denkenden
Subjekts mit dem Geist als Subjekt aus erfolgen. Dieses Denken will
Welt und Zeit in der Gegenwart des Geistes wahrnehmen und bezieht damit anderen Denkweisen gegenüber einen wissenschaftskri-
tischen Standpunkt. Es zielt auf ein Sehen und Wahrnehmen des

---

[11] Vgl. J. Feiner – M. Löhrer (Hrsg.), Mysterium Salutis. Grundriß heilsgeschichtlicher Dogmatik, Bd. 1. Einsiedeln 1965, S. XXXIVf.

Lebens und der Wirklichkeit im Horizont des Gott-mit-uns in seinem Geist.[12] Pneumatologisches Denken ist wesentlich kritisches
und prophetisches; es sieht die eigene Gegenwart mit der des Geistes zusammen: „Die Zeit verstehen heißt: hören, was der Heilige
Geist zum Zeitgeist sagt."[13] Solches Denken möchte zu einer kritischen Wahrnehmung der Gegenwart anleiten, es stützt sich dabei
vor allem auf die Partnerschaft der Dichter und Physiker, nicht zuletzt der Ökologen. Da es dabei real mit der Furcht Gottes rechnet,
erweist es sich im Grunde mehr als ein gerichtetes denn als richten-
des Denken. Der schon von Röm 8, 15 vorgezeichnete Konnex lehrt
pneumatologisches Denken als leidendes begreifen: „Der Heilige
Geist ist Gott, der in seinem Mitleiden in der Welt und unter uns gegenwärtig ist."[14] Vom Motiv der Einwohnung des Geistes her
nimmt es Leid und Schmerz anders wahr als die Medizin oder Psychologie. Es weiß mit einem alles andere als gleichgültigen Wissen
um die Differenzen in Kirche und Welt und leidet mit wie auch unter ihnen. Der Geist zwingt und erzieht das Denken, der Wirklichkeit des Lebens gerade auch auf dem Weg des Leidens standzuhal-
ten, und schafft damit ein neues Maß an Wirklichkeitsgerechtigkeit.
Ein Denken, das in und aus dem Geist vollzogen wird, läßt ins Lob
kommen und lobt. Es erhebt das Leben des einzelnen wie das der
anderen und damit die Wirklichkeit insgesamt in den Raum jener
Zukunft hinein, die von Gott her kommt und alles mit Hoffnung erfüllt. Die Entdeckung dieser Zukunft macht und läßt den Menschen
singen. Pneumatologisches Denken verbindet und denkt von der
Einheit von Gott und Welt im Geist aus, es ist unterwegs zu einer
neuen oder zweiten Naivität. Dabei weiß es sehr wohl, daß der
Mensch seine erste Naivität unwiederbringlich verloren hat, daß ihn
aber auch die in Wissenschaft und Technik herrschende Aufklärung
nicht zu heilen vermag. Es befindet sich gleichsam auf der Suche

[12] Vgl. R. Bohren, Vom Heiligen Geist. Fünf Betrachtungen. München 1981,
S. 9–39, 79–104; J. E. Fison, The Blessing of the Holy Spirit. London 1950; A. M.
Henry, De Heilige Geest. Antwerpen 1960; L. Lebauche, Traité du Saint-Esprit.
Paris 1950.
[13] R. Bohren, a. a. O. 21; vgl. L. Dewar, The Holy Spirit and Modern Thought.
London 1959.
[14] M. Douglas Meeks, Gott und die Ökonomie des Heiligen Geistes. In: EvTh 40
(1980), S. 51.

nach einer erneuerten und zugleich wissenden Unbefangenheit, welche die Resultate des aufgeklärten Geistes kennt und integriert, zugleich aber ratio und Herz, Erfahrung bzw. Empirie und Sinn in einer möglichst umfassenden Wahrnehmungsweise vereinigt.[15]

Eine Theologie, die pneumatologisch denkt, braucht um ihren Standort in der „universitas litterarum" nicht zu bangen. Sie könnte in exemplarischer Weise zu einer Kontaktstelle zwischen Wissen und Leben und zu einer Plattform des Austausches interdisziplinärer Art werden, der zugleich die Sorge um die Synthese und humanitas allen Wissens und Könnens besonders am Herzen liegt.[16] Dieser mehr nach außen gerichteten Aufgabenstellung entspricht eine nicht minder dringliche Revision innertheologischer Fragestellungen, die nunmehr skizziert werden soll.

2. Christologie und Pneumatologie

Bereits das Glaubensbekenntnis spiegelt in der Folge des pneumatologischen Artikels hinter dem christologischen eine Anordnung wider, wonach die Christologie das Vor-Wort zur Pneumatologie, diese aber das entscheidende Nach-Wort zur Christologie darstellt. Christologie ist also nur möglich, wenn sie bereits auf die Pneumatologie hinblickt, umgekehrt ist eine Pneumatologie nur dann sinnvoll, wenn sie auf die Christologie zurückschaut. Diese Blickrichtungen finden ihren programmatischen Ausdruck in der Forderung einer pneumatologischen bzw. pneumatologisch begründeten und orientierten Christologie[17], sie verlangen aber auch eine christologische Transparenz der Pneumatologie.

[15] Vgl. P. Ricœur, La critique de la religion. In: Bulletin du Centre Protestant des Étudiants 16 (1964), S. 10–112; M. James, I Believe in the Holy Spirit. Minneapolis 1972; E. H. Palmer, The Holy Spirit. Michigan 1958; J. D. Pentecost, The Divine Comforter: The Person and Work of the Holy Spirit. Chicago 1970; C. C. Ryrie, The Holy Spirit. Chicago 1965.

[16] Vgl. K. Rahner, Theologie als Wissenschaft. In: ders., Schriften zur Theologie, Bd. 10. Zürich 1972, S. 11–112.

[17] Vgl. W. Kasper, Jesus der Christus. Mainz 1974, S. 296–309; A. Nossol, Der Geist als Gegenwart Jesu Christi. In: W. Kasper (Hrsg.), a. a. O. 132–154; K. Blaser, Vorstoß zur Pneumatologie. Zürich 1977, S. 23–41; Y. Congar, Pneumatologie ou „christomonisme" dans la tradition latine? In: Ecclesia a Spiritu Sancto edocta.

Die Möglichkeit der Christologie hängt entscheidend von der Gegenwart Christi als Ausgangspunkt und Erkenntnisgrund ab. Die christologische Frage: „Wer ist Jesus Christus?" ist nur dann sinnvoll, wenn Jesus Christus lebt, d. h., sie fußt auf der Voraussetzung der pneumatischen Präsenz Christi, wie sie sich aus den sogenannten paulinischen Identitätsaussagen (vgl. 2 Kor 3, 17) bzw. den johanneischen Parakletsprüchen (vgl. Joh 14, 16. 26; 15, 26; 16, 7–14) ergibt. Der im Geist präsente Christus läßt sich nicht gegen dessen geschehene bzw. noch ausstehende Geschichte ausspielen. Der Geist qualifiziert seine Vergangenheit in der Gegenwart als „Gedächtnis" und „Erinnerung", er läßt sie darin präsent und „aufgehoben" sein. Das Geistgeschehen löst das Christusgeschehen weder auf noch ab, sondern vollstreckt und ratifiziert es. Obwohl sich das eine unmöglich auf das andere reduzieren läßt, so kennt das Christusgeschehen bei aller Eigenständigkeit und Unterschiedenheit doch gewisse pneumatisch-pneumatologische Reminiszenzen, die sich nicht leugnen lassen. Ähnliches ist im Blick auf die Zukunft als die noch ausstehende Geschichte Jesu Christi zu sagen. Der Geist macht den kommenden Menschensohn präsent im Modus der „Verheißung" und der „Hoffnung". Als „Erstlingsgabe" (vgl. Röm 8, 23) und „Angeld unseres Erbes" (vgl. Eph 1, 14) ist er derjenige, der das Eschaton in die Gegenwart hereinzieht und die Identität des Christus praesens mit dem, der da war und der kommen wird, bewirkt.

Das Achten auf diese Zusammenhänge, die pneumatisch-pneumatologischen Implikationen gestatten es, vom „Christusereignis als Tat des Heiligen Geistes" zu sprechen.[18] In einer pneumatologisch verfaßten Christologie würden auch manche der bekannten Spannungen, Polaritäten, Aporien oder Gegensätze relativiert werden, wie z. B. die Gegenüberstellung von historischem Jesus und Christus des Glaubens, Christologie von unten bzw. von oben, ontologisch-metaphysischer bzw. heilsgeschichtlich-funktionaler Christologie sowie die Entgegensetzung von Christus und Kirche.

Gembloux 1970, S. 41–64; ders., Pour une Christologie pneumatologique. Note bibliographique. In: RSPhTh 63 (1979), S. 435–442.

[18] Vgl. H. Mühlen, Das Christusereignis als Tat des Heiligen Geistes. In: J. Feiner – M. Löhrer (Hrsg.), Mysterium Salutis, Bd. 3, 2. Einsiedeln 1969, S. 513–544.

Im pneumatologischen Kontext treffen sich Objektives und Sub-
jektives, Ontologisches und Geschichtliches, Christologie und
Soteriologie, Allgemeines und Besonderes.

Der Konnex von Christologie und Pneumatologie zieht auch für
letztere einschneidende Konsequenzen nach sich. Es gilt zwar, daß
das „Sein in Christus" gegen das „Sein im Geist" unter Umständen
ausgetauscht werden kann, dennoch sind die Relationen zwischen
dem Christusgeschehen und Geistgeschehen durch eindeutige Prio-
ritäten geregelt: „Einerseits ist das, was in Jesus Christus geschehen
ist, ein für allemal vollbracht. Anderseits ist dadurch ein Geschehen ausgelöst, das sich unaufhörlich weiter vollzieht. Einerseits
steht das Christusgeschehen im Zeichen des extra nos. Anderseits
drängt es hin auf ein Geschehen in nobis. Einerseits geht es um ein
pro nobis, ein stellvertretendes Eintreten für uns vor Gott. Andererseits kommt auch das, was infolgedessen in nobis geschieht,
nicht ex nobis zustande, sondern hat ebenfalls den Charakter des
pro nobis ... Diese verschiedenen Aspekte des Einerseits-ander-
seits decken sich nicht einfach mit der Unterscheidung zwischen
Christus und dem Geist. In Verbindung mit beiden treten beide
Aspekte auf. Dennoch sind die Schwerpunkte unverkennbar verschieden gesetzt. An Christus haftet vornehmlich der Hinweis darauf, was ohne uns vor Gott ein für allemal für uns vollbracht ist, am
Geist hingegen vornehmlich der Hinweis darauf, was sich in uns beständig an uns ereignet, aber nicht aus uns selbst entspringt. Dennoch ist es ein einziger Geschehenszusammenhang. Ist doch Christus als der zweite Adam nicht psychische Lebenskraft, sondern
lebendigmachender Geist ... und der heilige Geist nicht ein vager
Geist, sondern der Geist Jesu Christi." [19] Pneumatologie bedarf der
ständigen Rückbindung an die Christologie, von ihr her empfängt
der Geist seine Bestimmung, sein „vom Vater und vom Sohn", sein
„über alles Fleisch" und sein „in unserem Herzen". Der christologischen Herkunft entspricht die gleichfalls christologische Zielrich-
tung des Geistes, sofern es darum geht, das Geheimnis unserer
Sohnschaft im Sohn offenbar zu machen. Der christologische Index
sorgt dafür, daß das Geistgeschehen bei aller partikulären Be-

---

[19] G. Ebeling, Dogmatik des christlichen Glaubens, Bd. III. Tübingen 1979,
S. 67.

schränkung und Konzentration die universale Gültigkeit und menschheitliche Weite des Christusgeschehens nicht aus dem Auge verliert. Das Geistgeschehen kommt von Christus, zielt auf Christus und dient Christus. Diese Dimension hat Pneumatologie deutlich zu machen.

3. Ekklesiologie und Pneumatologie

Die Verbindung von Geist und Kirche hat in Bildern und Bezeichnungen wie „Ort", „Wohnung", „Bau", „Tempel", „Geschöpf" oder „Gegenwart des Geistes" ihren Ausdruck gefunden. Neuerdings macht dieser Zusammenhang unter dem Stichwort „Kirche – Sakrament des Geistes" innerhalb der Theologie die Runde.[20] Diese Kennzeichnung der Kirche will keineswegs anderen ekklesiologischen Modellen Konkurrenz machen, schon gar nicht eine Art Monopolstellung für sich beanspruchen. Immerhin steht im Hintergrund solcher Überlegungen das für die Ekklesiologie keineswegs harmlose Kategorienproblem. Die geläufigen Anleihen bei der Christologie, näherhin beim Modell der Inkarnation, bei der Gnadenlehre oder klassischen Sakramententheologie vermögen Geheimnis und Sendung der Kirche immer nur so zu erklären, daß sie es teilweise dabei immer auch verdunkeln. Eine pneumatologisch konzipierte Ekklesiologie, wie sie bereits durch den dritten Glaubensartikel nahegelegt wird, ist durchaus imstande, die erwähnten Aspekte zu integrieren und die Kirche in einem umgreifenden Horizont zu betrachten.

Schon die Geburtsstunde der Kirche wird als Geistgeschehen und

---

[20] Vgl. W. Kasper, Die Kirche als Sakrament des Geistes. In: ders. – G. Sauter, Kirche – Ort des Geistes. Freiburg 1976, S. 11–55; M. Kehl, a. a. O. 155–180; H. U. v. Balthasar, Spiritus Creator. Einsiedeln 1967, S. 93–244; ders., Pneuma und Institution. Einsiedeln 1974, S. 119–383; G. Biffi, Sullo Spirito di Dio. Milano 1974; J. de Graaf (Hrsg.), De Spiritu Sancto. Utrecht 1964; A. Kuen, Der Heilige Geist. Ratingen 1980; H. Mühlen, L'Esprit dans l'Église, 2 Bde. Paris 1969; C. Renard, L'appel de l'esprit. Paris 1976; J. M. Salgado, Pneumatologie et Mariologie: Bilan actuel et orientations possibles. In: Div. 15 (1971), S. 421–453; D. C. K. Watson, One in the Spirit. London 1973; F. L. Cruz, Spiritus in Ecclesia, Las relaciones entre el Espíritu Santo y la Iglesia según el Cardenal Manning. Pamplona 1977.

Erfüllung der Joel-Verheißung: „Ich werde von meinem Geist ausgießen über alles Fleisch" (3, 1; vgl. Apg 2, 17) begriffen. Unter dem
Blickwinkel der Ökonomie des Heils fällt dem Geist die Rolle der
vermittelnden Vermittlung zwischen dem Wovonher und dem
Woraufhin des Heilsgeschehens zu.[21] Dabei handelt es sich um den
heilsgeschichtlichen Reflex der innertrinitarischen Stellung des Geistes, der sich als „unio" (Einheit) oder „communio" (Gemeinschaft),
die Wir-Gestalt oder soziale Form der Liebe von Vater und Sohn
definieren läßt.[22]

Im Geist als der Einheit und Gemeinsamkeit der Ek-stase jener
Liebe teilt sich Gott auf dem Weg der Schöpfung und der Heilsgeschichte mit und nimmt durch den Geist die universale Geschichte
der Menschheit in das Geschehen dieser seiner Liebe mit hinein.

Im Rahmen dieses Prozesses ist die Bestimmung der Kirche als
Sakrament, Zeichen oder Werkzeug des Geistes zu sehen. Die Kirche erscheint in diesem Kontext als das Realsymbol für die sich
selbst übersteigende Bewegung der Liebe Gottes oder kurz als Realsymbol des Geistes. Die realsymbolische Identifizierung zwischen
Kirche und Geist hebt den ungleich größeren Unterschied zwischen
Symbol und Symbolisiertem nicht auf. Der Geist wird nicht zum
Eigentum der Kirche, ebensowenig wie die Kirche zur Verwalterin
des Geistes wird. Gegenüber allen maximalistischen bzw. minima-
listischen Interpretationsversuchen bleibt zu betonen, daß es sich
bei der Anwesenheit des Geistes in der Kirche nur bzw. doch um
eine realsymbolische Gegenwart handelt: „Eine solche realsymbolische Gegenwart läßt sich deswegen nicht in einer in sich beruhigten
und gesicherten Reflexion als stets gegeben und auch garantiert

---

[21] Vgl. M. Kehl, a. a. O. 157.

[22] Vgl. H. U. v. Balthasar, Pneuma und Institution, S. 201–235; J. Ratzinger,
Der hl. Geist als communio. Zum Verhältnis von Pneumatologie und Spiritualität
bei Augustinus. In: C. Heitmann – H. Mühlen (Hrsg.), Erfahrung und Theologie
des Heiligen Geistes. Hamburg 1974, S. 223–238; H. Mühlen, Soziale Geisterfahrung als Antwort auf eine einseitige Gotteslehre. In: ebd. 253–272; ders., Una mystica persona. Paderborn [3]1968; ders., Der Heilige Geist als Person. Münster [3]1968.
Zur Pneumatologie H. U. v. Balthasars vgl. M. Kehl, Kirche als Institution. Frankfurt [2]1978, S. 275 ff.; K. K. J. Tossou, Streben nach Vollendung. Zur Pneumatologie
im Werk Hans Urs von Balthasars. Freiburg 1983; zur Pneumatologie H. Mühlens:
J. B. Banawiratma, Der Heilige Geist in der Theologie von Heribert Mühlen. Versuch einer Darstellung und Würdigung. Bern 1981.

bleibend feststellen; sie kann vielmehr nur in der Gewißheit des Vertrauens auf die Treue der Verheißung Gottes immer neu als Geschenk der Vermittlung wahrgenommen und entgegengenommen werden. Die so auf den Geist vertrauende Kirche vollzieht dadurch die innere Dynamik des Sakramentes und seines Sich-übersteigens, daß sie der Gegen-wart des Geistes entgegen-wartet: sie erwartet diese Gegenwart als reines Geschenk, das sich gerade im verheißenden Bleiben je neu gibt und auch je neu empfangen werden muß. Nur in dieser Erwartungshaltung der Kirche kann der Geist als vermittelndes Sinnmedium des Heils gegenwärtig werden; nur so kann Kirche zum ‚Sakrament des Geistes‘ werden.“[23]

Fragt man nach den Konsequenzen einer pneumatologisch konzipierten Ekklesiologie, dann wäre zunächst an die missionarische Dimension von Kirche zu erinnern. Kirche ohne Mission ist unvorstellbar. Das wird deutlich aus Apg 4,20, wo Petrus und Johannes erklären: „Wir können unmöglich schweigen über das, was wir gesehen und gehört haben.“ Die Existenz von Kirche hängt entscheidend mit diesem „Wir können unmöglich schweigen“ zusammen. Kirche heißt: Hier sind Menschen, die etwas zu sagen haben, und zwar in einer sie selbst so hinreißenden Nötigung, daß sie nicht leben können, ohne das zu sagen, was sie zu sagen haben (vgl. 1 Kor 9,16). Diese Dynamik setzt sich fort in einer beispiellosen Intensität und Extensität des Weitersagens. Sie läßt sich weder mit Gehorsam gegen den Druck eines von außen verhängten Gebotes noch mit der Ableitung oder Entladung eines bloßen psychologischen Drangs hinreichend erklären; ihr Grund ist vielmehr ein Geistgeschehen, das den Glaubenden so erfüllt und in Anspruch nimmt, daß er nur dann daran teilhaben kann, wenn er es mitteilt und mit anderen teilt. Mission hat in diesem Sinn absolut nichts mit Proselytenmacherei, Kolonialismus, Imperialismus, Europäisierung, sondern allein mit der Sache des Geistes zu tun. Sache bzw. Aufgabe des Geistes aber ist es, die „Sache“ Jesu, den in ihm präsenten und manifesten Liebeswillen Gottes, rein und voll zur Sprache zu bringen. Der erlösende und befreiende Wille Gottes aber geht auf das Ganze, auf alle und auf alles. Der Geist als der von Vater und Sohn gesandte ist missionarisch und macht die Kirche durch und

---

[23] Vgl. M. Kehl, Kirche – Sakrament des Geistes, S. 161.

durch missionarisch: „Wenn es . . . wahr ist, daß der Geist ein Geist der Sendung und also der Mission als einer globalen Bewegung des Glaubens, der Hoffnung und der Liebe ist, dann gehört Mission insofern zur Lehre vom Geist (und von der Kirche), als sie das Heil interpretiert, kommuniziert und praktiziert: von überall her nach überall hin."[24]

Die Einheit von Pneumatologie und Ekklesiologie vermag der sozialen Dimension von Kirche und Heil zu wirksamerer Plausibilität zu verhelfen.[25] Als Schlüsselbegriff erweist sich in diesem Zusammenhang der der Freiheit. Für Erfahrung und Verständnis individueller Freiheit ist das Faktum sozialer Bezogenheit und Gebundenheit konstitutiv; daraus resultiert die Konkretisierung der Freiheit. Für die aus der befreienden Liebe Gottes stammende Freiheit des Glaubens bedeutet das: nur indem der Glaubende sich mit seiner von Christus geschenkten Freiheit in die objektivierte soziale Gestalt des Glaubens hineinbegibt und hineinnehmen läßt, wird seine Freiheit „konkret", gewinnen er und die Gemeinschaft der Glaubenden ihre soziale Identität. Diese Konkretisierung von Freiheit im Bereich des Glaubens hängt wesentlich mit dem Pneuma zusammen. Dem Geist ist bereits vom Ursprung der Kirche her ein ausgesprochen konkretisierendes, identifizierendes, interpretierendes und integrierendes Wirken eigen, das sich in der Geschichte der Kirche fortsetzt und durch den Dienst der mehr institutionalisierten Formen der Glaubensgemeinschaft vermittelt. Letztere beziehen ihre Kraft allein aus dem Pneuma und dienen dem Sichdurchsetzen des Wortes vom Kreuz. Die konkretisierende Dynamis des Geistes erweist sich in der gegenseitigen Vermittlung der formalen und inhaltlichen Komponenten des Glaubens in der Geschichte und der damit gewährleisteten Einheit und Identität des Glaubens mit seinem Ursprung und Ziel bei aller Allgemeinheit und Verschiedenheit. Im Hinblick darauf wird die Kirche Sakrament des Geistes genannt. Die Wahrung dieser Spannungseinheit bewahrt den Glauben vor aktualistischer und subjektivistischer Verfremdung und erhält ihm neben seiner Kommunizierbarkeit die dynamische, kritische, wagende und sich engagierende Freiheit. Der Geist als das Band der Liebe und Einheit von Vater und Sohn

---

24 K. Blaser, a. a. O. 17.
25 Vgl. M. Kehl, a. a. O. 163–180.

bricht die Kirche auf jene größere und eschatologische Zielgemein-
schaft hin auf, für die das Reich Gottes, die Verheißung der endzeitlichen Mahlgemeinschaft aller Völker, die himmlische Stadt oder
die Lebensfülle des trinitarischen Gottes selber figurieren.[26]

Der Konnex von Pneumatologie und Ekklesiologie rückt schließlich auch die geschichtlich-heilsgeschichtliche Dimension von Kirche und Heil ins rechte Licht.[27] Dem Christusgeschehen kommt
universaler und absoluter Charakter zu. Was in Jesus Christus ein
für allemal geschehen ist, ist für alle gültig und bezeichnet den Inbegriff des Heils. Daneben steht eine wie auch immer zu verstehende
Verchristlichung von Menschheit und Welt nach wie vor aus. Die
Kirche als Anwalt des Christusgeschehens findet sich in einer
merkwürdigen, zwischen Universalität und Partikularität, zwischen Absolutheit und Relativität pendelnden Spannung vor. Aus
dieser Situation ergibt sich eine Reihe sehr ernster und konkreter
Probleme: z. B. die Frage nach dem Sinn der Geschichte nach Christus, nach dem Zusammenhang von menschheitlicher und individueller Vollendung, von Erlösung und Vollendung, nach dem Heils-
wert der Religionen, nach dem Verhältnis von ordentlichen und außerordentlichen Heilswegen, nach dem Judentum als Heilsweg,
nach der Möglichkeit anonymen Christseins usw. Solche und ähnliche Fragen lassen sich angemessen von der Pneumatologie her erklären. Versteht man die Absolutheit und Universalität des Christusgeschehens und des Christusglaubens nicht so sehr als gesicherten Ausgangspunkt, sondern vielmehr als den absorbierenden End-
punkt, auf den das Christentum zugeht und der von seinem Anspruch her mehr die Christen als die anderen in Pflicht nimmt auf
den ganzen Christus, das ganze Heil und den ganzen Menschen hin,
dann tut sich damit gleichsam von selber ein Tor für den Geist in der
Geschichte auf, da es ihm erwiesenermaßen zufällt, in alle und die
volle Wahrheit einzuführen (vgl. Joh 16, 13) und den ganzen Jesus
fortwährend in Erinnerung zu rufen (vgl. Joh 14, 26). Der Geist

---

[26] Vgl. J. Moltmann, Kirche in der Kraft des Geistes. Ein Beitrag zur messianischen Ekklesiologie. München 1975; ders., Trinität und Reich Gottes. Zur Gotteslehre. München 1980; ders., Heiliger Geist in der Geschichte. In: Orientierung 47
(1983), S. 128–130.
[27] Vgl. P.-W. Scheele, Universaler Geltungsanspruch des Christentums. In:
A. Paus (Hrsg.), Jesus Christus und die Religionen. Graz 1980, S. 191–231.

rollt gleichsam die Zeit auf und erfüllt sie. Als das andere Ich des Vaters und des Sohnes überschreitet er sich selbst und geht in die Geschichte ein. Dazu bedient er sich gerade der Kirche als Instrument, welche die Bewegung des Geistes als ihre eigene in der Geschichte mitvollzieht. Die Kirche ist aufgrund ihrer Verwandtschaft mit dem Geist auf dieses in der Geschichte sich vollziehende Außer-sich und Sich-selbst-Überschreiten hin angelegt. Es muß ihr mehr und mehr darum gehen, mit der gesamten Menschheit und ihrer Geschichte identisch zu werden. So betrachtet ist Kirche als Sakrament des Geistes auf die umfassende Versöhnung und Einheit aller Menschen und der Geschichte in einer geheilten Schöpfung hin unterwegs. Darin liegt der geistgewirkte Sinn ihrer Geschichte. Man hat zur Veranschaulichung dieses pneumatisch-pneumatologischen Vorgangs das Bild konzentrischer Kreise vorgeschlagen, welche die inhaltliche und räumlich-zeitliche Durchdringung auf den „Christus universalis futurus" hin und von ihm her zum Ausdruck bringen.[28] Diese Durchdringung ist das Werk des Geistes in der Geschichte mit Hilfe der Kirche.

4. Gnadenlehre und Pneumatologie

Dieses Zueinander drängt sich bereits vom dritten Glaubensartikel und den dort mit dem Geist erwähnten Prädikationen und Wirkungen her auf. Einem solchen Verständnis kommen außerdem die alten Topoi von den Gaben des Geistes, seinen Früchten oder seiner Einwohnung in der Seele des Gerechten entgegen. Gerade die Anschauung über die personale bzw. personeigene Einwohnung des Hl. Geistes hat die Einsicht gefördert, wie sehr die Gnadentheologie in ihrem Herzstück Lehre über den Geist im Menschen sein bzw. werden kann.[29] Die Zuordnung von Geist und Gnade hängt zutiefst mit der innertrinitarischen Bestimmung des Geistes als das „Wir" von Vater und Sohn und das „In-sein" von beiden und in beiden zusammen. Im Anschluß daran läßt sich von einem „In-sein"

[28] Vgl. D. Wiederkehr, Jesus Christus als die Erfüllung der Religionen. In: A. Paus (Hrsg.), a. a. O. 190.

[29] Vgl. J. B. Auer, Das Evangelium der Gnade. Die neue Heilsordnung durch die Gnade Christi in seiner Kirche. Regensburg 1970, S. 108–119.

des Geistes in uns sprechen, das unser „In-Christus- und Im-Vater-sein" schafft. Leider sind solche Ansätze in den ohnehin spärlichen Neuentwürfen der Gnadentheologie kaum zum Tragen gekommen. So muß die pneumatisch-pneumatologische Grundschicht unserer christlichen Existenz nach wie vor als geradezu unterbelichtet gelten. Dazu kommt in der westlichen Theologie jene hemmende Entwicklung, die in der Gnadenlehre die dynamische Gegenwart des Geistes durch die Anschauung von der Zuständlichkeit der geschaffenen Gnade ablösen ließ. Unter diesen Aspekten tut eine Erneuerung der Theologie der Gnade von der Pneumatologie her dringend not. Letztere könnte wenigstens einige elementare Funktionen der Gnade transparenter machen.

Zu den Schwachstellen traditioneller Gnadenlehren zählt die Rechtfertigung des Geschehenscharakters der Gnade. Dieser Verlegenheit könnte die Pneumatologie durch den Hinweis auf die zwischen Heilsbegründung und Heilsvollendung bestehende Spannung abhelfen. Der Geist als Angeld erlaubt, von einer wirklichen Gegenwart des Heils zu sprechen, ohne das Faktum einer seufzenden und Geburtswehen erleidenden Schöpfung (vgl. Röm 8,22) zu verschleiern, die unterwegs ist zur Freiheit und Herrlichkeit der Kinder Gottes (vgl. Röm 8,21). Eben dadurch legt der Geist gleichsam den Finger auf den Ereignischarakter der Gnade und verbindet sie mit der dem Leben, der Schöpfung und Geschichte eigenen Dynamik der Erfahrungen. Der Geist kann auch der Redewendung von der Geschichtsmächtigkeit der Gnade ihre Glaubwürdigkeit zurückgeben, sofern er Mitteilung und Sendung besagt, die an die Adresse der Geschichte verweisen und sich darin fortsetzen. Der Geist macht den Menschen geschichtsfähig und geschichtsunabhängig zugleich. Im Geist gründet der bleibende Anspruch wie die gleichzeitige Unverfügbarkeit der Gnade: Gnade tendiert in die Geschichte, ohne in ihr total aufzugehen. Die innere Verschränkung von Pneumatologie und Gnadentheologie bringt gleichfalls die Bedeutung und Notwendigkeit der Vermittlung von Gnade durch menschliches und geschichtliches Handeln wirkungsvoll zum Ausdruck. Der Geist wird nicht Dingen, sondern Menschen zuteil, wobei er weder als Konkurrent noch als Ersatzgröße auftritt. Seine Gegenwart bedeutet Sein als Zusammensein, Kommunikation und Partizipation, das zu selbständigem, freiem, schöpferischem Leben und Handeln ermächtigt. Vom Geist her läßt sich des weiteren die ekklesiale Dimension von Gnade einsichtig begründen. Als das „Wir" von Vater und Sohn in Person ist der Geist „unio" und „communio", die ihrerseits im Wirken des Geistes nach außen und in der Geschichte reflektiert werden, vor allem in jener „Wir-Erfahrung", die Kirche-sein begründet und kennzeichnet. Dieser Kontext wirkt seinerseits zurück auf das Verständnis dessen, was Gnade bedeutet. Aufgrund der Verbindung mit dem Geist ist der Gnade sozusagen das Mal des „Wir-Charakters" des Geistes eingestiftet. Auf diese Weise kommt es zu einer vertieften Auffassung der ekklesialen Dimension der Gnade. Herkommend vom Pneuma und mit ihm zusammenhängend ist Gnade immer das, was der einzelne immer mit den anderen empfängt, was er mit den anderen teilt und was ihm auch für und zugunsten der anderen zuteil wird. Nur im Raum und Rahmen des vom Geist geschaffenen „Wir" gibt es für den einzelnen Gnade. Es ist ein unbestreitbares Verdienst der Pneumatologie, daß sie die subjektive Wirklichkeit der Gnade mit der Erfahrung des Geistes in ihrer „Wir-Dimensionalität" verbindet. Dadurch erfährt gleichzeitig die sittliche Aufforderung zur Bewährung des Geistes im Sinne seiner Bewahrheitung und die eschatologische Komponente der Rechtfertigung eine entsprechende Fundierung. Auf dem Umweg einer pneumatologisch angereicherten Gnadentheologie würde auch die Sakramentenlehre inhaltlich aufgewertet. Der Zusammenhang von Ekklesiologie und Pneumatologie könnte dem kommunikationstheoretischen Verständnis der Sakramente die fehlende theologische Auffüllung und inhaltliche Präzisierung liefern. Die Verbindung von Christologie und Pneumatologie würde traditionelle Fragestellungen der Sakramententheologie (z. B. die Frage nach der Einsetzung, dem Spender, dem Christusbezug oder dem Charakter einzelner Sakramente) in einer unbedenklichen Weise entschärfen, gleichzeitig würde das epikletische Moment der Sakramente in einem neuen Horizont erscheinen. Von der Funktion der Pneumatologie her zeigt sich der Kosmos der verschiedenen Glaubensinhalte in seinem inneren Zusammenhang bestätigt; der „mysteriorum nexus" ist nicht zuletzt auch ein pneumatologisch vermittelter.[30]

---

[30] Vgl. DS 3016.

5. Schöpfungslehre und Pneumatologie

Eine erste Assoziation von Schöpfung und Geist legt sich bereits
von Gen 1, 2 her nahe, die durch die Aussagen von Röm 8, 18–30
erweitert und vertieft wird. Die Wirklichkeit des Schöpfungsglaubens und der Zugang zu ihm sind dem Menschen heute weithin erschwert, wenn nicht verschlossen.[31] Die Relevanz der Schöpfungs-
aussage ist erst dann eingeholt und gewahrt, wenn man sie als eine
Vergangenheit, Gegenwart und Zukunft der Welt umgreifende
Auskunft des Glaubens versteht, die auf Weltsicht und -verhalten
des Menschen entscheidenden Einfluß ausübt. Thema des Schöpfungsglaubens „ist nicht, wie dies oder das in der Welt und die Welt
im ganzen entsteht und vergeht, sondern wie der Mensch das Zusammensein mit der Welt besteht und in welches Licht damit Entstehung und Vergehen überhaupt rücken. Von diesem Thema entbindet nicht die Naturwissenschaft, sowenig sie davon entbindet,
Mensch zu sein. Dieser umgreifenden Sicht kommt nicht nur deshalb Wirklichkeitsrelevanz zu, weil die geschichtliche Wirklichkeit
entscheidend davon betroffen wird, wie der Mensch sein Zusammensein mit der Welt versteht, sondern auch deshalb, weil in dem
Zusammensein von Welt und Mensch das vom Menschen unabhän-
gige Naturgeschehen erst sein wahres, dem Menschen zugewandtes
Gesicht zeigt."[32] Bereits in dieser Frage nach der Sicht und dem Gesicht der Welt als Schöpfung steckt eine unüberhörbare Anfrage an
den Geist und die Pneumatologie. Diese wird noch verschärft,
wenn man bestimmte Kernaussagen des Schöpfungsglaubens ins
Auge faßt. Für die Konzeption der Schöpfung ist der Begriff der
„creatio ex nihilo" (Schöpfung aus dem Nichts), der Abhängigkeit
und Bezogenheit einschließt, konstitutiv. Dadurch soll Gottes
Handeln als völlig unabhängiges, von keinerlei Vorgaben bedingtes
gekennzeichnet werden. Wird dieser Gedanke im biblischen Kontext und einem radikalisierten Verständnis gelesen, dann bringt er
nicht nur ein Setzen „ohne", sondern auch „gegen" etwas zum Aus-

---

[31] Vgl. C. Schütz, Weiterführende Perspektiven. In: M. Löhrer – C. Schütz –
D. Wiederkehr (Hrsg.), Mysterium Salutis. Ergänzungsband. Zürich 1981,
S. 323–332.
[32] G. Ebeling, Dogmatik des christlichen Glaubens, Bd. I. Tübingen 1979,
S. 305 f.

druck.[33] An den pneumatologischen Kern der Schöpfungstheologie und -terminologie rührt man, sobald man sie in den Horizont der Liebe stellt. Die mit der Geschöpflichkeit identische Abhängigkeit „hat dann nichts Degradierendes mehr, wenn sie die Form der Liebe hat, denn dann ist sie nicht mehr Abhängigkeit, nicht mehr Verminderung des Eigenen durch die Konkurrenz des anderen, sondern dann konstituiert sie gerade das Eigene als Eigenes und befreit es, denn Liebe hat ja wesentlich die Form ‚ich will, daß Du bist‘, sie ist das Creativum, die einzig schöpferische Macht, die anderes als anderes hervorbringen kann ohne Neid, das Eigene zu verlieren."[34] Der Schöpfungsglaube verlangt geradezu nach der Freilegung seines pneumatisch-pneumatologischen Untergrundes, um gegenüber Mißverständnissen in seiner eigentlichen Intention wahrgenommen zu werden.

Der Ausschau der Schöpfung nach dem Pneuma entspricht auch die Gegenrichtung einer inneren Verwiesenheit der Pneumatologie an die Adresse der Schöpfungstheologie. Diese klingt bereits in der Bezeichnung vom „Spiritus creator" (Schöpfergeist) an. Was es um das Wirken des Geistes ist, das läßt sich sinngemäß mit Hilfe eines Rekurses auf den Begriff der „creatio ex nihilo" buchstabieren. Er gibt gleichsam die umfassende Klammer für die mehr traditionell gefaßten Aufgaben des Geistes ab und setzt diese in Bezug zum Schöpfer und zur Schöpfung.[35] Versteht man die Sünde als Abkehr vom Schöpfer, dann kann man das Werk des Geistes durchaus als Bekehrung zum Schöpfer definieren. Davon läßt sich eine entsprechende Hinwendung des gleichen Menschen zur Welt als Schöpfung Gottes nur schwer trennen. Ihr kommt angesichts der ökologischen Krise und Herausforderung der Gegenwart eine vermehrte Bedeutung zu. Umwelt- und Energiekrise haben den Glauben an unbegrenztes Wachstum und menschliche Kreativität erschüttert und die Frage nach dem Leben zur Überlebensfrage für Welt und Mensch werden lassen. Die darauf reagierende Theologie der Natur bzw. ökologische Theologie erinnert sich dabei sehr wohl der in

---

[33] Vgl. G. Ebeling, Dogmatik des christlichen Glaubens, Bd. III. Tübingen 1979, S. 160.

[34] J. Ratzinger, Konsequenzen des Schöpfungsglaubens. Salzburg 1980, S. 17f.

[35] Vgl. G. Ebeling, a. a. O. 158–166.

Röm 8, 18–30 enthaltenen Hinweise auf das Pneuma und begreift die Natur in diesem Kontext als Leidensgenossen des Menschen auf dem Weg zur Befreiung und Vollendung in Gott hin. Der darin angesprochene Prozeß einer „Geistwerdung der Natur" steht unter dem Vorzeichen des Eschatons und weiß um die Korrespondenz zwischen Geist und Schöpfung. Der Geist kommt der Schöpfung zu Hilfe, indem er dem in ihr steckenden Lob wie Leid angemessenen Ausdruck verschafft; der Geist erscheint geradezu als Sprachrohr der Schöpfung. Es gehört zu ihm aber auch, daß er die Gesetze, Grenzen und Möglichkeiten der Schöpfung kennt und respektiert; das Geistwirken geht nicht auf Kosten der Schöpfung: „Wo der Geist wirkt, geht es also ganz schöpfungsgemäß, ganz natürlich zu, soweit man es freilich als natürlich bezeichnen kann, daß es zur Einkehr in die Schöpfung kommt."[36]
Der Schöpfergeist erweist sich als der Geist der Schöpfung.

6. Eschatologie und Pneumatologie

Sowohl der Geist als „Erstlingsgabe" (vgl. Röm 8, 23) wie die „in Geburtswehen liegende" Schöpfung (vgl. Röm 8, 22) verweisen auf die Zukunft des Eschatons. Darin äußert sich eine Beziehung, die durch den vorherrschenden Aspekt der Zweiheit in der herkömmlichen Auffassung von Pneumatologie und Eschatologie eher verdeckt wird. Zweifellos bezeichnen Hl. Geist und Eschaton zwei verschiedene Themenbereiche, die sich aber keineswegs fein säuberlich voneinander trennen lassen. Diese Unmöglichkeit wird schon durch den biblischen Sprachbefund nahegelegt, noch mehr aber durch den im Christusgeschehen gegebenen Berührungs- und Konvergenzpunkt beider. Das Christusereignis legt fest, was Pneuma und was Ende heißt. Es versetzt beide in ein Spannungsverhältnis zueinander, das die eschatologische Komponente des Geistes und die pneumatologische Komponente des Eschaton freilegt. Auf diese Weise wird das Pneuma von einer trinitätstheologischen und soteriologischen Isolierung befreit und einem Geschehenszusammenhang eingefügt, der auf das erfüllende Handeln

[36] G. Ebeling, a. a. O. 166.

Gottes verweist. Der eschatologische Charakter des Geistes zeigt sich in seiner „kritischen" Funktion, die zu einer Scheidung der Geister führt, der Wahrheit, der Gerechtigkeit und dem Gericht zum Durchbruch verhilft (vgl. Joh 16, 8–13), die das, was ist und geschieht, an das unwiderrufliche Ende bringt (vgl. Joh 16, 8. 11). Da sich der Geist nicht dosieren oder begrenzen läßt, zielt er in seinem Wirken auf Erfüllung und Vollendung. Sein Ergebnis steht im Zeichen der Vollkommenheit. Diese auf das Telos, die Fülle, den Reichtum, den Überfluß, die Herrlichkeit, die Freude oder das Leben schlechthin verweisende Signatur prägt das Tun des Geistes; sie läßt sich nicht regionalisieren oder individualisieren, sondern hat das Ganze von Welt und Geschichte, Schöpfung und Erlösung, Mensch und Menschheit im Blick.

Fragt man nach der pneumatologischen Dimension der Eschata und der Eschatologie, so ist, ausgehend von ihrer christologischen Verdichtung, daran zu erinnern, daß ein Teil der „letzten Dinge" wie das Gericht (vgl. Joh 16, 11) oder die Auferweckung von den Toten (vgl. Röm 6, 4; 8, 11; 1 Petr 3, 18) dem Geist zugeschrieben werden. Diese Querverbindungen legen die Vermutung nahe, daß sich das Walten und Wirken des Geistes geradezu konsequent in die Eschata hinein fortsetzt und verlängert, diese mit hervorbringt und aus sich heraus mit setzt. Unter dieser Perspektive bedarf der Geist in gewisser Hinsicht der Eschata, damit offenbar werde, was es um sein weithin unter dem Zeichen des Inkognito und der Ambivalenz stehendes Handeln ist; die Eschata machen es eindeutig und bringen es an den Tag. Eschatologie stellt sich in diesem Rahmen gewissermaßen als entschleierte oder entfaltete Pneumatologie dar; sie versucht gleichsam im Rückblick zu sagen, was es um den Geist und sein Walten in Kirche, Geschichte und Menschheit ist. Der Geist hat – heilsgeschichtlich gesprochen – dort sein Ziel erreicht, wo der „letzte Mensch" im Sinn von 1 Kor 15, 45 hervortritt, die Herrschaft Gottes als das Ziel und Ende der Geschichte erreicht und „Gott alles in allem" (1 Kor 15, 28) ist.

Es dürfte nicht übertrieben sein, wenn eine Orts- und Aufgabenbestimmung von einer gewissen Schlüsselstellung der Pneumatologie innerhalb der Theologie spricht. Eine Besinnung darauf kann deutlich machen, wie sehr alle Glaubensaussagen in einem pneumatologischen Kontext stehen, wie wesentlich für die Erhellung und

Vertiefung theologischer Problemstellungen die Freilegung ihrer pneumatologischen Komponente und Querverbindungen ist, wie sehr das Konzept der Pneumatologie selber von anderen Themen zu profitieren vermag. Auf unbedingte Originalität bedachtes Denken könnte gerade im Fall der Pneumatologie versucht sein, aus dem freien Stand heraus und unbekümmert um den Ballast der Tradition einen Neuentwurf zu wagen; dabei droht jedoch die Gefahr, daß man den Hl. Geist leicht mit irgendeinem anderen Geist verwechselt und insgesamt nicht jenen Reichtum an Erfahrung und Reflexion einholt, den die Überlieferung bereithält. Das Koordinatennetz einer an die Tradition sich anlehnenden Pneumatologie mag engmaschiger und verwirrender ausfallen, es bietet aber eher die Chance der Wirklichkeitsgerechtigkeit dem Glauben und der Theologie gegenüber.

III. Ein Blick in die Geschichte der Pneumatologie

Die Vorgeschichte oder Geschichte der Pneumatologie stellt innerhalb der Theologiegeschichte eine bis heute offene Lücke dar. Über Teilfragen, bestimmte Epochen und die Vorstellungen namhafter Theologen hinsichtlich dieser Fragestellung sind zwar gediegene Informationen und Untersuchungen vorhanden, diese aber reichen kaum aus, um einen Überblick über den Verlauf der geschichtlichen Entwicklung der Pneumatologie zu vermitteln. Von diesem Informationsstatus aus ist alles, was gegenwärtig dazu gesagt werden kann, von vornherein als Fragment gekennzeichnet. Eine ausführliche und zuverlässige Darstellung der Geschichte der Pneumatologie bildet ein noch immer offenes Desiderat der Forschung, wozu höchstens einige wertvolle Vorstudien existieren. Diese erlauben auf keinen Fall eine Rekonstruktion des Entwicklungsganges. In diesem Punkt ist jede Art von Auskunft überfordert und verfrüht.

Die Dogmengeschichte zeigt, daß die Pneumatologie nur äußerst zögernd in Angriff genommen wurde. Der Geist besitzt zwar von Anfang an im Credo der Kirche einen festen Platz, das schließt aber nicht aus, daß die Schwerpunkte der frühen Theologie etwas anders verteilt waren und daß ihre Stellungnahmen, verglichen mit dem

Reichtum der pneumatischen Erfahrungen und der pneumatologischen Aussagen der Bibel, verhältnismäßig dürftig ausfallen. Nach einer Entwicklung der Pneumatologie wurde bislang vor allem unter dem Aspekt der Gottheit bzw. der Personalität des Hl. Geistes und deren Dogmatisierung gefragt.[37] Diese Perspektive trifft aber sicher nur einen kleinen Ausschnitt des pneumatologischen Interesses. Außerdem hat die Pneumatologie mit besonderen Schwierigkeiten zu rechnen. Während die Christologie beispielsweise einen ziemlich eindeutig fixierten und formulierten Orientierungspunkt besitzt, ist die Ausgangsposition der Pneumatologie wesentlich unklarer und komplizierter. Aufgrund der unterschiedlichen neutestamentlichen Zuordnung von Ostern und Pfingsten läßt sich die Pneumatologie nicht ohne weiteres vom Pfingstereignis her konzipieren. Hinzu kommt, daß das Pfingstereignis – apostrophiert man es verkürzend einmal als Geistereignis – keinen dem Christusgeschehen analogen Vorgang darstellt. Vom Geist wurde erwartungs- und erfahrungsgemäß mehr gesprochen als von Christus; der Geist war sozusagen schon vor Jesus Christus da und er wurde auch unabhängig von ihm erwartet. Erfahrung und Rede vom Geist sind nicht ausschließlich im Christentum beheimatet, sondern auch im religiös-jüdischen Kontext des Christentums.[38] Dort haben sie bereits eine bestimmte Entwicklung durchlaufen. Will man also die Geschichte der Pneumatologie verfolgen, so müßte man auch diese Gegebenheiten berücksichtigen.

Zur Ausbildung, Entfaltung und Profilierung der Pneumatologie

---

[37] Vgl. E. Käsemann – M. A. Schmidt – R. Prenter, Heiliger Geist. In: RGG II (1958) 1272–1286; R. Haubst, Heiliger Geist. In: LThK V (1960) 108–113; I. Hermann – O. Semmelroth, Heiliger Geist. In: HThG I (1962) 642–652; M. Schmaus, Heiliger Geist. In: SM I (1968) 615–627. Das Stichwort „Pneumatologie" fehlt in den genannten Lexika.

[38] Vgl. D. Schäfer, Die Vorstellung vom Heiligen Geist in der rabbinischen Literatur. München 1972; M. Putscher, Pneuma, Spiritus, Geist. Vorstellungen vom Lebensantrieb in ihren geschichtlichen Wandlungen. Wiesbaden 1973; B. Schrott, Geist. III. Der jüdische und christliche Geistbegriff. In: HWP 3 (1974) 162–169; H. Crouzel, Geist (Heiliger Geist). In: RAC 9 (1976) 490–545; M. E. Isaacs, The Concept of Spirit: A Study of Pneuma in Hellenistic Judaism and its Bearing on the New Testament. London 1977; M.-A. Chevallier, Souffle de Dieu. Le Saint-Esprit dans le Nouveau Testament, Bd. 1: Ancien Testament, Hellénisme et Judaisme. Paris 1978.

tragen schließlich auch Faktoren bei, die dem soziokulturellen Umkreis entstammen. Im Zentrum der antiken Geistes-, Kultur- und
Religionsgeschichte wurde die Frage nach dem Inhalt und der Er-
reichung des wahren Menschseins mit der Überzeugung beantwortet, daß der Mensch auf Gott ausgerichtet sei und einer Neufor-
mung durch den Geist Gottes bedürfe. Diese Frage wurde dann
freilich verschieden akzentuiert. In den darauf antwortenden
Pneumatologien spiegelt sich jeweils das Selbstverständnis der entsprechenden „charismatischen" Gruppe wider.[39] Diese weiß sich in
ihrer Konzeption von der Anschauung geleitet, sie stelle innerhalb
der Menschheit insofern eine Besonderheit dar, weil sie die einzige
sei, die einstweilen oder definitiv den Geist besitzt. Wer Anspruch
auf den Geist erhebt, der ruft die „Geister" auf den Plan und muß
sich mit ihnen auseinandersetzen. Die Begegnung des Christentums
mit anderen Strömungen, Denk- und Lebensrichtungen stellt eine
Anfrage des Geistes und an den Geist dar. An dieser pneumatologischen Grundlinie hat sich von den Anfängen der Kirche bis
heute nichts geändert.

1. Zur patristischen Pneumatologie

Die anderwärts getroffene Feststellung, daß die Anfänge der patristischen Theologie im Vergleich zum Reichtum des neutestamentlichen Ausgangspunktes fast wie ein Abfall oder Rückschritt
wirken, gilt auch im Fall der Pneumatologie. Selbstverständlich unterliegt ein solches Urteil jenen Beschränkungen, die der zufällige
und sporadische Charakter der ersten Äußerungen auferlegt.[40] Was

---

[39] Vgl. W.-D. Hauschild, Gottes Geist und der Mensch. Studien zur frühchristlichen Pneumatologie. München 1972, S. 281 f.

[40] Vgl. H. B. Swete, The Holy Spirit in the Ancient Church. A Study of Christian
Teaching in the Age of the Fathers. Grand Rapids 1966; G. Kretschmar, Le développement de la doctrine du Saint-Esprit du Nouveau Testament à Nicée. In: VC 88
(1968), S. 5–55; M. Arsène-Henry, Les plus beaux textes sur le Saint-Esprit. Paris
1968; H. Saake, Minima Pneumatologica. In: NZSTh 14 (1972), S. 107–111;
G. Kretschmar, Der Heilige Geist in der Geschichte. Grundzüge frühchristlicher
Pneumatologie. In: W. Kasper (Hrsg.), Gegenwart des Geistes, S. 92–130; A. Meis,
La Fórmula de Fé „Creo en el Espíritu Santo" en el siglo II. Su formación y significado. Santiago 1980, S. 69–246.

uns an Aussagen über den Geist begegnet, gleicht vielfach Splittern und Fragmenten, deren Kontext und eventuelle Mehrdeutigkeit keine allzu großen Rückschlüsse pneumatologischer Art erlauben. Diese Hinweise sind nicht selten direkte oder indirekte Zitate aus der Schrift und verraten keinen tieferen Reflexionsstand.

Unter den ältesten christlichen Schriften kommt der *Hirt des Hermas* auf den Geist zu sprechen. In der Form von Geschichten und Gleichnissen bietet er eine christliche Sittenlehre, in deren Rahmen er den im Herzen des Glaubenden wohnenden Heiligen Geist erwähnt, dessen Präsenz sich nur mit bestimmten Haltungen verträgt: „Wenn du nämlich langmütig bist, dann wird der in dir wohnende Heilige Geist rein sein, nicht verdunkelt von einem anderen bösen Geist, sondern in einer geräumigen Behausung wohnend wird er frohlocken und freudig sein mit dem Gefäße, in dem er wohnt, und er wird Gott dienen mit vieler Freude, da er sein Glück in sich selbst hat. Wenn aber irgendwie der Jähzorn sich einnistet, dann wird es alsbald dem Heiligen Geiste, der zart ist, zu enge, da er keinen reinen Wohnort mehr hat, und er sucht von da auszuziehen." [41] In diesem Text klingt bereits jenes große patristische Thema an, das den Geist als die den Menschen umwandelnde und erneuernde Kraft versteht.

Ein anderes pneumatologisches Motiv steuert *Justinus* bei, indem er die „wahre Philosophie", die Lehre und Schriften der alttestamentlichen Propheten mit dem Pneuma in Verbindung bringt und den Geist als charismatisch-prophetisches Subjekt oder Prinzip faßt. [42] In seiner 1. Apologie weist er wie Athenagoras in seinem Bittgesuch für die Christen nach, daß die Christen keine Atheisten sind, weil sie Vater, Sohn, Geist und Engel verehren. [43]

Ein zusätzlicher, später häufig wiederkehrender Gedanke

---

[41] Der Hirte des Hermas: BKV 35, 209 f.; vgl. H. Opitz, Der Heilige Geist nach den Auffassungen der römischen Gemeinde bis ca. 150, Pneuma hagion im 1. Clemensbrief und im „Hirten" des Hermas. Berlin 1960.

[42] Vgl. Justinus, Dialog mit dem Juden Tryphon: BKV 33, 11 f.; Ps.-Justinus, Mahnrede an die Hellenen: BKV 33, 283–285; Erste Apologie: BKV 12, 72–75; S. Sabugal, El vocabulario pneumatológico en la obra de S. Justino y sus implicaciones teológicas. In: Aug. 13 (1973), S. 459–467; J. P. Martin, El Espíritu Santo en los orígenes del cristianésimo. Zürich 1971, S. 163–332.

[43] Vgl. Athenagoras, Bittschrift für die Christen: BKV 12, 27 f.; Justinus, Erste Apologie: BKV 12, 16.

kommt durch die *Didaskalia* ins Spiel, sofern sie in ihrer Sünden-
und Bußlehre die Nichtvergehbarkeit der Sünde wider den Heiligen
Geist betont.[44] Der Hinweis auf das Pneuma gehört innerhalb des
Schrifttums aus dem christlichen Gemeindeleben des 2. und 3.
Jahrhunderts zum festen Bestandteil der alten Taufsymbole und
Glaubensbekenntnisse, die sich an den Taufbefehl von Mt 28,19 an-
lehnen.[45] Eine Untersuchung über den Weg des pneumatologischen
Glaubensartikels in den trinitarischen *Taufbekenntnissen* und
Glaubensregeln bei der Didache, Justin, Tertullian, Novatian,
Clemens von Alexandrien und Origenes sowie in der altrömischen
und afrikanischen Symboltradition kommt zu dem Ergebnis, daß
das Bekenntnis zum Geist im Taufglauben und in der Glaubensregel
fest verankert ist. Geistempfang und Kirchengliedschaft entsprechen einander. Der Glaube an den Geist bildet mit den anderen Ar-
tikeln einen festen Traditionskanon: „Den geschichtlichen Befund
vor Augen, kann man von der einen Gestalt des pneumatologischen
Bekenntnisses sprechen. Bevor sie in den großen Symbolen ihre
letzte Ausprägung erfährt, zeigt sie sich in den vorausgehenden
Jahrhunderten in vielen Texten. Sie begegnet in verschiedenartigen
Variationen, in mehr oder weniger ausgewogenen Formulierungen.
Aber in all dem tritt schon immer der dritte Artikel in den bezeich-
nenden Grundzügen in Erscheinung . . . Es ist das eine Bekenntnis,
dessen Gestalt sich in die Geschichte auslegt. Ohne die Formeln zu
einem künstlichen, unorganischen Ganzen kumulieren zu müssen,
ergibt sich ihre Einheit aus dem grundlegend Gemeinsamen der vielen Texte. Sie schließt eine gewisse Entwicklung, lokale Eigenarten
und zuletzt die klarere Erfassung der theologischen Implikationen
nicht aus, wird aber dadurch nicht aufgehoben, sondern als der eine
Glaube bestätigt, der die Kirche über Zeiten und Orte hinweg verbindet. Es zeigt sich ein pneumatologischer Artikel, der mit dem
Bekenntnis zu Vater und Sohn zusammengeschlossen ist. Diese
Rückbindung wird die Grundlage für alle theologischen Aussagen
über die Gottheit des Heiligen Geistes sein. Dann tritt der Geist in
seinem eigenen Wesen und Werk in Erscheinung. Er gibt sich nicht

---

[44] Vgl. B. Altaner – A. Stuiber, Patrologie. Freiburg [8]1978, S. 84 f.
[45] Vgl. B. Altaner – A. Stuiber, a. a. O. 85–87; J. N. D. Kelly, Altchristliche
Glaubensbekenntnisse. Geschichte und Theologie. Göttingen 1972.

nur in der nachösterlichen Sendung zu erfahren, sondern, im Blick auf das Erlösungswerk Christi, auch in der Zeit vor der Inkarnation. Er versetzt den Menschen in die Unmittelbarkeit zu Gott bis hin zur Teilhabe an seinem Leben. Die Kirche steht in einer besonderen Nähe zu ihm, da sie die vorzügliche Stätte seiner nachösterlichen Wirksamkeit ist. Hier wird der Geist dem Christen in der Folge der Sündenvergebung in der Taufe zuteil und gewährt ihm die Hoffnung auf das ewige Heil." [46] Hier wird deutlich, wie sehr der Geist von Anfang an mit dem Christwerden und -sein untrennbar verbunden ist.

Bei dem Alexandriner *Clemens* spielt die Pneumatologie eine untergeordnete Rolle. Er bedient sich dabei der von der Tradition bereits vorformulierten Verbindungen von Taufe und Geistverleihung, Erleuchtung und Geistbegabung. Als seine eigentliche Leistung kann man die Vertiefung des Zusammenhangs von Pneumatologie und Anthropologie bezeichnen: „Das Wesen des natürlichen Menschen wird für Clemens durch zwei Pneumata geprägt. Deren höheres... impliziert eine schöpfungsmäßig gegebene Verbindung mit Gott. Da diese aber noch keineswegs vollkommen ist, wie die nur teilweise Gotteserkenntnis anzeigt, kann der natürliche Mensch nicht als der wahre Mensch gelten... Das Schöpfungspneuma ist noch nicht der eigentliche Gottesgeist im Menschen. Dieser... kommt vielmehr im Vollzug eines geschichtlichen Aktes in ihn: in der ausdrücklich vollzogenen Entscheidung für Gott, und das heißt für Clemens: im Vollzug des Christwerdens in der Taufe. Da wird aus dem natürlichen Menschen ein besonderer, da tritt zu dem... innermenschlichen Pneuma das wahre göttliche hinzu, da wird die begrenzte Gotteserkenntnis durch die vollkommene überboten." [47] Die Gabe des Gottesgeistes gehört in den großen Kontext der „Paideia (Unterweisung) Christi" hinein, sie macht den Kern des wahren christlichen Pneumatikers aus.

---

[46] H. J. Jaschke, Der Heilige Geist im Bekenntnis der Kirche. Eine Studie zur Pneumatologie des Irenäus von Lyon im Ausgang vom altchristlichen Glaubensbekenntnis. Münster 1976, S. 139; J. P. Martin, a. a. O. 7–42.

[47] W.-D. Hauschild, a. a. O. 27f.; vgl. J. P. Martin, a. a. O. 43–162; L. F. Ladaria, El Espíritu en Clemente Alejandrino. Madrid 1980; C. A. M. Oeyen, Oi protoktistoi: acerca de la pneumatología de Clemente Alejandrino. In: CiFe 18 (1962), S. 275–296.

Von einer gewissen Schlüsselstellung der Pneumatologie kann
man bei *Origenes* sprechen. Im Unterschied zu Clemens steht für
ihn das ganze Leben des Christen, nicht nur die in der Taufe vollzo-
gene Wende, unter dem Vorzeichen der Verwandlung durch das
Pneuma. Der durch und durch trinitarisch ausgerichtete Taufglaube
bildet das „dreifache Seil . . ., an dem die ganze Kirche hängt und
von dem sie getragen wird", er markiert den Beginn und Verlauf des
Weges eines Christen.[48] Dieser Weg wird als Bekehrung zu einem
neuen Lebenswandel gefaßt und steht unter dem formenden
Einfluß des Geistes: „Das Schwergewicht seines Erkenntnis vermittelnden Wirkens liegt darin, daß er seinerzeit die Propheten und
Apostel bei der Abfassung der heiligen Schriften inspiriert hat, daß
Geist zu Wort geworden ist und es für den Christen gilt, diesen in
der Schrift verborgenen Geist herauszuholen. Das kann man mit
seiner Hilfe, denn Geist wird nur durch Geist erkannt."[49] Diese
ethische Gewichtung des erneuernden Einflusses des Geistes auf
den Menschen rückt den einzelnen Glaubenden betont in das Wirkungsfeld des Pneuma. Im Rahmen der Heilsökonomie wird vor allem die Schöpfertätigkeit des Geistes, seine Rolle in der prophetischen Verkündigung, sein heiligender Einfluß auf die Heiligen und
die Engel hervorgehoben, um auf dem Weg der Erziehung durch
Christus das Ziel der Gleichförmigkeit mit dem Bild des Sohnes zu
erreichen.[50] Ohne daß man bei Origenes von einem trinitätstheologischen Interesse sprechen könnte, finden sich bei ihm dennoch
Stellen, die eine geradezu trinitarische Konzeption aufleuchten lassen. So sagt er in ›De principiis‹: „Gott Vater verleiht allen Geschöpfen das Sein; die Teilhabe an Christus aber, insofern er der

---

[48] In Exod. hom. 9, 3 (ed. Baehrens GCS 29, 239). Zu Origenes vgl. M. M. Garijo, Aspectos de la pneumatología origeniana. In: ScrVict 13 (1966), S. 65–86,
172–216, 297–324; 17 (1970), S. 65–93, 283–320; W.-D. Hauschild, a. a. O.
13–15, 86–150; H. J. Jaschke, a. a. O. 32–35, 69–77; G. Kretschmar, Der Heilige
Geist in der Geschichte, S. 113–115; P. Luislampe, Spiritus vivificans. Grundzüge
einer Theologie des Heiligen Geistes nach Basilius von Caesarea. Münster 1981,
S. 12, 39, 57, 60, 75, 92, 109, 112, 119, 122, 127.

[49] W.-D. Hauschild, a. a. O. 128; vgl. Basilius, De Spir. S. XXI, 52 (ed. Pruche
436); H. de Lubac, Geist aus der Geschichte. Das Schriftverständnis des Origenes.
Einsiedeln 1968; R. Gögler, Zur Theologie des biblischen Wortes bei Origenes.
Düsseldorf 1963.

[50] Vgl. W.-D. Hauschild, a. a. O. 99–134.

Logos ist, macht sie vernünftig. Infolgedessen können sie entweder Lob oder Tadel verdienen, da sie zur Tugend und zur Schlechtigkeit fähig sind. Daher tritt folgerichtig noch die Gnade des Heiligen Geistes hinzu, um die, die nicht wesenhaft heilig sind, durch Teilhabe an ihm heilig zu machen. Sie haben also das Sein von Gott Vater, das Vernünftig-Sein vom Logos, das Heilig-Sein vom Heiligen Geist; und umgekehrt werden sie erst nach der Heiligung durch den Heiligen Geist fähig, Christus aufzunehmen, insofern er Gottes Gerechtigkeit ist; und wer durch die Heiligung des Heiligen Geistes zu dieser Stufe gelangt ist, erlangt außerdem auch die Gabe der Weisheit durch die Wirksamkeit des Heiligen Geistes ... Dadurch erscheint auch das Wirken des Vaters, das allen das Sein verleiht, strahlender und erhabener, wenn ein jeder durch die Teilhabe an Christus, sofern er die Weisheit, die Erkenntnis und die Heiligung ist, zu höheren Stufen fortschreitet; und wenn man durch die Teilhabe am Heiligen Geist geheiligt ist, wird man noch reiner und lauterer und empfängt würdiger die Gnade der Weisheit und der Erkenntnis. Schließlich, wenn man alle Flecken der Unreinheit und der Unwissenheit entfernt und abgewaschen hat, gelangt man zu einem solchen Grad von Lauterkeit und Reinheit, daß das Sein, das man von Gott empfangen hat, so beschaffen ist, wie es Gottes würdig ist, der ja das Sein in reiner und vollkommener Weise verliehen hat."[51] Einen festen Platz hat der Hinweis auf den Geist in der Doxologie. In ›De oratione‹ empfiehlt Origenes ausdrücklich, das Gebet zu beginnen und zu beschließen, „indem man den Vater des Weltalls rühmt und preist durch Jesus Christus im Heiligen Geiste, dem die Ehre sei in Ewigkeit"[52]. Origenes hat als erster in der Geschichte der christlichen Literatur den Hl. Geist eigens thematisiert, dennoch sind Frömmigkeit und Theologie bei ihm eher binitarisch als trinitarisch ausgerichtet. Seine trinitätstheologischen Reflexionen zeigen, daß die Aussagen über den Geist, die sein Wesen subordinatianisch fassen, sich nur mit Gewalt in das Gesamt seiner Theo-

---

[51] Origenes, De princ. I, 3, 8 (ed. Görgemanns-Karpp 180 f.); vgl. G. Kretschmar, a. a. O. 113 f.; W.-D. Hauschild, a. a. O. 135–150; H. J. Jaschke, a. a. O. 69–77; J. Boada, El pneuma en Origenes. In: EE 46 (1971), S. 475–510; P. Galtier, Le Saint-Esprit en nous d'après les Pères Grecs. Rom 1946.

[52] Origenes, Vom Gebet: BKV 48, 147; vgl. P. Luislampe, a. a. O. 35.

logie integrieren lassen.[53] Das verhindert keineswegs, daß Origenes in der Folgezeit wie in vielen anderen Punkten auch in seinen pneumatologischen Äußerungen insgeheim nahezu überall präsent bleibt.

Zu den großen frühchristlichen Pneumatologen zählt ohne Zweifel *Irenäus* von Lyon. Seine Pneumatologie steht in manchen Aspekten der seines älteren Zeitgenossen Tatian nahe, der den Geist in sehr starkem Maß als eine soteriologische Größe faßt.[54] Als Kristallisationspunkt der irenäischen Pneumatologie erweist sich die Theologie der Taufe. Glaube, Taufe, Sündenvergebung und Geistempfang bilden eine unlösbare Einheit.[55] In der Taufe nimmt die Neuschöpfung und Formung des vollkommenen Menschen ihren Ausgang; ihre Stellung ist nur dann richtig gesehen, wenn man sie im großen Kontext des durch ἀνακεφαλαίωσις (Zusammenfassung) und οἰκονομία (Heilsgeschichte) bezeichneten Heilswerkes Gottes für das Geschöpf betrachtet. Von hier aus erschließen sich die einzelnen Dimensionen der irenäischen Pneumatologie. Der trinitätstheologische Ort des Pneuma ergibt sich aus dem Gegenüber zu den gnostischen Denominationen und Anschauungen vom Äonenpleroma. An ihre Stelle tritt der trinitarische Gott: „Hier gibt es keinen Raum für inferiore, abgeleitete Zwischenwesen, sondern nur den einen Gott, der sich durch sich selber offenbart, das Geschaffene positiv setzt und es schließlich zur Teilhabe an ihm selber erhebt, so daß die ganze Wirklichkeit von dem Heilswerk von Vater, Sohn und Geist zusammengehalten wird. Der Gegensatz zur Gnosis fordert die Entwicklung einer trinitarischen Theologie heraus; sie macht die von Gott getragene Einheit der Heilsordnung sichtbar, und das heißt zugleich, sie erkennt in dem, der durch den Sohn und den Geist in Erscheinung tritt, wirklich Gott selber. Innerhalb dieses Entwurfs kommt der Heilige Geist zur Sprache. Er ist die Wirksamkeit Gottes in der Heilsökonomie, aber dabei doch nicht eine Funktion des göttlichen Handelns am Menschen, sondern Gott an sich, zu dem er, von allem Geschaffenen unterschie-

---

[53] Vgl. W.-D. Hauschild, a. a. O. 135–150.

[54] Vgl. W.-D. Hauschild, a. a. O. 148–150; R. G. Tanner, πνεῦμα in Saint Ignatius. In: TU 115 (1975), S. 265–270; Th. Rüsch, Die Entstehung der Lehre vom Hl. Geist bei Ignatius, Theophil von Antiochien und Irenäus. Zürich 1952.

[55] Zu Tatian vgl. W.-D. Hauschild, a. a. O. 197–206.

den, zusammen mit dem Sohn immer gehört."[56] Ohne den besonderen Hervorgang des Geistes aus und in Gott zu formulieren, ist doch der Geist als γέννημα (das Gezeugte) des Vaters untrennbar in der Gottheit verankert.[57] Bezeichnungen des Geistes als die andere Hand Gottes, als Tröster und Beschützer der Kirche, als himmlischer Tau, befruchtende Feuchtigkeit oder Gabe spielen auf die Eigenheit des Eigenseins und der Wirksamkeit des Geistes an.[58] Die Heilsökonomie widerspricht zutiefst jeder isolierten und isolierenden Sicht des Hl. Geistes: „Der Geist ist in der Geschichte Gottes mit der Menschheit anzutreffen, genauer gesagt, in dem einen Heilswerk, das nach dem Willen des Vaters die Schöpfung vom Anfang bis zum Ende übergreift. Sich zu ihm bekennen, heißt immer, sich zum Sohn und zum Vater führen zu lassen, in deren Folge der Geist tätig wird. Anderenfalls hätte man es nicht mit dem Heiligen Geist Gottes zu tun, sondern mit einem anderen Geist, der im letzten der menschlichen Beliebigkeit ausgeliefert wäre. Glaube an den Geist bedeutet dann die Bereitschaft, sich auf den Willen Gottes mit den Menschen einzulassen, den Versuch, in der scheinbar ziellosen Geschichte den von Gott gesetzten Sinn zu erfahren und sich ihm zu öffnen. Das Bekenntnis zum Heiligen Geist ist das Bekenntnis zu Gott, der als der dreieinige an den Menschen handelt und, ohne daß beides ineinanderfiele, so wie er sich zu erfahren gibt, von Ewigkeit her in sich selber existiert."[59] Der Weg des Geistes zu den Menschen, sein Anteil an der Ausführung des göttlichen Heilsplans sind jederzeit geschichtlich nachprüfbar. Irenäus akzentuiert das Geistwirken seit Anfang der Schöpfung bei der Erschaffung des Menschen und in der Schöpfung; er weiß um seine Gegenwart in der alttestamentlichen Prophetie und seinen antizipatorischen Besitz; er

---

[56] H. J. Jaschke, a. a. O. 342 f.

[57] Vgl. Irenäus, Adv. haer. IV, 7, 4 (SC 100, 464), V, 18, 2 (SC 153, 238–240), V, 36, 3 (SC 153, 464), IV, 20, 3 (SC 100, 632); H. B. Swete, a. a. O. 84–94; A. Orbe, La Teología del Espíritu Santo. Rom 1966, S. 467–469; H. J. Jaschke, a. a. O. 191–208; Th. Rüsch, a. a. O. 152–194.

[58] Vgl. Irenäus, Adv. haer. III, 21, 10 (SC 211, 428), III, 22, 1 (SC 211, 430), IV, 19, 2 (SC 100, 618–620), IV, 39, 2 (SC 100, 966), V, 15, 2 (SC 153, 206), V, 16, 1 (SC 153, 214), III, 17, 3 (SC 211, 336), III, 24, 1 (SC 211, 474), IV, 14, 2 (SC 100, 544), IV, 33, 14 (SC 100, 842), IV, 36, 4 (SC 100, 892), V, 18, 2 (SC 153, 240); Epid. 89 (SC 62, 157).

[59] H. J. Jaschke, a. a. O. 345.

hebt nachhaltig die Rolle des Pneuma im Christusgeschehen, bei der Menschwerdung und Geburt hervor.[60] Die Taufe erscheint als Kairos der Geistsalbung Christi für die Menschheit. Wie sehr sich in diesem Gedanken auch andere Vorstellungen bündeln, belegen folgende Aussagen: „Der Geist Gottes ist also auf ihn herabgestiegen, des Gottes, der durch die Propheten versprochen hatte, er werde ihn salben, damit wir von der Fülle seiner Salbung empfingen und gerettet würden" bzw. „Im Namen Christus nämlich hört man zugleich den, der gesalbt hat, den, der gesalbt worden ist, und die Salbung selber, in der er gesalbt wurde."[61]

Einen besonderen Schwerpunkt der irenäischen Pneumatologie bezeichnet der Zusammenschluß des Bekenntnisses zum Geist mit der Kirche als geschichtlicher und sichtbarer Gemeinschaft der Glaubenden: „Wo die Kirche ist, da ist auch der Geist Gottes; wo der Geist Gottes ist, da ist auch die Kirche und alle Gnade."[62] Der Geistverlust für Israel bedeutet zugleich die geistgewirkte „Öffnung des Neuen Bundes" für die Aufnahme der heidnischen Völkerwelt, die ihrerseits zur Rückkehr des verlorenen Sohnes führt, den das geschlachtete Mastkalb und das Festgewand erwarten.[63] Die Wirksamkeit des die Kirche auszeichnenden Geistes zeigt sich vor allem in der Erkenntnis der Wahrheit in der Auseinandersetzung mit der Gnosis. Ihr gegenüber wird die Bindung und Objektivität des in der Kirche bewahrten Zeugnisses der Offenbarung Gottes angeführt. Die Einheit der Schrift gründet im Geist: „Denn ein und derselbe Geist Gottes, der in den Propheten verkündete, was es um die Ankunft des Herrn sei, hat bei den Alten gut übersetzt, was gut prophezeit gewesen ist. Er selber hat auch in den Aposteln angekündigt, daß die Fülle der Zeiten der Sohnschaft gekommen ist, daß sich das Reich der Himmel genaht hat und in den Menschen wohnt, die an ihn, den Emmanuel, glauben, der aus der

---

[60] Vgl. Irenäus, Adv. haer. III, 12, 7 (SC 211, 210–212), III, 19, 3 (SC 211, 378–380); Epid. 30 (SC 62, 80); Adv. haer. V, 1, 3 (SC 153, 24–26), V, 19, 2 (SC 153, 252).

[61] Irenäus, Adv. haer. III, 9, 3 (SC 211, 112) bzw. III, 18, 3 (SC 211, 350f.).

[62] Irenäus, Adv. haer. III, 24, 1 (SC 211, 474); vgl. ebd.: „In ihr (= Kirche) ist niedergelegt die Gemeinschaft mit Christus, d. h. der Hl. Geist, die unverwesliche Arche, die Befestigung unseres Glaubens, die Himmelsleiter zu Gott."

[63] Vgl. Irenäus, Adv. haer. III, 17, 2 (SC 211, 330), III, 11, 8 (SC 211, 164–166), IV, 14, 2 (SC 100, 544).

Jungfrau geboren ist."[64] Diese Geistgewirktheit der Schrift verbürgt die darin enthaltene vollkommene Erkenntnis der Wahrheit. Die vom Geist geleitete Auslegung der Schrift bedient sich der Glaubensregel und muß nachprüfbar sein. Eine fundamentale Rolle wird dabei der Überlieferung eingeräumt. Ursprung, Vorgang und Ordnung der Überlieferung stehen unter dem Geist. Für das Verbleiben in der Wahrheit garantiert die Sukzession, das in ihr empfangene Charisma der Wahrheit, das der Bindung der Kirche an die Lehre der Apostel dient.[65] Verkündigung der Apostel, Überlieferung der Kirche und Inhalt der Schrift bilden die eine vom Pneuma getragene Wahrheit.

Einen wesentlichen Pfeiler der irenäischen Pneumatologie bildet die Anthropologie mit der Frage nach der Formung und Erneuerung des Menschen durch den Geist. In deutlicher Absetzung von der Gnosis schreibt Irenäus: „Der vollkommene Mensch besteht aus Fleisch, Seele und Geist. Das eine erlöst und gestaltet, das ist der Geist; das andere wird erlöst und geformt, das ist das Fleisch; das andere schließlich liegt zwischen beiden, das ist die Seele ... Wer also das, was erlöst und zum Leben formt, nicht hat, wird folgerichtig ,Fleisch und Blut' (1 Kor 15, 50) genannt werden, da er nicht den Geist Gottes in sich hat."[66] Der Geist als Gabe und Verpflichtung verbindet sich mit der Seele als seiner eigentlichen Adressatin und über sie mit dem Leib. Die auf diesem Wege erfolgende Erneuerung des Geschöpfes zur „Neuheit Christi", seine durch den Geist gewirkte und über den Schöpfungsanfang hinausführende Bild- und Gleichnis-Werdung mündet in die Gleichwerdung mit dem Sohn ein.[67] Dieser Prozeß gelangt in einem Leben im Geist zur vollkommenen Reife, die in der Auferstehung und Vollendung ihr Ende findet, denn der Geist macht „das Fleisch reif und fähig zum Empfang der Unvergänglichkeit"[68].

---

[64] Irenäus, Adv. haer. III, 21, 4 (SC 211, 408–410).

[65] Vgl. Irenäus, Adv. haer. IV, 26, 2 (SC 100, 718); N. Brox, Charisma veritatis certum. Zu Irenäus adversus haereses 4, 26, 2. In: ZKG 75 (1964), S. 327–331.

[66] Irenäus, Adv. haer. V, 9, 1 (SC 153, 106–108); vgl. W.-D. Hauschild, a. a. O. 206–220; H. J. Jaschke, a. a. O. 294–327.

[67] Vgl. Irenäus, Adv. haer. III, 17, 1.2 (SC 211, 330); H. J. Jaschke, a. a. O. 304–316.

[68] Irenäus, Adv. haer. V, 12, 4 (SC 153, 154).

Noch in ihren Anfängen steckt die Pneumatologie bei *Tertullian*.[69] Immerhin findet bei ihm die Trinitätslehre und mit ihr die Rolle des Pneuma schon eine deutliche Ausdrucksgestalt: „Auch die Kirche selbst ist ... Geist, in welchem die Dreifaltigkeit der einen Gottheit ist, der Vater, der Sohn und der Hl. Geist."[70] Der Geist gehört als personale Größe in das trinitarische Gottesbild hinein: „Den Geist leite ich nicht anders woher als vom Vater durch den Sohn."[71] Trotz aller Betonung der Ungetrenntheit und der Einheit der Trinität in der Substanz und der Bezeichnung des Geistes als Gott kennt Tertullian in der heilsökonomischen Trinität eine gewisse Subordination: „Der Vater ist die ganze Substanz, der Sohn aber eine Ableitung des Ganzen und ein Teil ... Es trifft sich gut, daß auch der Herr dieses Wort gebraucht hat, indem er in der Person des Parakleten nicht die Absonderung, sondern die Ordnung zum Ausdruck brachte: Ich werde nämlich, so sagte er, den Vater bitten und er wird euch einen anderen Beistand senden, den Geist der Wahrheit. So erweist er den Parakleten als einen von ihm Verschiedenen, wie wir den Sohn als einen vom Vater Verschiedenen erwiesen haben; um die Heilsgeschichte zu wahren, findet er den dritten Unterschied im Parakleten, wie wir den zweiten im Sohn gefunden haben. Spricht die Tatsache, daß vom Vater und Sohn die Rede ist, nicht dafür, daß das eine vom anderen verschieden ist? Zu Recht werden doch alle Dinge das, was sie genannt werden, auch sein, und das, was sie werden, werden sie genannt. Es kann aber auch der Unterschied in der Terminologie nicht beliebig variieren, da dies auch bei den Dingen, für die Bezeichnungen dienen, nicht der Fall ist."[72] Tertullians Geist-Terminologie zeigt eine gewisse Nähe zum vierten Evangelium. Neben ausgesprochen spekulativen Aussagen rekurriert seine Pneumatologie auch gerne zu bildhaften Vorstellungen: „Der Dritte ist der Geist von Gott und dem Sohn an, gleichwie die auf dem Stamme gewachsene Frucht das Dritte von der Wurzel und der aus dem Fluß abgeleitete Bewässe-

---

[69] Vgl. W. Bender, Die Lehre über den Heiligen Geist bei Tertullian. München 1961; zu Novatian vgl. R. J. De Simone, The Holy Spirit according to Novatian, De Trinitate. In: Aug. 10 (1970), S. 360–387.

[70] Tertullian, De pud. 21, 16 BKV 24, 467.

[71] Tertullian, Adv. Prax. 4 (CCL 2, 1162).

[72] Tertullian, Adv. Prax. 9 (CCL 2, 1168).

rungsgraben das Dritte von der Quelle und die vom Strahl gebildete äußerste Spitze das Dritte von der Sonne darstellt, dennoch wird nichts davon seiner Quelle entfremdet, von der es seine Eigenschaften herleitet."[73] Die etwas eigenartige Stellung des Geistes in der Heilsökonomie kommt darin zum Vorschein, daß der Geist vor allem als nachösterliche Größe und Gabe Christi verstanden wird.[74] Das darf sicher nicht in einem exklusiven Sinn gefaßt werden, wie die Aussagen über die prophetische Wirksamkeit des Pneuma zeigen.[75] Immerhin ist die Erfahrung des Geistes in der Kirche ein hervorstechendes Merkmal der Ekklesiologie Tertullians: „Die Kirche ist eigentlich und wesentlich der Geist selbst, worin die Trinität einer einzigen Gottheit ist, der Vater, der Sohn und der Heilige Geist. Er versammelt die Kirche, die nach dem Herrn in drei Personen besteht (vgl. Mt 18, 20). Darum läßt wohl die Kirche die Sünden nach, aber die Kirche als Geist vermittels eines geistbeseelten Menschen und nicht die Kirche als eine Anzahl von Bischöfen."[76] Tertullian legt den Akzent auf die Ecclesia-spiritus (Geist-Kirche), im Vergleich zu der der institutionellen Kirche nur eine untergeordnete Dienst- und Lehrfunktion zukommt. Von seinem Oikonomia-Verständnis her vertritt er die Anschauung, daß die Heilsgeschichte mit dem Parakleten in ihr endgültiges Stadium getreten ist, denn Gott ist für ihn derjenige, der als Vater, Sohn und Geist in der Geschichte der Menschen einheitlich und unterschiedlich zugleich wirkt. Mit der Tradition vor ihm hebt der Afrikaner den Zusammenhang von Taufe und Geist hervor: „Da unter den drei (göttlichen Zeugen) die Glaubensbezeugung und das Heilsversprechen verbindlich gemacht werden, wird mit Notwendigkeit die Erwähnung der Kirche hinzugefügt. Denn wo die drei sind, das ist der Vater, der Sohn und der Heilige Geist, dort ist die Kirche, die den Leib der drei bil-

---

[73] Tertullian, Adv. Prax. 8 (CCL 2, 1168); vgl. H. Saake, Minima Pneumatologica. In: NZSTh 14 (1972), S. 107–111.

[74] Vgl. Tertullian, De praescr. 13 (CCL 1, 197f.); Adv. Prax. 2 (CCL 2, 1160). In seiner montanistischen Phase bringt Tertullian das Wirken des Parakleten vor allem mit der „disciplina" in Zusammenhang.

[75] Vgl. Tertullian, Adv. Marc. 4, 11 (CCL 1, 567), 4, 28 (622f.), 4, 40 (657), 5, 8 (688).

[76] Tertullian, De pud. 21 (CCL 2, 1328). Vgl. P.-Th. Camelot, Die Lehre von der Kirche. Väterzeit bis ausschließlich Augustinus. Freiburg 1970, S. 16f.

det."[77] Bezeichnend ist für Tertullian die Trennung von Waschung und Geistverleihung bei der Taufe: „Nicht daß wir im Wasser den Hl. Geist erlangten, sondern wir werden im Wasser unter dem Engel gereinigt, für den Hl. Geist vorbereitet."[78] Die mit der Taufe verbundenen Wirkungen des Geistes betreffen die Restitution der mit dem urständlichen Geistbesitz verlorenen Gottähnlichkeit,[79] die mit der Geistbegabung erfolgende Erleuchtung[80] und die vom Pneuma gewirkte Heiligung des Wassers und des Getauften.[81] Was diesen Konnex von Taufe und Geistmitteilung betrifft, lassen sich bei Cyprian viele Anklänge an Tertullian feststellen.[82]

Die pneumatologische Tradition der alexandrinischen Kirche wird in einem Brief greifbar, in dem *Alexander* von Alexandrien ein Symbol der ägyptischen Kirche anführt.[83] Darin wird das pneumatologische Bekenntnis mit dem Werk der Heiligung, der Weissagung, der Auferstehung der Toten, der Katholizität und Apostolozität der Kirche verbunden.[84] *Athanasius* ist mehr wegen seiner Christologie als wegen seiner Pneumatologie bekannt. Daher ist es auch nicht verwunderlich, daß er die Pneumatologie in die Christologie integriert: Der Heilige Geist erscheint vor allem als der Geist Christi.[85] Er „hat mit seiner Bestimmung des Hl. Geistes als Geist des Sohnes und der Sohnschaft die Einheit des Geistes mit dem Wesen und Wirken des Sohnes konzipiert und ihm damit im Erlösungsgeschehen einen wichtigen Platz eingeräumt, der an den

---

[77] Tertullian, De bapt. 6 (CCL 1, 282).

[78] Tertullian, De bapt. 6: BKV 7, 282.

[79] Vgl. Tertullian, a. a. O. 5 (CCL 1, 281).

[80] Vgl. Tertullian, De resurr. 8, 3 (CCL 2, 931).

[81] Vgl. Tertullian, De bapt. 4 (CCL 1, 280); De an. 39, 4 (CCL 2, 843).

[82] Vgl. Cyprian, ep. 74, 5, 4 (ed. Bayard 283); ep. 69, 10, 1 (ed. Bayard 250f.).

[83] Vgl. A. Aranda, El Espíritu Santo en los Símbolos de Cirilo de Jerusalén y Alejandro de Alejandría. In: ScrTh 5 (1973), S. 223–278.

[84] Text bei H. Lietzmann (Hrsg.), Symbole der alten Kirche. Berlin [6]1968, S. 9.

[85] Vgl. W.-D. Hauschild, a. a. O. 284 f.; A. Laminski, Der Heilige Geist als Geist Christi und Geist der Gläubigen. Der Beitrag des Athanasios von Alexandrien zur Formulierung des trinitarischen Dogmas im vierten Jahrhundert. Leipzig 1969; T. C. Campbell, The Doctrine of the Holy Spirit in the Theology of Athanasius. In: SJTh 27 (1974), S. 408–440; H. Saake, Das Präskript zum ersten Serapionsbrief des Athanasios von Alexandreia als pneumatologisches Programm. In: VigChr 26 (1972), S. 188–199.

paulinischen und johanneischen Lehren orientiert ist."[86] In diesem
Sinn wird der Geist als Eikon des Sohnes bezeichnet, wie der Logos
Bild des Vaters ist.[87] Als der Spender des Geistes gilt der Auferstan-
dene, der im Geist seine Salbung und sich selber uns schenkt.[88] Die
Verbindung unserer Menschheit mit der des Herrn bringt uns zugleich in eine tiefe Gemeinsamkeit mit seinem Geist: „Denn da der
Herr als Mensch im Jordan abgewaschen wurde, waren wir es, die
in ihm und von ihm abgewaschen wurden. Und als er den Geist
empfing, waren wir es, die von ihm für dessen Aufnahme empfänglich gemacht wurden ... Mit ihm begannen also auch wir die
Salbung und das Siegel zu empfangen."[89] Von da aus ist es nicht
verwunderlich, daß das Wirken des Pneuma eng an das des Logos
gebunden wird.[90] In diesem Kontext wird das schöpferische,
lebenspendende und vollendende Wirken des Geistes interpretiert:
„Im Geist verherrlicht der Logos die Schöpfung, indem er sie durch
Vergöttlichung und Annahme an Kindes Statt dem Vater zuführt.
Hier liegt der Hauptakzent, aber das bedeutet keineswegs eine to-
tale Beschränkung auf eine ‚reine Innerlichkeit' wie in der subjekti-
vistischen Auffassung des Geistes späterer Jahrhunderte. Das gesamte Schöpfungswirken ist trinitarisch bestimmt, aber der Heilige
Geist ist das Medium, ‚in' dem der Creator gegenwärtig wird in der
Kreatur."[91] Von der Einheit des göttlichen Wirkens aus bestimmt
sich auch der Rang des Geistes, d. h. seine Göttlichkeit:
„Was ... die Schöpfung dem Logos verbindet, kann selbst nicht zu
den Geschöpfen gehören ... der Geist gehört also nicht zu den Geschöpfen, sondern er ist der Gottheit des Vaters eigen, und durch
ihn vergöttlicht auch der Logos die Geschöpfe. Der aber, durch den
die Schöpfung vergöttlicht wird, kann selbst nicht außer der Gottheit des Vaters sein."[92] Diese Einheit schließt die Eigenwirksamkeit

[86] A. Laminski, a. a. O. 169.
[87] Vgl. Athanasius, Ad Serap. I, 20 (PG 26, 577 B); I, 24 (PG 26, 588 B); I, 26 (PG
26, 592 B); J. B. Schoemann, Eikon in den Schriften des Athanasius. In: Scholastik
16 (1941), S. 348 f.; A. Laminski, a. a. O. 75.
[88] Vgl. Athanasius, Or. c. Ar. I, 47 (PG 26, 109 AB); A. Laminski, a. a. O. 45.
[89] Athanasius, a. a. O. (PG 26, 109 B).
[90] Vgl. Athanasius, Ad Serap. I, 31 (PG 26, 601 A).
[91] P. Luislampe, a. a. O. 61 f.; vgl. Athanasius, Ad Serap. I, 25 (PG 26, 589 B).
[92] Athanasius, Ad Serap. I, 25 (PG 26, 589 B).

der drei göttlichen Personen keineswegs aus, wie das die Interpretation der ἐκ-διά-ἐν-Formel (von – durch – in) bestätigt.[93] Athanasius rekurriert zu diesem Zweck auf das beliebte Motiv vom Sonnenstrahl, dessen Glanz und Licht. Letzteres dient dabei als Gleichnis für die Wirksamkeit des Geistes.[94] Hinter der Betonung der Ungeschöpflichkeit des Geistes steht die Auseinandersetzung mit den Tropikern. Ausgehend von der kosmologischen Funktion des Logos, betrachteten diese den Geist als Geschöpf des Sohnes. Ihnen hält Athanasius entgegen: „Wenn sie nämlich wegen der Einheit des Logos mit dem Vater nicht zugeben, daß der Sohn selbst zu den geschaffenen Wesen gehöre, sondern, wie es der Wahrheit entspricht, dafür halten, daß er der Schöpfer der gewordenen Dinge sei, warum nennen sie den Hl. Geist ein Geschöpf, der mit dem Sohn dieselbe Einheit besitzt, wie dieser mit dem Vater . . .?"[95] An einer spekulativen Unterscheidung der innertrinitarischen Hervorgänge ist Athanasius nicht gelegen: „Wer so fragt, ist wohl von Sinnen, da er nach dem Unerforschlichen fragt."[96]

In einer verhältnismäßig weit ausgebauten Gestalt begegnet uns der dritte Glaubensartikel bei *Cyrill von Jerusalem*.[97] Etwas eigenartig innerhalb der Symboltradition wirkt die bei ihm anzutreffende Reihung der einzelnen Glieder, der er im Anschluß an den Parakleten Taufe und Sündenvergebung anführt und erst dann Kirche, Auferstehung des Fleisches und ewiges Leben nennt.[98] Der Geist wird streng trinitarisch verstanden. Die für Cyrill charakteristische Vorsicht im Umgang mit theologischen Termini macht sich auch hier bemerkbar. In Abgrenzung gegen die Sabellianer heißt es: „Nicht trennen wir die heilige Trinität, wie es einige machen, noch vermischen wir sie wie Sabellius."[99] Der Geist gehört zur Trinität, wie das Taufbekenntnis betont, und wird mit Vater und Sohn geehrt.[100] Er hat Anteil an der Gottheit des Vaters und steht als „Füh-

---

[93] Vgl. A. Laminski, a. a. O. 146.

[94] Vgl. Athanasius, Ad Serap. I, 19 (PG 26, 573 C); Or. c. Ar. III, 15 (PG 26, 352 A).

[95] Athanasius, Ad Serap. I, 2 (PG 26, 533 A).

[96] Athanasius, Ad Serap. IV, 4 (PG 26, 643 A).

[97] Vgl. A. Aranda, a. a. O. 223–278; H. J. Jaschke, a. a. O. 122–124.

[98] Vgl. H. Lietzmann, a. a. O. 19; DS 41.

[99] Cyrill, Katech. 16, 4 (PG 33, 921 A).

[100] Vgl. Cyrill, Katech. ebd.; 17, 34 (PG 33, 1008 C–1009 A).

rer, Lehrer und Heiligmacher" über den Engeln.[101] Ausdrücklich
wird er als „Lebender, Person, Redender, Wirksamer, Heiligmacher" bezeichnet,[102] doch wird auch Zurückhaltung spürbar, wenn
es heißt: „Die Natur oder Hypostase des Geistes sollst du nicht
neugierig erforschen . . . Was nicht geschrieben steht, daran wollen
wir uns nicht wagen."[103] Was vom Geist ausgesagt werden kann,
das ist die Sonderheit, Selbigkeit und Einheit des Pneuma.[104] Mit
ihm wird man in der Taufe verbunden[105], er ist der „große Lehrer",
der „Wächter und Heiligmacher der Kirche", in der er sich entfaltet.[106]

Diese Hinweise zeigen, wie sehr die Rede vom Heiligen Geist si-
tuations- und erfahrungsbezogen ist. Die Ebene dieser Situationen
und Erfahrungen bildet die Kirche, die als vom Geist Gottes getragene und erfüllte Realität erlebt und geglaubt wurde. Maßstab
bleibt dabei immer auch die trinitarische Verankerung des Geistes.
Der Geist Gottes hängt engstens mit dem Glauben an den Sohn und
an den Vater zusammen. Er gehört nicht auf die Seite der Schöpfung
und der Geschöpfe. Die Identitätskrise des Christentums im
4. Jahrhundert ist zutiefst auch eine pneumatologische Frage und
Angelegenheit. Aufbruch und Verbreitung des Mönchtums, asketische und enthusiastische Bewegungen, Schwärmer und Erneuerer
tragen dazu bei, die Frage nach dem Geist zu stellen und zu
differenzieren. Das Ringen um die Unterscheidung des Geistes und
der Geister führt dazu, daß man sich auf jene geistlichen Realitäten
besinnt, die in Glaube und Kirche am Werk sind.[107] Auf reichs-

---

[101] Vgl. Cyrill, Katech. 6, 6 (PG 33, 548 A); 16, 23 (PG 33, 949 B–952 A).

[102] Vgl. Cyrill, Katech. 17, 2 (PG 33, 969 C); 17, 5 (PG 33, 973 B); 17, 28 (PG
33, 1000 C); 17, 33 f. (PG 33, 1005 B–1008 B).

[103] Cyrill, Katech. 16, 24 (PG 33, 953 A); vgl. Katech. 16, 2 (PG 33, 920 AB);
16, 5 (PG 33, 924 B); 17, 1 (PG 33, 968 A).

[104] Vgl. Cyrill, Katech. 16, 3 f. (PG 33, 920 B–921 B); 16, 6 (PG 33,
924 A–925 B); 17, 2–5 (PG 33, 969 A–976 A); 17, 12 (PG 33, 885 A); 17, 18 (PG 33,
989 BC).

[105] Vgl. H. J. Jaschke, a. a. O. 122 f.; Cyrill, Katech. 16, 6 (PG 33, 925 AB).

[106] Vgl. Cyrill, Katech. 16, 14 (PG 33, 937 B); 16, 19 (PG 33, 945 B); 17, 13
(PG 33, 985 B); 17, 29 (PG 33, 1000 C).

[107] Vgl. A. Benoit, Le Saint-Esprit dans la théologie patristique grecque des
quatre premiers siècles. In: L'Esprit et l'Église. Paris 1969, S. 125–152; H. Dörries,
Wort und Stunde, Bd. I. Göttingen 1966, S. 302–472; ders., Die Theologie des

kirchlicher Ebene treten nicht rein zufällig die *Pneumatomachen* in
Erscheinung und Aktion.[108] Begriff, Geschichte und Theologie
dieser Leute sind alles andere als einheitlich: „Die überlieferten
Nachrichten erstrecken sich über den Zeitraum von ca. 358 bis 425
und weisen auf verschiedene Kirchengebiete. Über ägyptische
Pneumatomachen haben wir Zeugnisse aus der Frühzeit (Athanasius; Didymus' De Spiritu Sancto), aus der eigentlichen Kampfzeit
um 380 (Dialogus I contra Macedonianos) und aus der Spätzeit nach
390 (Didymus' De trinitate; Dialogus III de trinitate; Cyrill). Sie
sind außerdem auf mindestens zwei verschiedene Orte zu verteilen
(Alexandria und Thmuis). – Über kleinasiatische Pneumatomachen
besitzen wir Zeugnisse des beginnenden Kampfes der siebziger
Jahre aus Kappadokien und Pamphylien (Basilius und Epiphanius)
und des späteren Kampfes der achtziger Jahre aus Kappadokien
(Gregor von Nyssa). – Ferner sind die Konstantinopler Pneumatomachen zu unterscheiden, über die Gregor von Nazianz infor-
miert."[109] Die Pneumatomachen gehören in den großen Kontext
des trinitätstheologischen Klärungsprozesses; ihre dogmengeschichtliche Bedeutung besteht darin, daß sie aufgrund ihrer Ver-
steifung auf binitarische Denkmittel das trinitarische Problem auf-
warfen. Die geschichtliche Auseinandersetzung spiegeln folgende
Daten wider: „Das Pneumatomachentum wurde zum ersten Male
362 in Alexandria verurteilt, dann 378 in Rom und 379 in Antiochia,
endgültig 381 in Konstantinopel. Daneben hat es in Kleinasien
regionale Verurteilungen gegeben. Es ist zu beachten, daß die Ver-
urteilung von 362 nur diejenigen traf, die den Geist als Geschöpf
bezeichneten. Das traf nicht alle Pneumatomachen. Die römische
Synode dagegen erfaßte mit ihrer um Präzision bemühten Vielzahl
von Anathematismen alle pneumatomachischen Schattierungen.

Makarios/Symeon. Göttingen 1977; J. Gribomont, Le monachisme au IVe siècle en Asie
Mineur. In: StPatr 2 (1957), S. 400–415; A. Manrique, La pneumatología en torno a
Nicea. In: Cristo, ayer y hoy. Salamanca 1974, S. 145–177; R. Staats, Gregor von
Nyssa und die Messalianer. Berlin 1968.

[108] Vgl. W.-D. Hauschild, Die Pneumatomachen. Eine Untersuchung zur Dogmengeschichte des vierten Jahrhunderts. Hamburg 1967.

[109] W.-D. Hauschild, a. a. O. 3. Zur Rolle Cyrills von Alexandrien vgl. E. Cavalcanti, „Spirito di Verità – Somiglianza del Figlio" nel Dialogo VII, De Spiritu Sancto
di Cirillo di Alessandria. In: Aug. 13 (1973), S. 589–598.

Während sie eindeutig die Homousie des Geistes bekannte, hielt sich das Konzil von 381 hier stärker zurück, weil die Geist-Frage im Osten eben ein wirkliches Problem war. Hier ging erst die Konstantinopler Synode von 382 einen Schritt weiter. Aber 381 wurden immerhin die Pneumatomachen – gültig für den ganzen Osten – namentlich als Häretiker verurteilt, und dieses Urteil galt fortan." [110]

Dieser pneumatologische Klärungs- und Entscheidungsprozeß ist untrennbar mit den drei Kappadokiern verbunden, vorab mit *Basilius* von Cäsarea. [111] Von ihm heißt es: „In die Dogmengeschichte ist der kappadokische Bischof eingegangen als der Mann, der den entscheidenden Beitrag geliefert hat, um die Stellung des Heiligen Geistes in der Trinität zu klären. Noch der vorsichtige Wortlaut des Symbols, das wir das Nizänum nennen, dessen dritter Artikel erst nach dem Tode des Basilius formuliert worden ist, bewahrt den Ansatz dieses Theologen, wenn es die Einheit des Vaters, des Sohnes und des Geistes von der Einheit in der Doxologie und der Anbetung aus bestimmt." [112] Der Rahmen, in dem für Basilius die Rede vom Hl. Geist beheimatet ist, ist alles andere als ein isolierter. Die Pneumatologie gehört in die Theologie, d. h. in das Bekenntnis zum dreifaltigen Gott. Ohne das Bekenntnis zum Geist würde das Bekenntnis zu Gott, zu Vater und Sohn verkürzt und entwertet. Wie die Trinität pneumatologisch bestimmt ist, so ist die Pneumatologie trinitarisch bestimmt. Für den Geist ist die ὁμοτιμία (die gleiche Verehrung) mit dem Vater und dem Sohn wesentlich. Die Grundstruktur der Aussagen der basilianischen Pneumatologie ist doxologischer Art: „Der göttlich ist in seiner Natur, un-

---

[110] W.-D. Hauschild, a. a. O. 11 f.

[111] Vgl. P. C. Christou, L'enseignement de saint Basile sur le Saint-Esprit. In: VC 89 (1969), S. 86–99; J. Coman, La démonstration dans le traité sur le Saint-Esprit de Saint Basile le Grand. In: StPatr 9 (1966), S. 172–209; H. Dörries, Basilius und das Dogma vom Heiligen Geist. In: ders., Wort und Stunde, S. 118–144; C. Hanson, Basile et la doctrine de la Tradition en relation avec le Saint-Esprit. In: VC 88 (1968), S. 56–71; G. Kretschmar, Der Heilige Geist in der Geschichte, S. 92–100; L. Vischer, Basilius der Große. Untersuchungen zu einem Kirchenvater des 4. Jahrhunderts. Basel 1953; K. Yamamura, The Development of the Doctrine of the Holy Spirit in Patristic Philosophy: St. Basil and St. Gregory of Nyssa. In: SVTQ 18 (1974), S. 3–21.

[112] G. Kretschmar, a. a. O. 92.

faßbar in seiner Größe, mächtig in seinen Wirkungen, gut in seinen Wohltaten, ihn sollen wir nicht preisen und erheben? Ich aber weiß ihm nicht besser die Ehre zu erzeigen als im Erzählen seiner erfahrenen Wunder, ihrer zu gedenken ist der größte Lobpreis. Anders können wir ja auch nicht Gott, den Vater unseres Herrn Jesus Christus, und seinen eingeborenen Sohn preisen, als indem wir nach unserem Vermögen ihre Wunder erzählen."[113]

Dem *Mönchtum* und seinem Erfahrungshorizont schreibt man einen prägenden Einfluß auf die Pneumatologie des Basilius zu. Das geschieht nicht von ungefähr, nachdem nach dem Rückgang der Prophetie und der Geistesgaben um die Wende des 1. Jahrhunderts, abgesehen vom Montanismus als der „neuen Prophetie", diese Rolle auf die Martyrer und Mönche übergegangen war.[114] Die Mönche galten als die berufenen Geistträger und „neuen Propheten", sofern die Askese zum Empfang des Geistes disponiert: „Der Mönch ist Geistträger, weil er Asket ist. Es ist ein Geistbesitz besonderer Art, der sich durch Wunder, Visionen und Prophetie ausweist. Ihm eignet ein dynamisches, ekstatisches Moment."[115] Die Apophtegmata der Wüstenväter belegen zur Genüge, wie sehr das pneumatophorische Motiv der Askese zum Bild des Mönchs als „Mann Gottes" gehört.[116] Im basilianischen Mönchtum wird dem heiligen Wirken des Geistes ein sehr breiter Raum zugestanden. Geistempfang und sittliche Vervollkommnung gehen Hand in Hand, sofern der Geist die entsprechend disponierte Seele vollendet.[117] Im Milieu des Mönchtums war der Glaube an die Charismen der Urkirche lebendig; Basilius kommt aus dieser Tradition, ohne daß man beim Geist von einem „Mönchsdogma" und bei der Pneumatologie von einer „Mönchstheologie" sprechen kann.[118]

---

[113] Basilius, De Spir. Sancto XXIII, 54 (Pruche 444, 17–446, 26).

[114] Vgl. P. Luislampe, a. a. O. 23–31; W.-D. Hauschild, Gottes Geist und der Mensch, S. 285f.

[115] P. Nagel, Die Motivierung der Askese in der alten Kirche und der Ursprung des Mönchtums. Berlin 1968, S. 71.

[116] Vgl. B. Miller, Weisung der Väter. Freiburg 1965, Nr. 30, 65, 80, 453, 649, 910, 1012; S. Frank, Mönche im frühchristlichen Ägypten. Düsseldorf 1967; U. Ranke-Heinemann, Weisheit der Wüstenväter. Düsseldorf 1958; dies., Das frühe Mönchtum. Seine Motive nach den Selbstzeugnissen. Essen 1984.

[117] Vgl. P. Luislampe, a. a. O. 27–31.

[118] Vgl. H. Dörries, Basilius und das Dogma vom Heiligen Geist, S. 139; ders.,

Basilius ist vor allem als der Verteidiger der „Gottheit" des Pneuma und seiner trinitätstheologischen Bedeutung in die Dogmengeschichte eingegangen. Methode und Form, deren er sich dabei bedient, entstammen nicht der Spekulation, sondern der Doxologie. Um die Homousie des Geistes zu erweisen, rekurriert er vor allem auf den Taufbefehl von Mt 28, 19 und die dadurch verbürgte Taufpraxis sowie auf bestimmte triadische Formeln, die vor allem in der Doxologie Verwendung fanden. Die Doxologie „Ehre sei dem Vater durch (διά) den Sohn im (ἐν) Heiligen Geist" stellte einen im 4. Jahrhundert allgemein anerkannten Typus dar. Diese Form wurde zum Anlaß genommen, um auf eine Inferiorität des Geistes zu schließen. Basilius setzte an ihre Stelle eine symmetrische Doxologie der Art „Ehre sei dem Vater und dem Sohn mit (σύν) dem Heiligen Geist", was Widerspruch und Entrüstung auslöste.[119] Mit Hilfe der Präposition „mit" soll die Gleichheit der Natur und Ehre im Fall des Geistes zum Ausdruck gebracht werden. Diese Würde des Geistes hängt zutiefst mit der Doxa zusammen, die ihm dargebracht wird und die ihn mit Vater und Sohn verbindet. Die Auseinandersetzung um die Homousie des Geistes erweist sich als eine um die Homotimie, um die dem Geist gebührende gleiche Ehre. Basilius stützt sich dabei auf das Korrelationsprinzip: Wie der Sohn zum Vater, so verhält sich der Geist zum Sohn, um sowohl die Einheit wie auch die Verschiedenheit des Geistes Vater und Sohn gegenüber zum Ausdruck zu bringen.[120] Der Grund von alldem ist eine „Natur-Gemeinschaft", die den Geist Gott zuordnet und in die er unlösbar einbezogen ist: „Von ganz verschiedenen Seiten aus kommt Basilius zum gleichen Ergebnis: vom Taufbefehl, von den Schöpfungswerken, vom Wirken des Geistes in der Heilsgeschichte, von seinen Namen; dies alles sind Beweise seiner untrennbaren Verbundenheit mit dem Vater und dem Sohn und begründen die δόξα φυσική (die im Wesen verankerte Ehre), die Voraussetzung ist für die dargebrachte Doxologie."[121] Das bedeutet nicht, daß Basilius den

De Spiritu Sancto. Der Beitrag des Basilius zum Abschluß des trinitarischen Dogmas. Göttingen 1956, S. 159f., 183.

[119] Vgl. P. Luislampe, a.a.O. 41–49; Basilius, De Spir. Sancto I, 3 (Pruche 256, 2–258, 2).

[120] Vgl. Basilius, De Spir. Sancto XVIII, 43 (Pruche 398, 14f.).

[121] P. Luislampe, a.a.O. 186.

Begriff der Homousie durch den der Homotimie ersetzt; er bevorzugt dafür eher die von ihm geprägte Bezeichnung „φυσικὴ κοινωνία (Gemeinsamkeit im Wesen)", die zur „κοινωνία τῆς δόξας (Gemeinsamkeit der Ehre)" wird.[122] Der Geist wird sowohl von der Schöpfung wie durch die Gemeinschaft mit Vater und Sohn verherrlicht.[123] Inhaltlich offenbart der Geist die Doxa Christi, diese Verherrlichung des Geistes vollzieht sich im glaubenden Menschen; denn: Wer den „im Menschen wohnenden Geist nicht ehrt, der ehrt auch nicht den Sohn, und wer den Sohn nicht ehrt, der ehrt auch nicht den Vater."[124] Es ist bekannt, daß Basilius den Geist öffentlich nicht als „θεός" (Gott), sondern als „θεῖον" (Göttliches) oder „ὁμότιμον" (der gleichen Ehre Würdiges) bezeichnet. Dahinter verbirgt sich das Prinzip der „Ökonomie", eine von pastoraler Klugheit diktierte Zurückhaltung.[125] Zur Eigenart der basilianischen Pneumatologie gehört es auch, der „ἰδιότης" (Eigenart) des Geistes näher nachzuspüren. Basilius lehnt sich dabei an die von der Bezeichnung und der Schrift her vorgegebenen Möglichkeiten. Mit dem Geist verbindet er in besonderer Weise die Vorstellung des „ἁγιασμός" (Heiligung). Der Geist ist nicht nur Ursprung und Quelle, sondern geradezu die Heiligung selber.[126] Basilius denkt dabei an das Vater, Sohn und Geist gemeinsame Heilig-sein, das sich im Pneuma in der Weise offenbart, daß es sich als heiligend erweist. Ähnlich verhält es sich mit der Bezeichnung „πνεῦμα" (Geist). Gängigen philosophischen Auffassungen gegenüber betont Basilius: „Wer das Wort ‚πνεῦμα' hört, der kann in seinem Denken sich keine bestimmte Natur vorstellen oder eine, die Wandlungen und Veränderungen unterworfen ist; vielmehr erkennt er, wenn er

[122] Vgl. H. Dörries, De Spiritu Sancto, S. 143.

[123] Vgl. Basilius, De Spir. Sancto XVIII, 46f. (Pruche 410, 23–412, 16).

[124] Basilius, Hom. contra Sab. et Ar. 7 (PG 31, 617A).

[125] Vgl. Basilius, De Spir. Sancto XXX, 76–79 (Pruche 520, –530); H. Dörries, De Spiritu Sancto, S. 121–123; ders., Wort und Stunde, S. 124; B. Pruche, Autour de traité sur le Saint-Esprit de saint Basile de Césarée. In: RSR 52 (1964), S. 204–232; M. Orphanos, ῾Ο Υἱὸς καὶ τὸ ῞Αγιον Πνεῦμα εἰς τὴν τριαδολογίαν τοῦ M. Βασιλείου. Athen 1976, S. 113–115; H. J. Jaschke, a. a. O. 130f.

[126] Vgl. Basilius, De Spir. Sancto IX, 22 (Pruche 324, 21–26); XIX, 48 (Pruche 416, 14); Adv. Eun. III, 2 (PG 29, 660 ABC); W.-D. Hauschild, a. a. O. 147f.; J. M. Hornus, La divinité du Saint-Esprit comme condition du salut personnel selon Basile. In: VC 23 (1969), S. 33–62.

sich mit seinen Gedanken zum Höchsten erhebt, mit Notwendigkeit, eine νοερὰ οὐσία (eine mit Verstand begabte Wesenheit),
unendlich an Kraft, unbegrenzt hinsichtlich der Größe, mit Zeiten
und Ewigkeiten nicht zu fassen." [127] Der Name des Geistes verweist
also auf die völlige Andersartigkeit und spezifische Geistigkeit als
Proprium. In Anlehnung an die Deutung von Ps 32, 6 wird der
Geist als „οὐσία ζῶσα" (lebendige Wesenheit) verstanden, in der
sich die lebenspendende Kraft Gottes manifestiert und mitteilt. [128]
Biblische Vorbilder aufgreifend, kann das Pneuma auch durch Zusätze wie „gerade", „recht", „gerecht", „Wahrheit" oder „Weisheit" charakterisiert werden. [129] Unter der Aufnahme stoischer Begrifflichkeit kann der Geist auch als „πνεῦμα ἡγεμονικόν" (Geist
als leitendes Prinzip) eingeführt werden, wobei vor allem an die
zum universalen Lobpreis Gottes lenkende und einengende Funktion des Geistes gedacht ist. [130] Dieser mehr biblisch und heilsgeschichtlich orientierten Denk- und Sprechweise gegenüber kommt
der philosophisch geschliffenen Terminologie, die mit der Unterscheidung von „οὐσία" (Wesen) und „ὑπόστασις" (Hypostase) operiert,
eher eine untergeordnete Bedeutung zu, wenn es darum geht, die
Eigentümlichkeit des Geistes zu bestimmen. [131] Das Pneuma stammt
aus Gott, der Modus seines Daseins aber bleibt geheimnisvoll. [132]

---

[127] Basilius, De Spir. Sancto IX, 22 (Pruche 324, 15–17).

[128] Vgl. P. Luislampe, a. a. O. 172, 191.

[129] Vgl. Basilius, De Spir. Sancto IX, 22 (Pruche 322, 8f.); XVIII, 46 (Pruche
410, 14–16); XIX, 48 (Pruche 416, 20).

[130] Vgl. Basilius, De Spir. Sancto IX, 22 (Pruche 322, 9); XVI, 38 (Pruche
382, 60–63); XIX, 48 (Pruche 418, 27); B. Pruche, Sur le Saint-Esprit = SC 17.
Paris 1968, S. 172–175.

[131] Vgl. P. Luislampe, a. a. O. 173–181; J. Verhees, Mitteilbarkeit Gottes in der
Dynamik von Sein und Wirken nach der Trinitätslehre des Basilius des Großen. In:
OstKSt 27 (1978), S. 19–24; ders., Pneuma. Erfahrung und Erleuchtung in der
Theologie des Basilius des Großen. In: OstKSt 25 (1976), S. 43–59; R. Hübner,
Gregor von Nyssa als Verfasser der sog. Ep. 38 des Basilius. Zum unterschiedlichen
Verständnis der οὐσία bei den kappadozischen Brüdern. In: J. Fontaine – C. Kan-
nengießer (Hrsg.), Epektasis. Paris 1972, S. 480; H. Dörrie, Ὑπόστασις. Wort und
Bedeutungsgeschichte. In: Nachrichten der Akademie der Wissenschaften in Göt-
tingen, Phil.-hist. Klasse, 1955, S. 56f.; C. Andresen, Zur Entstehung und Ge-
schichte des trinitarischen Personenbegriffes. In: ZNW 52 (1961), S. 35f.

[132] Vgl. Basilius, De Spir. Sancto XVIII, 46 (Pruche 408, 1–3); Ep. 125, 3 (Courtonne II, 34).

Dem doxologischen und narrativen Grundzug seiner Pneumatologie zufolge sucht Basilius die Eigenart des Geistes aus den Wirkungen im Rahmen der Heilsgeschichte zu erheben. Das schöpferische Handeln des Geistes wird vor allem als „Lebenschaffen", Vergöttlichung und Vollendung geschildert.[133] Das prophetische und inspiratorische Wirken des Geistes enthüllt die Tiefen der Gottheit und offenbart die Verbindung des Pneuma mit Vater und Sohn.[134] Gegenwart und Wirksamkeit des Geistes sind in besonderer Weise mit dem Christusereignis verbunden: „In der Salbung Jesu mit Heiligem Geist wird offenbar, daß das gesamte Heilswerk ein trinitarisches Geschehen ist. Jesus ist der Christus, in dem das Ganze der Heilswirklichkeit sich offenbart, der Vater als der Salbende, der Sohn als der Gesalbte und der Heilige Geist als das χρῖσμα (Salbung), ‚in' dem dieses Offenbarwerden der Liebe sich vollzieht. Der Heilige Geist als die Vermittlung zwischen Vater und Sohn ist zugleich auch die Vermittlung Gottes in die Geschichte."[135] Die ekklesiale bzw. ekklesiologische Bedeutung des Pneuma wird bei Basilius im paulinischen Gedanken vom Leib Christi und von dem diesen und seine Glieder belebenden Geist greifbar. Der Geist, die Gabe Gottes schlechthin, manifestiert sich in den einzelnen Charismen.[136] Breiten Raum nimmt der Gedanke des heiligenden Wirkens des Geistes ein; dieses umfaßt in gleicher Weise Engel und Menschen.[137] Dem Geist kommt Heiligkeit von Natur aus zu, während sie die Engel durch Teilhabe erwerben: „Den Eintritt in das Sein hat den Engeln das erschaffende Wort, der Schöpfer aller Dinge gewährt, die Heiligung aber hat ihnen der Heilige Geist verliehen. Denn die Engel sind nicht als Unmündige erschaffen, die sodann

---

[133] Vgl. W.-D. Hauschild, a. a. O. 286 f.; T. F. Torrance, Spiritus Creator. In: VC 23 (1969), S. 63–85; M. Orphanos, Creation and Salvation according to St. Basil of Caesarea. Athen 1975.

[134] Vgl. Basilius, De Spir. Sancto XVI, 40 (Pruche 390, 43); P. Luislampe, a. a. O. 62–77.

[135] P. Luislampe, a. a. O. 85.

[136] Vgl. Basilius, Hom. de fide 3 (PG 31, 469 B–472 A); P. Luislampe, a. a. O. 86–107; B. Bobrinskoy, Liturgie et ecclésiologie trinitaire de saint Basile. In: VC 23 (1969), S. 1–32.

[137] Vgl. A. Heising, Der Heilige Geist und die Heiligung der Engel in der Pneumatologie des Basilius von Cäsarea. In: ZKTh 87 (1965), S. 257–308; P. Luislampe, a. a. O. 107–161.

durch allmähliche Übung vervollkommnet, somit für den Empfang des Geistes würdig geworden sind, sondern sie erhalten bei ihrer ersten Gestaltung gleichsam durch Vermischung mit ihrer Substanz die Heiligkeit. Daher sind sie auch nur schwer umstimmbar zum Bösen, da sie sogleich mit der Heiligkeit wie durch Eintauchen gestählt wurden und die Beständigkeit in der Tugend durch die Gabe des Geistes empfingen."[138]

In diesem Kontext ist auch die Bedeutung der „vita angelica" (engelgleiches Leben) für das Selbstverständnis des Mönchtums zu sehen.[139] Der Fortschritt in der Tugend erhebt den Menschen in die Stellung der Engel, wie diese auch Vorbild für den Vollzug des Gotteslobes sind.[140] Basilius ist an einer Auszeichnung dieser Parallelen zwischen dem Leben der Engel und dem Ideal des vollkommenen Menschen in Gestalt des Mönchs nicht uninteressiert.[141] Im Unterschied zur Heiligung der Engel stellt sich die der Menschen als ein fortschreitender Prozeß dar, in dem der Geist die prägende und führende Rolle einnimmt. Die beiden Gen 1, 26 f. entlehnten Termini „εἰκών" (Bild, Ebenbild) und „ὁμοίωσις" (Gleichnis) werden von Basilius im Rahmen des soteriologischen Umformungsgeschehens in der Weise verwendet, „daß εἰκών die naturgemäße Anlage, die der Mensch in der Schöpfung empfangen hat, charakterisiert, während ὁμοίωσις dem Ziel der menschlichen Berufung zugeordnet wird und infolgedessen eine zunächst im Menschen keimhaft und wurzelhaft vorhandene Seinsweise kennzeichnet, die aber in sich die Fähigkeit zu Entwicklung und Fortschritt enthält. Ὁμοίωσις charakterisiert somit die Vollendung, die in gleicher Weise Ergebnis des menschlichen Suchens wie auch der neuschaffenden Kraft des Geistes ist."[142] Die Eikonologie wird pneumatologisch umfunk-

[138] Basilius, Hom. in Ps. 32, 4 (PG 29, 333 B).

[139] Vgl. K. S. Frank, ΑΓΓΕΛΙΚΟΣ ΒΙΟΣ. Begriffsanalytische und begriffsgeschichtliche Untersuchung zum „engelgleichen Leben" im frühen Mönchtum. Münster 1964, S. 97–99.

[140] Vgl. Basilius, Hom. in Hexaem. IX, 6 (Giet 519); Ep. 2, 2 (Courtonne I, 7); P. Luislampe, a. a. O. 52 f.

[141] Vgl. Basilius, Hom. de grat. act. 2 (PG 31, 236 C); Hom. in s. bapt. 3 (PG 31, 429 B); Hom. in Ps. 45, 4 (PG 29, 421 CD); Hom. in Hexaem. I, 1 (Giet 91); Hom. Quod. deus 7 (PG 31, 344 C–348 D).

[142] P. Luislampe, a. a. O. 115 f.; vgl. Basilius, Hom. in Ps. 48, 8 (PG 29, 449 B); De Spir. Sancto I, 2 (Pruche 252, 11).

tioniert, sofern der Geist als das Bild des Sohnes die Erkenntnis des
Urbildes vermittelt: „Wie die Sonne sich eines gereinigten Auges
bemächtigt, wird er dir in sich das Bild des Unsichtbaren zeigen. In
der seligen Schau dieses Bildes wird dem Blick die unaussprechliche
Schönheit des Urbildes zuteil." [143] Den Beginn der Umformung des
Menschen markiert die Taufe, Ursprung und Mitte der basilianischen Pneumatologie. Sakramentale Umgestaltung und ethische
Umwandlung durch den Geist und sein erzieherisches Wirken gehören zusammen. Sie zielen auf den wahren und gottähnlichen
Menschen auf dem Weg der Nachahmung Christi und der Paideia
(Unterweisung) durch den Geist.[144] Die unabdingbare Vorausset-
zung für die Entfaltung der schöpferischen Kraft des Pneuma bildet
die Bekehrung, die Katharsis als Reinigung von allen πάθη (Leiden-
schaften).[145] Weitere Schritte sind Erkenntnis der Wahrheit und Erleuchtung, die sich vor allem auf die Kenntnis der Schrift und der
Schöpfung beziehen und in den Lobpreis und die Anbetung des
dreifaltigen Gottes einmünden, was aber nur im Geist möglich ist:
„Denn wenn du außerhalb seiner bist, betest du überhaupt nicht.
Bist du aber in ihm, trennst du ihn auf keine Weise von Gott, wenigstens nicht leichter, als du das Licht vom Geschauten trennst. Denn
es ist unmöglich, das Bild des unsichtbaren Gottes zu sehen, außer
im Licht des Geistes. Man kann, wenn man das Bild anschaut, das
Licht nicht vom Bild trennen. Der Grund des Sehens wird notwendig mit dem Geschauten zugleich gesehen. Also schauen wir angemessen und folgerichtig den Abglanz der Herrlichkeit Gottes durch
die Erleuchtung des Geistes; durch das Ebenbild aber werden wir
zur Herrlichkeit dessen emporgeführt, dessen Ebenbild und gleich-
förmiges Siegel Christus ist." [146] Das Ziel dieses Weges besteht darin, Gott ähnlich bzw. mit dem Bild des Sohnes gleichförmig zu
werden.[147] Vom heilsgeschichtlichen Wirken des Geistes ist auch

---

[143] Basilius, De Spir. Sancto IX, 23 (Pruche 328, 11 f.); vgl. Ep. 226, 3 (Courtonne
III, 27); Adv. Eun. I, 17 (PG 29, 552 B); II, 16 (PG 29, 605 A).

[144] Vgl. Basilius, De Spir. Sancto XV, 35 (Pruche 366, 9); XXVI, 61 (Pruche
466, 9–11).

[145] Vgl. P. Luislampe, a. a. O. 127–134.

[146] Basilius, De Spir. Sancto XXVI, 64 (Pruche 476, 13–15).

[147] Vgl. Basilius, De Spir. Sancto I, 2 (Pruche 252, 11); XXVI, 61 (Pruche 466,
9–11); Reg. fus. tract. 8, 3 (PG 31, 940 C).

die endzeitliche Vollendung nicht ausgenommen; das hängt zu sehr mit seiner Rolle als Angeld und Erstlingsgabe Gottes an den Menschen zusammen: „Taufe – Glaube – Doxologie, das ist . . . der Dreischritt, in dem sich das Leben des Christen vollendet. Die Taufe, das war Beginn des neuen Lebens; am Bewahren oder Verleugnen dieses Taufbekenntnisses entscheidet sich auch das ewige Geschick des Christen. So ist das Wirken des Heiligen Geistes, das Basilius beginnend bei der Schöpfung bis hin zur Vollendung darstellt, immer auch trinitarisch bestimmt, ist er doch überall mit der ganzen Gottheit verbunden: Im Bekenntnis des Glaubens, in der Taufe, in den Krafttaten, in den Gnadengaben, in der Anbetung, denn es ist unmöglich, den Sohn zu verehren, außer im Heiligen Geist, noch kann man den Vater anrufen, außer im Geist der Annahme an Sohnes Statt.“[148]

In den Spuren des großen Basilius wandern sowohl *Gregor von Nazianz* wie *Gregor von Nyssa*.[149] Beide bekennen sich ausdrücklich zur Homousie des Geistes.[150] Ersterer betont in seiner Pfingstrede die edle Haltung derer, die sich vor Verständigen zur Gottheit des Geistes äußern.[151] In seiner Trinitätslehre versucht er die Idiomata der einzelnen Personen mit Hilfe der Formel ἀγεννησία (Ungezeugtsein) – γέννησις (Zeugung) – ἐκπόρευσις (Hervorgang) zu

[148] P. Luislampe, a. a. O. 161; vgl. G. Kretschmar, Der Heilige Geist in der Geschichte, S. 95 f.

[149] Vgl. H. Althaus, Die Heilslehre des hl. Gregor von Nazianz. Münster 1972; H. Dörrie, Die Epiphanias-Predigt des Gregor von Nazianz (Hom. 39) und ihre geistesgeschichtliche Bedeutung. In: Kyriakon. Festschrift für J. Quasten. Münster 1970, S. 409–423; R. Hübner, a. a. O. 463–490; M. E. Hussey, The Theology of the Holy Spirit in the Writings of St. Gregory of Nazianzus. In: Diakonia (USA) 14 (1979), S. 224–233; W. Jaeger, Gregor von Nyssas Lehre vom Heiligen Geist. Leiden 1966; H. Merki, Ὁμοίωσις Θεῷ. Von der platonischen Angleichung an Gott zur Gottähnlichkeit bei Gregor von Nyssa. Freiburg/Schweiz 1952; R. Staats, Gregor von Nyssa und die Messalianer. Die Frage der Priorität zweier altkirchlicher Schriften. Berlin 1968; E. Bellini, La Chiesa nel mistero della salvezza in San Gregorio Nazianzeno. Varese 1970; Th. Spidlik, Grégoire de Nazianze. Introduction à l'étude de sa doctrine spirituelle. Rom 1971; K. Yamamura, The Development of the Doctrine of the Holy Spirit in Patristic Philosophy: St. Basil and St. Gregory of Nyssa. In: SVTQ 18 (1974), S. 3–21.

[150] Vgl. Gregor v. Naz., Orat. theol. 5, 10 (Barbel 236); Gregor v. Nyssa, Ad Eustath. (Müller III/1, 13); Adv. Maced. 14 f. (Müller III/1, 100–102).

[151] Vgl. Gregor v. Naz., Or. 41, 6 (PG 36, 437 B).

bestimmen.[152] Gregor weiß um die Argumentationskraft der Doxologie, wie seine Auseinandersetzung mit den Arianern bestätigt.[153] Das Wirken des Geistes wird eng mit dem Christusgeschehen verbunden, wenn es heißt: „Christus wurde geboren, der Geist
geht ihm voran. Er wird getauft, der Geist gibt Zeugnis. Er wird
versucht, der Geist führt ihn nach Galiläa. Er vollbringt Wunder,
der Geist begleitet ihn. Er fährt auf, der Geist folgt ihm nach. Gibt
es überhaupt eine nur Gott zustehende Großtat, die der Geist nicht
vollbringen kann?"[154] Aufgrund dieses Zusammenhangs verwun-
dert es nicht, wenn auch das schöpferische Wirken des Logos mit
dem Geist verbunden ist: „Dieser Geist vollbringt mit dem Sohn die
Schöpfung und Auferstehung."[155] Entsprechend dem Axiom:
„Das Heilige Pneuma war immer, ist immer und wird immer sein"
steht die gesamte Heilsökonomie unter dem Zeichen der Wirksamkeit des Geistes: „Das Pneuma wirkt zuerst in den englischen und
himmlischen Mächten, die die Ersten nach Gott und um Gott sind.
Denn nirgendwoandersher haben sie ihre Vollkommenheit, ihre
Helligkeit und ihre Unfähigkeit, schwer nur oder gar nicht zum Bösen bewegt zu werden, als vom Heiligen Pneuma. Dann in den Vätern und Propheten. Von ihnen sahen die einen Gott in Bildern oder
in wahrer Einsicht. Die anderen aber sahen das Zukünftige voraus.
Denn in ihnen hatte das Pneuma sein herrscherliches Siegel dem beherrschenden Teil der Seele eingedrückt, und so gingen sie mit den
zukünftigen Dingen wie mit gegenwärtigen um. Derart ist die
Macht des Pneuma. Dann in den Jüngern Christi. Von Christus
spreche ich hier nicht. Denn es war nicht in ihm als Wirkendes, sondern als Begleiter des Gleichgestellten."[156] Der Nazianzener weiß
um die Dynamik des Geistes, die sich in jenem Transformations-
prozeß des Menschen entfaltet, der mit seiner Versiegelung in der
Taufe anhebt.[157] Noch mehr als Basilius betont er dabei den Aspekt
der mit dem Geist gewährten Erleuchtung in der Taufe.[158] Gregor

[152] Vgl. Gregor v. Naz., Orat. theol. V (Barbel 221).
[153] Vgl. Gregor v. Naz., Hom. 39, 12 (PG 36, 348 A); H. Dörries, a. a. O. 418.
[154] Gregor v. Naz., Orat. theol. V (Barbel 268).
[155] Gregor v. Naz., Orat. 41, 14 (PG 36, 448 B).
[156] Gregor v. Naz., Orat. 41, 11 (PG 36, 443 B).
[157] Vgl. Gregor v. Naz., Orat. 40, 15 (PG 36, 377 AB).
[158] Vgl. H. Althaus, a. a. O. 152–157; P. Luislampe, a. a. O. 126.

von Nyssa zeigt sich, nicht unbeeinflußt von den Alexandrinern Clemens und Origenes, vor allem am Gedanken der Paideia (Unterweisung) durch den Geist interessiert: „Die Lehre vom Pneuma ist bei ihm zu einer vollkommenen christlichen Paideia ausgestaltet." [159] Entsprechend stark akzentuiert er die Bedeutung der Taufe, in der die Geisteinwohnung geschieht; sie eröffnet ein neues Leben, entläßt den Menschen auf den Weg der Vollkommenheit und vollendet das Werk seiner Schöpfung. [160] Der völlige Geistbesitz steht für ihn nicht erst am Ende des Weges zur Vollkommenheit, sondern wird dem Menschen bereits in der Taufe zuteil: „Der Geistbesitz charakterisiert im Vorgriff das neue Sein, welches sich in einem neuen Leben darstellen muß. Und dieses erst ergibt den wahren Menschen." [161] Der Geist tritt damit nicht nur in der Rolle des Zuschauers, sondern des Helfers und Erziehers des Menschen auf, wie die Betonung der Synergie des Pneuma bei Gregor deutlich werden läßt. [162]

Die Pneumatologie der Kappadokier führt unmittelbar zum *Konzil von Konstantinopel 381* und wird im *Symbolum Nicaeno-Constantinopolitanum* greifbar. [163] Darin erfährt der dritte Artikel erhebliche Erweiterungen in den Aussagen über das Herr-Sein, die lebenspendende Macht, den Hervorgang des Geistes aus dem Vater und die ihm in gleicher Weise geschuldete Anbetung und Ehre. Diese Zusätze bleiben im Rahmen der Symboltradition und antworten auf die pneumatomachischen Anfragen: „Ein Blick auf die

---

[159] W. Jaeger, a. a. O. 113; vgl. W.-D. Hauschild, a. a. O. 287–290.

[160] Vgl. Gregor v. Nyssa, De Spir. Sancto (ed. Jaeger III/1, 101–113).

[161] W.-D. Hauschild, a. a. O. 290.

[162] Vgl. W. Jaeger, a. a. O. 97–99; R. Staats, a. a. O. 119–121.

[163] Vgl. A. M. Ritter, Das Konzil von Konstantinopel und sein Symbol. Studien zur Geschichte und Theologie des 2. ökumenischen Konzils. Göttingen 1965; J. N. D. Kelly, Altchristliche Glaubensbekenntnisse. Göttingen 1972, S. 294–327; A. Adam, Lehrbuch der Dogmengeschichte, Bd. I. Tübingen ³1977, S. 233–243; H. J. Jaschke, a. a. O. 126–130; L. Bouyer, Le Consolateur. Esprit Saint et grâce. Paris 1980, S. 167–214; Y. Congar, Je crois en l'Esprit Saint, Bd. III. Paris 1980, S. 55–67; J. Ratzinger, Das I. Konzil von Konstantinopel 381. Seine Voraussetzungen und seine bleibende Bedeutung. In: IKZ 10 (1981), S. 555–563; K. Lehmann – W. Pannenberg (Hrsg.), Glaubensbekenntnis und Kirchengemeinschaft. Das Modell des Konzils von Konstantinopel (381). Freiburg 1982; B. S. Schultze, Die Pneumatologie des Symbols von Konstantinopel als abschließende Formulierung der griechischen Theologie (381 – 1981). In: OrChr P 47 (1981), S. 5–54.

Zusätze zeigt, daß man auch bei ihnen bemüht gewesen ist, keine eigentlich neuen Ausdrücke zu verwenden. Vom lebenspendenden Geist ist schon im Johannesevangelium die Rede (Joh 6, 63). Auch Irenäus von Lyon bringt den Geist mit dem Leben in Verbindung und findet darin einen Grundbegriff zur Beschreibung seines Wirkens. Ähnlich kann C (= das Symbolum Nicaeno-Constantinopolitanum) mit der Wendung über den Hervorgang aus dem Vater auf die Schrift (Joh 15, 26) zurückgreifen. Und die Worte über die Doxologie verweisen in den Bereich des seit jeher üblichen Gebets und der gottesdienstlichen Verehrung. Gleichwohl hieße es die Aussageabsicht von C zutiefst mißverstehen, wollte man aus den Worten auf eine Zurückhaltung in der Sache schließen. Eine gediegene Interpretation erweist sie als eine überaus klare, an Eindeutigkeit nichts zu wünschen lassende Beschreibung der Gottheit des Heiligen Geistes." [164] Der philosophische Kontext, in dem diese Aussagen zu lesen sind, wird durch die Unterscheidung von οὐσία (Wesen) und ὑπόστασις (Hypostase) repräsentiert, die nicht nur dem trinitarischen Dogma, sondern auch der Personhaftigkeit des Geistes zur exakten denkerischen Formulierung verhalf.

Nachdem die Gottheit und Personhaftigkeit des Geistes als Glaubenssatz festgelegt worden war, konnte die sogenannte *Geistmystik* zu ihrer vollen Entfaltung gelangen. Diese betont vor allem das Erfülltsein mit Hl. Geist, ist mit dem Namen des *Evagrius Ponticus* verbunden und in Mönchskreisen verbreitet: „Die gesamte Mönchsmystik der syrischen und der byzantinischen Kirche beruht auf den Anfängen, die Evagrius in seinen ‚Zenturien‘ ausgebildet hatte. Von der Voraussetzung aus, daß der Mönch seinem Wesensziele nach mit Christus vereinigt sei und ganz den Weg Christi gehe, konnte ein neues inneres Verhältnis zu der Göttlichkeit des Heiligen Geistes gefunden werden, indem in dem eigenen Geistbesitz die wesenhafte Teilhabe an der Person des Heiligen Geistes gesehen wurde. Dieser Ansatz bot die Möglichkeit zur Begründung einer Meditation, die sich die Trinität als ihren eigensten Gegenstand wählte; die Einheit der weltlichen, geistlichen und göttlichen Erkenntnis wurde als erreichbares Ziel gesehen. Von dem Ansatz aus,

---

[164] H. J. Jaschke, a. a. O. 130; vgl. W.-D. Hauschild, Die Pneumatomachen, S. 39–235.

daß der Heilige Geist vor der Erschaffung der körperlichen Geister
seinen Ursprung in Gott habe, konnte Evagrius zu der Überzeugung kommen, alles zu erkennen, was an Wirkungen des Heiligen
Geistes innerhalb des geistigen Universums lebe, ja auf dem Wege
über diese Erkenntnis in die Gottheit selber aufzusteigen. In Byzanz ist diese Mystik von der Kirche zunächst abgelehnt worden;
sie hat sich aber in den Kreisen des Mönchtums erhalten können,
vor allem in der syrischen Kirche, aber auch im byzantinischen
Mönchtum. Erst Gregor Palamas (gest. 1358) hat die Geistmystik
so ausgebaut, daß die ‚ungeschaffenen göttlichen Energien‘ mit einer Theologie der geistlichen Erfahrungen verbunden wurden. Dieser ‚Palamismus‘ hat das Herz der russischen Gläubigkeit gewonnen. Vom syrischen Mönchtum aus war die Geistmystik früh in den
Islam persischer Prägung eingedrungen und hat dort zum Sufismus
geführt. ‚Suf‘ heißt das wollene Mönchsgewand, und ‚sufi‘ sein
Träger; diese äußerliche Bezeichnung deckt eine geistige Bewegung, deren Glieder auf dem Wege einer methodischen Einübung
der Geistmystik das Ziel einer Vereinigung mit der Gottheit erreichen wollen." [165]

An dieser Stelle ist eine kurze Bemerkung zur *syrischen Pneumatologie* fällig, die sich in die Eigenart dieser Theologie überhaupt
teilt. Neben dem fehlenden Einfluß griechischer Theologie und ihrer Begrifflichkeit steht ein sich eng an die Schrift anlehnendes und
jüdisch-rabbinisch geprägtes Denken. [166] *Afrahat*, der älteste syrische Theologe, der uns bekannt ist, hat uns eine auf alter Tradition
fußende Glaubensformel überliefert, die für das Verständnis des
Pneuma recht aufschlußreich ist: „Das ist der Glaube: daß man
glaubt an Gott, den Herrn über alles, der geschaffen hat Himmel
und Erde und die Meere und alles, was darinnen ist, der den Menschen erschaffen hat nach seinem Bild, der das Gesetz dem Moses
gegeben hat und von seinem Geist in die Propheten gesandt hat; und
der wiederum seinen Christus in die Welt gesandt hat; und daß man
glaubt die Auferstehung der Toten und ferner auch an das Geheim-

[165] A. Adam, a. a. O. 245.
[166] Vgl. E. P. Siman, L'expérience de l'esprit par l'Église dans la tradition syrienne d'Antioche. Paris 1971; W. Cramer, Der Geist Gottes und des Menschen in
frühsyrischer Theologie. Münster 1979; T. Jansma, Une homélie anonyme sur l'effusion du Saint-Esprit. In: OrSyr 6 (1961), S. 157–178.

nis der Taufe. Das ist der Glaube der Kirche."[167] Der dritte Artikel umfaßt Totenerweckung und Taufe, erwähnt aber nicht den Geist. Der Grund dafür mag in der bereits bei den Propheten erfolgten Anführung des Geistes liegen. Wertvoll ist dieses Zeugnis, sofern es Alter und Verbreitung des Glaubens an den prophetischen Geist, die Einheit von Taufe und Auferstehung mit dem Pneuma bestätigt.[168] Daneben will man bei Afrahat Einflüsse einer Engelpneumatologie feststellen.[169] In der Taufe wird der Mensch zum Pneumatiker, in ihr verbindet sich mit dem natürlichen Geist der Geist Christi, der die endzeitliche Vollkommenheit antizipiert.[170]

Als „der Klassiker der syrischen Kirche" gilt *Ephräm*.[171] Er korrigiert zum Teil stillschweigend die pneumatologischen Anschauungen Afrahats.[172] Die Aussagen über den Geist wissen sich vor allem dem Glauben der Kirche, ihrer Tauf- und Gebetspraxis verpflichtet, philosophische Begriffe und Überlegungen spielen dabei keine Rolle: „Es ist eine Person des Vaters und eine Person des Sohnes und eine Person des Hl. Geistes. Es ist eine Gottheit, eine Macht, eine Herrschaft in drei Personen oder Hypostasen. In dieser Weise sollen wir die hl. Einheit in der Dreiheit und die hl. Dreiheit in der Einheit verherrlichen, indem der Vater vom Himmel herab gerufen hat: ‚Dies ist mein geliebter Sohn, ihn höret!' Diese Lehre nahm die hl. katholische Kirche Gottes an, in dieser hl. Dreiheit tauft sie zum ewigen Leben, diese preist sie mit gleicher Ehrenbezeigung heilig, diese bekennt sie als unzerteilt und ungetrennt, betet sie ohne Irrtum an, bekennt und verherrlicht sie."[173] Wie reserviert Ephräm der Philosophie gegenübersteht, belegt das Wort: „Selig der, der das Gift der Weisheit der Griechen nicht gekostet; selig der, der die Lauterkeit der Apostel nicht verlassen hat."[174] Diese Vor-

---

[167] G. L. Hahn, Bibliothek der Symbole und Glaubensregeln der alten Kirche. Breslau 1897 (Nachdruck 1962), S. 16.

[168] Vgl. H. J. Jaschke, a. a. O. 113 f.

[169] Vgl. G. Kretschmar, Studien zur frühchristlichen Trinitätstheologie. Tübingen 1956, S. 76; W.-D. Hauschild, Gottes Geist und der Mensch, S. 82 f.

[170] Vgl. Afrahat, Demonstr. VI, 1, 4–6; PS I, 1 (291–299); VI, 18 (310).

[171] Vgl. B. Altaner – A. Stuiber, a. a. O. 343.

[172] Vgl. E. Beck, Ephraems Hymnen über das Paradies. Rom 1951, S. 8 f., 16, 30, 90 f., 113.

[173] Ephraem, Rede über die Verklärung Christi: BKV 37, 195.

[174] Ephraem, Sermo de fide 2: BKV 37, XXVIII.

sicht zieht sich bewußt auf den Standort der Offenbarung zurück; das gilt gerade in Fragen der Trinitätslehre und Christologie: „Hüte dich, den Vater und den Sohn miteinander zu lästern! Sing' also dem Vater nicht eine Schmähung seines Sohnes vor, auf daß du nicht auch dem Sohne eine Lästerung seines Vaters vorsingest, wie wenn er nicht der Erzeuger wäre. Daß der Vater der Erste ist, darüber ist kein Streit; daß der Sohn der Zweite ist, darüber ist kein Zweifel; der Name des Geistes aber ist der Dritte. Verkehre ja nicht die Ordnung der Namen!" [175] Aus der geschilderten Zurückhaltung begreift man, daß Ephräm den Hl. Geist nicht ausdrücklich Gott nennt. Dagegen wird vor allem die vitale und heilsökonomische Wirksamkeit des Geistes betont, die exemplarisch im Sermo de fide 80,2 formuliert wird: „Denn aus dem Vater fließt durch den Sohn die Wahrheit, die Leben spendet allen durch den Geist." [176] Trotz des poetischen Charakters wirken die Geistaussagen Ephräms inhaltlich gesehen nüchtern, realistisch und schriftnah. Bilder und Gleichnisse aus der Natur werden mit dem Kontext der Schrift in Verbindung gebracht. Ephräm weiß um das Wohnen des Geistes im Herzen [177], um das Getauften aufgeprägten Siegel des Geistes [178], um den Zusammenhang von Salbung und Geist in der Taufe [179] oder um die prophetische Wirksamkeit des Geistes. [180] Als ein Gleichnis für den Hl. Geist gilt die Wärme: „Ein Symbol des Geistes ist in der Wärme und ein Typus des Heiligen Geistes, der sich mit dem Wasser mischt, damit es zur Entsühnung werde, und der sich mit dem Brot vermengt, damit es zur Opfergabe werde." [181] Die Unschärfe und Mehrdeutigkeit der Bilder läßt keine präzise pneumatologische Auswertung zu. In dieser Linie liegt auch die beliebte Verbindung von „Feuer und Geist", die in den verschiedensten Zusammenhängen und Anspielungen auftaucht: „Siehe Feuer und Geist im Schoß

[175] Ephraem, Sermo de fide 23: BKV 37, XXIX.

[176] Ephraem, Lobgesang aus der Wüste. Freiburg 1967, S. 93.

[177] Vgl. Ephraem, a. a. O. 33.

[178] Vgl. Ephraem, a. a. O. 70.

[179] Vgl. Ephraem, a. a. O. 71.

[180] Vgl. Ephraem, a. a. O. 35; Rede über den Propheten Jonas und die Buße der Niniviten 31 f.: BKV 37, 151.

[181] Ephraem, Lobgesang aus der Wüste, S. 88; vgl. ebd. 90: „Siehe die Gleichnisse: Sonne und Vater, Licht und Sohn, Wärme und Heiliger Geist!"

deiner Gebärerin, siehe Feuer und Geist im Fluß, in dem du getauft wurdest, Feuer und Geist in unsrer Taufe, im Brot und im Kelch Feuer und heiliger Geist!"[182]

An vielen Stellen ergeht sich Ephräm eher in indirekten Anspielungen als in direkten Äußerungen über den Geist. Dies wird etwa deutlich in seinen Hymnen über das Paradies, in denen er von der Anwesenheit der dreieinigen Gottheit in der Mitte des Paradieses,[183] von der Schau der Seligen,[184] von der Geistigkeit der Luft und des Duftes des Paradieses spricht.[185] Einer Notiz des Hieronymus zufolge soll Ephräm, dem man den Titel „Zither des Heiligen Geistes" beigelegt hat[186], auch der Verfasser einer anscheinend verlorenen Schrift über den Hl. Geist sein.[187] Für seine Einstellung in Fragen der Pneumatologie sind insgesamt die Warnungen bezeichnend, die sich in der zweiten Rede über den Glauben finden: „Der Name des Hl. Geistes sei dir ein Zaun; laß dich nicht in eine Ergründung desselben ein! . . . Den Hl. Geist bekennt jeder; ihn zu ergründen vermag niemand . . . Daß der Hl. Geist ist, halte für wahr; daß er ergründet werden könne, halte aber nicht für wahr! . . . Nimm deine Zuflucht zum Schweigen, Schwächling!"[188] Im Sinne dieses Schweigens liegt es wohl, daß man zum Gedicht oder Hymnus als der gemäßen Weise der Rede seine Zuflucht nimmt. Besonders instruktiv in dieser Hinsicht wirkt das bei *Jakob von Sarug* tradierte Gedicht über das Sprachenwunder am Pfingstfest, in dem vor allem die Einheit und Gleichheit von Vater und Sohn betont werden, während Stellung und Funktion des Geistes dunkel bleiben.[189]

Fragt man nach dem *Sitz im Leben der pneumatologischen Aussagen*, so geben die Hinweise auf die Taufe, die Doxologie oder den Gottesdienst in diesem Rahmen bereits einen wichtigen Fingerzeig.

---

[182] Ephraem, a. a. O. 85; vgl. ebd. 84.

[183] Vgl. E. Beck, a. a. O. 44 f.

[184] Vgl. E. Beck, a. a. O. 106–108.

[185] Vgl. E. Beck, a. a. O. 121, 125–127.

[186] Vgl. Ephraem, Lobgesang aus der Wüste, S. 7.

[187] Vgl. Hieronymus, De viris illustr. 115 (PL 23, 747–748 A).

[188] Ephraem, Sermo de fide 2: BKV 37, 44–46.

[189] Vgl. S. Landersdorfer, Ausgewählte Schriften der syrischen Dichter Cyrillonas, Baläus, Isaak von Antiochien und Jakob von Sarug. Kempten 1913: BKV 6, 271–285.

Gerade am Beispiel der Pneumatologie wird eindrucksvoll deutlich, was Dogma heißt, wie sehr das Dogma Ausdruck des kirchlichen Bewußtseins sein will, wie eng Glaube und Gebet zusammengehören. Was in den verschiedenen Äußerungen über den Geist formuliert wird, ist das, was in Gebet und liturgisch-sakramentaler Praxis von ihm immer schon bekannt und geglaubt wird. Der prinzipielle Zusammenhang von Dogma und Liturgie gilt auch im Fall der Pneumatologie: „Das Dogma steht in einem unmittelbaren Zusammenhang mit dem liturgischen Leben der Kirche. Die Glaubensbekenntnisse der orthodoxen Kirche sind nicht abstrakte Formulierungen einer ‚reinen Lehre‘, sondern sind Hymnen der Anbetung, die ihren Platz in der Liturgie haben, sei es als Taufbekenntnis, das in der Taufliturgie zum ersten Mal von dem getauften Proselyten zum Lobpreis Gottes und zur Verkündigung der göttlichen Heilswahrheit gebetet wird, sei es in der eucharistischen Liturgie, wo die Anbetung Gottes in den Worten des Glaubensbekenntnisses vor der Herabrufung des Heiligen Geistes auf die eucharistischen Gaben erfolgt. Das Dogma hat also innerhalb der orthodoxen Kirche seine anfängliche liturgische Funktion noch voll und ganz bewahrt. Das Dogma findet auch seinen eigentlichen Ausdruck nach der Überzeugung der orthodoxen Kirche nicht in theologischen Summen und Lehrbüchern, sondern in der Liturgie selbst, vor allem in der eucharistischen Liturgie, die die mystische Darstellung der gesamten Fülle der göttlichen Heilstatsachen und gott-geoffenbarten Wahrheiten ist. Liturgie und Dogma, Anbetung und Bekenntnis, Gebet und theologische Meditation und Spekulation sind also nicht zu trennen. Das Dogma ist ein Bestandteil der lebendigen Anbetung selbst. Dem entspricht auch die kirchliche Funktion des Dogmas: Es hat nicht nur die theoretische Aufgabe einer Abgrenzung der christlichen Glaubenslehren gegen alle Arten von Irrlehren, die ja aus apologetischen Gründen eine begriffliche Fixierung der christlichen Glaubenswahrheiten erforderlich macht, sondern es hat auch eine praktisch religiöse Bedeutung, insofern es das religiöse und sittliche Leben des Christen bestimmt und durch die anbetende Vergegenwärtigung der Heilstatsachen das Wachstum im geistlichen Leben fördert.“ [190]

[190] E. Benz, Geist und Leben der Ostkirche. München ²1971, S. 38f.; vgl.

Wie sehr der Glaube an den Hl. Geist wesentlich gebeteter
Glaube ist, erhellt aus der Entwicklung und Bedeutung der *Geist-
epiklese*. Dogmatische und liturgische Entfaltung gehen Hand in
Hand. Frühe Formen der Epiklese rufen den Geist auf die Gaben
herab, ohne deren Wandlung zu erwähnen, betonen die Heiligung
der Teilnehmer durch den Geist und leiten zum Lobpreis Gottes
über.[191] In der Folgezeit kommt es zu einer Hervorhebung des
Konsekrationseffektes, nicht aber des Konsekrationsvorgangs
selber. Die Jakobus- und Chrysostomusliturgie bringen das Wand-
lungsgeschehen selber mit dem Wirken des Geistes in Zusammenhang. Dafür ist beispielsweise Cyrill von Jerusalem Zeuge, wenn er
sagt: „Nachdem wir uns durch diese geistigen Lobgesänge geheiligt
haben, rufen wir die Barmherzigkeit Gottes an, daß er den Hl. Geist
auf die Opfergaben herabsende, um das Brot zum Leibe Christi,
den Wein zum Blute Christi zu machen. Denn was der Hl. Geist berührt, ist völlig geheiligt und verwandelt."[192] Hier handelt es sich
nur um einen Ausschnitt der bestehenden Querverbindung zwischen Geist und Liturgie, die entscheidend das Verständnis der *Sakramente,* der *Askese* als christlicher Lebensform und des *Gebetes*
prägt. Isaak der Syrer schreibt: „Der Gipfel aller Aszese ist das Gebet, das nicht mehr aufhört. Wer es erreicht, hat sich damit in seiner
geistlichen Bleibe eingerichtet. Wenn der Geist einzieht, um in einem Menschen zu wohnen, kann dieser nicht mehr aufhören zu beten, denn der Geist betet unaufhörlich in ihm. Er mag schlafen oder
wachen, immer ist das Gebet in seinem Herzen am Werk. Er mag
essen oder trinken, ausruhen oder arbeiten, der Weihrauch des Gebetes steigt wie von selbst aus seinem Herzen auf. Das Gebet in ihm
ist an keine bestimmte Zeit mehr gebunden, es ist ununterbrochen.
Selbst im Schlaf verfolgt es ihn, wohlverborgen, denn das Schweigen eines freigewordenen Menschen ist an sich schon Gebet. Seine
Gedanken sind von Gott eingegeben. Die leiseste Regung seines
Herzens ist wie eine Stimme, die schweigsam und geheim, für den
Unsichtbaren singt."[193] Der Zustand des Gebetes ist gleichsam der

---

D. Wendebourg, Geist oder Energie. Zur Frage der innergöttlichen Verankerung
des christlichen Lebens in der byzantinischen Theologie. Diss. München 1978.
[191] Vgl. H.-J. Schulz, Die byzantinische Liturgie. Freiburg 1964, S. 31–34.
[192] Cyrill v. Jerusalem, Myst. Kat. V, 7: BKV 41, 385 f.
[193] Isaak der Syrer, Logos 35, 174 zit. bei: A. Louf, In uns betet der Geist. Einsie-

in unserem Herzen wohnende Hl. Geist. Dahinter steht die Aussage von Röm 8, 26 f., von der sich eine bis weit in das Mittelalter hineinreichende spirituelle Tradition herleitet, welche die Theologie und Praxis christlichen Betens prägte.[194]

In diesen Rahmen gehört auch das ostkirchliche Verständnis der *Feier des Herrenmysteriums*, speziell des Pfingstfestes. Dieses gilt als die Vollendung von Ostern, als Fest der Trinität, als Vorwegerfahrung der Wiederkunft des Herrn, als Erfüllung der Kirche und des Kosmos mit dem Leben des dreifaltigen Gottes. Daran schließt sich am ersten Sonntag nach Pfingsten das Allerheiligenfest als Ausdruck der lebendigen Einheit der vom Pneuma verklärten Gemeinschaft und Welt. Der Geist bildet die Fülle der Gottheit, das Pleroma des göttlichen und trinitarischen Lebens. Im Geist geschieht eine kontinuierliche Lebensmitteilung, die alle und alles in den Strom der Herrlichkeit Gottes zieht. Eine Taufansprache Cyrills von Jerusalem gewährt uns einen Einblick in die Pneumatologie des Pfingstsonntags: „Der Heilige Geist ist etwas Großes in seinen Gnadenerweisen, etwas Allmächtiges und Wunderbares. Bedenkt, wieviel ihr seid, die ihr hier sitzet, wie viele Seelen beisammen sind! In jedem Einzelnen wirkt Er und sprechenderweise. Er ist mitten unter uns und sieht das Verhalten eines jeden einzelnen. Er sieht die Gedanken, die Gewissen, was wir reden und sinnen und glauben. Und damit ist wahrlich viel gesagt, aber doch ist es nur eine Kleinigkeit. Laß ein Licht hineinleuchten in deinen Verstand und erwäge, wie viele Christen es in unserer Diözese gibt, wie viele in der ganzen Kirchenprovinz Palästina! Dann schaue mit den Augen des Geistes von der Kirchenprovinz weg auf das ganze Römische Reich und von

deln ²1976, S. 148 f. Zur Thematik Geist und Liturgie bzw. Gebet vgl. J. O. Bracanca, L'Esprit Saint dans l'euchologie médiévale. In: Edizioni Liturgiche. Roma 1977, S. 39–54; I. H. Dalmais, L'Esprit Saint et le mystère du salut dans les épiclèses eucharistiques syriennes. In: Ist. 18 (1973), S. 147–154; ders., Le Saint-Esprit dans la liturgie et dans la vie spirituelle des Églises syriennes. In: C. Kannengiesser – Y. Marchasson (Hrsg.), Humanisme et foi chrétienne. Paris 1976, S. 579–586; P. Evdokimov, L'Esprit Saint et l'Église d'après la tradition liturgique. In: L'Esprit Saint et l'Église. Paris 1969, S. 85–124; V. Palachovsky, Les „Pneumatica" des antiphones graduelles. In: Edizioni Liturgiche. Roma 1977, S. 141–148; B. Schultze, Die dreifache Herabkunft des Heiligen Geistes in den östlichen Hochgebeten. In: OstKSt 26 (1977), S. 105–143.
[194] Vgl. A. Louf, a. a. O. 13–19, 133–159.

da weg auf die ganze Welt, auf die Stämme der Perser, das Volk der Inder, auf die Goten, die Sauromaten, die Gallier und Spanier und Mauren, die Phönizier und Äthiopier und dazu noch die Völker, welche wir den Namen nach nicht kennen; von vielen Völkern ist uns ja nicht einmal der Name bekannt geworden. Denke an die Bischöfe, Priester, Diakone, Mönche, Jungfrauen und ferner die Laien eines jeden Volkes! Dann denke daran, wie der große Führer, der Spender der Gnaden, in der ganzen Welt dem einen Keuschheit verleiht, dem anderen immerwährende Jungfräulichkeit, einem anderen Barmherzigkeit, diesem freiwillige Armut, jenem die Gabe, feindliche Geister auszutreiben! Gleich wie das Licht mit einem einzigen Strahle alles erleuchtet, so erleuchtet der Heilige Geist diejenigen, welche Augen haben. Hat einer keine Augen und wird er der Gnade nicht gewürdigt, tadele er nicht den Geist, sondern seinen eigenen Unglauben. Nachdem wir das Wirken des Heiligen Geistes auf der ganzen Welt vorgestellt haben, bleibe nicht auf Erden. Steige empor zu dem, was oben ist! Steige im Geiste empor zu dem Himmel und schaue dort auf die vielen ungezählten Myriaden von Engeln. Wenn du kannst, so steige mit deinen Gedanken noch weiter hinauf. Schaue die Erzengel, schaue die Geister, schaue die Mächte, schaue die Fürsten, schaue die Kräfte, schaue die Throne, schaue die Herrschaften! Über sie alle ist von Gott als Führer, Lehrer und Heiligmacher der Tröster gestellt. Seiner bedarf unter den Menschen Elias, Elisaeus und Isaias, seiner bedarf unter den Engeln Michael und Gabriel. Keines von den Geschöpfen steht ihm an Ehren gleich. Alle Chöre und Heerscharen der Engel zusammengenommen, kommen dem Heiligen Geiste nicht gleich. Gegenüber der allgütigen Macht des Trösters versinken diese alle; während diese ausgesandt werden, um zu dienen, ergründet der Geist selbst die Tiefen der Gottheit, wie der Apostel sagt. ,Der Geist ergründet nämlich alles, selbst die Tiefen Gottes. Wer von den Menschen weiß, was des Menschen ist, außer der Geist, welcher im Menschen wohnt, so erkennt auch keiner das, was Gottes ist, außer dem Heiligen Geiste.'" [195] Das byzantinische Kirchenjahr kennt außerdem einen Sonntag der Myronträgerinnen. Das Salböl gilt als ein Sinn-

---

[195] Cyrill v. Jerusalem, Katech. 16, 22 f.: BKV 41, 301–303; vgl. J. Tyciak, Das Herrenmysterium im byzantinischen Kirchenjahr. Freiburg 1961, S. 74–80.

bild des Hl. Geistes, im Myron der salböltragenden Frauen wird ein Vorbild der Firmung erkannt. Quelle, Wasser oder Licht erscheinen als wichtige Symbole für den Geist und seine Wirksamkeit.[196] Diese wenigen Spuren bestätigen, wie sehr die Pneumatologie sowohl mit der Theologie im strengen Sinn des Wortes wie mit der Wirklichkeit des Christseins, der Menschwerdung, der Vollendung, des Glaubens und des Gebetes eine unlösbare Einheit bildet. Der Geist läßt sich unmöglich isolieren.

Der *Westen* kann im Vergleich mit dem Osten keine so reich entfaltete pneumatologische Tradition aufweisen. Gewisses Aufsehen erregt die von Hippolyt in der ›Apostolischen Überlieferung‹ tradierte Form der dritten Tauffrage, die berechtigten Rekonstruktionsversuchen zufolge sehr wahrscheinlich lautete: „Glaubst du an den Heiligen Geist in der heiligen Kirche?"[197] Ein wichtiger Orientierungspunkt der westlichen Symbolgeschichte begegnet uns im *altrömischen Stadtsymbol*, dessen dritter Artikel lautete: „Und an den Heiligen Geist, die heilige Kirche, die Vergebung der Sünden, die Auferstehung des Fleisches."[198] Dahinter steckt eine sehr wohl überlegte Konzeption und Reihenfolge: die Kirche steht dem Geist am nächsten, mit dem sie durch das Geschenk und Anliegen der Heiligkeit bzw. Heiligung verbunden ist.[199] Das Taufbekenntnis der afrikanischen Kirche konvergiert hinsichtlich des dritten Glaubensartikels mit den bisher erwähnten Beispielen. Ein gewisses Rätselraten löst die bei Cyprian überlieferte vierte Tauffrage aus, doch läßt sich daraus keine Infragestellung der trinitarischen Struktur des Taufglaubens und auch keine andere Praxis zwingend herauslesen.[200] Die kaum entwickelte Pneumatologie des Westens, die sich zudem teilweise auf rezipiertes östliches Gedankengut stützt, ist mit Namen wie Tertullian, Cyprian, Marius Victorinus, Ambrosius oder Leo I. verbunden.[201]

---

[196] Vgl. J. Tyciak, a. a. O. 59–69, 93–108.

[197] Vgl. H. J. Jaschke, a. a. O. 78–90.

[198] H. Lietzmann, a. a. O. 10.

[199] Vgl. H. J. Jaschke, a. a. O. 90–99.

[200] Vgl. H. J. Jaschke, a. a. O. 100–107.

[201] Vgl. H. B. Swete, The Holy Spirit in the Ancient Church. Grand Rapids 1966; J. G. Vergara, La Teología del Espíritu Santo en Mario Victorino. Roma 1964; H. K. Kohlenberger, Geist. IV. Der lateinische Geistbegriff von der Antike bis zum

Als der große Pneumatologe des Abendlandes kann wohl *Augustinus* gelten[202]. Von der Gestalt des Symbolums her kennt er, wie seine Sermones bestätigen, sowohl die mailändische Form wie das altrömische Stadtsymbol, ist aber auch mit dem Text Cyprians vertraut. Der dritte Artikel lautet in seiner Version: „Wir glauben auch an den Heiligen Geist, die Vergebung der Sünden, die Auferstehung des Fleisches, das ewige Leben durch die heilige katholische Kirche." [203] Den Kommentar dazu findet man bei Augustinus an anderen Stellen und in anderen Zusammenhängen. Entscheidend sind in dieser Richtung zunächst die Aussagen in ›De trinitate‹. Im fünften Buch davon geht Augustinus der Frage nach dem relativen Sein innerhalb der Trinität und den Personenunterschieden nach. Im Unterschied von den Bezeichnungen Vater und Sohn kann die Dreieinigkeit Heiliger Geist genannt werden. Die Begründung dafür sieht folgendermaßen aus: „Heiliger Geist kann sie indes nach dem Schriftwort: ‚Gott ist Geist‘ in einem allgemeinen Sinne genannt werden, weil der Vater Geist und der Sohn Geist ist, weil der Vater heilig ist und der Sohn heilig ist. Weil daher der Vater, Sohn und Heilige Geist ein Gott sind, und Gott heilig ist und Gott Geist ist, kann die Dreieinigkeit auch Heiliger Geist genannt werden. Wenn

12. Jahrhundert. In: HWP 3 (1974), S. 169–173; N. J. Belval, The Holy Spirit in Saint Ambrose. Rom 1971; L. F. Ladaria, El Espíritu Santo en San Hilario de Poitiers. Madrid 1977.

[202] Vgl. G. Bonner, St. Augustine's Doctrine of the Holy Spirit. In: Sobornost 4 (1960), S. 51–66; B. de Margerie, La doctrine de saint Augustin sur l'Esprit Saint comme communion et source de communion. In: Aug. 12 (1972), S. 107–119; H. Rondet, L'Esprit Saint et l'Église dans saint Augustin et l'augustinisme. In: L'Esprit Saint et l'Église. Paris 1969, S. 153–194; A. Trapé, Nota sulla processione dello Spirito Santo nella teologia trinitaria de S. Agostino e di S. Tommaso. In: San Tommaso. Fonti et riflessi del suo pensiero. Roma 1974, S. 119–128; S. Vergés, Pneumatología en Agustín. In: EE 49 (1974), S. 305–324; J. J. Verhees, God in beweging. Een onderzoek naar de pneumatologie van Augustinus. Wageningen 1968; A. Schumacher, „Spiritus" and „Spiritualis": A Study in the Sermons of Saint Augustine. Mundelein 1957; P. Agaësse – A. Solignac, „Spiritus" dans le livre XII du De Genesi (Augustinus). In: BAug 49 (1972), S. 559–566; J. J. Verhees, Die Bedeutung des Geistes Gottes im Leben des Menschen nach Augustinus' frühester Pneumatologie (bis 391). In: ZKG 88 (1977), S. 161–189.

[203] H. Lietzmann, a. a. O. 13; vgl. C. Eichenseer, Das Symbolum Apostolicum beim hl. Augustinus mit Berücksichtigung des dogmengeschichtlichen Zusammenhangs. St. Ottilien 1960, S. 146–154.

wir jedoch unter dem Heiligen Geiste nicht die Dreieinigkeit, sondern eine Person in der Dreieinigkeit verstehen, wenn wir also den Ausdruck als Eigenname verwenden, dann ist er eine beziehentliche Bezeichnung, da der Heilige Geist eine Beziehung zu Vater und Sohn in sich schließt; der Heilige Geist ist ja der Geist des Vaters und Sohnes. Freilich wird die Beziehung in diesem Ausdruck nicht sichtbar. Sie wird jedoch in der Bezeichnung Geschenk Gottes sichtbar. Er ist nämlich das Geschenk des Vaters und Sohnes, da er ‚vom Vater ausgeht‘, wie der Herr sagt, und weil, wie der Apostel sagt, der, ‚welcher den Geist Christi nicht hat, nicht zu ihm gehört‘. Dieses Wort gilt zweifellos vom gleichen Heiligen Geiste. Wenn wir die Worte Geschenk eines Schenkers und Schenker eines Geschenkes verwenden, dann wird jedesmal die gegenseitige Beziehung sichtbar. Der Heilige Geist ist also eine gewisse unaussprechliche Gemeinschaft (communio) von Vater und Sohn. Vielleicht hat er seinen Namen daher, daß man auf Vater und Sohn die gleiche Bezeichnung anwenden kann. Er wird ja im eigentlichen Sinne genannt, was die beiden anderen in einem allgemeinen Sinne heißen . . . Um also einen Namen zu gebrauchen, der Vater und Sohn gemeinsam ist und daher den Heiligen Geist als die Gemeinschaft (communio) der beiden darzutun vermag, heißt das Geschenk der beiden Heiliger Geist." [204]

Das Besondere oder Wesen des Geistes wird hier mit Hilfe des Begriffs „communio" zum Ausdruck gebracht; ihm kommt geradezu konstitutive Bedeutung zu, wenn es darum geht, die Physiognomie des Heiligen Geistes zu bestimmen: „Das Besondere des Heiligen Geistes ist es offensichtlich, daß er das Gemeinsame von Vater und Sohn ist. Seine Besonderheit ist es, Einheit zu sein. Und insofern ist nun gerade der generelle Name ‚Heiliger Geist‘ in seiner Generalität die höchst angemessene Weise, ihn im Paradox seiner Eigentümlichkeit auszudrücken, die gerade die Gemeinsamkeit ist . . . Geist ist die Einheit, die Gott sich selber schenkt, in der er sich selbst schenkt, in der Vater und Sohn sich einander zurückschenken. Sein paradoxes Proprium ist es, communio zu sein, höchste Selbstheit gerade darin zu haben, ganz die Bewegung der Einheit zu sein." [205]

---

[204] Augustinus, De trin. V, 11, 12: BKV 13, 203 f.
[205] J. Ratzinger, Der Heilige Geist als communio. Zum Verhältnis von Pneuma-

Einen ähnlich definitorischen Wert erkennt Augustinus bei der Antwort auf die Frage nach dem Wesen des Geistes dem biblischen Wort „Liebe" (caritas) zu. Der pneumatologische Sinn von Liebe wird aus 1 Joh 4, 7–16 gewonnen. Sowohl Geist wie Liebe sind Gabe Gottes. Im Geist gibt bzw. schenkt sich Gott als Liebe. Wesen und Präsenz des Geistes offenbaren sich in der Gestalt der Liebe. Als Kennzeichen des Geistes ergeben sich daraus Liebe und Beständigkeit, die sich im Stehen in der Wahrheit (vgl. Joh 8, 44), im Bleiben im Wort (vgl. Joh 8, 31) und in der Liebe (vgl. Joh 15, 9) verwirklicht.[206] In dieselbe Richtung wertet Augustinus auch die biblische Bezeichnung „Gabe" bzw. „Geschenk" (donum) pneumatologisch aus. Er stützt sich dabei auf die Aussagen von Joh 4, 7–14; 7, 37–39; 1 Kor 12, 13. Eine pneumatologische Exegese dieser Stellen erkennt im Wort Gabe einen Namen für den Geist und entfaltet eine am Vorgang und Zusammenhang von Gabe, Geber und Geben orientierte Theologie des Geistes, die dem Proprium des Pneuma nachspürt: Der Geist „kommt von Gott nicht als Geborener, sondern als Geschenkter. Deshalb heißt er nicht Sohn, weil er weder geboren ist wie der Eingeborene, noch gemacht... wie wir."[207] Die Charakterisierung des Geistes als Gabe beinhaltet keine Inferiorität des Geistes gegenüber dem Gebenden, da aufgrund der Liebe zwischen Geber und Gabe Einheit und Einklang besteht. Augustinus grenzt im Interesse seiner Intention von diesen Bestimmungen des Geistes deutlich jene Erscheinungen des Geistes in geschöpflichen Gestalten ab, wie sie uns in der Taube, im Sturm oder Feuer begegnen.[208]

Von der Vorstellung des Geistes als „communio", „caritas" und „donum" her öffnet sich die Pneumatologie von selber zur Ekklesiologie und dem spirituellen Selbstverständnis und Selbstvollzug der christlichen Existenz hin. Der Geist ist es, der gleichsam die „Seele" der ganzen Kirche bildet: „Ihr seht, was die Seele im Leibe tut. Alle Glieder belebt sie: durch die Augen sieht sie, durch die Ohren hört sie, durch die Nase riecht sie, durch die Zunge spricht sie,

---

tologie und Spiritualität bei Augustinus. In: C. Heitmann – H. Mühlen (Hrsg.), a. a. O. 225 f.

[206] Vgl. Augustinus, De trin. XV, 17, 27–18, 32: BKV 14, 296–303.

[207] Augustinus, De trin. V, 14, 15: BKV 13, 207.

[208] Vgl. Augustinus, De trin. II, 6, 11–7, 12: BKV 13, 67–71.

durch die Hände arbeitet sie, durch die Füße wandelt sie. Allen Gliedern ist sie zugleich gegenwärtig, so daß sie leben. Leben gibt sie allen, sein Amt jedem einzelnen. Nicht hört das Auge, nicht sieht das Ohr, nicht sieht die Zunge, noch spricht das Ohr und das Auge; aber doch lebt es. Es lebt das Ohr, es lebt die Zunge; die Ämter sind verschieden, aber das Leben ist gemeinsam. So ist die Kirche Gottes: in den einen Heiligen wirkt sie Wunder, in anderen Heiligen redet sie Wahrheit, in anderen Heiligen hütet sie die Jungfrauschaft, in anderen Heiligen die eheliche Züchtigkeit; in den einen dies, in den anderen jenes. Die einzelnen wirken ihr Eigenes, aber in gleicher Weise leben sie. Was aber die Seele dem Leib des Menschen ist, das ist der Heilige Geist in der ganzen Kirche: der Heilige Geist tut in der ganzen Kirche, was die Seele in allen Gliedern des einen Leibes tut ... Wenn ihr also vom Heiligen Geiste leben wollt, so haltet die Liebe, liebet die Wahrheit, ersehnet die Einheit, damit ihr zur Ewigkeit hindurchgelanget!"[209] Die Gaben des Geistes wie Einheit, Liebe, Wahrheit, Leben sind in der katholischen Kirche hinterlegt. Die Kirche ist der Tempel des Heiligen Geistes und des dreifaltigen Gottes[210], das Haus Gottes, in dem der Geist der Vergebung wohnt.[211] Aus diesen Überlegungen erklärt es sich, wieso die Bruderliebe zum Kennzeichen für den Empfang und die Präsenz des Geistes wird: „Wenn du also wissen willst, ob du den Heiligen Geist empfangen hast, so befrage dein Herz: damit du nicht etwa das Sakrament hast und die Kraft des Sakramentes nicht hast. Befrage dein Herz: wenn da die Bruderliebe ist, so sei ohne Sorge! Die Liebe kann nicht ohne den Geist Gottes sein; denn Paulus sagt: ‚Die Liebe Gottes ist ausgegossen in unseren Herzen durch den Heiligen Geist, der uns gegeben ist' (Röm 5, 5)."[212] Von diesen Überlegungen her kann es zu einer weitgehenden Identifizierung von Kirche und Liebe kommen. Die damit gegebene Verkirchlichung von Liebe und Geist kann nur dann vor Verengungen bewahrt werden, wenn der Geist das Maß der Liebe und der Kirche bleibt. Diese

---

[209] Augustinus, Sermo 267, 4, 4 zit. nach A. Heilmann (Hrsg.), Texte der Kirchenväter, Bd. 4. München 1963, S. 26f.

[210] Vgl. Augustinus, Ench. 15, 56; 16, 61ff. zit. nach A. Heilmann, 14ff.

[211] Vgl. J. Ratzinger, Volk und Haus Gottes in Augustins Lehre von der Kirche. München 1954, S. 136–158; Augustinus, Sermo 71, 7–37 (PL 38, 448–466).

[212] Augustinus, Hom. in 1 Jo 6, 10 zit. nach A. Heilmann, a. a. O. Bd. 3, S. 429.

Sicht beinhaltet ein letztlich nicht zerlegbares Junktim von Geist bzw. Charisma und Institution in der Kirche. Die Kirche ist das Haus des Geistes; sein Werk ist die einende und bleibende Liebe. So wird die Liebe zur Kirche zum Maß des Geistes: „Auch wir empfangen also den Heiligen Geist, wenn anders wir die Kirche lieben, wenn anders wir durch Liebe zusammengekettet sind, wenn anders wir ob des katholischen Namens und Glaubens uns freuen. So laßt uns denn glauben, Brüder! Denn in eben dem Maße, als einer die Kirche liebt, in eben dem Maße hat er den Heiligen Geist . . . Wir haben den Heiligen Geist, wenn wir die Kirche lieben, und wir lieben sie, wenn wir in ihrer Gliederung und Liebe verbleiben." [213] Der Kirche, ihrer Erbauung und Auferbauung werden auch die verschiedenen Charismen zugeordnet, die durch ein und denselben Geist verteilt werden, ohne daß er selbst geteilt würde. [214] Das im Halten der Gebote sich manifestierende Maß der Liebe entspricht dem Maß des Geistes, das man empfangen hat. Der Geist und die Gaben des Geistes werden dazu gegeben, um (mehr) lieben zu können. [215] Im Anschluß an Eph 4, 7–12; Ps 67, 18; Ps 126, 1 und 1 Kor 12, 11 dienen die Gnadengaben dazu, die Kirche als das Haus der Wahrheit und der Freiheit des Geistes zu erbauen. [216] Der Geist befreit und befähigt den Menschen dazu, sich in das Bauen dieses Hauses einbeziehen zu lassen und selber Teil oder Stück dieses Hauses zu werden: „Frei ist, wer zum Haus gehört; Freiheit ist Beheimatung. Augustinus setzt diesen sozialen Freiheitsbegriff der Antike voraus und übersteigt ihn nun freilich vom christlichen Glauben her entscheidend: Freiheit steht in einer unlösbaren Relation zur Wahrheit, welche die eigentliche Beheimatung des Menschen ist. Frei ist der Mensch demnach erst, wenn er zu Hause, d. h. wenn er in der Wahrheit ist. Eine Bewegung, die den Menschen von der Wahrheit seiner selbst, von der Wahrheit überhaupt entfernt, kann niemals Freiheit sein, weil sie den Menschen zerstört, sich selbst entfremdet und ihm so gerade seinen eigentlichen Bewegungsraum, das Zu-sich-Werden nimmt. Deshalb ist der Teufel Ge-

---

[213] Augustinus, Tract. in Jo 32, 8 (PL 35, 1645 f.) zit. nach H. U. v. Balthasar, Augustinus. Das Antlitz der Kirche. Einsiedeln ²1955, S. 170.

[214] Vgl. Augustinus, In Jo 74, 3: BKV 19, 94.

[215] Vgl. Augustinus, a. a. O. 74, 1–4: BKV 19, 90–95.

[216] Vgl. Augustinus, De trin. XV, 19, 34: BKV 14, 304 ff.

fangenschaft; deshalb ist der erhöhte Christus, der den Menschen ins Haus einbezieht und aufbaut, die Befreiung, und deshalb lassen sich schließlich die einzelnen Gaben des Geistes, die Charismen, in den Begriff des Bauens hinein zusammenziehen."[217]

Von diesem umgreifenden pneumatologisch-ekklesiologischen Rahmen her empfängt auch die individuelle christliche Existenz ihren spirituellen Stellenwert. Dieser wird anerkanntermaßen bei Augustinus vor allem unter dem Stichwort „Gnade" erörtert.[218] Hier wird Pneumatologie aufgrund der besonderen Situation unter dem Vorzeichen der Anthropologie entwickelt. Augustins Gnadenlehre ist indirekte Pneumatologie. Wiederholt zitiert er die berühmte Römerbriefstelle: „Die Liebe Gottes ist ausgegossen in unsere Herzen durch den Heiligen Geist, der uns gegeben ist" (5, 5).[219] Was das konkret heißt, wird deutlich an der Interpretation von Röm 8, 26. Augustinus bringt das Seufzen des Geistes in uns in Verbindung mit dem Seufzen der Tauben, das ein Seufzen in Liebe genannt wird, und erblickt darin ein Merkmal der Pilgerexistenz des Glaubenden. Der Geist bewirkt und erhält das Pilgerdasein des Christen: „Der Heilige Geist . . . seufzt in uns, weil er unser Seufzen bewirkt. Und es ist nichts Geringes, daß uns der Heilige Geist seufzen lehrt, denn er erinnert uns daran, daß wir Pilger sind, und lehrt uns nach dem Vaterland verlangen, und eben dieses Verlangen ist es, in dem wir seufzen. Wem es in dieser Welt wohl ist, oder vielmehr, wer glaubt, es sei ihm wohl, wer aus Lust an fleischlichen Dingen, im Übermaß zeitlicher Güter und eitler Glückseligkeit aufjauchzt, hat die Stimme eines Raben; denn die Stimme des Raben ist krächzend, nicht seufzend. Wer aber weiß, daß er sich in der Bedrängnis dieses sterblichen Lebens befindet und fern vom Herrn pilgert, noch nicht die uns verheißene ewige Seligkeit besitzt, sondern erst in Hoffnung darauf lebt, um sie in Wirklichkeit zu erhalten, wenn der Herr in sichtbarem Glanze kommen wird, nachdem er zuerst verborgen in Niedrigkeit gekommen war: wer das weiß, seufzt. Und solange er deswegen seufzt, seufzt er gut; der Geist hat

---

[217] J. Ratzinger, Der Heilige Geist als communio, S. 237.

[218] Vgl. J. Auer, a. a. O. 21, 29 ff., 36, 39 f., 48, 66–69, 195–199, 213–219, 225 ff., 250 ff., 274–278.

[219] Vgl. Augustinus, De trin. VII, 3, 5; VIII, 7, 10; XIII, 10, 13; XV, 17, 31; 26, 46: BKV 13, 244; 14, 34, 181, 321; In Jo 74, 1: BKV 19, 90.

ihn seufzen gelehrt, von der Taube hat er seufzen gelernt. Denn
viele seufzen in irdischer Unglückseligkeit . . . aber sie seufzen nicht
mit Seufzen der Taube, sie seufzen nicht aus Liebe zu Gott, sie seufzen nicht im Geiste. Wenn darum solche von ihren Bedrängnissen
befreit sind, jubeln sie mit lauter Stimme, und es zeigt sich dann,
daß sie Raben sind, nicht Tauben." [220] Mit dieser Aussage verbindet
sich die verwandte Vorstellung von der Einwohnung des dreifaltigen Gottes, wobei das Kommen des Heiligen Geistes ausdrücklich
betont wird. Dieses Wohnungnehmen bedeutet Fülle, Licht, Hilfe,
Anschauung, Ewigkeit. [221] Im 13. Buch seiner ›Bekenntnisse‹ stellt
Augustinus die Frage, weshalb allein vom Geist gesagt wird, daß er
über den Wassern schwebte. Die Antwort geht davon aus, daß dem
Körper und seinem Strebevermögen eine bestimmte Schwerkraft
eigen ist, die ihre Bewegung und ihren Ort bestimmt. Der Geist
wird in diesem Zusammenhang sowohl als die Schwer- oder Triebkraft der in unser Herz ausgegossenen Liebe wie auch als der anzie-
hende Pol verstanden, dem die Schwere unserer Liebe zustrebt und
in dem sie zur Ruhe kommt: „Meine Triebkraft ist meine Liebe; von
ihr lasse ich mich tragen, wohin immer es mich zieht. Deine Gabe
entzündet uns und trägt uns zur Höhe hinauf; sie entflammt uns,
und wir setzen uns in Bewegung. Wir ersteigen ‚die Stufen in unseren Herzen‘ und singen dem Herrn ein ‚Stufenlied‘. Dein Feuer,
dein gutes Feuer, setzt uns in Glut, in Bewegung. Wir wandeln ja
hinauf ‚zum Frieden Jerusalems‘ . . . In deinem Geschenke finden
wir Ruhe, in ihm genießen wir dich. Unsere Ruhe ist unser Platz.
Dorthin erhebt uns die Liebe, und dein guter Geist ‚erhebt dorthin
unsere Niedrigkeit von den Pforten des Todes‘. In deinem guten
Willen ruht unser Friede." [222] Der Geist macht den Menschen zu einem „geistigen Menschen", erfüllt ihn mit „geistiger Freude". [223]
Sein Wohnen in der Seele ist gleichbedeutend mit dem Besitz der
sieben Gaben des Geistes, in denen als unverdienten Geschenken alles Gute des Menschen seinen Grund und Ursprung hat. [224] Der

---

[220] Augustinus, In Jo 6, 2: BKV 8, 88.
[221] Vgl. Augustinus, In Jo 76, 4: BKV 19, 102f.
[222] Augustinus, Bekenntnisse XIII, 9: BKV 18, 343; vgl. ebd. XIII, 6–9:
BKV 18, 340–343.
[223] Vgl. Augustinus, In Jo 102, 2: BKV 19, 235.
[224] Vgl. Augustinus, Ad Sixt. III, 15–IV, 18: BKV 30, 205–208.

Geist als personifizierte „communio" (Gemeinschaft) läßt oben und unten, Gott und Mensch, die Menschen untereinander, den einzelnen Menschen und sein Dasein eins werden; diese vereinigende Kraft des Geistes ist in der Liebe wirksam und präsent; ohne Geist gibt es keine Liebe, weder zu empfangen noch zu verschenken.[225] Der als Liebe erfahrene und definierte Geist bildet die Seele und das Prinzip eines christlichen Lebens.[226] Er schließt den Glaubenden, wie das Beispiel der Apostel bestätigt, dem Leben gegenüber nicht ab, sondern vielmehr auf.

Der Erwähnung bedarf auch noch Augustins Konzeption der Sünde wider den Hl. Geist. Ausdrücklich kommt er darauf zu sprechen im ›Enchiridion‹ bei der Erörterung der Sündenvergebung und der Buße: „Wer jedoch nicht an die Sündennachlassung in der Kirche glaubt und darum einen so reichen göttlichen Gnadenschatz verachten zu dürfen glaubt, und wer dann in solcher Herzensverhärtung sein Leben beschließt, der ist schuldig jener unvergebbaren Sünde wider den Heiligen Geist, in dem Christus die Sünden nachläßt."[227] Dahinter steckt die Ekklesiologie Augustins. Er bringt die Kirche gerne mit dem Symbol der Taube in Verbindung. Die Kirche ist „columba", sofern sie sich kraft der im Geist ihr eingesenkten „caritas" (Liebe) als die „communio catholica" (katholische Gemeinschaft), die „communio societasque sanctorum" (Einheit und Gemeinschaft der Heiligen) in ihrer Einheit verwirklicht.[228] Die Kirche als die „columba" hat die Gewalt der Schlüssel empfangen, sie erläßt die Sünden als die „societas sanctorum" (Gemeinschaft der Heiligen).[229] Dabei handelt sie alles andere als aus eigener Kraft, denn es geht nicht um ihre Vergebung und Heiligkeit, sondern um die Christi, die ihr im Geist und durch ihn mitgeteilt wird. In allem, was die Kirche ist und tut, ist sie Organ des Geistes als ihrer Seele

---

[225] Vgl. Augustinus, In Jo 74, 1–4: BKV 19, 90–93.

[226] Vgl. Augustinus, In Jo 92, 2: BKV 19, 168 f.; 93, 1: BKV 19, 170 f.; 94, 2–6: BKV 19, 178–181; 100, 1: BKV 19, 223 f.

[227] Augustinus, Ench. 22, 82: BKV 49, 470.

[228] Vgl. Y. Congar, Die Lehre von der Kirche. Von Augustinus bis zum Abendländischen Schisma. Freiburg 1971, S. 5 f.

[229] Vgl. Augustinus, Sermo 295, 2 (PL 38, 1349); De bapt. III, 17, 22 (PL 43, 149 f.); III, 18, 23 (PL 43, 150 f.); VII, 51, 99 (PL 43, 241); Enarr. Ps. 141, 7 (PL 37, 1837); In Jo 124, 5 (PL 35, 1972).

und ihrem Prinzip. Auf dem Weg der „communio", der „caritas"
und „unitas" (Einheit) wird die Kirche zur „creatura Spiritus" (Geschöpf des Geistes). Wer sie daher in Frage stellt, der wendet sich
gegen den Geist. Gegen ihn sündigt, wer willentlich und wissentlich
bis an sein Lebensende nicht an Christus glaubt.[230]

Mit dem Namen Augustins ist eine theologische Weichenstellung
verbunden, die in der Kontroverse um das Filioque ihren Ausdruck
findet.[231] Es handelt sich dabei zwar um eine vornehmlich trinitätstheologische Angelegenheit, da sie aber entscheidend das nähere
Verständnis des Geistes betrifft, so wird man ihr nicht jede pneumatologische Relevanz absprechen können. Augustinus spielt dabei
insofern eine Rolle, als er durch seine Trinitätstheologie die theologische Basis für das Filioque gelegt hat, wenngleich er nicht als der
Schöpfer des Filioque angesprochen werden kann: „Die Formulierung, daß der Geist vom Vater und vom Sohne, ab utroque (von
beiden), ausgeht, erscheint in der westlichen Tradition während des
letzten Drittels des vierten Jahrhunderts. Sie findet sich verschie-
dentlich in den Werken des Ambrosius, des Victorinus, des Rufinus
und anderer. Hilarius von Poitiers bereitete für Augustinus den

---

[230] Vgl. Augustinus, De fide et oper. 16, 30: BKV 49, 359.

[231] Vgl. D. L. Berry, Filioque and the Church. In: JES 5 (1968), S. 535–554;
I. H. Dalmais, L'Esprit de Vérité et de Vie. Pneumatologie d'expression grecque et
d'expression latine: opposition ou complémentarité? In: LV 27 (1972), S. 572–584;
K. L. Evans, The East, the Holy Spirit and the West. In: Diakonia (N. Y.) 7 (1972),
S. 108–136; M. Fahey, Sohn und Geist: Theologische Divergenzen zwischen Kon-
stantinopel und dem Westen. In: Conc (D) 15 (1979), S. 505–509; A. de Halleux,
Pour un accord oecuménique sur la procession de l'Esprit Saint et l'addition du »Fi-
lioque« au symbole. In: Irén. 51 (1978), S. 451–469; R. Haugh, Photius and the
Carolingians. The Trinitarian Controversy. Belmont 1975; H. J. Marx, Filioque und
Verbot eines anderen Glaubens auf dem Florentinum. St. Augustin 1977;
T. O'Connor, Homoousios and Filioque: An Ecumenical Analogy. In: DR 83
(1965), S. 1–19; J. Romanides, The Filioque. In: Kl. 7 (1975), S. 285–314; D.
Ritschl, Geschichte der Kontroverse um das Filioque. In: Conc (D) 15 (1979),
S. 499–504; T. Stylianopoulos, Sohn und Geist: Orthodoxe Stellungnahme. In:
Conc (D) 15 (1979), S. 510–514; „Vom Wirken des Geistes". Protokoll des theologischen Gespräches zwischen Vertretern der Russisch-Orthodoxen Kirche und
der Evangelischen Kirche in Deutschland im Dreifaltigkeits-Sergius-Kloster Sagorsk, vom 21. bis 25. Oktober 1963. In: EvTh 25 (1965), S. 512–565; M. Jugie, De
Processione Spiritus Sancti ex fontibus Revelationis et secundum Orientales dissidentes. Rom 1936; F. Dvornik, Le schisme de Photius. Histoire et légende. Paris
1950; P. Evdokimov, L'Esprit Saint dans la tradition orthodoxe. Paris 1970.

Weg, indem er den Gedanken Tertullians entwickelte, daß der Hervorgang des Geistes durch den Sohn geschieht."[232] Augustinus legt seiner Trinitätstheologie einen monotheistischen Gottesbegriff zugrunde, d. h. vor der Dreiheit steht die Einheit, die beide eher als abstrakte Gebilde anzusprechen sind, bei denen die theologische Reflexion einsetzt. Die drei Personen werden in diesem Rahmen als symmetrische, sich gegenseitig bedingende Relationen verstanden.[233] Diese Konzeption findet ihren Niederschlag in dem bekannten, auf Augustinus zurückgehenden trinitarischen Grundgesetz: In Gott ist alles eins, soweit nicht ein Gegensatz der Relationen vorhanden ist.[234] Es ist nicht zu verwundern, daß auf diesem Hintergrund auch den „processiones" (Hervorgänge) in Gott eine unverkennbare Unbestimmtheit und Allgemeinheit anhaftet. Auf die Frage, wie sich der Hervorgang des Geistes von der Zeugung des Sohnes unterscheidet, antwortet Augustinus einmal mit dem Hinweis, die „generatio" des Sohnes erfolge – im scholastischen Sinn formuliert – per modum intellectus (nach Art des Intellektes). Hinzu kommt, daß der Geist nicht nur vom Vater, sondern auch vom Sohn ausgeht.[235] Dieser Punkt hat vor allem seitens der byzantinischen Theologie zu verhängnisvollen Mißverständnissen geführt, die bis heute währen. Für sie bezeichnet die „ἐκπόρευσις" (Hervorgang) des Geistes den Ausgang aus einem Prinzip und bedeutet die Beteiligung des Sohnes an der Hauchung des Geistes eine Verdoppelung des Urquells oder Ursprungs der Gottheit, als der der Vater angesehen wird. Dem ist entgegenzuhalten: „Die byzantinische Theologie hat nicht immer beachtet, daß die Lateiner, auch Augustin, den Vater als besonderen Urquell oder Ursprung, als origo principalis (Urquell) innerhalb der Dreifaltigkeit ansehen. Der Heilige Geist geht, wie Augustin sagt, principaliter (ursprünglich) vom Vater aus; er geht von Vater und Sohn communiter (gemeinsam) aus aufgrund dessen, was der Vater dem Sohn schenkt. Für den Osten ist der Vater principium sine principio (Ursprung ohne Ursprung), und die Idee eines principium de principio (Ur-

---

[232] M. Fahey, a. a. O. 506.
[233] Vgl. Augustinus, De trin. V, 5, 6–13, 14: BKV 13, 193–207; VI, 2, 3: BKV 13, 215 f.; VII, 6, 11 f.: BKV 13, 253–260; VIII, 1: BKV 14, 13 f.
[234] Vgl. DS 1330 f.
[235] Vgl. R. Haubst, Heiliger Geist. In: LThK V, 111.

sprung vom Ursprung) wäre für ihn schwer denkbar. Die byzantinischen Theologen hatten Bedenken, den Sohn am Ausgang des
Geistes vom Vater zu beteiligen, weil ihnen dies als ein doppeltes
Hervorgehen vorgekommen wäre. Wenn Begriffe wie principium,
causa, auctor, ja procedere (Ursprung, Ursache, Urheber, hervorgehen) in griechische Äquivalente übertragen wurden, so behielten
sie nicht immer den gleichen Sinn bei. Dies war ganz besonders
dann der Fall, als die byzantinischen Theologen sich bemühten, die
grundlegende ‚Monarchie' Gottes des Vaters als der Urarchê der
Gottheit zu wahren. Als der Westen sagte, der Geist gehe vom Vater und vom Sohne aus, bedeutete das jedoch nicht, der Vater sei
nicht mehr der Ursprung, die archê der gesamten Gottheit. Es be-
sagte auch nicht, der Geist gehe vom Sohn unabhängig vom Vater
aus oder es beständen zwei Hauchungen, zwei Ursprünge. Daß dies
nicht zur Kenntnis genommen wurde, zeigt sich darin, daß das
Konzil von Florenz in seiner Erklärung ›Laetentur caeli‹ vom 6. Juli
1439 es für nötig befand, zu betonen, daß der Geist ‚ab uno principio
et unica spiratione' (von einem Ursprung und in einer einzigen
Hauchung) (DS 1300) ausgeht – eine Formulierung, die schon früher verwendet worden war anläßlich des erfolglosen Wiederverei-
nigungskonzils Lyon II vom Jahre 1274 (vgl. DS 850)." [236] Auf dieser von Augustinus formulierten Straße der westlichen Trinitätstheologie haben dann in der Folge die Theologen des Mittelalters,
vor allem Anselm von Canterbury und Thomas von Aquin, weiter-
gebaut. Sie wurde von den Theologen des Ostens als eine Art
Gleichgewichtsstörung zwischen der absoluten Einheit des Wesens
und der absoluten Verschiedenheit der drei Hypostasen empfunden. Der westliche Trinitätsbegriff hinterließ einen gespaltenen
Eindruck, sofern das göttliche Wesen zu einer abstrakten Wesenheit verzerrt erschien, die den drei göttlichen Individuen gemeinsam ist.

Die trinitarische Theologie der Griechen, auch „Triadologie" genannt, denkt weniger von einem als Einheitsprinzip vorgestellten
göttlichen Wesen aus, sondern von der Person des Vaters her, der
als allein anarchos (ohne Ursprung) den Ursprung von Sohn und
Geist bestimmt und ihnen sein Wesen vermittelt; damit aber kann

---

[236] M. Fahey, a. a. O. 507; vgl. Augustinus, Contra Maxim. II, 17, 4.

nicht die Ursprungsbeziehung die Grundlage der Hypostasen bilden. Als der eigentliche Baumeister der östlichen Trinitätstheologie
kann Athanasius gelten. Für ihn bilden immanente und ökonomi-
sche Trinität eine Einheit: „Athanasius sagt, der Vater sei ‚über
alles' und auch ‚durch alles und in allem', der Sohn ‚durch alles' und
der Geist ‚in allen' (oder allem). Die communio mit Gott ist also mit
dem Vater, der immer schon Vater des Sohnes ist, im Geist. Der
Geist hat so vollständig Anteil am Vater und am lógos, und zwar
wegen der vollen Einheit der Aktivitäten und des Wesens Gottes
(der enérgeia)."[237] Die Kappadokier führen weitere begriffliche
und inhaltliche Klärungen herbei, indem sie Begriffe wie hypostasis
definieren, die ekporeusis (Hervorgang) des Geistes von der genne-
sia (Zeugung) des Sohnes differenzieren und der Formel „durch den
Sohn" näher nachgehen. Das Resultat davon ist, daß der Vater allein
Quelle, Wurzel, Ursache und Ursprung von Sohn und Geist ist.

Der Verlauf der Kontroverse um das Filioque, ihre Hintergründe
politischer, kultureller und religiöser Natur, ihr äußerer Anlaß und
ihre außertheologischen Zusammenhänge können hier außer Betracht bleiben.[238] Die eigentliche Auseinandersetzung verbindet
sich mit dem Namen des Patriarchen Photius.[239] In seiner ›Mysta-
gogia Spiritus Sancti‹ vertritt er die These: „Der Vater ist der unmittelbare Ursprung des Geistes wie auch des Sohnes, denn unmittelbar besteht sowohl die Zeugung wie der Hervorgang; denn durch
kein Zwischending wird der Sohn gezeugt, ebenso unmittelbar geht
auch der Geist hervor."[240] Photius glaubt sich in seiner Position in
Einklang mit der Meinung der Väter und der Konzilien. Er beruft
sich zu seiner Rechtfertigung auf Joh 15, 26 und die Tradition unter
Mißachtung entgegenstehender Überlieferungen und der Formel
„durch den Sohn". Seine dialektische Argumentationsweise stützt
sich auf das Axiom: „Alles, was im Hinblick auf . . . die Trinität er-
wogen und gesagt wird, ist entweder allen Personen gemeinsam

---

[237] D. Ritschl, a.a.O. 503.

[238] Vgl. D. Ritschl, a.a.O. 499–502; M. Fahey, a.a.O. 505–509; H. Jedin
(Hrsg.), Handbuch der Kirchengeschichte, Bd. III, 1. Freiburg 1966, S. 200–218; s.
Literatur unter Anm. 231.

[239] Vgl. R. Haugh, a.a.O. 159–177; J. Pelikan, The Spirit of Eastern Christendom (600–1700). Chicago 1974, S. 183–198.

[240] Photius, De mystag. 62 (PG 102, 339 BC).

oder kommt einer von den dreien und ihr allein zu."[241] Photius be-
fürchtet, das Filioque könnte die Monarchie des Vaters zerstören
und die Realität der Hypostasen relativieren. Die Schwierigkeit,
wie der Geist aufgrund der allen Personen gemeinsamen göttlichen
Natur nicht von sich selber ausgehe, berührt Photius nicht weniger
wie die von ihm bekämpfte westliche Konzeption. Die Verbindung
von Geist und Logos bleibt bei ihm ungeklärt: „Ist nicht der den
Geist hauchende Vater schon der Vater des Sohnes? Zwei Gefahren
scheinen nicht gebannt: 1. daß der Vater den anderen beiden Hypostasen kraft seiner eigenen hypostatischen Funktion doch übergeordnet wird, und 2. daß der Heilige Geist nicht eindeutig der
,Geist Christi' ist, wie man, im Hinblick auf die nicht immanente,
sondern heilsökonomische Trinität mit dem Neuen Testament doch
immer sagen sollte."[242] Was die häretischen Konsequenzen betrifft,
die Photius aus dem Filioque herausliest, so dürften sie einer
differenzierten Lektüre der westlichen Konzeption nicht standhalten. Weder der Vorwurf zweier Prinzipien des Geistes noch der der
Infragestellung der väterlichen Monarchie oder der Gleichheit der
Personen lassen sich rechtfertigen.

Die lehramtlichen Reaktionen auf die Position des Photius verteilen sich auf die Synode von Bari 1098, auf der Anselm von Canterbury seine später zum Buch ›De processione Spiritus Sancti‹ erwei-
terte Rede hielt,[243] das Zweite Konzil von Lyon 1274[244] und das
Konzil von Florenz.[245] Fragt man nach dem weiteren Verlauf der
Kontroverse, so ist an die Untersuchungen und Gespräche zu erinnern, die mit dem Namen Gregors von Cypern,[246] Anselms von
Havelberg oder des Niketas von Nikomedien verbunden sind.[247]
Der Stillstand, in den die Frage nach dem Filioque eintritt, erfährt
erst im 19. Jahrhundert wieder eine gewisse Belebung. Im Zusam-

[241] Photius, Ep. ad Orient. 22.

[242] D. Ritschl, a. a. O. 503.

[243] Vgl. Anselm, De proc. Spir. (PL 158, 285 A–326 B).

[244] Vgl. DS 850, 853.

[245] Vgl. DS 1300–1303.

[246] Vgl. O. Clément, Grégoire de Chypre »De l'ekporèse du Saint-Esprit«. In:
Ist. 17 (1972), S. 443–456.

[247] Vgl. O. Clément, Dialogue entre Anselme de Havelberg et Néchitès de Nicomédie sur la procession du Saint-Esprit. In: Ist. 17 (1972), S. 375–424; Anselm
v. Havelberg, Dialogi (PL 188, 1139 B–1248 B).

menhang mit den Bonner Unionskonferenzen veröffentlichte 1898
B. Bolotov Thesen über das Filioque, in denen er nach dem Glauben
der russisch-orthodoxen Kirche zwischen Dogma und Theologu-
menon unterschied. Allein der Ausgang des Geistes vom Vater und
seine Wesensgleichheit mit Vater und Sohn gehören zum Dogma,
alles andere, vor allem die Formulierung, der Geist gehe durch den
Sohn aus dem Vater hervor, wird dem Bereich der Theologumena
zugerechnet. Darunter würde nach der Meinung Bolotovs auch die
westliche Position des Filioque fallen.[248] Bolotovs Thesen können
insofern als repräsentativ gelten, als sie 1907 bzw. 1912 durch den
„Heiligsten Synod" mehr oder weniger approbiert wurden. Zusätzliche Akzente kamen in die Debatte durch S. Bulgakow.[249] Ihm zufolge beruhen die erwähnten Theologumena auf der falschen Voraussetzung, die im Begriff der „processio" (Hervorgang) steckt und
die Vorstellung des Werdens in Gott hineinträgt. Geist und Sohn
sind immer schon, sie gehen nicht erst hervor. Es ist sicher nicht ganz
ganz zutreffend, wenn man die kausale Beteiligung des Sohnes an
der Hauchung des Geistes dem Typ der lateinischen Trinitätstheologie zuschreibt.[250] Einen neuen Vorschlag zur Bereinigung des
Konfliktes hat orthodoxerseits J. Romanides unterbreitet.[251] Er
macht für ihn vor allem die Kapitulation der Weströmer vor der
fränkischen Kirche, ihrer theologischen Methode und Lehre ver-
antwortlich. Diese sei schuld daran, daß sich Rom unkritisch auf die
Trinitätslehre Augustins eingelassen habe. Hier werden die Gründe
und Entwicklungen eindeutig mißverstanden und Augustinus in die
Schuhe geschoben. Die Kirchen des Ostens und des Westens verfügen heute über vertiefte Einsichten in den Reichtum ihres religiösen

[248] Vgl. B. Bolotov, Thesen über das Filioque. In: RITh 6 (1898), S. 681–712.

[249] Vgl. S. Bulgakov, Il Paraclito. Bologna 1971; B. S. Schultze, Bulgakovs „Utêsitel'" und Gregor der Theologe über den Ausgang des Heiligen Geistes. In: OrChr
P 39 (1973), S. 162–190.

[250] Vgl. V. Lossky, Die mystische Theologie der morgenländischen Kirche. Graz
1961; ders., Schau Gottes. Zürich 1963; M. Jugie, Theologia dogmatica Christiano-
rum orientalium ab ecclesia catholica dissidentium, Bd. II. Paris 1933, S. 296–535;
ders., De Processione Spiritus Sancti ex fontibus revelationis et secundum orientales
dissidentes. Rom 1936; Emilianos, Metropolit von Kalabrien, Der Heilige Geist und
das Mysterium in der orthodoxen Theologie. In: LR 26 (1976), S. 208–213.

[251] Vgl. J. Romanides, a. a. O. 285–314; „Vom Wirken des Heiligen Geistes". In:
EvTh 25 (1965), S. 512–565.

Besitzstandes und Erbes, in die Gründe ihrer unterschiedlichen
Entwicklungen und Traditionen. Das Wissen darum, das ökumenische Klima, das nach Verständigung und Einheit ruft, das gemeinsame Ringen um die Wahrheit des Glaubens verbinden Ost und
West und stellen einen einmaligen Kairos dar. Die Kernfrage des Filioque ist keine historische oder kirchenpolitische, sondern eine
theologische: es geht um ein angemessenes Verständnis der Wirklichkeit und Wirksamkeit des Hl. Geistes in den verschiedenen Zeiten und Überlieferungen; dieses aber läßt sich weder von der Realität Gottes noch der Kirche trennen: „Das Filioque ist nicht eine entscheidende dogmatische Differenz, aber eine ernsthafte Differenz
in der Interpretation eines Dogmas, die nach einer Lösung
ruft... Die Tragödie des Filioque ist die, daß es zwar nicht als eine
Leugnung des katholischen Glaubens gedacht war und eine recht-
gläubige Deutung zuläßt, daß es aber doch aufgrund einer unterschiedlichen Theologie, darauf folgender kirchlicher Akte und des
schließlich großen Schismas zwischen der West- und der Ostkirche
die Bedeutung einer Kontroverse erhielt, die Augustinus nicht ge-
ahnt hatte. Die heutigen Theologen haben sich ebensosehr mit dem
geschichtlichen Bewußtsein der getrennten Kirchen zu befassen wie
mit dem Filioque als einem theologischen Problem."[252]

Nicht nur von historischem Interesse ist der Hinweis auf die
weiblich-mütterliche Symbolik im Rahmen der für den Hl. Geist
entwickelten Vorstellungen. Die Kritik an der patriarchalischen
Einseitigkeit der traditionellen Gottes- und Trinitätslehre wie auch
die Proteste der feministischen Theologie gegen das dominierende
Bild vom Vater Gott lassen die Erinnerung an patristische Parallelen
wieder lebendig werden.[253] Hier war es vor allem die syrische Kirche, die den Hervorgang des Geistes vom Vater und Sohn im trinitarischen Leben Gottes mit Hilfe der Symbolik weiblicher und mut-

---

[252] T. Stylianopoulos, a. a. O. 514.

[253] Vgl. F. K. Mayr, Die Einseitigkeit der traditionellen Gotteslehre. In: C.
Heitmann – H. Mühlen (Hrsg.), a. a. O. 239–253; H. Mühlen, Soziale Geisterfahrung als Antwort auf eine einseitige Gotteslehre. In: ebd. 253–272; M. Meyer, Das
„Mutter-Amt" des Heiligen Geistes in der Theologie Zinzendorfs. In: EvTh 43
(1983), S. 415–430; G. K. Kaltenbrunner. Ist der Heilige Geist weiblich? In: US 32
(1977), S. 273–279; vgl. außerdem Heft 3 der Zeitschrift Concilium 17 (1981),
S. 173–268, das der Frage „Gottvater?" nachgeht.

terschaftlicher Liebe veranschaulichte.[254] Diese Tendenz schlägt sich selbst noch in den für den Geist gebrauchten Bezeichnungen nieder.[255] Besonders beliebt ist in dieser Hinsicht die Taube als Sinnbild des Geistes, da man in ihr sowohl das jungfräulich-bräutliche Verhältnis von Vater und Sohn wie auch die jungfräulichmütterliche Beziehung des Geistes zur Kreatur abgebildet sah. Ein anderes Bild für den Ausgang des Geistes entnimmt man der Erschaffung Evas aus der Seite Adams. In diesem Sinn nennt Methodius den Geist „costa Verbi" (Rippe des Wortes): „Unter der Rippe versteht man sehr richtig den Paraklet, den Geist der Wahrheit, aus welchem nehmend diejenigen, die erleuchtet werden, zur Unsterblichkeit wiedergeboren werden... Denn er wird recht eigentlich die Rippe des Logos genannt, der siebengestaltige Geist der Wahrheit, von dem nehmend Gott nach der Ekstase oder dem Tod Christi seine Gehilfin, die Kirche baut."[256] Im Gedankengut der frühsyrischen Kirche, wie es sich etwa im Perlenlied der Thomasakten niedergeschlagen hat, taucht die Vorstellung vom Hl. Geist als Mutter bzw. von der Mutterschaft des Geistes auf.[257] Dieser Gedanke spielt auf die Rolle des Geistes im sakramentalen Geschehen und in anthropologischen Zusammenhängen an und dient zur Veranschaulichung des Verhältnisses zwischen Gott und Christus. In diesem Sinn kann er durchaus auch als der Zweite innerhalb der Gottheit bezeichnet werden. Hinsichtlich der Herkunft und des Vorstellungshintergrundes solcher Bezeichnungen legt sich Zurückhaltung nahe, da sie erwiesenermaßen keineswegs als a priori häretisch abgewiesen wurden.

An der Schwelle der Patristik zum Mittelalter stehen zwei Theologen, welche die genuine Position des Glaubens an den Geist noch einmal formulieren und weiterreichen, es sind dies: Maximus der

---

[254] Vgl. J. M. Ford, The Spirit and the Human Person. Dayton 1969, S. 10; F. K. Mayr, a. a. O. 252; W. Cramer, a. a. O. 36–39, 68f.

[255] Vgl. W. Cramer, a. a. O. 84.

[256] Methodius, Gastmahl oder Die Jungfräulichkeit III, 8: BKV 2, 38f. Auf diese Bilder und Analogien hat im letzten Jahrhundert vor allem M. J. Scheeben zurückgegriffen: vgl. Die Mysterien des Christentums. Freiburg ³1912, S. 95–102; Handbuch der katholischen Dogmatik, Bd. II: Gotteslehre. Freiburg ³1948, S. 428–435; s. außerdem: M. Böckeler, Das große Zeichen. Die Frau als Symbol göttlicher Wirklichkeit. Salzburg 1940.

[257] Vgl. W. Cramer, a. a. O. 68f.

Bekenner und Johannes von Damaskus. *Maximus*, ein Mann der Synthese und der Verständigung zwischen Ost und West, bezeugt klar die überkommene Lehre: „Wie der Heilige Geist seiner Natur nach wesentlich der Gottes und des Vaters ist, so ist er auch seiner Natur nach wesentlich der des Sohnes, da er aus dem Vater seinem Wesen nach durch den gezeugten Sohn auf unaussprechbare Weise hervorgeht."[258] Anläßlich des monotheletischen Streites erläutert er die im Osten mißverstandene Auffassung der Lateiner hinsichtlich des Ausgangs des Geistes, indem er sicherstellt: „Sie wissen nämlich, daß es nur eine einzige Ursache des Sohnes und des Geistes gibt, den Vater, der die Ursache des Sohnes ist, und zwar durch Zeugung, des Geistes aber durch Hauchung. Sie bedienen sich dieser Begriffe, um zu zeigen, daß der Geist durch den Sohn hervorgeht, und um so seine Substanzeinheit und Unveränderlichkeit zu vertreten."[259] Hier herrscht sowohl sachliche wie terminologische Klarheit. *Johannes von Damaskus* vertritt denselben Standpunkt wie Maximus. Er bekennt klar von den göttlichen Namen: „Denke ich ... an das wechselseitige Verhältnis der Personen, so weiß ich, daß der Vater überwesentliche Sonne, Quelle der Güte, Abgrund von Wesenheit, Vernunft, Weisheit, Kraft, Licht und Gottheit, erzeugende und hervorbringende Quelle des darin verborgenen Guten ist. Er ist also Verstand, Abgrund von Vernunft, Erzeuger des Wortes und durch das Wort Hervorbringer des offenbarenden Geistes ... Der Hl. Geist aber ist die das Verborgene der Gottheit offenbarende Kraft des Vaters, die vom Vater durch den Sohn ausgeht, wie er selbst weiß, nicht zeugungsweise ... Der Hl. Geist ... ist nicht Sohn des Vaters, er ist Geist des Vaters, da er vom Vater ausgeht – ohne Geist keine Betätigung –, aber auch Geist des Sohnes, nicht weil er aus ihm, sondern weil er durch ihn vom Vater ausgeht. Urgrund ist nämlich nur der Vater."[260]

Überblickt man das in quantitativer wie in qualitativer Hinsicht reichhaltige Zeugnis der Vätertheologie über den Hl. Geist, so zeichnen sich darin bestimmte Schwerpunkte ab. Einen ersten Haftpunkt streng *theologischer* Art bildet das Geheimnis Gottes,

---

[258] Maximus Confessor, Ad Thal. quaest. 63 (PG 90, 712 A).

[259] Maximus Confessor, Ep. ad Martinum (PG 91, 136).

[260] Johannes v. Damaskus, Darlegung des orthodoxen Glaubens I, 12: BKV 44, 35 f.

seiner Einheit und Dreifaltigkeit. Das Mysterium Gottes ist weder glaubbar noch aussagbar ohne den Geist, ohne dessen Gottheit und Personalität. Der Geist ist geradezu notwendig, um Gott, den Vater als Vater, den Sohn als Sohn glauben und bezeugen und verehren zu können. Eine Infragestellung des Geistes stellt einen Angriff auf die Wirklichkeit des drei-einen Gottes dar: „Anders können wir den einen Gott nicht denken, wenn wir nicht tatsächlich an den Vater, den Sohn und den Heiligen Geist glauben... Denn durch diese Dreiheit wird der Vater gepriesen; der Vater nämlich wollte (diesen Heilsplan), der Sohn vollbrachte, der Geist offenbarte (ihn). Davon kündet die ganze Heilige Schrift."[261] Der tiefere Grund für diese Einheit von Gott und Geist liegt in der Heilsgeschichte Gottes mit dem Menschen. Mit diesem theologischen Schwerpunkt der Pneumatologie hängt unweigerlich ein *ekklesialer* und *ekklesiologischer* zusammen. Der Geist lebt und wirkt in der Gesamtkirche wie in den Gemeinden. Die Gewißheit von der Präsenz und Wirksamkeit des Geistes prägt und begleitet das kirchliche Handeln. Das Pneuma gehört zu den zentralen Kategorien, wenn es darum geht, das Geheimnis der Kirche zu erfassen. Der Reichtum an Charismen, Ämtern, Diensten, Gaben, die Entfaltung des synodalen Elementes und der pneumatischen Autorität des Bischofs sowie bestimmter Stände dokumentieren, wie sehr die Kirche im Zeichen der Fülle des Geistes lebt. Davon zeugt auch die Erscheinung des Prophetischen, die innerkirchliche Auseinandersetzung mit ihm, das Ringen um die Unterscheidung der Geister. Ein weiterer Ort, an dem der Geist und sein Wirken besonders akzentuiert werden, ist der weite Bereich der *Anthropologie*. Der Geist wird als die den Menschen erneuernde und verwandelnde Kraft erfahren und verstanden. Verleihung und Besitz des Geistes sind an die Taufe gebunden, die als das eigentliche Sakrament des Geistes gilt. In ihr nimmt die Neukonstituierung der menschlichen Existenz ihren Anfang. Im einzelnen können die Akzente sehr verschieden verteilt werden. Die Pneumatologie steht damit im Dienst der Anthropologie und Soteriologie; sie bildet gleichsam das Fundament für einen christlichen „Humanismus". Der Christ, näherhin der vollkommene Christ, verwirklicht wahres Menschsein; sein Erkennen und Handeln sind vom

[261] Hippolyt, Contra Noetum 14 f.

Geist gewirkt und inspiriert. Das „im Heiligen Geist" stellt das Existential des Christen dar.

2. Zur mittelalterlichen Pneumatologie

Die Pneumatologie des Mittelalters kann sich – was Tiefe und Fülle betrifft – mit der des patristischen Zeitalters nicht messen. Das wird bereits deutlich an ihrem Ausgangspunkt, der Frühscholastik. Was für die Theologie insgesamt konstatiert wurde, wiederholt sich auch und gerade im Fall der Pneumatologie: der Eindruck eines gewissen Abfalls und einer Verarmung läßt sich nicht verleugnen. Nur mühsam und mosaikartig entwickeln sich pneumatologische Aussagen, nicht selten angestoßen bzw. ausgelöst durch entsprechende Hinweise der Schrift oder Vätersentenzen. So bleiben – wenn auch teilweise stark eingeschränkt oder verkürzt – die Väter noch präsent, bis das scholastische Denken zu seiner Eigenständigkeit erwacht.

Man kann die mittelalterliche Pneumatologie mit *Anselm von Canterbury* beginnen lassen.[262] Seine bereits erwähnte Schrift ›De processione Spiritus Sancti‹ greift inhaltlich Gedanken auf, die im ›Monologion‹ entfaltet wurden. Anselms Überlegungen zum Filioque und zur innertrinitarischen Stellung des Geistes sind im Rahmen seines Bemühens, „sola ratione" (durch die Vernunft allein) sich dem Glauben zu nähern, zu interpretieren. Dabei handelt es sich um mehr als nur einen methodischen Ansatz oder ein methodisches Prinzip. Für Anselm thematisiert sich das Denken selber am Gegenstand des Glaubens und denkt dem Glauben zu oder entgegen, wie der Glaube seinerseits sich in das Denken hinein auslegt: „Dem Glauben wird das Denken auf dem Weg zu sich selbst wichtig, und dem Denken wird der Glaube auf seinem Denk-weg wichtig."[263] Anselm setzt bei der Begründung des Filioque entschieden beim „Deus unus" (der eine Gott) ein. Er notiert zunächst, was beiden Gesprächspartnern gemeinsam ist: das Glaubensbekenntnis zur

---

[262] Vgl. L. Hödl, Anselm von Canterbury. In: TRE 2, 759–778.
[263] K. Kienzler, Glauben und Denken bei Anselm von Canterbury. Freiburg 1981, S. 22.

Einheit und Dreifaltigkeit in Gott. Letztere gründet im Hervorgang Gottes aus Gott und geschieht in der Weise des „nasci" (geboren werden) bzw. des „procedere" (hervorgehen). Der Dissens zwischen Griechen und Lateinern erstreckt sich auf das „Wie", in dem Einheit und Vielheit in Gott zueinander stehen: „Ebenso glauben ohne Zweifel und bekennen auch wir, die wir sagen, daß der Heilige Geist vom Sohn hervorgeht, und die Griechen, die mit uns in dieser Frage nicht übereinstimmen." [264] Der Hervorgang des Geistes richtet sich nach dem Grundsatz des „deus de deo" (Gott von Gott) sowie nach der „oppositio relationis" (Gegensatz der Beziehung). Geist und Sohn sind aus der „essentia" (Wesen) Gottes. Die „oppositio relationis" schließt aus, daß der Sohn aus dem Geist gezeugt wird. Der Hervorgang des Geistes und damit die Wahrheit des Filioque werden aus dem Prinzip der Einheit Gottes gewonnen. Anselm faßt seine Argumentation folgendermaßen zusammen: Durch einen nicht zu widerlegenden Grund steht fest, daß der Heilige Geist vom Sohn stammt, wie er vom Vater stammt, und dennoch nicht gleichsam von zwei Verschiedenen, sondern gleichsam von Einem stammt. Der Heilige Geist stammt nämlich aus dem, daß Vater und Sohn eins sind, d. h. aus Gott, nicht aus dem, worin sie voneinander verschieden sind.[265] Unter den Eigenschaften und Namen, die dem Geist in besonderer Weise zukommen, wird vor allem die Liebe genannt.[266]

Blickt man von Anselm aus auf die Periode der *Frühscholastik* und ihre pneumatologischen Äußerungen, so gilt: „Die theologischen Probleme der Frühscholastik waren alle irgendwie durch auctoritates, d. i. Schriftstellen oder Vätersentenzen, angeregt, die zueinander in Gegensatz zu stehen schienen oder sonst dem Verstand zum Gegenstand des Nachdenkens wurden." [267] Zu diesen pneumatologischen Impulsaussagen gehören die Aufstellungen der Schrift über die *Sünde wider den Hl. Geist* (vgl. Mt 12, 31 f.; Mk 3, 28 f.; Lk 12, 10; 1 Joh 5, 16) und die verschiedenen Interpretationen der Väter, vor allem Ambrosius und Augustinus. *Abaelard* faßt

---

[264] Anselm, De proc. Spir. Sancti 1 (ed. Schmitt II, 180, 21 f.).

[265] Anselm, a. a. O. 14 (ed. Schmitt II, 221, 10 ff.).

[266] Vgl. Anselm, Monologion 60 (ed. Schmitt I, 70, 22 ff.).

[267] A. M. Landgraf, Dogmengeschichte der Frühscholastik, Bd. IV, 1. Regensburg 1955, S. 13.

die Sünde gegen den Hl. Geist als bewußte Verunglimpfung der offenkundigen Wohltaten und Güte Gottes aus Neid,[268] während *Hugo von St. Viktor* sie mit der gegen die Liebe gerichteten „malevolentia" (Mißgunst) in Verbindung bringt.[269] Für *Gilbert Porreta* ist die Sünde wider den Geist gleichbedeutend mit einem Sündigen aus Verzweiflung bzw. aus Vermessenheit.[270] Anschließend kommt es zu einer Differenzierung der Sünde gegen den Geist in verschiedene Arten wie Bekämpfung der anerkannten Wahrheit, Ablehnung der brüderlichen Gemeinschaft und Unbußfertigkeit bis zum Ende.[271] Sehr ernsthaft sucht man nach Gründen und Erklärungen für die Unvergebbarkeit dieser Sünde. Hier weichen die Auffassungen stark voneinander ab: „Nirgends wird darauf hingewiesen, daß Gott mit positivem Willensdekret diese Sünde vielleicht von jeder Vergebung ausgeschlossen hätte. Wohl aber kann man davon lesen, daß wegen des Zustandes solcher Sünde eine Vergebung ungerecht wäre, oder auch, daß solche es verdienten, daß ihnen nicht vergeben werde. Auch kann man u. a. von dem Mangel einer Entschuldigung hören, die eine leichte Vergebung befürwortete, oder auch von einem mit der Art dieser Sünde in Zusammenhang stehenden Sichnichtbeugenkönnen zur Bitte um Verzeihung."[272]

Ein anderes Problem mittelalterlicher Geistes- und Gnadenlehre begegnet uns in der Frage der Identifizierung der Tugend der *caritas* mit dem Hl. Geist.[273] Als maßgebend erwiesen sich in dieser Hinsicht die Stellen Röm 5, 5 und 1 Joh 4, 7f. Dazu kamen noch einige entsprechende Aussagen aus dem 15. Buch von Augustins ›De Trinitate‹.[274] Schule gemacht hat die Gleichsetzung von Geist und cari-

---

[268] Vgl. Abaelard, Problemata Heloissae 13 (PL 178, 694f.); A. M. Landgraf, a. a. O. 18ff.

[269] Vgl. Hugo v. St. Viktor, De amore sponsi ad sponsam (PL 176, 989).

[270] Vgl. Gilbert Porreta, Paulinenkommentar (Text bei: A. M. Landgraf, a. a. O. 27).

[271] Vgl. Wilhelm v. Auxerre, Summa aurea l. 2, tr. 30, c. 4 (Text bei A. M. Landgraf, a. a. O. 47).

[272] A. M. Landgraf, a. a. O. 69.

[273] Vgl. A. M. Landgraf, Dogmengeschichte der Frühscholastik, Bd. I, 1. Regensburg 1952, S. 220–237.

[274] Vgl. Augustinus, De trin. XV, 17, 27. 31; 19, 37: BKV 14, 296f., 300f., 308–310.

tas vor allem durch ihre Befürwortung bei *Petrus Lombardus*. Als
aufschlußreich erweisen sich bereits die Kapitelüberschriften der
17. Distinktion des ersten Sentenzenbuches, die lauten: „Daß der
Heilige Geist die Liebe ist, mit der wir Gott und den Nächsten lieben"; „Daß die brüderliche Liebe Gott ist, nicht der Vater noch der
Sohn, sondern nur der Heilige Geist"; „Daß das Wort: Gott ist die
Liebe nicht der Ursache nach gesagt ist wie jenes: Du bist die Geduld und meine Hoffnung"; „Wie der Heilige Geist geschickt oder
uns gegeben wird"; „Ob der Heilige Geist im Menschen vermehrt
wird, oder mehr oder weniger besessen bzw. gegeben wird, und ob
er dem Besitzenden bzw. Nicht-Besitzenden gegeben wird"; „Daß
einige behaupten, die Liebe zu Gott und zum Nächsten sei nicht der
Heilige Geist".[275] Als Vorläufer des Lombarden kann beispielsweise *Paschasius Radbertus* gelten, der formuliert: „Und wie der
Sohn als das Wort Gottes im eigentlichen Sinn auch Gottes Weisheit
genannt wird, so wird der Heilige Geist äußerst zutreffend demnach als Liebe bezeichnet... Wer also die Liebe hat, der hat in sich
den Heiligen Geist, weil der Heilige Geist die Liebe ist."[276] Zu
einer großartigen geistlichen Theologie hat das Wissen um die Einheit
bzw. Identität von Geist und Liebe *Wilhelm von St. Thierry* ausgebaut; seine Schriften ›Spiegel des Glaubens‹, ›Über die Gottesschau‹
und ›Über die Natur und Würde der Liebe‹ legen davon beredtes
Zeugnis ab.[277] Der Geist wird zum Maß und Maßstab unserer Liebe: „Du liebst uns also in dem Maße, als Du uns zu Deinen Liebha-
bern machst. Und wir lieben Dich in dem Maße, als wir von Dir
Deinen Geist empfangen, der Deine Liebe ist, der in alle verborgenen Tiefen unserer Neigungen eindringt und sich ihrer bemächtigt,
um sie vollkommen auf Deine wahre Reinheit und Deine reine
Wahrheit hinzuwenden, zum vollen Einklang mit Deiner Liebe... All das wird uns zuteil... durch die Ausspendung Deines
uns einwohnenden Heiligen Geistes, der, wie gesagt, unseren Geist
Sich angleicht und eint, da Er in uns weht, wann Er will, wie Er will,
soviel Er will. Wir sind Sein Gebilde, geschaffen zu guten Werken;
er ist ,unsere Heiligung', unsere ,Rechtfertigung', unsere Liebe.

---

[275] Vgl. Lombardus, Sententiae (Quaracchi 1916) 106–113.
[276] Paschasius Radbertus, De fide, spe et caritate III (PL 120, 1460).
[277] Vgl. Wilhelm v. St. Thierry: PL 184, 365–408; Übersetzung von H. U. v. Balthasar, Wilhelm von St. Thierry. Der Spiegel des Glaubens. Einsiedeln 1981.

Wirklich, Er selbst ist unsere Liebe, mit der wir an Dich rühren und
Dich umfangen . . . Lieben wir Dich, dann wird unser Geist von
Deinem Heiligen Geist ergriffen, Er wohnt uns ein, und wir haben
die Liebe Gottes als ausgegossen in unseren Herzen." [278] Wie wenig
der Lombarde mit seiner Meinung allein ist, bestätigt der Satz Be-
das: „Wenn den Menschen die Gnade des Heiligen Geistes gegeben
wird, wird in der Tat der Geist gesandt." [279] Im Gegenzug dazu
kommt es zur Unterscheidung zwischen der Einwohnung des Hl.
Geistes, die der Frühscholastik durchaus geläufig ist, und der Gnade
oder Tugend als Zeichen der Einwohnung. Als Beispiel dafür kann
Gilbert Porreta gelten. [280] Immerhin dürfte es bezeichnend sein,
daß die Konzeption des Lombarden auch später nicht ganz ver-
schwand. [281] Sie dürfte als pneumatologisches Korrektiv einer
einseitigen Gnadenlehre in theologiegeschichtlicher Hinsicht er-
wähnenswert sein.

Einen gewissen pneumatologischen Stellenwert wird man wohl
auch dem mittelalterlichen Topos von den *Gaben des Hl. Geistes*
zusprechen müssen. Die Scholastik steht auch hier, wie in so vielen
anderen Fällen, auf den Schultern der Kirchenväter. Die griechischen Väter berufen sich gerne auf jene Liste göttlicher Gaben, die
in Jes 11, 2f. aufgezählt werden. Im Unterschied zu ihnen interes-
sieren sich die westlichen Väter zusätzlich für die Zahl der Geistesgaben. Ansätze einer ersten systematischen Erörterung, die den
Charakter sporadischer und bruchstückhafter Hinweise übersteigt,
finden sich bei *Gregor dem Großen*. In seinen Homilien zum Buch
Ezechiel schreibt er: „Auf sieben Stufen steigt man zur Pforte empor, weil uns durch die siebenfältige Gnade des Heiligen Geistes der
Zugang zum ewigen Leben eröffnet wird. Diese siebenfältige
Gnade zählt Isaias bei unserem Haupt bzw. bei seinem Leib, der wir
sind, auf, wenn er sagt . . . Da er über himmlische Dinge spricht,
zählt er diese Stufen mehr absteigend als aufsteigend auf, nämlich:
Weisheit, Verstand, Rat, Stärke, Wissenschaft, Frömmigkeit,
Furcht . . . Da der Prophet mehr vom Himmlischen zum Irdischen
sprach, begann er also zuerst bei der Weisheit und stieg dann zur

[278] H. U. v. Balthasar, a. a. O. 116 f.
[279] Beda, Summe (zit. bei A. M. Landgraf, a. a. O. 229).
[280] Vgl. A. M. Landgraf, a. a. O. 226.
[281] Vgl. A. M. Landgraf, a. a. O. 234–237.

Furcht herab. Wir aber, die wir von der Erde zum Himmel streben, wollen dieselben Stufen mehr aufsteigend aufzählen, um von der Furcht zur Weisheit zu gelangen. In unserem Geist ist demnach die erste Stufe des Aufstiegs die Furcht des Herrn, die zweite die Frömmigkeit, die dritte die Wissenschaft, die vierte die Stärke, die fünfte der Rat, die sechste der Verstand, die siebte die Weisheit... Weil wir also durch die Furcht zur Frömmigkeit aufsteigen, durch die Frömmigkeit zur Wissenschaft geführt werden, durch die Wissenschaft zur Stärke gekräftigt werden, durch die Stärke zum Rat streben, durch den Rat zum Verstand voranschreiten, durch den Verstand zur Reife der Weisheit gelangen, so steigen wir auf sieben Stufen zur Pforte empor, durch die uns der Zugang zum geistigen Leben erschlossen wird."[282] Gregor entwickelt hier eine ganze Systematik des geistlichen Aufstiegs, die allerhand geistliche Psychologie verrät; das Schwergewicht liegt dabei allerdings auf der ausgesprochen anthropologisch-ethischen Komponente, der spezifisch pneumatologische Aspekt rückt darin weniger in das Blickfeld. Seine Aussgen haben immerhin die Theologie des Mittelalters, vor allem die asketische und mystisch-geistliche Literatur, inspiriert und befruchtet.

In ihrem Umkreis entstehen nunmehr ex professo Traktate über die Gaben des Geistes. Unter den exegetischen Werken *Hugos von St. Viktor* findet sich beispielsweise eine Abhandlung über fünf Siebenergruppen aus der Schrift, unter die neben den sieben Lastern auch die sieben Vaterunserbitten, die sieben Tugenden, die sieben Seligkeiten und die sieben Gaben des Geistes gerechnet werden.[283] Ausführlicher kommt er auf die sieben Geistesgaben in ›De septem donis Spiritus sancti‹ zu sprechen, wo er auch auf den Zusammenhang des Geistes mit den Gaben eingeht: „Was sind die sieben Geister? Die sieben sind Gaben des Geistes, die Gaben sind Geister, die Geister sind Gaben. Die Gabe des Geistes ist Geist; der Geist gibt sich selbst, der eine Geist teilt sich siebenfältig mit. Deswegen ein Geist und sieben Geister, weil siebenfältig gegeben und siebenfältig zugehaucht."[284] Mehr oder weniger ausführliche Darstellungen der

---

[282] Gregor, Hom. in Ez. II, 7f. (PL 76, 1016f.); vgl. ders., Mor. II, 49, 77 (PL 75, 592f.).

[283] Vgl. Hugo v. St. Viktor, De quinque septenis (PL 175, 405–410).

[284] Hugo v. St. Viktor, De septem donis (PL 175, 411).

sieben Gaben des Geistes verbinden sich mit Namen wie *Rupert von Deutz*[285], *Bernhard von Clairvaux*[286], *Arnold von Bonneval*[287], *Philipp der Kanzler*[288] oder *Bonaventura*[289]. Außerdem tauchen die sieben Geistesgaben zuweilen auch in anderen Kontexten auf, wie dies in den theologischen Summen des *Praepositinus* und *Martinus von Cremona* sowie bei *Richard von Leicester* der Fall ist.[290]

Mit der fortschreitenden Klärung der Fragestellung kann von den sieben Gaben auch unter völlig anderen Sachtiteln die Rede sein. Ein Beispiel dafür bildet die Behandlung der sieben Gaben bei *Thomas von Aquin*, wie sie sich im Sentenzenkommentar, in der Summa theologiae oder im Kommentar zu Jesaja finden.[290a] Fragt man nach dem pneumatologischen Ertrag der Gabenlehre, so wäre darauf hinzuweisen, daß in ihrem Kontext nicht selten von einem sapere (schmecken), praegustare (verkosten), sentire (verspüren), contingere (berühren), confirmare (bestätigen) oder experiri (erfahren) der Glaubensinhalte die Rede ist. Diese Begriffe machen auf den Bereich des religiösen Erkennens, Erlebens und Erfahrens aufmerksam und stellen damit eine gewisse Querverbindung zum aktuellen Anliegen der Glaubens- oder geistlichen Erfahrung her. In diesem Sinn spricht etwa *Hugo von St. Viktor* von drei Arten von Gläubigen, deren dritte folgendermaßen charakterisiert wird: „An-

---

[285] Vgl. Rupert v. Deutz, De trinitate et operibus eius XXXIV–XLII (CChr XXIV, 1823–2125); Drogo, Opusculum de septem donis sancti Spiritus (PL 166, 1553–1558); M. Peinador, Patris et Spiritus Sancti actio in Virginali Christi conceptione iuxta Rupertum a Deutz (PS 44, 1; Luc 1, 35). In: Clar. 6 (1966), S. 401–410; M. Pigeon, Notes sur le Saint-Esprit dans les sermons de Serlon de Savigny. In: Citeaux 26 (1975), S. 331–336.

[286] Vgl. Bernhard, De septem donis Spiritus sancti sermo (PL 184, 1113–1118).

[287] Vgl. Arnold v. Bonneval, Liber de Spiritus sancti donis (PL 189, 1589–1608).

[288] Vgl. Philippus Cancellarius, De septem donis (zit. bei O. Lottin, Psychologie et morale aux XIIᵉ et XIIIᵉ siècles, Bd. 3. Louvain 1949, S. 361–366).

[289] Vgl. Bonaventura, Collationes de septem donis Spiritus Sancti (Quaracchi V, 457–503).

[290] Vgl. F. Vandenbroucke, Dons du Saint-Esprit. In: DSp III. Paris 1957, S. 1589–1594; K. C. Kinghorn, Gifts of the Spirit. Nashville 1976; L. M. Martinez, Le Saint-Esprit, Bd. II: Le Don aux Sept Formes. Paris 1961; J. W. McGorman, The Gifts of the Spirit. Nashville 1976; M. M. Philipon, Les Dons du Saint-Esprit. Paris 1963; W. Sandfuchs (Hrsg.), Die Gaben des Geistes. Würzburg ²1977.

[290a] Vgl. Thomas v. Aquin, Super IV libr. Sent. III, d. 34 f.; S. Th. I–II q. 68–70; II–II q. 8 f., 19, 45 f., 52, 121, 139; Super Is 11.

dere beginnen innerlich in der Reinheit des Herzens und des Gewissens bereits zu verkosten, was sie im Glauben festhalten . . . In der dritten Gruppe ergreift die Reinheit der Einsicht die Gewißheit."[291] Ähnlich spricht *Wilhelm von St. Thierry* in seinem ›Aenigma fidei‹ von drei Stufen, auf denen man zur Gotteserkenntnis emporsteigt; von der dritten heißt es: „Die dritte Stufe ist die Erfahrung selber der Dinge in der Wahrnehmung des Herrn in seiner Güte, wie es die wahrnehmen, die in der Einfalt des Herzens ihn suchen . . . Die dritte Stufe ist bereits die der erleuchtenden und beseligenden Gnade, die den Glauben vollendet oder besser ihn in den Zustand beseligender Liebe überführt, vom Glauben zur Schau verweist und jene Erkenntnis anbrechen läßt, die dem Glauben eigen ist und mit dem Glauben im glaubenden Menschen hier ihren Anfang nimmt . . ."[292]

Diese Spur wäre durch genauere Untersuchungen der Gotteserkenntnis und des mystischen Erlebens weiter auszuziehen sowohl im Hinblick auf den ihr zugrunde liegenden Erfahrungsbegriff wie auch auf ihren pneumatisch-pneumatologischen Charakter.

Die mittelalterliche Gnadentheologie verstand die Gaben des Geistes vor allem als passiven Ausdruck für die Begnadigung oder Gegenwart des Geistes in uns: „Die Theologie der Gaben des Heiligen Geistes war im allgemeinen in eine Gnadentheologie integriert. Die Geistesgaben wurden als Vollendung sowohl der theologalen wie der sittlichen Tugenden angesehen. Die meisten Theologen waren der Ansicht, diese Vollendung bestehe in einer größeren Offenheit und Willfährigkeit gegenüber den inneren Anregungen des Geistes. Man kann die Gaben auch als den ‚passiven' Aspekt der Gegenwart Gottes in uns ansehen. Selbstverständlich sind sie passiv nicht in einem quietistischen, sondern in einem mystischen Sinn: Eine höchst intensive Aktivität geht damit zusammen, daß man sich ganz der Leitung Gottes überläßt. Eine so ausgerichtete Theologie der Geistesgaben führt die Gläubigen in das mystische Leben ein."[293] Von da aus ist es nicht verwunderlich, daß sich vor allem die Mystik und das mystische Leben zu eigentlichen Ablegern der

---

[291] Hugo v. St. Viktor, De sacr. chr. fid. I, 10, 4 (PL 176, 332).

[292] Wilhelm v. St. Thierry, Aenigma fid. (PL 180, 414).

[293] P. Fransen, Das neue Sein des Menschen in Christus. In: J. Feiner – M. Löhrer (Hrsg.), Mysterium Salutis, Bd. 4, 2. Einsiedeln 1973, S. 963.

Pneumatologie entwickeln, ohne daß der Bezug zum Geist dabei
immer sehr ausdrücklich formuliert wurde. Diese Tendenz wurde
durch die vom aufziehenden Rationalismus ausgelöste Verdächtigung und Verbannung der Erfahrung noch verstärkt. Ein wichtiger
Schritt in der Entfaltung der Gabenlehre wird durch die aufkom-
mende Unterscheidung zwischen Gaben und Tugenden bezeichnet,
wobei erstere höher veranschlagt werden, da sie unter der Wirksamkeit des Geistes stehen und die übernatürlichen Freuden zum
Gegenstand haben.[294] Die Lehre von den sieben Geistesgaben hat
über die Frühscholastik hinaus ein breites Echo gefunden. Dafür
bürgen Namen wie *Gertrud die Große, Rudolf von Biberach,
Johannes Tauler, Jan Ruysbroeck, Walter Hilton, Johannes Gerson*
oder *Dionys der Kartäuser.*[295]

Einer Erwähnung bedarf in unserem Zusammenhang *Joachim
von Fiore* mit seiner Geisttheologie.[296] Joachim beruft sich auf eine
österliche Erleuchtung, in der sich ihm die Erfüllung der endzeitlichen Verheißungen der Apokalypse, der Sinn und Verlauf der
Heilsgeschichte, der Zusammenhang zwischen Altem und Neuem
Testament enthüllte. Er weiß sich im Besitz des Geistes und befähigt, Erfüllung und Verheißung zu trennen. Grundlegend für ihn ist
die Verbindung des Verlaufs der Heilsgeschichte mit dem Geheimnis der Trinität: „Die göttliche Dreifaltigkeit ist in der Form an der
Verwirklichung des Heils beteiligt, daß jeder der drei Personen der
göttlichen Trinität eine besondere Heilszeit und Weltperiode entspricht, in der sie sich besonders verwirklicht. Die Trinität entfaltet
sich in der Heilsgeschichte progressiv in drei aufeinanderfolgenden
Epochen, die je einer der göttlichen Personen zugeeignet sind."[297]
Joachims Drei-Zeiten-Lehre stützt sich auf eine typologische Exegese des Alten und Neuen Testaments. Das Zeitalter des Hl. Gei-

---

[294] Vgl. F. Vandenbroucke, Dons du Saint-Esprit II. In: DSp III, 1589–1592.

[295] Vgl. F. Vandenbroucke, a. a. O. 1596–1603; M. Schmidt, Rudolf von Biberach, Die siben strassen zu got. Quaracchi 1969; H. F. Woodhouse, The Holy Spirit
and Mysticism. In: IThQ 44 (1977), S. 58–66.

[296] Vgl. E. Benz, Creator Spiritus. Die Geistlehre des Joachim von Fiore. In:
ErJb 25 (1956), S. 285–355; N. Falbel, Sao Boaventura e la teologia da historia de
Joaquium de Fiore. In: S. Bonaventura II. Rom 1973, S. 571–584.

[297] E. Benz, a. a. O. 311 f.; vgl. ders., Norm und Heiliger Geist in der Geschichte
des Christentums. In: ErJb 46 (1977), S. 137–182.

stes, das im Jahr 1260 anbrechen wird, wird eine schöpferische Umgestaltung der Kirche und des kirchlichen Lebens auslösen. In ihm mündet die Heilserkenntnis in die „intelligentia spiritualis" (geistliche Erkenntnis) ein, die keiner Sinne und Symbole mehr bedarf. Der Gläubige wird durch das volle Licht des Geistes erleuchtet: „Denn er wohnt nicht in von Händen gemachten Dingen, sondern im Schloß des inneren Menschen, so daß er, Geistliches mit Geistlichem vergleichend, den Menschen alle Fülle der Wahrheit zeigen kann." [298] Im Blick auf die Gegenwart wird vor allem die Kontinuität und die Voraussetzung der zweiten Heilszeit für die dritte betont, im Blick auf die Zukunft wird die quantitative und qualitative Neuheit des Zeitalters des Geistes akzentuiert, die der Schrift und der Sakramente nicht mehr bedarf. Den drei Zeiten bzw. Reichen entsprechen die drei Stände der Knaben, der Männer und Alten bzw. umgekehrt, oder auch die drei Zustände der Knechtschaft, Sohnschaft und Freiheit. Letztere wird der „vita contemplativa" (kontemplatives Leben) und dem „Ordo spiritualis" (charismatischer Orden) zugeschrieben. [299]

Die Zeit des Geistes ist jene Periode, in der das Ideal der Heiligkeit und Vollkommenheit seine Erfüllung findet, Askese und Liebe ihre höchste Vollendung erreichen. Die Kirche der Mönche, deren Hochform das Eremitentum repräsentiert, wird die Kirche der Kleriker ablösen; von ihr heißt es: „Maria bezeichnet die Kirche, die keinen Mann kennt, die im Schweigen der Wüste ruht, wo es keine literarischen Studien noch Lehrer des Kirchenrechts gibt, sondern die Einfachheit des Lebens, Ehrbarkeit, Nüchternheit, Liebe aus reinem Herzen und ungeheucheltem Glauben." [300] Kennzeichen dieser Epoche ist der Friede bzw. die Ruhe und der Jubel der Freude. [301] Der wahre Pneumatiker ist im Besitz der geistigen Erkenntnis, führt ein vollkommenes geistliches Leben, wird zum Ab- oder Ebenbild des Geistes. [302] Für das Zeitalter des Geistes erwartet

---

[298] Joachim v. Fiore, Tract. super quat. Evang. (ed. Buonaiuti 177, 25–27); vgl. A. Rosenberg, Joachim von Fiore. Das Reich des Heiligen Geistes. Planegg 1955.

[299] Vgl. J. Ratzinger, Die Geschichtstheologie des hl. Bonaventura. München 1959, S. 80–95.

[300] Joachim v. Fiore, Expositio in Apoc., v. III, 9.

[301] Joachim v. Fiore, a. a. O. fol. 171 (zit. nach E. Benz, a. a. O. 336).

[302] Vgl. Joachim v. Fiore, Tract. super quat. Evang. (ed. Buonaiuti 257).

Joachim eine Ablösung der petrinischen durch die johanneische
Kirche, in der an die Stelle der apostolischen Sukzession der Bi-
schöfe der Orden der Viri spirituales (Pneumatiker) treten wird.[303]
Das Wirken des Geistes in der Geschichte trägt dialektische
Züge, es besagt Kontinuität und Kreativität zugleich. Die treibende
Kraft der Geschichte ist der Geist, ihr Endziel ist der Status des Hl.
Geistes. Joachims Konzeption der Geschichte verführt dazu, aus
ihr politische, soziale und revolutionäre Konsequenzen zu ziehen.
Das war bei den franziskanischen Spiritualen der Fall, „die in
Joachim den neuen Täufer Johannes erkannten und den heiligen
Franziskus als den novus dux der letzten Ordnung, ja als den ‚neuen
Christus' verkündeten. Für sie war die priesterliche Kirche in der
Tat am Ende. Sie verwarfen die Praxis der Unterscheidung von
strengen Geboten und dehnbaren Ermahnungen und unternahmen
den radikalen Versuch, ein christliches Leben in unbedingter Armut
und Demut zu führen und die Kirche in eine Gemeinschaft des Hei-
ligen Geistes zu verwandeln – ohne Papst, priesterliche Hierarchie,
Sakramente, Heilige Schrift und Theologie. Die Ordensregel des
heiligen Franziskus war für sie die Quintessenz des Evangeliums.
Wie bei Joachim war die treibende Kraft ihrer Bewegung die Glut
ihrer eschatologischen Erwartung angesichts der gegenwärtigen, im
Zustand der Verderbnis befindlichen Epoche. Das Kriterium ihres
Urteils über die Verderbnis ihrer Zeit und die Entfremdung vom
Evangelium war das Leben des heiligen Franziskus."[304] Durch die
Verbindung des Entwicklungsgedankens mit der Kategorie der
Verheißung hat Joachim gleichsam das Grundmodell der neuzeitli-
chen Utopien religiöser, sozialer, politischer oder philosophischer
Art geschaffen. An sein unmittelbares Echo bei den Franziskaner-
spiritualen erinnert die Postille zur Apokalypse des *Petrus Johannis
Olivi*.[305] Der Geist wird hier zum Motor der Veränderung in der
Geschichte und im Leben der Gesellschaft.

---

[303] Vgl. Joachim v. Fiore, a. a. O. (ed. Buonaiuti 241, 281); Concordia Novi ac
Vet. Testam. lib. II, tract. I, cap. 28 (I, fol. 22 bc).

[304] K. Löwith, Weltgeschichte und Heilsgeschehen. Stuttgart ⁵1967, S. 142.

[305] Vgl. E. Benz, Ecclesia spiritualis, Stuttgart 1934; A. Emmen, Die Eschatologie des Petrus Johannis Olivi. In: WiWei 24 (1961), S. 113–144; 25 (1962), S. 13–48;
R. Manselli, La ›Lectura super Apocalypsim‹ di Pietro di Giovanni Olivi. Ricerche
sull' escatologismo medioevale. Rom 1955.

Fragt man nach pneumatologischen Hinweisen im Werk des *Thomas von Aquin*, so wird man zunächst an die innertrinitarische Stellung des Geistes erinnert, wie sie vor allem in der Quaestio 37 des ersten Teils der theologischen Summa erörtert wird.[306] Thomas lehnt sich dabei an die für den Geist gebräuchlichen Bezeichnungen als „Liebe" und als „Gabe" oder „Geschenk" an; erstere bezieht sich auf die innergöttliche Präsenz des Geistes, letztere auf seine Gegenwart in den Geschöpfen. „Liebe" kann im Fall Gottes sowohl im essentiellen wie im personalen Sinn verstanden werden; in der zweiten Bedeutung erscheint sie als Eigenname des Geistes. Zu ihrer Explikation bedient sich Thomas einer theologischen „Psychologie" der Liebe.

Ihr hat in sachlicher Hinsicht *Richard von St. Viktor* bereits entscheidend vorgearbeitet.[307] Von einer entsprechenden Analyse der Liebe ausgehend, weist er dem Geist im Leben der absoluten Liebe seine Stellung zu: „Wir sagten oben, daß in Gott, dem höchsten Gut und schlechthin Vollkommenen, die ganze Fülle der Gutheit und die Vollkommenheit sich findet. Wo aber die Fülle der Güte ist, dort kann wahre und höchste Liebe nicht fehlen. Von niemandem aber wird gesagt, er besitze die vollkommene Liebe, wenn er bloß sich selber privat als diesen Vereinzelten liebt. Es muß also die Liebe (amor) sich zum andern hin wenden, um selbstlose, eigentliche Liebe (caritas) zu sein. Wo es also keine Mehrzahl von Personen gibt, kann auch keinesfalls eigentliche Liebe sein . . . Damit aber die Liebe ihr Höchstmaß und ihre absolute Vollkommenheit erreiche, muß sie so sein, daß sie größer und besser nicht sein könnte. Solange

---

[306] Vgl. Thomas v. Aquin, Summa th. I q. 37 a. 1 u. 2 (Deutsche Thomasausgabe 3. Salzburg 1939, S. 183–194); A.-M. De Montléon, Le Saint-Esprit comme amour selon saint Thomas d'Aquin. In: Ist. 17 (1972), S. 425–442; J. Mahoney, The Spirit and Community Discernment in Aquinas. In: HeyJ 14 (1973), S. 145–177; A. Trapé, Nota sulla processione dello Spirito Santo nella teologia trinitaria di S. Agostino e di S. Tommaso. In: San Tommaso. Fonti e riflessi del suo pensiero. Roma 1974, S. 119–128; H. Walgrave, Instinctus Spiritus Sancti. Prove van Thomas-verklaring. In: Ecclesia a Spiritu Sancto edocta. Gembloux 1970, S. 153–168; F. Bourassa, L'Esprit Saint, „communion" du Père et du Fils. In: SE 29 (1977), S. 251–281; 30 (1978), S. 5–37; M. B. Pétuel, L'„Operatum amoris" et le Saint-Esprit. In: EtFr 19 (1969), S. 239–250; G. Menge, Der Heilige Geist, das Liebesgeschenk des Vaters und des Sohnes. Hildesheim 1926.

[307] Vgl. Richard v. St. Viktor, Die Dreieinigkeit. Einsiedeln 1980.

aber einer niemand andern liebt als sich selbst, ist diese auf das eigene Ich beschränkte Liebe noch keineswegs deren höchster Grad. Anderseits ist klar, daß eine göttliche Person niemanden als sich selbst nach Würdigkeit lieben könnte, falls sie keine andere Person hätte, die ihr an Würde gleichkäme. Gleichwürdig einer göttlichen Person aber könnte nur eine Person sein, die selber Gott wäre. Damit also in der wahren Gottheit Raum sei für die Fülle der Liebe, darf eine göttliche Person des Mitseins einer andern gleichwürdigen und deshalb gleichfalls göttlichen Person nicht ermangeln ... Höchste Liebe muß allseitig vollkommen sein. Um so vollkommen zu sein, muß sie nicht nur der Intensität, sondern auch der Qualität nach unübertrefflich sein. In der höchsten Liebe darf nicht nur das Größte, sondern auch das Wertvollste nicht fehlen. Dieses aber scheint in der wahren Liebe zu sein: zu wollen, daß der andere so geliebt wird, wie man selbst geliebt wird; in der gegenseitigen Liebe, auch in der brennendsten, ist aber nichts seltener, doch auch nichts großartiger als der Wille, daß der, den du zuhöchst liebst und der dich zuhöchst liebt, einen andern ebensosehr liebe. Die Probe für die vollkommene Liebe ist somit der Wunsch, daß die einem zuteilgewordene Liebe weitervermittelt werde. Für den Höchstliebenden, der auch höchstgeliebt zu werden wünscht, liegt die vornehmste Freude in der Erfüllung dieses seines Wunsches, daß die von ihm erwünschte Weise der Liebe sich verwirkliche ... Wir hatten oben zwei einander Liebende angenommen; nun zeigt sich, daß zur Vollendung ihrer Liebe aus der gleichen Überlegung einer als Mitgenosse der beiden zuteilwerdenden Liebe erfordert wird. Denn wenn die beiden nicht wollten, was die vollkommene Güte erheischt, wo bliebe dann die Fülle des Guten? Und wenn sie wollten, was nicht zu verwirklichen wäre, wo bliebe die Fülle der Macht? Hier nun zeigt sich ein offenbarer Vernunftgrund dafür, daß der wertvollste Grad der Liebe und damit auch die Fülle des Guten nur dort erreicht ist, wo kein Mangel an Wollen oder Können den Mitgenossen der Liebe, die Vergemeinsamung der vornehmsten Freude ausschließt. Die Höchstliebenden und die Höchstgeliebten wollen also beide in gemeinsamem Wunsch einen Mitliebend-Mitgeliebten, den sie wunschgemäß in Eintracht gemeinsam besitzen." [308]

---

[308] Richard v. St. Viktor, a. a. O. 84–97; vgl. J. Ribaillier, Richard de St.-Victor,

Darauf aufbauend kann Thomas für die Liebe und das Lieben des Vaters ein Höchstmaß an Selbstlosigkeit charakteristisch finden, das den Geist so sehr zum „Gegenstand" oder Empfänger der Liebe werden läßt, daß letztere geradezu als das Proprium und als Eigenname des Geistes erscheinen kann. Die Aquinate verläßt dabei sogar die stark den Aspekt der Einheit und Gemeinsamkeit betonende Sicht des Westens zugunsten einer stärker an den trinitarischen Personen orientierten Auffassung, wie sie der östlichen Theologie eigen ist: „Zum zehnten ist zu sagen, daß der Heilige Geist sowohl vom Vater ausgeht zum Sohn wie auch vom Sohn zum Vater, und zwar nicht als Empfänger, sondern als Gegenstand der Liebe. Es wird gesagt, daß der Heilige Geist aus dem Vater zum Sohn ausgehe, sofern er die Liebe ist, mit der der Vater den Sohn liebt; und auf ähnliche Weise kann gesagt werden, daß der Heilige Geist vom Vater zum Sohn hin ist, sofern er die Liebe ist, mit der der Sohn den Vater liebt. Daß er vom Vater zum Sohn ausgeht, kann auch dahin verstanden werden, daß der Sohn vom Vater das Vermögen empfängt, den Heiligen Geist zu hauchen; in diesem Sinn aber kann nicht gesagt werden, daß er vom Sohn zum Vater ausgehe, weil der Vater nichts vom Sohn empfängt."[309]

Hinsichtlich der Erhellung des innertrinitarischen Hervorgangs des Geistes rekurriert Thomas auf die Eigenart der Liebe als immanenten Willensakt, wenn er sagt: „Weil aber der Gegenstand der Liebe im Willen existiert als etwas, was den Liebenden hinneigt und gleichsam von innen zur geliebten Sache selber hintreibt, der aus dem Inneren stammende Impuls eines lebendigen Dinges aber zum Geist gehört, so kommt es dem auf die Art und Weise der Liebe hervorgehenden Gott zu, daß er Geist genannt wird, dessen Hauchung gleichsam in einer gewissen Anhauchung besteht."[310] Der Hervorgang des Geistes wird auf diese Weise mit der in der Dynamik der Liebe sich äußernden Präsenz des Geliebten im Liebenden in Verbindung gebracht. Die Liebe wird zu einer bevorzugten Weise, wie Gott in und bei sich selber präsent ist. Der Eindruck, den der Ge-

Opuscules théologiques. Paris 1967, S. 157–161; W. Simonis, Trinität und Vernunft. Frankfurt 1972, S. 93–114.

[309] Thomas v. Aquin, De Pot. q. 10 a. 4 ad 10 (ed. Marietti I, 317).

[310] Thomas v. Aquin, Cont. Gent. IV c. 19 (ed. Marietti 451).

liebte beim Liebenden hinterläßt, wird zu einem Gleichnis für die Stellung des Geistes als Siegel des dreifaltigen Gottes: „Wie nämlich daraus, daß jemand, ein Wirkliches verstehend, erkennt, im Verstehenden eine verstandhafte Empfängnis des verstehbaren Wirklichen erfolgt, die Wort genannt wird, so auch erfolgt daraus, daß jemand ein Wirkliches liebt, ein gewisser Eindruck, wenn ich so sagen soll, des geliebten Wirklichen im Verlangen des Liebenden, gemäß welchem man davon spricht, daß das Geliebte im Liebenden sei, wie das Verstandene im Verstehenden." [311]

Es ist wichtig, daß man diese Aussagen im umfassenden Kontext der Liebe liest, vor allem auch unter dem Aspekt ihrer Wirksamkeit und Fruchtbarkeit. Der Geist ist gewissermaßen die erste, wesentlichste und persönlichste „Frucht" der Liebe in Gott. Als die Liebe von Vater und Sohn erfüllt, vollendet und besiegelt er gleichsam das Geheimnis der Trinität, er ist die vollkommen immanente Frucht der göttlichen Liebe. Es macht die Eigenart des Geistes aus, hervorgehende Liebe zu sein: „Vom Heiligen Geiste heißt es, er sei das Band zwischen Vater und Sohn, insofern er die Liebe ist; denn da der Vater mit einer Zuneigung sich und den Sohn liebt und umgekehrt, ist im Heiligen Geiste, insofern er die Liebe ist, das Verhältnis des Vaters zum Sohne (und umgekehrt) als des Liebenden zum Geliebten mit gegeben. Aber gerade deswegen, weil Vater und Sohn sich gegenseitig lieben, ist es notwendig, daß die gegenseitige Liebe, die der Heilige Geist ist, von beiden hervorgeht. Dem Ursprung nach ist der Heilige Geist also nicht Mittler, sondern die dritte Person in der Dreieinigkeit. Auf Grund der genannten Beziehung dagegen ist er das vermittelnde Band der beiden, da er von beiden hervorgeht." [312] Bei allen Entsprechungen zwischen Geist und Liebe bleibt sich Thomas des vorhandenen Abstandes und der bleibenden Unaussprechlichkeit des Geistes als Liebe bewußt.

In der Liebe konzentrieren sich gleichzeitig alle Überlegungen des Aquinaten zu den Gaben des Geistes. Diese fußen auf der Aussage von Röm 8, 14: „Alle, die sich vom Geist Gottes leiten lassen, sind Söhne Gottes" und werden im Unterschied von den Tugenden auf eine als „inspiratio" bezeichnete Bewegung zurückgeführt, die

---

[311] Thomas v. Aquin, Summa th. I q. 37 a. 1 (Deutsche Thomasausgabe 3, 185).
[312] Thomas v. Aquin, a. a. O. (Deutsche Thomasausgabe 3, 187 f.).

den „modus operandi" (Art und Weise des Wirkens) qualifiziert: „Die Gaben übersteigen die gewöhnliche Vollkommenheit der Tugenden nicht in der Art der Werke, (etwa) in der Weise, wie die Räte die Gebote übersteigen; sondern in der Art und Weise des Wirkens, insofern der Mensch von einer höheren Kraft bewegt wird."[313] Dieser Einfluß wird mit einer besonderen Intervention Gottes im Anschluß an Ps 143 (142), 10 (Dein guter Geist leite mich auf ebenem Pfad) in Verbindung gebracht und erweist sich als unerläßlich zum Heil: „Durch die göttlichen und sittlichen Tugenden wird der Mensch im Hinblick auf das letzte Ziel nicht so vervollkommnet, daß er nicht stets darauf angewiesen wäre, durch einen höheren Antrieb des Heiligen Geistes bewegt zu werden."[314] Die Gaben des Geistes stellen in uns vorhandene habituelle Dispositionen dar, die offen und empfänglich sind für die Initiativen des Geistes Gottes und den Tugenden entsprechende Hilfestellung gewähren: „Und so bedürfen auch die Tugenden der Gaben; denn diese vollenden die Seelenkräfte und machen sie für den Antrieb des Hl. Geistes empfänglich."[315] Hier wird der Zusammenhang der Gaben des Geistes mit dem geistlichen Leben des Glaubenden deutlich, sofern sie vor allem den theologischen Tugenden dienen, die in der Liebe ihren Gipfel erreichen: „Wie die sittlichen Tugenden in der Klugheit gegenseitig verknüpft sind, so sind es die Gaben des Heiligen Geistes in der Gottesliebe."[316]

In der Liebe als der Form der Tugenden und Geistesgaben wird die profunde Einheit des geistlichen Lebens und des Zusammenklangs seiner Kräfte und Prinzipien sichtbar. Diese Gedanken haben ihren Niederschlag gefunden in den Ausführungen über die Liebe als das „Neue Gesetz", „das Gesetz des Geistes", „das Gesetz des Neuen Bundes" oder „das Gesetz des Lebens und der Gnade".[317] Die Liebe wird dabei zum Inbegriff und Kennzeichen der freien, vom Geist geschenkten Erfüllung des Gesetzes. Liebe, Ge-

---

[313] Thomas v. Aquin, Summa th. I–II q. 68 a. 2 ad 1 (Deutsche Thomasausgabe 11, 366); vgl. M.-M. Labourdette, Dons du Saint-Esprit IV. In: DSp III, 1610–1635.

[314] Thomas v. Aquin, a. a. O. (Deutsche Thomasausgabe 11, 366).

[315] Thomas v. Aquin, a. a. O. III q. 7 a. 5 ad 1 (Deutsche Thomasausgabe 25, 184).

[316] Thomas v. Aquin, a. a. O. I–II q. 68 a. 5 (Deutsche Thomasausgabe 11, 376).

[317] Vgl. B. Häring, Das Gesetz Christi, Bd. 1. Freiburg 1961, S. 291–299; ders., Frei in Christus, Bd. 1. Freiburg 1979, S. 138–140.

setz des Geistes, Gnade oder Neuer Bund liegen für Thomas auf
derselben Ebene: „Das alttestamentliche Gesetz ist in einem Buch
aufgeschrieben unter Besprengung mit Blut . . .; so ist das Alte Testament ein Bund, der schriftlich festgelegt ist. Das Neue Testament
seinerseits ist ein Bund im Heiligen Geist, durch den die Liebe Gottes in unseren Herzen ausgegossen ist (Röm 5). Und so ist der Heilige Geist, der in uns die Liebe hervorbringt, die Erfüllung des Gesetzes ist, der Neue Bund." [318] In der Liebe ist alles Leben und
Handeln des Christen zutiefst vom Heiligen Geist insinuiert und inspiriert: „Das Neue Testament besteht in der Ausgießung des Heiligen Geistes, der von innen her lehrt . . . Deshalb heißt es: Ich will
meine Gesetze in ihr Herz legen. Es wird die Mehrzahl ‚Gesetze‘
gebraucht wegen der Mehrzahl der Gebote und Räte. Er macht auch
die Gesinnung zu guten Taten bereit. Deshalb heißt es: ‚Ich will sie
in ihr Herz darüber schreiben‘, das heißt, über die Erkenntnis will
ich die Liebe schreiben. ‚Die Liebe ist ausgegossen in unseren Herzen.‘" [319] Diese zentrale Stellung der Liebe ermöglicht ein durch
und durch pneumatologisch orientiertes christliches Ethos.

Einer Erwähnung bedarf noch die Rolle des Geistes in der Kirche
bei Thomas. Bei ihm kann gewiß noch nicht von einer eigentlichen
Ekklesiologie die Rede sein; das ist wohl auch ein Grund, warum
sich bei ihm über das Wirken des Geistes in der Kirche nur beiläufige Bemerkungen finden. Thomas weiß um die Sendung des
Geistes auf Christus, die Apostel und einige von den ersten Heiligen
zum Nutzen der Kirche. [320] Die Gegenwart des Geistes in der Kirche vergleicht er mit der der Seele bzw. mit der Präsenz und Wirkung des Herzens im Leib, wenn er sagt: „Das Haupt überragt
sichtbar alle anderen Teile des menschlichen Körpers; dagegen übt
das Herz nur einen verborgenen Einfluß aus. Deshalb vergleicht
man den Hl. Geist mit dem Herzen; denn er belebt und eint die Kirche in unsichtbarer Weise." [321] Daraus erklären sich die Heiligung,
Einigung und Belehrung der Kirche durch den Geist, allerdings

---

[318] Thomas v. Aquin, Kommentar zu 2 Kor 3, lectio II.

[319] Thomas v. Aquin, Kommentar zu Hebr 8, lectio II gegen Ende; vgl. Kommentar zu Röm 6, lectio III; Summa th. I–II q. 106 a. 1.

[320] Vgl. Thomas v. Aquin, Summa th. I q. 43 a. 7 ad 6.

[321] Thomas v. Aquin, Summa th. III q. 8 a. 1 ad 3 (Deutsche Thomasausgabe 25,
217); vgl. In Symbolum Apost. 12 (ed. Marietti 222).

übersteigen die Aussagen kaum den Grad einer gewissen Beiläufigkeit; das Problem der inneren Führung und Leitung der Kirche durch den Geist wird nur nebenbei gestreift.[322] In ekklesiologischer Hinsicht zeigt sich, daß das Mittelalter das reiche pneumatologische Erbe der Väterzeit nicht übernommen und gepflegt hat.

Im Zusammenhang mit Thomas kann *Bonaventura* nicht unerwähnt bleiben. Sein Beitrag zur Pneumatologie wird in der Forschung nicht zuletzt unter dem Blickwinkel seiner Interpretation der dem Lombarden entstammenden Sentenz: „Pater et Filius diligunt se Spiritu Sancto" (Vater und Sohn lieben sich im Heiligen Geist) erörtert.[323] Obwohl Bonaventuras Deutung des Geistes als „effectus formalis" (Formaleffekt) in der gegenseitigen Liebe von Vater und Sohn durch Odo Rigaldus antizipiert wurde, verdient sie doch eine gewisse Aufmerksamkeit.[324] Ohne Zweifel steht die von Bonaventura vertretene Ansicht auf den Schultern anderer wie *Richard von St. Viktor, Wilhelm von Auxerre, Praepositinus von Cremona* oder *Robert von Melun, Alexander von Hales* und *Albert der Große.* Bonaventura analysiert zunächst das Phänomen der Liebe in Gott: „Es muß gesagt werden, daß die Liebe in Gott im essentiellen, notionalen und personalen Sinn verstanden werden kann und notwendig verstanden wird; im essentiellen Sinn, weil jeder sich liebt; im notionalen Sinn aber, weil Vater und Sohn übereinstimmen in der Hauchung des Heiligen Geistes, welche Übereinstimmung die Liebe (amor) oder Hochschätzung (dilectio) ist; im personalen Sinn jedoch, weil jener, der in der Weise vollkommener Freigebigkeit hervorgebracht wird, nur die Liebe oder Hochschätzung sein kann. Was daher im essentiellen Sinn gesagt wird, das drückt das Wohlgefallen, was im notionalen Sinn die Übereinstimmung im Hauchen, was im personalen Sinn den Hervorgang in

---

[322] Vgl. Thomas v. Aquin, Summa th. II–II q. 1 a. 8 ad 5; III q. 68 a. 9 ad 2; In II Sent. d. 12 q. 1 a. 2.

[323] P. Lombardus, Sententiae in IV Libris Distinctae I d. 10 cc. 1–3; I d. 32 c. 1 (ed. Quaracchi I, 110–114, 232 f.); vgl. W. H. Principe, St. Bonaventure's Theology of the Holy Spirit with reference to the expression „Pater et Filius diligunt se Spiritu Sancto". In: S. Bonaventura 1274–1974. Grottaferrata 1974, S. 243–269.

[324] Vgl. W. H. Principe, Odo Rigaldus, a Precursor of St. Bonaventura on the Holy Spirit as „effectus formalis" in the Mutual Love of the Father and Son. In: MS 39 (1977), S. 498–505.

jener Übereinstimmung aus. "[325] Liebe im essentiellen Sinn (essentialiter) verstanden scheidet aus in der Erklärung des anstehenden Satzes; Bonaventura votiert für die notionale Bedeutung: „Wenn aber die notionale Bedeutung festgehalten wird, dann stimmt die Ausdrucksweise, wie das die dagegen erhobenen Gründe beweisen. Und in diesem Sinn wird das Fürwort mit dem Tätigkeitswort im retransitiven Sinn verbunden. Der Sinn lautet dann: Vater und Sohn lieben sich, d. h. der Vater liebt den Sohn und der Sohn den Vater; und dann stimmt die Aussage, weil die Liebe, die der Heilige Geist ist, die Liebe ist, die den Vater mit dem Sohn verbindet und umgekehrt; und dann ist der Schluß nicht erlaubt: Also liebt der Vater sich im Heiligen Geist. "[326] In diesem Sinn weist der Geist auf eine der Liebe eigene Fruchtbarkeit zurück. Er ist das Band der Einheit zwischen Vater und Sohn, das sich dem Gleichklang ihrer Liebe verdankt.

Daneben steht für Bonaventura der Gedanke vom Geist als dem „primum donum" (erstes Geschenk), dem Ursprung und Modell aller „donatio" (Gabe), der „causa exemplaris" (Exemplarursache) aller Gaben und Geschenke: „Er (d. h. der Geist) geht nämlich auf die Weise des ersten Geschenkes hervor, so daß jede rechte und freiwillige Gabe nach ihm kommt und von ihm das Wesen der Gabe empfängt. "[327] Dieser dem Geist geradezu immanente Geschenk-Charakter wird mit seinem innertrinitarischen Ursprung in Verbindung gebracht, sofern er „per modum voluntatis" (nach der Weise des Willens) oder „liberalitatis" (nach der Weise der Freigebigkeit) hervorgeht.[328] Der Geist wird Gabe genannt, sofern er gegeben wird. Diese Aussage enthält zweierlei: „Nämlich die Hinordnung des Geistes auf sein Gegebenwerden und den Akt der Begabung, der in der Hinordnung angelegt ist. Und diese Hinordnung ist ewig, wiewohl der Akt zeitlich ist; und dann sagt der Ablativ ‚darin Gabe,

[325] Bonaventura, I Sent. d. 10 a. 2 q. 1, Sol. (ed. Quaracchi I, 201); vgl. J. F. Quinn, The Role of the Holy Spirit in St. Bonaventure's Theology. In: FrS 11 (1973), S. 273–284.

[326] Bonaventura, I Sent. d. 32 a. 1 q. 1, Sol. (ed. Quaracchi I, 558); vgl. J. F. Bonnefoy, Le Saint-Esprit et ses dons selon Saint Bonaventure. Paris 1929.

[327] Bonaventura, I Sent. d. 18 a. 1 concl. (ed. Quaracchi I, 324); vgl. U. G. Leinsle, Res et Signum. Das Verständnis zeichenhafter Wirklichkeit in der Theologie Bonaventuras. Paderborn 1976, S. 55–59.

[328] Vgl. U. G. Leinsle, a. a. O. 56.

daß er würde gegeben werden' nicht eine Kausalität aus in bezug auf den Akt, sondern in bezug auf die Hinordnung. Man könnte aber dennoch sagen, daß der Ablativ den Grund für die Folgerung benennt (daß nämlich, da der Geist actu mitgeteilt wird, er immer schon actu mitgeteilt ist)." [329] Im Hervorgang des Geistes trägt Gott gleichsam die Beziehung auf dessen Adressaten und Empfänger hin bereits in sich. Bonaventura denkt den Geist wesentlich von der Geistbegabung her, da der Geist die aptitudo (Eignung) und den habitus ad recipientem (Hinneigung zum Empfänger) in sich schließt. [330] Aufgrund seiner donabilitas (Geschenkcharakter) ist dem Geist der respectus ad dantem (Blickrichtung auf den Geber) wesentlich; dieser respectus gilt sowohl hinsichtlich der emanatio prima (erste Emanation) in Gott wie im Hinblick auf die Schöpfung. Das Verhältnis Gottes zur Seele ist innergöttlich in der Eigenart des Geistes bereits grundgelegt und beinhaltet immer schon das Weltverhältnis des Menschen. Auf diese Weise fällt der „Geistbegabung" des Menschen geradezu eine Schlüsselrolle zu, wenn es um die Erkenntnis Gottes und Heimholung der Welt zu Gott geht. Vom Heiligen Geist ergriffen, nähert sich der Mensch Gott: denkend, liebend und lobend.

Ein Blick auf die Pneumatologie der *Spätscholastik* muß sicher nicht das ganze Spektrum der einschlägigen Themen abtasten, sondern kann eine Perspektive wählen, die für die folgende reformatorische Zeit relevant ist. Als solche bietet sich vor allem die Frage nach der Wirksamkeit des Geistes in der Kirche an. Die Franziskanertheologie, repräsentiert durch *Johannes Duns Scotus,* handelt in ihrer Lehre von der caritas (Liebe) sehr ausführlich von der Tätigkeit des Geistes, doch bleibt dabei der Gesichtskreis vor allem auf die Einzelseele eingeengt. Auf das Problem der Wirksamkeit des Geistes in der Kirche kommt Duns Scotus bei der Transsubstantiation zu sprechen, wenn er der Kirche unter der Leitung des Geistes die Fähigkeit zur rechten Deutung der Einsetzungsworte zuerkennt. [331] Zur Erklärung dieses Tatbestands lassen sich allerhand

---

[329] Bonaventura, I Sent. d. 38 a. 2 q. 1 (ed. Quaracchi I, 676); vgl. K. Fischer, De Deo trino et uno. Das Verhältnis von productio und reductio in seiner Bedeutung für die Gotteslehre Bonaventuras. Göttingen 1978, S. 322–335.

[330] Vgl. K. Fischer, a. a. O. 333.

[331] Vgl. Johannes Duns Scotus, Ox. IV d. 11 a. 3 n. 15; J. Finkenzeller,

Gründe anführen, z. B. die Erörterung einschlägiger Materien in der kanonistischen Literatur, doch kündigt sich darin gegenüber der Reichhaltigkeit der patristischen und scholastischen Tradition ein Schweigen an, das leicht zum Vergessen führen kann.

Johannes de Bassolis, der umstrittenste Schüler des Duns Scotus, äußert sich zwar darüber, wie und wozu der Geist einzelnen und besonders hervorgehobenen Gliedern, nicht aber der Kirche als ganzer gegeben wird.[332]

Bei *Wilhelm von Ockham*, der sich besonders mit dem Problem des Primats und der Lehrautorität in der Kirche auseinandergesetzt hat, findet sich zwar die Aussage, daß die „Ecclesia universalis" nicht irren könne, diese aber könne unter Umständen in jedem Gläubigen, sogar in einem einzigen Rechtgläubigen, anwesend sein.[333] Hier meldet sich unüberhörbar eine Akzentverlagerung von der Amts- zur Personautorität an. Im Zusammenhang mit der Tugendlehre und dem Naturrecht mißt Ockham der „recta ratio" (rechte Vernunft) als regula fidei (Glaubensregel) eine normative Bedeutung zu. Dabei erhebt sich die Frage, ob damit eine durch die Gnade erhöhte Vernunft im Glauben gemeint sei. Eine Untersuchung der betreffenden Äußerungen kommt zu dem Ergebnis, daß er Unfehlbarkeit sowohl der „recta ratio naturalis" (die rechte natürliche Vernunft) wie auch der „ratio recta accepta ex illis quae sunt nobis divinitus revelata" (die rechte Vernunft, die sich der uns zuteil gewordenen göttlichen Offenbarung verdankt) zuschreibt. Die Infallibilität hängt damit nicht unbedingt mit der Leitung der Kirche durch den Geist zusammen.[334]

Zur Scotusschule zählt auch *Franz von Mayronis*. Sein Kirchenbegriff ist stark kanonistisch und kurial-papal orientiert; er hat eine für damalige Verhältnisse ausführliche Darstellung des petrinischen

Offenbarung und Theologie nach der Lehre des Johannes Duns Skotus. Münster 1961.

[332] Vgl. Johannes de Bassolis, Sentenzenkommentar I d. 14, d. 16, d. 17; IV d. 5–7.

[333] Vgl. Wilhelm v. Ockham, Sent. III q. 11; Brevil. 24; Opus nonag. dierum (ed. Goldast II, 1110); W. Kölmel, Das Naturrecht bei Wilhelm Ockham. In: FS 35 (1953), S. 39–85; ders., Wilhelm Ockham und seine kirchenpolitischen Schriften. Essen 1962.

[334] Vgl. Wilhelm v. Ockham, Opus nonag. dierum (ed. Goldast II, 1110); W. Kölmel, Das Naturrecht, S. 42.

und päpstlichen Primats geliefert. Da die kirchliche Lehrgewalt bei ihm mehr oder weniger in der geistlichen Jurisdiktionsgewalt aufgeht, taucht das Problem der Einwirkung des Geistes auf das kirchliche Lehramt kaum auf. Der Primat des Papstes genügt für die Angelegenheiten der Kirchenleitung und Kirchenzucht, der Glaubens- und Sittenlehre.[335] Franz von Mayronis spricht zwar von der „vita spiritualis" (Leben im Geist) der Kirche und in der Kirche, dürfte diese aber weithin mit dem Gnadenstand und dem sakramentalen Leben gleichsetzen, da er den Geist vornehmlich als Spender der gratia (Gnade) und der caritas (Liebe) schildert. Was das Wirken und die Wirkungen des Geistes betrifft, so wiederholt er nahezu alles, was dazu in der Schrift gesagt wird. Allerdings sind diese pneumatologischen Aussagen aufgrund der stark augustinisch geprägten Gotteslehre mehr im Sinn bloßer Appropriate zu werten und jederzeit gegen Gott oder Christus als Subjekt austauschbar. Eine Reihe merkwürdiger Sondermeinungen verstärkt den Eindruck, daß der Geist als Lückenbüßer für fehlende theologische Argumente fungiert.[336]

Nach *Petrus Aureoli* lassen sich ein sichtbares, mehr kollektiv gefaßtes Wirken des Geistes für die Urkirche und ein unsichtbares, mehr individuell gedachtes für die späteren Zeiten unterscheiden.[337] Die nachapostolische Kirchengeschichte kennt ein Wirken des Geistes im sakramentalen und mystischen Bereich, weiß aber auch um die besondere Bedeutung des Geistes, wenn es um den Glauben, seine Verkündigung und Begründung geht: „Die universale katholische Kirche . . ., die nicht irren kann, da sie vom Heiligen Geist geleitet wird."[338]

---

[335] Vgl. Franz v. Mayronis, Sentenzenkommentar IV d. 19 q. 4; B. Roth, Franz von Mayronis OFM. Sein Leben, seine Werke, seine Lehre vom Formalunterschied in Gott. Werl 1936; H. Roßmann, Die Hierarchie der Welt. Gestalt und System des Franz von Meyronnes OFM mit besonderer Berücksichtigung seiner Schöpfungslehre. Werl 1972; ders., Die Quodlibeta und verschiedene sonstige Schriften des Franz von Meyronnes OFM. In: FS 54 (1972), S. 1–76.

[336] So wird z. B. die Einsetzung der niederen Weihen in der nachapostolischen Zeit auf den besonderen Antrieb des Hl. Geistes zurückgeführt; ähnliches gilt von der Einführung der Kindertaufe.

[337] Vgl. Petrus Aureoli, Sentenzenkommentar I d. 16f.; IV d. 1 a. 1; IV d. 14 q. 1 a. 1.

[338] Petrus Aureoli, a. a. O. IV q. 1 a. 1.

Noch stärker grenzt *Durandus a S. Porciano* das Wirken des Geistes im Interesse der „probatio fidei" (Beweis des Glaubens) auf die
apostolische Zeit ein, wenn er sagt: „Man muß wissen, daß eine
sichtbare Sendung jetzt nicht geschehen muß . . . Jetzt aber ist eine
Wiederholung dieses Beweises nicht angebracht, vielmehr kann
man von seiner Voraussetzung ausgehen, das um so mehr, da wir zu
Gläubigen, nicht zu Ungläubigen sprechen; aus diesem Grund bedürfen wir keiner Beweisgründe für den Glauben, deswegen ist es
auch nicht angebracht, daß eine sichtbare Sendung erfolgt."[339] In
einem für die Theologie des 14. Jahrhunderts typischen Sinn erklärt
Durandus: „. . . das, was die Universalkirche von den Sakramenten
und Glaubensartikeln festhält, stammt vom Heiligen Geist."[340]

Während die früheren Theologen und Kanonisten sich damit begnügen, die Unfehlbarkeit der Gesamtkirche zu vertreten, setzt
nach dem 13. Jahrhundert das Bemühen ein, die einzelnen Instanzen der kirchlichen Lehrautorität zu unterscheiden, ihre Rangfolge
und Verbindlichkeitsstufe festzulegen. In der Klärung der Verhältnisse der verschiedenen Autoritäten zueinander spielt der kanoni-
stische Korporationsgedanke eine wesentliche Rolle. In der theologischen Diskussion wurde vor allem die Frage erörtert, welche
Stellung der Kirche bei der Interpretation der Schrift zukomme. Die
Antworten darauf waren bis zur Reformation äußerst unklar, wenn
nicht widersprüchlich. So findet in der vorreformatorischen theologischen Prinzipienlehre die mündliche Überlieferung kaum Be-
achtung. Arbeitet die Theologie die Bedeutung der Autorität der
unfehlbaren Kirche stärker heraus, so geht die Kanonistik der Frage
nach deren Trägern nach. Von den Konziliaristen wurde dem die
Gesamtkirche repräsentierenden Generalkonzil Unfehlbarkeit zugeschrieben. In den Augen der Papalisten galten nur Papst und
Konzil gemeinsam als gültige Repräsentanz der Kirche. Davon hebt
sich als weitere Möglichkeit jene Position ab, welche die Verheißung der Indefektibilität und Irrtumslosigkeit in Glaubensfragen
und damit den Beistand des Hl. Geistes bei der Kirche als ganzer
hinterlegt sehen. Diese Universalkirche kann aber möglicherweise
nur noch bei einigen wenigen oder einem einzigen Gläubigen anzu-

---

[339] Durandus a S. Porciano, Sentenzenkommentar I d. 16 q. 1.
[340] Durandus a S. Porciano, a. a. O. IV d. 13.

treffen sein, die gestützt auf die Schrift selbst gegen Papst und Konzilien den Ausschlag geben können. Diese unter anderem von *Nikolaus de Tudeschis* vertretene Theorie hat insofern Schule gemacht, als sich wenig später Luther darauf berief.[341] Er behandelt die Frage, wann ein einzelner dieses „ius universitatis" (Recht der Universalkirche) in Anspruch nehmen könne. Als Beleg oder Beispiel galt der Fall der Raubehe, in deren Beurteilung der Standpunkt des Hieronymus wegen der besseren Schriftargumente im Vergleich mit einem Konzilsentscheid den Ausschlag gab. Mit den besseren Schriftgründen als letztgültigem Maßstab wird ein Sachkriterium den personalen Autoritäten der Kirche übergeordnet. Es konnte zu solchen Auffassungen kommen, weil die Ekklesiologie noch wenig entwickelt und die Frage nach dem Wirken des Geistes in der Kirche noch kaum gestellt war. Damit war theologisch der Boden für die Reformation bereitet.

Mehr als eines Hinweises bedürfte die Rolle des Geistes im mystischen Leben. Abgesehen von seiner Bedeutung im Rahmen des Gebetes und einer Theologie des Gebetes, die auch im Westen nicht ganz spurlos geblieben ist,[342] ist vor allem die mystische Theologie des Ostens zu nennen. Zu ihren bekanntesten Vertretern zählen Theologen wie *Niketas Stethatos, Symeon der Neue Theologe, Gregorios Palamas* oder *Nikolaus Kabasilas*. Letzterer vertritt eine Sakramentalmystik, die neben einer starken christologischen Prägung eine entscheidende pneumatologische Akzentuierung aufweist. Ihr Thema ist das Leben in Christus, das in den göttlichen Mysterien der Sakramente in der Gegenwart seinen Anfang nimmt und im kommenden Äon seine Vollendung findet. Nach der Darstellung der Taufe heißt es: „Wenn wir so pneumatisch ins Dasein getreten und auf diese Weise geboren sind, dann ist es wohl folgerichtig, daß wir auch eine Energie empfangen und einen Antrieb, die einer solchen Geburt entsprechen. Und das bewirkt an uns das Mysterium des göttlichen Myron. Denn es macht die pneumatischen Kräfte wirksam, im einen diese, im anderen jene, oder auch mehrere zu-

---

[341] Vgl. H. Waldenfels, Die Offenbarung. Von der Reformation bis zur Gegenwart. Freiburg 1977, S. 5–20.

[342] Vgl. J. O. Bracanca, L'Esprit Saint dans l'euchologie médiévale. In: Edizioni Liturgiche. Roma 1977, S. 39–54; P. Meinhold, Les bases pneumatologiques de l'Office luthérien. In: ebd. S. 105–120.

gleich, wie eben der einzelne für das Mysterium bereitet ist. Und es geschieht nun an den Täuflingen dasselbe, was in früheren Zeiten durch die Hände der Apostel an den von ihnen Getauften geschah: Indem die Apostel den schon Getauften die Hände auflegten, wurde ihnen das Pneuma geschenkt. So kommt auch jetzt der Paraklet zu den Gesalbten."[343] Aufgrund der Einheit von Gottheit und Menschheit in Christus wurde das Myron gleichsam in das Fleisch ausgegossen, dieses vergöttlicht und verwandelt. Das Myron verleiht die Seinsgemeinschaft mit dem Pneuma und freien Zutritt zum Vater. Unter seine Gnadengaben werden besonders Frömmigkeit, Gebet, Liebe, Keuschheit und der Glaube gerechnet. Christus selber wird aufgrund des Geistes als Myron und Chrisma bezeichnet; das über ihn ausgegossene Pneuma wird für uns zum Pneuma der Annahme an Sohnes Statt.[344]

Überblickt man diese notgedrungen bruchstückhaften Äußerungen zur Pneumatologie, so weisen sie alles andere als ein einheitliches Profil auf. In ihnen kommen teilweise in der Patristik liegende Weichenstellungen voll zum Tragen; das gilt vor allem von dem auf Augustinus sich stützenden Typus der Gottes- und Trinitätslehre. Dazu kommen neue Fragestellungen und Kategorien, die den an sich schwer faßbaren pneumatologischen Anteil verdecken bzw. verdrängen. Mosaikartig lassen sich sehr viele und verschiedene Aussagen zum Wesen und Wirken des Geistes ausfindig machen, dennoch wird man nicht behaupten können, daß darin der dritte Glaubensartikel angemessen zum Zuge kommt. Seine Vernachlässigung trägt wohl mit bei zur Entstehung der Reformation.

3. Zur neuzeitlichen Pneumatologie

Die neuzeitliche Pneumatologie – eine Bezeichnung, die als solche durchaus hinterfragbar ist – kann man mit guten Gründen mit der Reformation beginnen lassen. Für *Luthers* Pneumatologie ist es charakteristisch, daß sie in einem sehr starken Maß dem Bereich der

---

[343] Nikolaus Kabasilas, Das Buch vom Leben in Christus. Einsiedeln ²1981, S. 89.
[344] Vgl. ders., a. a. O. 99 f.

altkirchlichen Theologie verhaftet und verpflichtet bleibt.[345] Der
Heilige Geist ist in seinen Augen vor allem der „heiligende Geist",
Heiligung wird geradezu zu einem Schlüsselwort für den Geist und
sein Wirken: „So lerne nu diesen Artikel aufs deutlichste verstehen.
Wenn man fragt: Was meinest Du mit den Worten: ‚Ich gläube an
den heiligen Geist?', daß Du könnest antworten: ‚Ich gläube, daß
mich der heilige Geist heilig machet, wie sein Name ist.'"[346] In diesem Sinn kann Heiligung zum Inbegriff des dritten Glaubensartikels werden, wobei das Verständnis von Heiligung vor allem durch
die Hinweise auf die Kirche als „Gemeine der Heiligen", die Vergebung der Sünden, die Auferstehung des Fleisches und ein ewiges
Leben präzisiert wird.[347] Luthers Aussagen über den Geist sind
Aussagen über das Werk des Geistes: „Alle Aussagen über das
Werk des Heiligen Geistes auf Erden sollen besagen, daß hier Gott
in Christus wirkt, nicht aber die Vernunft oder des Menschen eigene Kraft; sie sind darum ein Zeugnis gegen die Möglichkeit der
Selbsterlösung und für die Gewißheit des extra nos (außer uns) be-
reiteten Heils."[348] Dieses „extra nos" ist der Grund, warum sich
Luthers Pneumatologie nicht auf Soteriologie oder Anthropologie
reduzieren läßt, sondern im Rahmen einer stark an der Offenbarung
und Heilsgeschichte orientierten Trinitätstheologie verankert ist.
An der Göttlichkeit des Geistes, seiner Personalität und Einheit mit
Vater und Sohn kann für Luther kein Zweifel sein.[349] Da der Geist
weniger statisch, sondern vielmehr unter dem dynamischen Blickwinkel der Aktivität Gottes in der Welt gesehen wird, könnte man
geradezu von einer „Inkarnation" des Geistes sprechen.[350] Wo
Gott am Werk ist, da ist auch der Geist präsent; das Werk des Gei-

---

[345] Vgl. A. Adam, Lehrbuch der Dogmengeschichte, Bd. 2. Gütersloh ³1978,
S. 275. Zu Luthers Pneumatologie vgl. G. Ebeling, Luthers Ortsbestimmung der
Lehre vom heiligen Geist. In: Wort und Glaube, Bd. III. Tübingen 1975,
S. 316–348; M. Lienhard, La doctrine du Saint-Esprit chez Luther. In: VC 76
(1965), S. 11–38.
[346] Zit. nach Deutscher evangelischer Kirchenausschuß (Hrsg.), Bekenntnisschriften der evangelisch-lutherischen Kirche. Göttingen ⁶1967, S. 654.
[347] Vgl. G. Ebeling, a. a. O. 322–337.
[348] A. Adam, a. a. O. 275.
[349] Vgl. M. Lienhard, a. a. O. 14–21.
[350] Vgl. P. Fraenkel, Le Saint-Esprit. Genf 1963, S. 64.

stes ist das Werk Gottes selber, das sich von der Schöpfung über die
Erlösung bis zur Vollendung der Welt erstreckt.[351]

Für Luthers Rede vom Heiligen Geist ist der Bezug zu Christus
wesentlich: „Ich gläube, daß ich nicht aus eigener Vernunft noch
Kraft an Jesum Christ, meinen Herrn, gläuben oder zu ihm kommen kann, sondern der heilige Geist hat mich durchs Evangelium
berufen, mit seinen Gaben erleuchtet, im rechten Glauben geheili-
get und erhalten . . .“[352] Ziel des heiligenden Wirkens des Geistes
ist das Zu-Christus-Bringen, das die temporale Differenz zwischen
dem christologischen Perfekt und dem pneumatologischen Praesens bzw. Futur nicht aufhebt, sehr wohl aber eine sachliche Entsprechung zwischen dem Werk Christi und des Geistes kennt,
wenn es heißt: „Gleichwie der Sohn die Herrschaft überkömmpt,
dadurch er uns gewinnet durch seine Gepurt, Sterben und Aufer-
stehen etc., also richtet der heilige Geist die Heiligung aus durch die
folgende Stücke, das ist durch die Gemeine der Heiligen oder christlichen Kirche, Vergebung der Sünden, Auferstehung des Fleischs
und das ewige Leben . . .“[353]

Das Heiligen des Geistes ist entscheidend an das Wort gebunden.
Geist und Wort bilden eine Einheit: „Das Verstehen des Wortes
Gottes hängt . . . nicht von der Verfeinerung der menschlichen Methode ab, sondern ist allein in der Unmittelbarkeit des Heiligen Geistes begründet: ‚Es mag niemand Gott noch Gottes Wort recht verstehen, er hab's denn ohn Mittel von dem Heiligen Geist.‘“[354] Die
Schrift stellt neben den Sakramenten die objektive Gestalt des Wortes Gottes dar. Die Unterscheidung von Geist und Buchstaben
macht den rechten Theologen aus. Das, was „Geist“ und „geistlich“
genannt wird, richtet sich nach dem Kriterium „Was Christum trey-
bet“. Der „geistliche“ Mensch ist der Glaubende; er allein hat Zugang zur Schrift. „Geistlich“ ist geradezu eine Grunddimension des
Glaubens, dessen Gegenstand unter dem Gesetz der Verborgenheit
„sub contrario“ (unter dem Gesetz des Gegensatzes) steht. Das
Wort gleicht einem Fahrzeug, einem Tor, einem Fenster, einer

[351] Vgl. R. Prenter, Spiritus creator. München 1954, S. 241.
[352] Bekenntnisschriften der evangelisch-lutherischen Kirche. S. 511 f.
[353] A. a. O. 654.
[354] A. Adam, a. a. O. 275.

Brücke oder Leiter, auf denen der Geist uns naht.[355] Luther besteht darauf, daß Gott in der Bindung an das äußere Wort und das Sakrament zu uns kommen will. Der Geist ist an das Wort gebunden, das Wort hat den Geist bei sich: Durch Wort und Sakrament wird gleichsam als Instrumente der Heilige Geist verliehen, der den Glauben bewirkt, wo und wann es Gott gefällt."[356] Wo das Wort Gottes ist, da ist auch der Geist Gottes, der Glaube, die Frucht beider. In diesem Sinn tritt Luther für ein distinktes Beieinander von Wort bzw. Sakrament und Geist ein.

Das wird vor allem deutlich in seiner Auseinandersetzung mit den Schwärmern, welche die augenblicklichen Gefühle und Überzeugungen ihres Herzens mit dem Geist Gottes gleichsetzten und die Schrift nach den Vorstellungen ihres eigenen Bewußtseins beurteilten. Luther stellt dem gegenüber, daß man Gott, nicht dem eigenen Herzen recht geben müsse. Gott verteilt sein Evangelium an uns gleichsam äußerlich und innerlich zugleich. Äußerlich geschieht das durch das Wort der Predigt und die Sakramente, innerlich durch den Geist, den Glauben und andere Gaben. Dabei besteht eine feste Reihenfolge, wonach das Äußere dem Inneren vorangeht und Gott entschieden hat, keine inneren Gaben ohne äußere zu verleihen. Gerade diese Ordnung stellen die Schwärmer auf den Kopf.[357] Gegen die Unmittelbarkeit der eigenen Innerlichkeit der Schwärmer stellt Luther die objektive Wirksamkeit des Geistes in Glaube, Erlösung und Heiligung. Die Gewißheit des Glaubens gründet nicht in der gläubigen Subjektivität, sondern im Geist: „Der Heilige Geist ist kein Zweifler und hat weder Zweifelsätze noch bloße Hypothesen in unseren Herzen eingeschrieben, vielmehr feste Aussagen, die gewisser und sicherer sind als das Leben selbst und jede Erfahrung."[358]

Heiligung als pneumatologischer Schlüsselbegriff läßt sich nicht auf den Bereich des Individuums noch der reinen Innerlichkeit einschränken. Das Werk des Geistes erfaßt den ganzen Menschen mit Leib, Geist und Seele – Luther greift beispielsweise auf die patristi-

---

[355] Vgl. Luther, WA 18, 137, 13.
[356] CA, Art. 5.
[357] Vgl. A. Adam, a. a. O. 276 f.; W. Maurer, Luther und die Schwärmer. In: SThKAB 6 (1952), S. 7–37; K. G. Steck, Luther und die Schwärmer. Zollikon 1955.
[358] Luther, WA 18, 605, 32.

sche Bezeichnung der Eucharistie als Arznei der Unsterblichkeit zurück[359] –, darüber hinaus aber mittels des Glaubens, den er schenkt und voraussetzt, die Kirche insgesamt. Dabei weiß Luther sehr genau um die Notwendigkeit und gleichzeitige Unzulänglichkeit der Instrumente des Geistes. Heiligung, wie der Geist sie bewirkt, vermag nur Gott selber zu vollbringen. Das ist Grund genug, um von ihrer theozentrischen Dimension zu sprechen. Unter diesem Aspekt transzendiert Luthers Pneumatologie sowohl Anthropologie wie Soteriologie und fügt sich organisch der Theologie im strengen Sinn des Wortes ein.

Diese pneumatologische Position Luthers kehrt in gewissen Abwandlungen bei den anderen Reformatoren wieder. Dem Zusammenhang von Wort und Geist zufolge enthält nach *Melanchthon* das Evangelium die „promissio" (Verheißung) des Hl. Geistes, der im Glauben an Christus geschenkt wird.[360] Eine besonders lebendige Anschauung vom Geist findet sich bei Martin Bucer, der die Vorstellung vom Wirken und Besitz des Heiligen Geistes dem Gedanken von der Einwohnung Christi im Herzen der Gläubigen vorzog.[361] Nach *Johannes Brenz* ist die als Evangelium gelesene Schrift das Medium, wodurch der Geist dem gesamten Heilsinhalt Wirksamkeit verleiht.[362]

Calvin unterstreicht gleichfalls die Bedeutung der Einwohnung des Geistes, auf die alle Werke des Christen als Wirkung zurückgeführt werden. Er akzentuiert die gesonderte Rolle des Geistes im Rahmen der Abendmahlslehre, durch dessen geheime Kraft die Selbstmitteilung Christi geschieht.[363] Ein gewisser Reflex dieser Anschauungen begegnet uns in den reformatorischen Bekenntnissen. Die Confessio Augustana hebt im 5. Artikel (Vom Predigtamt) die Funktion des Geistes hervor, sofern die Predigt dem Hörer das

---

[359] Vgl. R. Prenter, a. a. O. 271 f.; K. D. Schmid, Luthers Lehre vom Heiligen Geist. In: V. Herntrich – Th. Knolle (Hrsg.), Schrift und Bekenntnis. Hamburg 1950, S. 145–164; W. M. Stephens, The Holy Spirit in the Theology of Martin Bucer. London 1970; O. H. Nebe, Deus Spiritus Sanctus. Gütersloh 1939.

[360] Vgl. A. Adam, a. a. O. 298.

[361] Vgl. A. Adam, a. a. O. 329 f.

[362] Vgl. A. Adam, a. a. O. 333 f.

[363] Vgl. Calvin, Inst. III, 14, 19 (OS IV, 237, 23); A. Adam, a. a. O. 352 f.; S. van der Linde, De Leer van den Heiligen Geest bij Calvijn. Wageningen 1943; W. Krusche, Das Wirken des Heiligen Geistes nach Calvin. Göttingen 1957.

innere Verständnis des Evangeliums und den Geist vermittelt. Der Geist ist an das Wort und Sakrament gebunden.[364] Das Tun guter Werke stellt gleichfalls eine Frucht des Geistes und des Glaubens dar.[365] Die Apologie der Augustana läßt die wahre Kirche durch den Geistbesitz charakterisiert sein: „Jene ist im eigentlichen Sinn Kirche, die den Heiligen Geist hat."[366]

Fragt man den *Heidelberger Katechismus* nach seinem pneumatologischen Beitrag, so stößt man auf die keineswegs beiläufige Behauptung, „daß wir durch den Heiligen Geist Christus werden eingeleibt, der jetzt mit seinem wahren Leib im Himmel zur Rechten des Vaters ist"[367]. Dem Geist geht es ganz entscheidend um den von Gott kommenden und zu Gott strebenden Menschen. „Heiliger Geist, das heißt: Der Gekreuzigte lebt, der Erniedrigte regiert jetzt als Haupt seiner christlichen Kirche alles ... und erweist an uns seine göttliche Schöpfermacht."[368] Der Schöpfertat des Geistes an uns gilt die besondere Aufmerksamkeit des Heidelberger Katechismus. Das schöpferische Wirken des Geistes schafft geradezu ein Seinsverhältnis zwischen Jesus Christus und uns. Der historische, zum Vater erhöhte Christus ist der Quellort des Geistes für uns; er sendet uns seinen Geist, um uns in seine Gemeinschaft zu ziehen und umzuschaffen. „Diese neue, vom Geist geschaffene Ausrichtung unseres Lebens auf den uns von Gott geschenkten Mittler hin ist der Glaube."[369] Dieser Glaube erweckt uns zu jener Gotteserkenntnis, zu der uns ursprünglich der Schöpfer berufen hatte.[370] Der Geist, der durch das Evangelium den Glauben in uns wirkt, schenkt uns gleichfalls „herzliches Vertrauen"[371]. Dieses erfährt durch „den Gebrauch der heiligen Sakramente" seine Bestätigung: „Der Heilige Geist lehrt im Evangelium und bestätigt durch die heiligen Sakramente, daß unsere ganze Seligkeit stehe in dem einigen

---

[364] Vgl. A. Adam, a. a. O. 303–323.
[365] Vgl. CA, Art. 6; E. Kinder, Zur Lehre vom Heiligen Geist nach den lutherischen Bekenntnisschriften. In: FuH 15 (1964), S. 7–38.
[366] Melanchthon, Apol. der Aug. VII (BSLK 238, 53).
[367] Heidelberger Katechismus, Fr. 80.
[368] W. Niesel, Das Zeugnis von der Kraft des Heiligen Geistes im Heidelberger Katechismus. In: ThLZ 88 (1963), S. 563.
[369] W. Niesel, a. a. O. 564.
[370] Vgl. Heidelberger Katechismus, Fr. 9, 21, 31.
[371] Vgl. a. a. O. Fr. 6, 21, 95, 125.

Opfer Christi, für uns am Kreuz geschehen."[372] Durch die Wirksamkeit des Geistes werden wir der Gerechtigkeit Christi und der
„Heiligung" teilhaftig.[373] Der Ort dieser schöpferischen Verwandlung ist die Kirche: „Dieser Neuaufbruch in unserer mit Haß erfüllten Welt geschieht in der Schar derer, die nach dem Herrn Christus
benannt sind und an der Fülle des Heiligen Geistes, die ihm gegeben
ist, Anteil erhalten ... Der Geist Gottes ist ja nicht der Geist einer
fernen, anderen Welt; vielmehr will er, obwohl er die Kraft aus der
Höhe ist, hier in unserer Welt die Menschen ergreifen und ihr Leben
neu gestalten. Durch ihn ist Christus unter uns am Werke, um Menschen zu wandeln. So gewiß er lebt, dürfen wir vertrauen, daß wir,
obgleich er im Himmel und wir auf Erden sind, dennoch ... von
einem Geist ... ewig leben ... Seine Gemeinde ist die Schar,
in der Christus sich durch seinen Geist in dieser Welt auswirken
will."[374]

Die durch die Reformatoren und die Bekenntnisschriften gegebene Weichenstellung wird in pneumatologischer Hinsicht in den
Anfängen des *Pietismus* von Vitringa, Spener und Bengel aufge-
nommen und weitergeführt. Themen der Pneumatologie sind neben der Kirche und dem Wort Gottes der einzelne Glaubende und
die Weltgeschichte.[375] Der Pietismus fügt der Pneumatologie insofern eine besondere Note hinzu, als er auf die unveränderte Kraft
des Geistes setzt, die innere Lebensform der Urgemeinde wie-
dergewinnen möchte und sein Interesse vorwiegend auf die Wirkungen oder „Früchte des Geistes" richtet. An die Stelle der Rechtfertigung tritt der Gedanke der Wiedergeburt. Aufgrund seiner
biblischen Orientierung hält der Pietismus nicht ohne eine gewisse
psychologische Aufmerksamkeit Ausschau nach Begriffen in der
Schrift, die als Wirkungen des Geistes betrachtet werden können.
Unter diesem Aspekt spielen Termini wie Berufung, Erleuchtung, Heiligung, Vollkommenheit oder gute Werke eine wichtige Rolle. Auf diese Weise entsteht das Lehrstück von der „gratia
Spiritus Sancti applicatrix" (Gnade als Zueignung des Heiligen

---

[372] Heidelberger Katechismus, Fr. 67.
[373] Vgl. a. a. O. Fr. 24, 69–73.
[374] W. Niesel, a. a. O. 569.
[375] Vgl. H. Bauch, Die Lehre vom Wirken des Heiligen Geistes im Frühpietismus. Hamburg 1974.

Geistes).[376] Der Geist wird dabei geradezu zum Prinzip der individuellen Frömmigkeit, des inneren und vollkommenen Menschen.

Die grundlegende These der Reformatoren, daß der Geist nicht ohne das Wort sei, verbindet die Pneumatologie mit der Lehre vom Wort. Die Berufung auf den Geist empfängt ihre Legitimation durch das Wort, das Wort hingegen erhält seine Kraft durch den sich in ihm bezeugenden Geist. In Frontstellung gegen das katholische Schriftprinzip einerseits und gegen den enthusiastischen Spiritualismus andererseits hatte Calvin die Anschauung vom „testimonium spiritus sancti internum" (Das innere Zeugnis des Heiligen Geistes) entwickelt, wonach das innere Zeugnis des Geistes der Bekräftigung des äußeren Zeugnisses der Schrift dient. Die Wahrheit der Schrift bezeugt sich in ihrer Göttlichkeit selber, sie bedarf keiner anderen Zeugen oder Stützen.[377] Diese Verbindung des Geistes mit der Theologie des Wortes blieb nicht ohne Konsequenzen; sie führte dazu, daß das Geistproblem seine theologische Selbständigkeit einbüßte. In der Zeit der protestantischen Orthodoxie wird die Verbindung von Geist und Wort nicht nur bestätigt, sondern auch verengt und verhärtet. Ein Paradebeispiel dafür liefert die damals herrschende Inspirationslehre, die den biblischen Text als Diktat des Geistes betrachtet. Dabei kam es zu einer gefährlichen historischen Vergegenständlichung von Geist und Wort, deren Auswirkungen auf eine bedenkliche Geistvergessenheit verweisen. Über ihr Ausmaß geben die Folgen und Folgerungen Aufschluß: „Die historische Vergegenständlichung brachte es mit sich, daß die Autorität der Bibel wesentlich auf ein im ‚Damals' geschehenes Wirken des Geistes an den in ihrer Person und geschichtlichen Lage fast wesenlos werdenden Autoren gestützt wurde. Damit ergab sich eine Gleichstellung von Offenbarung und Schrift . . ., aber zugleich eine reine Historisierung beider. Ferner ergab sich, daß die Schrift, wenn sie schon bis in jeden Buchstaben hinein unmittelbar Werk des Geistes war, auch in gleicher Weise an der Vollkommenheit und Irrtumslosigkeit Gottes teilhatte. Das führte im Blick auf die Spra-

[376] Vgl. M. Schmidt, Pietismus. In: RGG V (1961), S. 370 f.; M. A. Schmidt, Heiliger Geist, dogmengeschichtlich. In: RGG II (1958), S. 1281.

[377] Vgl. E. Schott, Testimonium spiritus sancti internum. In: RGG VI (1962), S. 702 f.

che, den Stil und die in der Schrift zu findenden ‚Widersprüche' zu
erschreckenden Folgerungen... Endlich führte die historische
Vergegenständlichung zu der Meinung, die in ihrer Gesamtheit
vom Geist diktierte Schrift könne nur etwas linear Einheitliches sagen: Luthers (und anderer) Grundsatz, die Schrift sei Gesetz und
Evangelium, oder etwa Calvins Unterscheidung von minae [Dro-
hungen] und promissiones [Verheißungen]... blieben zwar zum
Teil erhalten, aber nur derart, daß die beiden Wirkungsweisen der
Schrift psychologisierbare Abläufe in der gleichen Linie wurden
und der dialektische Charakter verkannt wurde... Die historisch
vergegenständlichte Inspiration wurde von der späten Orthodoxie
ausgebaut...: Man unterschied zwischen dem impulsus ad scri-
bendum [Impuls zum Schreiben], der suggestio rerum [Einflüste-
rung der Gegenstände] und der suggestio verborum [Einflüsterung
der Wörter]. Die biblischen Autoren handeln wie andere Schrift-
steller, nur handeln sie auf Grund jener suggestio, die ihnen ihre Eigentlichkeit nimmt. Der Supranaturalismus, der diese Darstellung
beherrscht, ist offenkundig... Von einer Zeugenschaft der biblischen Autoren war erst recht nicht die Rede. Die Ausdehnung der
Inspiration auf alle einzelnen Worte war nur eine Folgerung aus
dem Ansatz. Die ‚Verbal-Inspiration' wird jetzt systematisch auf
die quantitative Gesamtheit der kanonischen Schriften angewandt.
Der im Gedanken der Verbal-Inspiration steckende Impuls, das in
der Schrift uns treffende Wort nicht quantifizierbar zu machen,
kommt nicht zum Durchbruch. Vielmehr wird die Quantifikation
schon früh bis in die äußerste Konsequenz vorgetrieben: auch die
hebräischen Vokalzeichen sind inspiriert."[378] Die Verengung der
Inspiration zur Verbalinspiration stellt eine nicht nur protestantische
Erscheinung dar. Das Problem der Inspiration und seine Lösung können geradezu als ein entscheidender Gradmesser für das vorhandene
bzw. fehlende pneumatisch-pneumatologische Bewußtsein gelten.
Diese Beobachtung betrifft unsere Gegenwart nicht weniger als die
Vergangenheit der Theologie.[379]
Nachdem katholischerseits die Pneumatologie vor allem in die

[378] O. Weber, Inspiration der hl. Schrift, dogmengeschichtlich. In: RGG III
(1959), S. 777f.
[379] Vgl. J. Beumer, Die Inspiration der Heiligen Schrift. Freiburg 1968.

Gnadentheologie abgewandert ist, bedarf deren Entwicklung auch im pneumatologischen Interesse eines kurzen Seitenblicks. In der Gnadenlehre wurde der Akzent mehr und mehr auf die geschaffene Gnade gelegt; das erklärt sich wenigstens teilweise aus der anti-reformatorischen Zielsetzung. Die Kontroversen über die wirksame und genügende Gnade verliehen der aktuellen Gnade bald eine übertriebene Bedeutung: „Die tragischste Folge dieser dogmatischen Entwicklung besteht in einer kopernikanischen Umkehrung der theologischen Perspektiven in der Reflexion über das Gnadenmysterium. Von der Bibel angefangen bis zum Tridentinum hatten die Christen und die Fachtheologen bis anhin mehr oder weniger konsequent den absoluten Primat der ungeschaffenen Gnade, d. h. den Primat der trinitarischen göttlichen Initiative in der Gnadenbewegung respektiert. Von jetzt an aber wurden die Einwohnung Gottes, die Annahme an Kindes Statt, die Teilhabe am göttlichen Leben und die damit verbundenen Mysterien in den Schultraktaten auf das reduziert, was man die ‚formalen Wirkungen' der Eingießung der geschaffenen Gnade in Form der habituellen, heiligmachenden Gnade nannte. Eine ‚formale Wirkung' ist . . . das, was sich aus der Applikation einer Form notwendig ergibt. Folgerichtig sprachen einzelne . . . Theologen von der Einwohnung Gottes nicht mehr in einem eigenen Kapitel, sondern in einem bloßen ‚Korollar' zum Kapitel über die geschaffene habituelle Gnade." [380] Eine Folge dieser Sicht stellt die Verwässerung des Appropriationsbegriffs dar, der eine persönliche Beziehung der einzelnen göttlichen Personen zum Glaubenden ausdrücken würde. Da uns aber die Gnade in einem streng theologischen Sinn nur mit der Gottheit vereinigt, so müssen alle Appropriationen zu einer Als-ob-Theologie, zu einer poetischen und uneigentlichen Sprechweise abgewertet werden. Damit wird das Trinitätsmysterium jeder wirklichen Bedeutung für das Glaubens- und Gebetsleben, für Spiritualität und religiöse Erfahrung beraubt.

Dazu gesellt sich noch eine weitere Tendenz. Descartes hatte das Axiom aufgestellt, unsere Kenntnis der Wirklichkeit könne nur durch „klare und bestimmte Ideen" vermittelt werden. Dieser

---

[380] P. Fransen, Dogmengeschichtliche Entfaltung der Gnadenlehre. In: J. Feiner–M. Löhrer (Hrsg.), Mysterium Salutis, Bd. 4, 2. Einsiedeln 1973, S. 730.

Rationalismus des denkenden Subjekts beinhaltet eine entschiedene *Absage an die Erfahrung,* die religiöse Erfahrung eingeschlossen. Obwohl letztere als reicher und überzeugender im Vergleich zur rationalen Erkenntnis gilt, haftet ihr doch der Mangel einer gewissen Dunkelheit und Unbestimmtheit an. Für die Gnadenlehre folgt daraus der Ausschluß der Gnadenerfahrung.[381] Damit wird die bewährte Überlieferung, wonach der Glaubensakt notwendigerweise wenigstens eine elementare Erfahrung davon in sich schließt, daß Gott sich als die höchste Wahrheit innerlich bezeugt und zu erfahren gibt, über Bord geworfen. Das Ergebnis davon stellt eine nahezu ausschließlich rationale Apologetik dar. Die innere Präsenz des Hl. Geistes wird auf außerordentliche, im strengen Sinn mystische Fälle beschränkt. Kirche kann sich dann nicht mehr als „communio sanctorum" verstehen, Offenbarung wird zu einer rein begrifflichen Größe. Der Erfahrungsindex der Gnade würde besagen, daß alle Menschen der religiösen Erfahrung teilhaftig werden können, daß sie die Gnade nach Art einer dynamischen Neigung erfahren, die durch Gottes liebende und schöpferische Gegenwart in ihnen hervorgerufen wird. Da die Aussagen der Theologie für die christliche Erfahrung keine Relevanz mehr besäßen, stand der Weg für allerlei abstrakte Spekulationen und Schuldispute offen. Verständlicherweise wurde damit der Gnadentraktat, der von der Mitte christlichen Lebens handelt, zu einem Gebilde esoterischer Theologie. Der Verlust der großen mystischen Tradition wäre deshalb dringend rückgängig zu machen: „Die Erneuerung der großen mystischen Überlieferung ist damit sehr schwierig geworden. Die religiöse Erfahrung ist unmöglich ohne die Sprache, in der sie zu Wort kommt. Diese Sprache ist verlorengegangen. Wir besitzen nur noch die Sprache der großen klassischen Mystiker, die uns zwar behilflich sein kann, sich aber doch an eine verschwundene Generation von Gläubigen richtet. Wie P. Ricœur treffend bemerkt, hat unsere Zivilisation inzwischen unter dem Einfluß der ‚Lehrer des Infragestellens' – Freud, Nietzsche, Marx – gestanden. Wir haben unsere ‚ursprüngliche Naivität' eingebüßt und müssen zu einer ‚zweiten Naivität' zurückfinden. Die gnadenhafte Erfahrung der Gegenwart Gottes bleibt für ein wahres christliches Leben immer noch vital

---

[381] Vgl. P. Fransen, a. a. O. 735 f.

notwendig, doch müssen wir größere Anstrengungen auf uns nehmen, um sie zu rechtfertigen." [382]

Zu einem neuen Avancement des Begriffs Geist kommt es im
deutschen *Idealismus*. Den Auftakt dazu bildet die Verbindung von
Geist und Ästhetik, die den Geist als „produktiv anschauende Vernunft" begreift. An der Schwelle dieser Renaissance steht ein sehr
weites Einzugsgebiet von Bedeutungen: „‚Geist‘ verbindet nicht
allein – mit zunehmender Relevanz – ‚genie‘ und ‚esprit‘, sondern
bleibt zugleich Übersetzungsbegriff ebenso für ‚mens‘ wie für ‚anima‘, ebenso für ‚genius malignus‘ wie für ‚genius loci‘, ebenso für
‚spiritus sanctus‘ wie für ‚spiritus familiaris‘, bedeutet gleichzeitig
‚Erd-Geist‘ und ‚Geist der Erde‘ und ‚Geist der Zeiten‘ und
‚Welt-Geist‘; Herders ‚Geist einer Nation‘ und ‚Genius eines
Volks‘ wollen ebenso berücksichtigt sein wie Montesquieus ‚Esprit
des lois‘. Bei Hamann wiederum müssen, wenn er vom ‚Sacrament
der Sprache‘ und dem ‚Geist ihrer Einsetzung‘ spricht, Evangelium
und Gnade mitgedacht werden: Der Geist ist zerstreut, er muß sich
sammeln, ehe er philosophisch fundamental zu werden vermag.
Auch die Kantianer haben ihn – und dies zunächst im Anschluß an
Kants dritte Kritik ästhetisch – zwar lanciert, aber noch nicht in-
thronisiert: Geist ist bis 1795 in der Philosophie noch überwiegend
pluralfähig und noch nicht das Absolute." [383] In der Folgezeit wird
„Geist" zum bestimmenden Fundamentalbegriff, der mit dem
Absoluten identisch ist und die traditionellen Prädikate Gottes
übernimmt. Die Transzendentalphilosophie des Geistes erscheint
wesentlich als Geschichte des menschlichen Geistes oder Selbst-
bewußtseins, das durch verschiedene Stadien hindurch zur Anschauung seiner selbst gelangt. Daß es sich hierbei keineswegs um ein
einheitliches Verständnis von Geist handelt, beweisen jene Akzen-
tuierungen, die Geist als Komplementärbegriff zu Natur, als anthropologische Größe oder theologische Definition Gottes betrachteten.

Entscheidend wurden der Geist-Begriff und die Geist-Philosophie
bei *Hegel*. Der Geist ist für ihn „die absolute Substanz, welche in
der vollkommenen Freiheit und Selbständigkeit ... verschiedener
für sich seiender Selbstbewußtsein die Einheit derselben ist: *Ich* das

---

[382] P. Fransen, a. a. O. 736f.
[383] O. Marquard, Geist. In: HWP 3 (1974), S. 185.

Wir, und *Wir*, das *ICH* ist"[384]. Dem Kreislauf der Hegelschen Philosophie von subjektivem, objektivem und absolutem Geist gemäß
entspricht die Geschichte des Geistes, der Gott genannt wird, in
ihren Strukturen der Werdegeschichte sowohl des menschlichen
Individuums wie der ganzen Menschheit und Wirklichkeit insgesamt.[385] Hegel versteht die „Geschichte Gottes" als „das Geistwer-
den Gottes auf dem Welt-Weg des menschlichen Selbstbewußt-
seins" und läßt diesen Prozeß in Jesus auf Golgatha gipfeln.[386] Der
Tod des Gekreuzigten wird zum Wendepunkt, an dem die Partikularität Jesu aufgehoben wird in der Universalität des in der Gemeinde existierenden Heiligen Geistes. Über die tiefere Bedeutung
dieser Aussage gibt Hegels Konzeption der Geschichte Gottes als
Geschichte dreier Formen oder Reiche Auskunft: „Geist ist die
göttliche Geschichte, der Prozeß des sich Unterscheidens, Dirimie-
rens und des in sich Zurücknehmens; er ist als die göttliche Geschichte daher in jeder der drei Formen zu betrachten."[387] Die drei
Geschichtsstadien des Reiches des Vaters, des Sohnes und des Geistes „sind nicht Unterschiede nach äußerlicher Weise, die wir bloß
nach dem, was wir sind, gemacht haben (= aufgrund unserer dia-
lektischen Erkenntnisstruktur), sondern sie sind das Tun, die entwickelte Lebendigkeit des absoluten Geistes selbst; es ist selbst sein
ewiges Leben, das eine Entwicklung und eine Zurückführung dieser
Entwicklung in sich selbst ist, und diese Lebendigkeit in der Entwicklung, die Verwirklichung des Begriffes haben wir nun zu betrachten"[388]. Das Reich des Vaters verkörpert das Absolute an sich,
das Reich des Sohnes repräsentiert den Geist im Zustand der Entäußerung in das Andere seiner selbst, das mit der weltweiten Gemeinde der Kirche identische Reich des Geistes verweist auf „die
alle Realität, in die er sich entäußert hat, durchdringende, einbehal-
tende, in sich aufnehmende, ja zu sich selbst machende Rückkehr

[384] G. W. F. Hegel, Phänomenologie des Geistes. Theorie Werkausgabe, Bd. 3.
Frankfurt 1970, S. 145.
[385] W. Kern, Philosophische Pneumatologie. Zur theologischen Aktualität
Hegels. In: W. Kasper (Hrsg.), a. a. O. 90.
[386] Vgl. F. Fulda, Geist. In: HWP 3 (1974), S. 191–199.
[387] G. W. F. Hegel, Vorlesungen über die Philosophie der Religion II. Theorie
Werkausgabe, Bd. 17. Frankfurt 1969, S. 214.
[388] G. W. F. Hegel, a. a. O. 214.

des Geistes in sein nun erfüllt-vollendetes Beisichsein"[389]. Dieses Reich ist die Kirche, in der die „Einheit" Jesu Christi in das wirkliche und allgemeine Selbstbewußtsein des Geistes hinein auferstanden ist. In der christlichen Gemeinde ist Gott zu „seiner vollkommenen Wahrheit und Wirklichkeit" gelangt.[390]

Das Urteil, das sagt: „Hegels Einteilung und die entsprechenden Begriffe des Geistes haben die nachfolgende Philosophie direkt nur wenig beeinflußt",[391] gilt von der Theologie insgesamt, und von der Pneumatologie insonderheit. Von einer gewissen Rezeption des Hegelschen Gedankens der „Geschichte Gottes" theologischerseits kann man in der Gegenwart sprechen.[392] Ihr Ertrag erstreckt sich allerdings mehr auf das Gottesproblem, das Trinitätsgeheimnis, das Verständnis der Menschwerdung und des Todes Gottes, weniger auf den Bereich der Pneumatologie und Ekklesiologie, wofür Hegels Auffassung vom Reich des Geistes Ansatzpunkte bieten würde. Die Betonung des Geistes im Idealismus und die kühne Einbeziehung des theologischen, geschichtlichen und anthropologischen Geistesbegriffs hat die schriftgebundene Theologie mit einem nicht zu leugnenden Mißtrauen erfüllt. Für die philosophiescheue Theologie ist es zu einem ungeschriebenen Gesetz geworden, daß der vom Idealismus intendierte Geist ein unserem menschlichen Wesen immanentes Phänomen meint, während der göttliche Geist eine transzendente und völlig andere Größe darstellt. Im Zuge dieses aus dem Gegensatz von Gott und Mensch heraus verstandenen Geistbegriffes wird das Verständnis des Geistes überhaupt problematisch und unanschaulich.

Als ein Zeitalter der Pneumatologie wird man unser Jahrhundert wohl kaum bezeichnen können. Trotzdem fehlt es nicht an Anregern, von denen nicht immer beachtete Impulse ausgingen. Mag der

---

[389] W. Kern, a. a. O. 74.

[390] Vgl. G. W. F. Hegel, Enzyklopädie der philosophichen Wissenschaften III. Theorie Werkausgabe, Bd. 10. Frankfurt 1970, S. 23.

[391] F. Fulda, a. a. O. 197.

[392] Vgl. W. Kern, a. a. O. 78–90; H. Küng, Menschwerdung Gottes. Eine Einführung in Hegels theologisches Denken als Prolegomena zu einer künftigen Christologie. Freiburg 1970; E. Jüngel, Gott als Geheimnis der Welt. Tübingen 1977; Ch. Link, Hegels Wort „Gott selbst ist tot". Zürich 1974; L. Oeing-Hanhoff, Hegels Trinitätslehre. Zur Aufgabe ihrer Kritik und Rezeption. In: ThPh 52 (1977), S. 378–407; W. Kern, Menschwerdung Gottes im Spannungsfeld der Interpretatio-

Schwerpunkt der Theologie *Karl Barths* auch nicht in der Pneumatologie zu suchen sein, so kann seine Theologie mit Fug und Recht
als ein Beispiel für eine Theologie angesprochen werden, in der das
pneumatische und pneumatologische Moment eine zentrale Rolle
spielt. Barth hat den Geist nicht nur wiederholt zum Gegenstand
seines theologischen Nachdenkens gemacht, man hat vielmehr bei
seiner Theologie den Eindruck, daß der Geist es ist, der ihr im
Glauben den Horizont der Offenbarung und ihren Gegenstand als
lebendige Wirklichkeit erschließt.[393] Wo und wie das Verständnis
des Hl. Geistes ansetzt, das wird bereits klar aus Barths ›Prolegomena zur Dogmatik‹. Den unverrückbaren Ausgangspunkt bezeichnet der eine Gott, der sich als der Erlöser offenbart. Der Hl.
Geist wird mit dem Offenbarwerden in der Offenbarung in Verbindung gebracht.[394] Er ist in der Offenbarung der im Menschen von
innen her gegenwärtige Gott, das subjektive Moment im Ereignis
der Offenbarung. Das aber vermag er nur zu sein, sofern er Gott
und in Gott Akt der Gemeinschaft, der Mitteilung, der Liebe und
Gabe ist.[395] Im Geist sind die subjektive und objektive Komponente der Offenbarung vereinigt. Betrachtet man den Geist als die
subjektive Wirklichkeit der Offenbarung, dann gilt die Gleichung:
„Die Ausgießung des Heiligen Geistes ist Gottes Offenbarung. In
der Wirklichkeit dieses Ereignisses besteht unsere Freiheit, Gottes
Kinder zu sein und ihn in seiner Offenbarung zu erkennen, zu lieben und zu loben." [396]
Aufgrund dieser Zuordnung der innertrinitarischen und offen-
barungsgeschichtlichen Stellung des Geistes gelingt es Barth, die

nen von Hegel und Kierkegaard. In: A. Ziegenaus (Hrsg.), Wegmarken der Christologie. Donauwörth 1979, S. 81–126; ders., Dialektik und Trinität in der Religions-
philosophie Hegels. In: ZKTh 102 (1980), S. 129–155.

[393] Zu K. Barth vgl. W. Fürst, Karl Barth. In: H. Vorgrimler – R. Vander Gucht
(Hrsg.), Bilanz der Theologie im 20. Jahrhundert. Bahnbrechende Theologen. Freiburg 1970, S. 29–42; zu Barths Theologie vgl. K. Barth, Einführung in die evangelische Theologie. Zürich ²1963; zur Pneumatologie vgl. K. Barth – H. Barth, Zur
Lehre vom Heiligen Geist. München 1930; P. J. Rosato, Karl Barths Theologie des
Heiligen Geistes. Gottes noetische Realisierung des ontologischen Zusammenhangs
zwischen Jesus Christus und allen Menschen. Diss. Tübingen 1975.

[394] Vgl. K. Barth, Kirchliche Dogmatik I, 1. Zürich ⁸1964, S. 472 f.

[395] Vgl. K. Barth, a. a. O. 494.

[396] K. Barth, Kirchliche Dogmatik I, 2. Zürich ⁵1960, S. 222.

schöpfungstheologische Rolle des Pneuma eindrucksvoll zu veranschaulichen. Weil der Geist in Gott die Selbstmitteilung und Gemeinschaft von Vater und Sohn von Ewigkeit her und in Person ist, weil Gott in seinem offenbarenden Handeln an der Welt wesentlich und immer auch Hl. Geist ist, deshalb wird sowohl Gott für die Kreatur wie auch die Kreatur für Gott möglich. Der Geist wird zum präexistenten Apriori der Relation von Schöpfer und Geschöpf: „Es ist Gott der Heilige Geist, in welchem die Kreatur als solche präexistiert. Will sagen: Es ist Gott der Heilige Geist, der die *Existenz* der Kreatur als solcher – indem er ihre Versöhnung mit Gott und ihre Erlösung durch ihn in der Vereinigung des Vaters und des Sohnes in jenem Ratschluß vorwegnimmt und garantiert – *möglich* macht, der ihr das Existieren erlaubt, der sie in ihrem Existieren trägt, auf den sie in ihrem Existieren angewiesen ist. Sie könnte ja nicht existieren, wenn Gott sich nicht im Blick auf sie von Ewigkeit her mit sich selbst einig, wenn er nicht von Ewigkeit her der Heilige Geist der Liebe wäre, der ihre Existenz in jener Übereinkunft gewollt und auf seine eigene Verantwortung genommen hat. Und darum kann die Kreatur dessen auch nur im Heiligen Geist gewiß werden, daß sie existieren kann und darf. Denn nur im Heiligen Geiste kann ihr jene Einheit und Übereinkunft zwischen dem Vater und dem Sohne als die Ermöglichung und Erlaubnis ihres Existierens offenbar werden. Daß diese Übereinkunft besteht und gilt, das ist das Schöpfungswerk des Heiligen Geistes."[397]

Von Barths Grundkonzeption der Dogmatik her gesehen ist es nicht verwunderlich, daß die Pneumatologie vor allem im Rahmen der Versöhnungslehre zur Sprache kommt. Hier sind es vor allem die Fragen der Ekklesiologie, die in exemplarischer Weise pneumatologisch aufbereitet und erörtert werden. Am Leitfaden der Stichworte Versammlung, Erbauung und Sendung der christlichen Gemeinde und in der jeweiligen Entsprechung der göttlichen Tugenden von Glaube, Liebe und Hoffnung werden Wesen und Werk des Geistes als der erweckenden, belebenden und erleuchtenden Macht in christologischer und welthaft-menschheitlicher Perspektive entfaltet.[398] Auf diese Weise kommt es zu einer umfassenden Ausle-

---

[397] K. Barth, Kirchliche Dogmatik III, 1. Zürich ³1957, S. 60.

[398] Vgl. K. Barth, Kirchliche Dogmatik IV, 1. Zürich ²1960, S. 718–872; ders.,

gung des „credo ecclesiam" (ich glaube die Kirche) innerhalb des
dritten Glaubensartikels. Der pneumatologische Gehalt von alldem
wird gleichsam zusammengefaßt und konkretisiert in Barths Tauf-
lehre als Begründung des christlichen Lebens. Für sie ist die Beziehung zum Geist konstitutiv. Die der Taufe zugrunde liegende
Wendung, Entscheidung und Tat sind das Werk des Geistes. Vom
Geistgeschehen der Taufe heißt es: „Im Werk des Heiligen Geistes
wird die in der Auferstehung Jesu Christi allen Menschen offenbarte Geschichte einem bestimmten Menschen als seine *eigene*
Heilsgeschichte offenbar und gegenwärtig. Im Werk des Heiligen
Geistes wird dieser Mensch aus einem ihrer auch für ihn erfolgten
Erschließung gegenüber verschlossenen, blinden, tauben, unverständigen zu einem ihr gegenüber seinerseits erschlossenen, sehenden, hörenden, verständigen Menschen, wird ihre Erschließung für
Alle und so auch für ihn seine *eigene* Erschließung *für sie*. Im Werk
des Heiligen Geistes geschieht es, daß derselbe Mensch, der zuvor
mit denselben Organen nur Nein dazu zu sagen wußte, jetzt, wieder mit denselben Organen, indem sie ihm nun eben dazu brauch-
bar und dienlich werden, Ja dazu sagen darf, kann und muß ... Es
gibt keinen intimeren Freund des gesunden Menschenverstandes als
den Heiligen Geist und keine gründlichere Normalisierung des
Menschen als die im Widerfahrnis seines Werkes." [399] Mit der
›Kirchlichen Dogmatik‹ bleibt auch Barths Pneumatologie letztlich
Fragment. Dieser Lücke fällt neben der Lehre vom Abendmahl vor
allem auch die „Lehre von der Erlösung", wie Barth die Eschatologie nennt, zum Opfer. [400] Vom Geist und seinem Werk als solchem
kann man zwar nicht im eigentlichen Sinn eschatologisch reden, da
sie keinen Rand und keine Grenzen mehr kennen, sondern das
Eschaton selber sind und nicht mehr darauf bezogen erscheinen, [401]
da der Geist aber zugleich wesentlich der Geist der Verheißung ist
und das, was er verheißt, auch zu tun vermag, deshalb kann mit
Recht behauptet werden: „Alles, was von dem den Heiligen Geist

---

Kirchliche Dogmatik IV, 2. Zürich ²1964, S. 695–953; ders., Kirchliche Dogmatik
IV, 3. Zürich 1959, S. 780–1083.
[399] K. Barth, Kirchliche Dogmatik IV, 4. Fragment. Zürich 1967, S. 30f.
[400] Vgl. K. Barth, a. a. O. VII.
[401] Vgl. K. Barth, Kirchliche Dogmatik I, 1, S. 487.

empfangenden, vom Heiligen Geist getriebenen und erfüllten Menschen zu sagen ist, ist im Sinn des Neuen Testamentes eine *eschatologische* Aussage."[402]

Eine ähnliche Einflußbreite wie K. Barth kommt auch der Theologie *Paul Tillichs* zu.[403] Eine Untersuchung, die den pneumatologischen Ablegern in seiner ›Systematischen Theologie‹ nachgeht, kommt zu dem Ergebnis: "Tillich's writings on pneumatology deserve most careful attention and they will be most fruitful to those who give them diligent study."[404] Geist und Hl. Geist können als zentrale theologische Begriffe Tillichs gelten. Tillich ist zutiefst befaßt mit der Suche des Menschen nach wahrem und unzweideutigem Leben. Der Begriff des Lebens vereinigt für ihn eine „essentielle" und „existentielle", „ontologische" und „universale" Perspektive.[405] Seine besondere Aufmerksamkeit gilt dabei den Dimensionen, Bereichen oder Graden, nicht den Schichten des Lebens und Lebensprozesses. Bei der Freilegung dieser Dimensionen stößt man unweigerlich auf den Geist als eine Dimension des Lebens. Letzteres präsentiert sich uns in der tiefen Zweideutigkeit von essentieller Endlichkeit und existentieller Entfremdung. Alle Selbst-Aktualisierungen des Lebens leiden an nicht zu beseitigenden Zweideutigkeiten und entlassen aus sich die Frage nach dem unzweideutigen Leben. Die Antwort darauf lautet: Geist, näherhin Gegenwart des göttlichen Geistes. Von seiner Manifestation läßt sich im menschlichen Geist und in der geschichtlichen Menschheit sprechen. Er nimmt es auf mit den vorhandenen Zweideutigkeiten, die sich in Religion, Kultur und Moralität zeigen und die durch die Macht des göttlichen Geistes Heilung finden.[406] Besondere Bedeutung kommt in diesem Zusammenhang dem Symboldenken Tillichs zu. Symbol und Zeichen sind für ihn nicht identisch: „Während das Zeichen nicht notwendig verbunden ist mit dem, worauf es hindeutet, parti-

---

[402] K. Barth, a. a. O. 486. Zu E. Brunners Pneumatologie vgl. E. Brunner, Vom Werk des Heiligen Geistes. Tübingen 1935.

[403] Vgl. F. Chapey, Paul Tillich. In: H. Vorgrimler – R. Vander Gucht (Hrsg.), a. a. O. 42–64.

[404] H. F. Woodhouse, Some Pneumatological Issues in Tillich's Systematic Theology. In: IThQ 41 (1974), S. 104–119.

[405] Vgl. P. Tillich, Systematische Theologie, Bd. III. Stuttgart 1966, S. 21–41.

[406] Vgl. P. Tillich, a. a. O. 45–130.

zipiert das Symbol an der Wirklichkeit dessen, für das es Symbol ist. Ein Zeichen kann willkürlich vertauscht werden, je nach Zweckmäßigkeit, aber Symbole nicht. Ihre Gültigkeit ist abhängig von der Wechselbeziehung zwischen dem, was sie symbolisieren, und den Personen, die das Symbol aufnehmen. Darum kann das religiöse Symbol nur dann ein wahres Symbol sein, wenn es an der Mächtigkeit des Göttlichen partizipiert, auf das es hindeutet."[407]

Auf diese Weise wird für Tillich die Frage nach der Gegenwart des göttlichen Geistes zu einem zentralen pneumatologischen Problem. Unter dem Stichwort der Präsenz des göttlichen Geistes wird die Relation zwischen Gott als Geist und dem menschlichen Geist verhandelt. Gott ist wesentlich das Sein und der Lebendige: „Gott als der Lebendige ist Gott in sich selbst vollendet und darum Geist. Gott ist Geist. Das ist das umfassendste, direkteste und uneingeschränkteste Symbol für das göttliche Leben. Es hat nicht nötig, gegen ein anderes Symbol ins Gleichgewicht gebracht zu werden, denn es schließt alle ontologischen Elemente bereits ein."[408] Die Relevanz des Wortes Gott für den Menschen besteht darin, daß es dessen Leben Zusammenhang und Sinn verleiht. Die Vermittlung beider ist das Werk des Geistes. Das Ereignis des Geistes stellt sich gleichsam als Sinnereignis dar, das das menschliche Dasein mit Einheit und Wert versieht.[409] Für Tillich wird dieses Geschehen auf individueller Ebene vor allem in der „Ekstase" manifest und greifbar. Für sie ist es charakteristisch, daß sie die Strukturen des menschlichen Geistes nicht zerstört, sondern an der vom Geist geschaffenen Ekstase teilnehmen läßt, in der die Subjekt-Objekt-Struktur transzendiert wird, ohne daß die objektive Welt dabei in reine Subjektivität aufgelöst würde. Als Beispiel ekstatischer Ergriffenheit dient das Gebet.[410] Ekstase wird mit dem Begriff der Offenbarung in Verbindung gebracht: „Ekstase ereignet sich nur dann, wenn der Geist vom Mysterium, nämlich vom Grunde des Seins und Sinns, ergriffen ist. Und umgekehrt: Es gibt keine Offenbarung ohne Ekstase. Bestensfalls gibt es eine wissenschaftlich nachprüfbare Infor-

[407] P. Tillich, Systematische Theologie, Bd. I. Stuttgart ³1956, S. 277.
[408] P. Tillich, a. a. O. 288.
[409] Vgl. K. H. Kelsey, The Fabric of Paul Tillich's Theology. New Haven 1967, S. 145f.
[410] Vgl. P. Tillich, Systematische Theologie, Bd. I, S. 135–141; III, S. 137–142.

mation."[411] Auf der Ebene der Menschheitsgeschichte manifestiert sich der Geist in der Geistgemeinschaft, die sich sowohl latent wie manifest in den Religionen, in Jesus Christus, in der Kirche und den Kirchen verwirklicht.[412]

Hat hier der Geist als trinitarische Größe oder als Person noch einen Platz? Tillich antwortet darauf mit dem Hinweis auf den „trinitarischen Symbolismus"; er trennt zwischen den trinitarischen Symbolen und dem trinitarischen Denken. Den Ausgangspunkt bildet die ekstatische Gegenwart Gottes im Geist des Menschen: Die verschiedenen Relationen zwischen Gott und Mensch „sind die Spiegelung von etwas Realem im Göttlichen, das auch in der religiösen Erfahrung als Reales erlebt wird und als Reales in der theologischen Tradition lebt. Es sind nicht verschiedene bloß subjektive Weisen, ein in sich Nicht-Differenziertes anzuschauen. Der Unterschied der Symbole hat ein fundamentum in re, eine Wurzel im Realen, wenn auch das subjektive Element der menschlichen Erfahrung mitsprechen mag. Daher kann man sagen, daß die trinitarischen Symbole einen Einblick in die ‚Tiefen der Gottheit‘ geben und darum mit Recht in schweren Kämpfen formuliert und verteidigt wurden."[413] Die Substanz des trinitarischen Denkens übersteigt allerdings nicht die Erfahrung Gottes als eines „lebendigen Gottes", so daß die Lehre von der Trinität als Produkt des theologischen Denkens angesprochen werden muß, deren Berechtigung nach Tillich durch die geschichtliche Analyse und systematische Kritik seit Aufklärung und Rationalismus in Frage gestellt werden kann.[414] Eine „Neuerschließung des trinitarischen Symbolismus" kommt zu dem Ergebnis, „daß nicht die Zahl ‚drei‘ der entscheidende Faktor im trinitarischen Denken ist, sondern das Problem der Einheit in der Vielheit göttlicher Selbst-Manifestationen"[415]. Sie bleibt beim ekstatischen Charakter der Gegenwart des göttlichen Geistes stehen und plädiert für eine unbestimmte Offenheit zugunsten umfassenderer als trinitarischer Symbole: „Die Lehre von der Trinität ist nicht abgeschlossen. In ihrer traditionellen Form kann sie weder

[411] P. Tillich, Systematische Theologie, Bd. I, S. 136.
[412] Vgl. P. Tillich, Systematische Theologie, Bd. III, S. 167–281.
[413] P. Tillich, a. a. O. 324.
[414] Vgl. P. Tillich, a. a. O. 333.
[415] P. Tillich, a. a. O. 335.

verworfen noch bejaht werden. Sie muß offengehalten werden, so daß sie ihre ursprüngliche Funktion erfüllen kann: in umfassenden Symbolen die Selbst-Manifestation des göttlichen Lebens für den Menschen zum Ausdruck zu bringen."[416] Es fragt sich aber gerade hier, ob die Frage nach dem Geist und seiner Wirklichkeit radikal genug gestellt und durchgehalten wird. Die traditionelle Trinitätslehre und die innertrinitarische Stellung des Geistes widerlegen keineswegs die Lebendigkeit Gottes.

Wie wenig das der Fall sein muß, bestätigt die Auffassung von *H. Mühlen*, der als der Hauptvertreter der katholischen Pneumatologie im deutschsprachigen Raum gelten kann.[417] Seinem früheren pneumatologischen Ansatz zufolge geht er von der Funktion des Geistes im innergöttlichen Leben aus. In personologischer Terminologie wird der Hl. Geist als das „Wir" in Person zwischen Vater und Sohn oder innertrinitarisches Wir bezeichnet: „Der Heilige Geist ist als Person eine Person in zwei Personen ... (Er) ist die Einheit von Vater und Sohn in Person, er ist gewissermaßen die innergöttliche Perichorese in Person. Die Unterschiedenheit des Hl. Geistes vom Vater und vom Sohne zeigt sich gerade darin, daß er die absolute Nähe zweier Unterschiedenheiten selbst als Person ist."[418] Von diesem Verständnis des Geistes her legt sich eine Revision der herkömmlichen Gotteslehre nahe, die sowohl deren Statik aufbricht, wie auch dem weiblich-mutterschaftlichen Element in Gott

---

[416] P. Tillich, a. a. O. 337.

[417] Vgl. H. Mühlen, Der Heilige Geist als Person in der Trinität, bei der Inkarnation und im Gnadenbund: Ich - Du - Wir. Münster ³1968; Una Mystica Persona. Die Kirche als das Mysterium der heilsgeschichtlichen Identität des Heiligen Geistes in Christus und den Christen: Eine Person in vielen Personen. Paderborn ³1968; Die abendländische Seinsfrage als der Tod Gottes und der Aufgang einer neuen Gotteserfahrung. Paderborn ²1968; Die Veränderlichkeit Gottes als Horizont einer zukünftigen Christologie. Münster 1969; Entsakralisierung. Ein epochales Schlagwort in seiner Bedeutung für die Zukunft der christlichen Kirchen. Paderborn ²1970; Die Erneuerung des christlichen Glaubens. Charisma – Geist – Befreiung. München ²1976; Einübung in die christliche Grunderfahrung, 2 Bde. Mainz 1976; ders. – O. Popp, Ist Gott unter uns oder nicht? Dialog über die charismatische Erneuerung in Kirche und Gesellschaft. Paderborn 1977. Weitere Literatur bei: J. B. Banawiratma, Der Heilige Geist in der Theologie von Heribert Mühlen. Versuch einer Darstellung und Würdigung. Frankfurt 1981.

[418] H. Mühlen, Der Heilige Geist als Person, S. 164.

Rechnung trägt.[419] Vom Geist als dem trinitarischen Wir-Akt der Selbstweggabe in Gott herkommend läßt sich auch dessen heilsökonomische Position als „eine Person in vielen Personen", d. h. in Christus und den Christen, begreifen. Unter dem Aspekt der heilsökonomischen Erscheinungsweise des Geistes ist die Salbung Jesu mit dem Heiligen Geist als die grundlegende Sendung des Geistes nach außen anzusehen, wodurch Christus- und Geistereignis eng miteinander verbunden werden. Hand in Hand damit erfolgt eine Rückübersetzung des Kreuzesgeschehens in den trinitarischen Kontext im Sinne einer heilsgeschichtlich endgültigen Zeitwerdung der Liebe Gottes: „Das Kreuzesgeschehen ist von daher die eigentliche Zeitwerdung des vom Vater und Sohn in strenger Identität vollzogenen Hervorgangs der göttlichen Liebe als der göttlichen Seiendheit als solcher, es ist gleichsam jener Prozeß, in welchem die a priori wirhafte göttliche Seiendheit bzw. Liebe sich selbst zu der dritten Existenzweise ‚konkretisiert' und damit Kirche aus sich entläßt."[420] Hier wird deutlich, wie das Mysterium des Geistes in das der Kirche übergeht. Die innerhalb des Gnadenbundes dem Geist eigene personale Funktion und Kausalität zeigt sich als ein Verhältnis von Person zu Person: „Derselbe Geist, der in Jesus wirksam ist, wohnt den Christen ein, dadurch nehmen sie an der Gnadenfülle Jesu teil. Diese Teilnahme ist das personale Sich-Verhalten des Menschen gegenüber Gott, und zwar im Geist, durch Christus zum Vater."[421] Ein Rekurs auf die heilsgeschichtliche Rolle des Geistes im ekklesiologischen Rahmen führt zu der Bestimmung „eine Person in vielen Personen", d. h.: „Die Kirche ist das Mysterium der Identität (Einheit) der ungeschaffenen Gnade (des Hl. Geistes) bei gleichzeitiger Nicht-Identität der geschaffenen Gnade in Christus und uns."[422] Auf diese Weise wird die Kirche zur geschichtlichen Erscheinung des übergeschichtlichen Geistes ihres Herrn. Aus diesen Zusammenhängen resultiert ein ausgesprochen pneumatologisches Verständnis christlicher Existenz, das vor allem unter dem

[419] Vgl. H. Mühlen, Die Einseitigkeit der traditionellen Gotteslehre. In: C. Heitmann – H. Mühlen (Hrsg.), a. a. O. 239–252; F. K. Mayr, a. a. O. 427–477.

[420] H. Mühlen, Die Veränderlichkeit Gottes als Horizont einer zukünftigen Christologie, S. 34.

[421] J. B. Banawiratma, a. a. O. 79.

[422] H. Mühlen, Una Mystica Persona, S. 211, 215.

Aspekt der Entsakralisierung und Erneuerung entfaltet wird.[423] Dabei zeigt sich, wie wirksam der Begriff des „Wir" für die Erhellung und Realisierung christlichen Lebens sein kann.

Mühlen selber hat seinen pneumatologischen Ansatz revidiert, indem er entsprechend dem Konnex von Geist und Kirche und in Anlehnung an das Zeugnis der Schrift von der spirituellen Erfahrung oder einer „Pneumatologie von unten" ausgeht. Die Geisterfahrung weist damit der Theologie den Weg von der ökonomischen zur immanenten Pneumatologie. Hier ist dann auch der Ort der katholisch-charismatischen Gemeinde-Erneuerung im deutschen und europäischen Sprachraum zu suchen.

Diese ist letztlich nicht gut denkbar ohne die pneumatologischen Impulse, die vom *Zweiten Vatikanum* ausgingen. Es mag sein, daß man dem Konzil ein Zuwenig an Pneumatologie entgegenhalten kann, dennoch dürfte der Geist wohl selten direkt oder indirekt in einer so nachhaltigen Weise zur Sprache gekommen sein. Dabei darf man sich nicht auf die rein verbalen Äußerungen beziehen, sondern müßte das Geschehen des Konzils und seine Wirkungen überhaupt im Blickfeld behalten. Die Pneumatologie des Konzils trägt vor allem heilsökonomische Züge, der streng trinitarisch-immanente Aspekt wird kaum berührt.[424] Eine in dieser Hinsicht fundamentale Bedeutung kann folgende Aussage der Kirchenkonstitution beanspruchen: „Als das Werk vollendet war, das der Vater dem Sohn auf Erden zu tun aufgetragen hatte (vgl. Jo 17, 4), wurde am Pfingsttag der Heilige Geist gesandt, auf daß er die Kirche immerfort heilige und die Gläubigen so durch Christus in einem Geiste Zugang hätten zum Vater (vgl. Eph 2, 18). Er ist der Geist des Lebens, die Quelle des Wassers, das zu ewigem Leben aufsprudelt (vgl. Jo 4, 14; 7, 38–39); durch ihn macht der Vater die in der Sünde erstorbenen Menschen lebendig, um endlich ihre sterblichen Leiber in Christus aufzuerwecken (vgl. Röm 8, 10–11). Der Geist wohnt in der Kirche und in den Herzen der Gläubigen wie in einem Tempel (vgl. 1 Kor 3, 16; 6, 19), in ihnen betet er und bezeugt ihre Annahme an Sohnes Statt (vgl. Gal 4, 6; Röm 8, 15–16 u. 26). Er führt die Kirche in alle

---

[423] Vgl. J. B. Banawiratma, a. a. O. 115–165; H. Mühlen, Entsakralisierung; ders., Die Erneuerung des christlichen Glaubens.

[424] Vgl. Dekret über die Missionstätigkeit der Kirche ›Ad gentes‹, Nr. 2.

Wahrheit ein (vgl. Jo 16, 13), eint sie in Gemeinheit und Dienstleistung, bereitet und lenkt sie durch die verschiedenen hierarchischen und charismatischen Gaben und schmückt sie mit seinen Früchten (vgl. Eph 4, 11–12; 1 Kor 12, 4; Gal 5, 22). Durch die Kraft des Evangeliums läßt er die Kirche allezeit sich verjüngen, erneut sie immerfort und geleitet sie zur vollkommenen Vereinigung mit ihrem Bräutigam. Denn der Geist und die Braut sagen zum Herrn Jesus: ‚Komm' (vgl. Apk 22, 17)."[425]

In der Sprache der paulinischen und johanneischen Theologie werden hier die wesentlichen heilsökonomischen Funktionen des Geistes formuliert. Grundlegend dürfte dabei die Auffassung von der Kirche als dem „allumfassenden Heilssakrament" kraft des Geistes sein.[426] Die kirchenbildende Rolle des Geistes wird besonders hervorgehoben; er deckt die heilsökonomisch-trinitarische Herkunft der Kirche auf: „Die Selbstmitteilung Gottes, die auf Grund des Todes des Herrn im Pfingstfest und in der Verleihung des Pneuma überhaupt erfolgt, macht die Kirche erst so recht zu dem, was sie ist: mysterium, allumfassendes Heilszeichen, Leib Christi, jene ‚komplexe Wirklichkeit', die aus Göttlichem und Menschlichem besteht … Artikel 4 zählt die Tätigkeiten des Geistes mehr beschreibend, nicht so grundsätzlich wie die späteren Aussagen auf: Heiligung, Leben, Auferweckung vom Tod der Seele und des Leibes, Hinführung zum Vater. Die Herzen der einzelnen Gläubigen wie die Gesamtkirche sind sein Tempel, worin der Geist beständig betet, lehrt, stärkt, inspiriert. Er macht die Kirche – sie einend mit Christus dem Hohenpriester – zur Kultgemeinde und eint sie durch die κοινωνία, die communio, die Gemeinschaft, und durch die Dienstleistung. Dieses wird zu einem durchgehenden Motiv der Konstitution: die Kirche ist Kommunikationseinheit in der heiligen Eucharistie, im Heiligen Geiste, in der sichtbaren (hierarchischen) Leitung und in den verschiedenen Dienstleistungen. Sie ist beseelte Leibeinheit in der Verschiedenheit der Glieder und Dienste. Auch die hierarchische Ordnung, nicht bloß die charismatische Bega-

---

[425] Dogmatische Konstitution über die Kirche ›Lumen Gentium‹, Nr. 4; vgl. F. D. Bruner, The Holy Spirit: Conceiver of Jesus. In: Ecumenism and Vatican II. Manila 1973, S. 64–74; A. M. Charue, L'Esprit Saint dans Lumen Gentium. In: Ecclesia a Spiritu Sancto edocta. Gembloux 1970, S. 19–40.

[426] Vgl. a. a. O. Nr. 48.

bung ist eine Selbstmitteilung des Geistes. Er verleiblicht sich so
in der Kirche und macht so ‚eine mystische Person aus vielen
Personen'."[427]

Der Geist wird gleichsam an die und in der Kirche überliefert; er
ist das Prinzip der Einheit, des Lebens, des Gebetes, der Erneuerung, des Glaubens oder der Verkündigung, der Heiligkeit und der
Liebe. In dieser Eigenschaft inspiriert und lenkt der Geist die ökumenische Bewegung, indem er die Christen zur Einheit des Glaubens, der Hoffnung und der Liebe beruft und versammelt.[428] Als
der Geist der Sendung begründet und begleitet er die missionarische
Tätigkeit der Kirche.[429] Über ihn teilt sich fortwährend die erneuernde Kraft der Kirche und der Welt mit.[430] Der Geist verkörpert
geradezu das Traditionsprinzip der Kirche: „Eine Überlieferung
von Wort, Amt und Sakrament kann es in der Kirche nur deshalb
geben, weil und insofern der Geist Christi selbst in die Geschichte
eingegangen ist und in jeglicher kirchlichen Überlieferung selbst
eine Geschichte hat. Man kann in diesem Sinne geradezu von einer
Selbstüberlieferung des Geistes Christi in der Kirche (trotz der
Sünde in ihr und gegen diese) sprechen."[431] Nach dieser pneumatisch-pneumatologischen Wurzel richtet sich das Verständnis von
Glaube und Offenbarung, Wort Gottes, Schrift und Überlieferung.[432] Das „Hindurchgehen des Heiligen Geistes durch seine
Kirche" empfängt in der Liturgie und in den Sakramenten seine besondere Dichte und Note. Der Geist bildet die Seele der Anbetung,
der Verherrlichung und der Feier des Christusmysteriums;[433] er
sorgt dafür, daß die priesterliche Gemeinschaft des Gottesvolkes ihr

---

[427] A. Grillmeier, Dogmatische Konstitution über die Kirche. Kommentar zum
I. Kapitel. In: LThK. E I (1966), S. 160f.

[428] Vgl. Dekret über den Ökumenismus ›Unitatis redintegratio‹, Nr. 2; ›Lumen
Gentium‹, Nr. 13, 22, 25.

[429] Vgl. ›Ad gentes‹, Nr. 2, 4, 23.

[430] Vgl. pastorale Konstitution über die Kirche in der Welt von heute ›Gaudium et
spes‹, Nr. 21.

[431] H. Mühlen, Der Kirchenbegriff des Konzils. In: J. C. Hampe (Hrsg.), Die
Autorität der Freiheit, Bd. 1. München 1967, S. 298f.

[432] Vgl. ›Lumen Gentium‹, Nr. 12, 17; dogmatische Konstitution über die göttliche Offenbarung ›Dei Verbum‹, Nr. 5, 9.

[433] Vgl. ›Dei Verbum‹, Nr. 2; Dekret über die Hirtenaufgabe der Bischöfe in der
Kirche ›Christus Dominus‹, Nr. 1.

Wesen und ihre Sendung sowohl durch die Sakramente wie durch ein tugendhaftes Leben realisiert und ratifiziert.[434] Dem Geist und seiner Wirksamkeit verdanken sich neben dem Glauben und Glaubenssinn des gläubigen Volkes die Heiligkeit, die Auferbauung, die Glaubenserkenntnis, die Liebe, die verschiedenen Gaben und Früchte.[435]

Auf besonders enge Weise werden die verschiedenen Ämter, Dienste und Charismen in der Kirche mit dem Geist in Verbindung gebracht. Im Lichte des Geistes der Wahrheit werden das Petrusamt und das ihm verliehene Charisma der Unfehlbarkeit gesehen.[436] Ausdruck der besonderen Fürsorge des Geistes sind das Bischofsamt und seine Vollmachten,[437] Amt und Dienst der Priester,[438] die Anhänger der evangelischen Räte sowie die Laien.[439] Der Geist tritt hier als der Geist des Apostolates in Erscheinung und Aktion; von ihm heißt es: „Zum Vollzug dieses Apostolates schenkt der Heilige Geist, der ja durch den Dienst des Amtes und durch die Sakramente die Heiligung des Volkes Gottes wirkt, den Gläubigen auch noch besondere Gaben (vgl. 1 Kor 12, 7); ‚einem jeden teilt er sie zu, wie er will' (1 Kor 12, 11), damit ‚alle, wie ein jeder die Gnadengabe empfangen hat, mit dieser einander helfen' und so auch selbst ‚wie gute Verwalter der mannigfachen Gnade Gottes' seien (1 Petr 4, 10) zum Aufbau des ganzen Leibes in der Liebe (vgl. Eph 4, 16). Aus dem Empfang dieser Charismen, auch der schlichteren, erwächst jedem Glaubenden das Recht und die Pflicht, sie in Kirche und Welt zum Wohl der Menschen und zum Aufbau der Kirche zu gebrau-

---

[434] Vgl. Konstitution über die heilige Liturgie ›Sacrosanctum Concilium‹, Nr. 6, 43; ›Lumen Gentium‹, Nr. 11, 14.

[435] Vgl. ›Lumen Gentium‹, Nr. 12, 42; ›Gaudium et spes‹, Nr. 15; ›Ad gentes‹, Nr. 4; ›Unitatis redintegratio‹, Nr. 4; Dekret über das Laienapostolat ›Apostolicam actuositatem‹, Nr. 3; Dekret über Dienst und Leben der Priester ›Presbyterorum ordinis‹, Nr. 8, 12, 15.

[436] Vgl. ›Lumen Gentium‹, Nr. 25.

[437] Vgl. ›Lumen Gentium‹, Nr. 20, 21, 24, 25, 27; ›Christus Dominus‹, Nr. 2.

[438] Vgl. ›Lumen Gentium‹, Nr. 10, 17, 28; ›Presbyterorum ordinis‹; Dekret über die Ausbildung der Priester ›Optatam totius‹.

[439] Vgl. ›Lumen Gentium‹, Nr. 34, 36, 39, 44; ›Apostolicam actuositatem‹, Nr. 1. Zu den Charismen vgl. ›Lumen Gentium‹, Nr. 12, 15; ›Apostolicam actuositatem‹, Nr. 4; ›Gaudium et spes‹, Nr. 38; E. Weron, Die Charismen des Heiligen Geistes im Leben und Apostolat der Laien. In: CoTh 42 (1972), S. 45–56.

chen. Das soll gewiß mit der Freiheit des Heiligen Geistes geschehen, der ,weht, wo er will' (Jo 3, 8), aber auch in Gemeinschaft mit
den Brüdern in Christus, besonders mit ihren Hirten. Ihnen steht es
zu, über Echtheit und geordneten Gebrauch der Charismen zu ur-
teilen, natürlich nicht um den Geist auszulöschen, sondern um alles
zu prüfen und, was gut ist, zu behalten (vgl. 1 Thess 5, 12. 19.
21)." [440] Es ist die Kraft des Geistes, die in der Kirche am Werk ist,
sie durchdringt, bewegt und vollendet. Die Kirche selber wird in ihrer geschichtlichen Sichtbarkeit und Konkretheit zu einem Zeichen
für den unsichtbaren und übergeschichtlichen Baumeister, den
Geist Gottes und Christi, dessen Band sie eint, hält und belebt. [441]

Zu den auffallendsten Phänomenen der kirchlichen Landschaft in
der Gegenwart zählen wohl Erweckungs- und Erneuerungsbewegungen, die sich in besonderer Weise auf den Geist berufen. Ihr Erscheinen und Auftreten, ihre Herkunft und ihr Selbstverständnis,
ihre Intentionen und Ziele sind alles andere als einheitlich. Im
Zusammenhang damit muß kurz die in den Pfingstkirchen sich
äußernde Pfingstbewegung erwähnt werden. [442] Unter der Sammel-

[440] ›Apostolicam actuositatem‹, Nr. 3.

[441] Alle Konzilsaussagen über den Hl. Geist findet man stichwortartig verzeich-
net in: J. Deretz – A. Nocent, Konkordanz der Konzilstexte. Graz 1968,
S. 244–252; K. Rahner – H. Vorgrimler, Kleines Konzilskompendium. Freiburg
²1974, S. 707f.

[442] Vgl. W. B. Biederwolf, A help to the study of the Holy Spirit. Grand Rapids
⁴1974; J. R. Bishop, The Spirit of Christ in Human Relationships. Grand Rapids
1968; W. Broomal, The Holy Spirit. Grand Rapids 1963; F. D. Bruner, A Theology
of the Holy Spirit. The Pentecostal Experience and the New Testament. Grand Rapids 1970; G. R. Brunk, Encounter with the Holy Spirit. Scottdale 1972; C. W. Carter, The Person and Ministry of the Holy Spirit. Grand Rapids 1974; W. H. Criswell, The Holy Spirit in Today's World. Grand Rapids 1966; H. Delfs, Pfingstkirchen. In: Religion und Theologie 3 (1971), S. 176–178; W. Fitch, The Ministry of the
Holy Spirit. Grand Rapids 1974; P. Fleisch, Die Pfingstbewegung in Deutschland.
Hannover 1957; W. J. Hollenweger, Enthusiastisches Christentum. Zürich 1969; K.
Hutten, Seher – Grübler – Enthusiasten. Stuttgart ¹¹1968; J. Laporte, The Holy Spirit,
Source of Life and Activity in the Early Church – Perspectives on Charismatic
Renewal. In: University of Notre Dame Press 1975, S. 57–100; M. Mascarenhas,
What the Spirit says to the Churches. In: Jeevadhasa 8 (1978), S. 247–267; J. J.
McNamee, The Role of the Spirit in the Pentecostalism. A Comparative Study. Diss.
Tübingen 1974; H. Meyer – K. McDonnell – W. J. Hollenweger – V. Vajta – A. M.
Aagard, Wiederentdeckung des Heiligen Geistes. Frankfurt 1974; H. C. G. Moule,
Person and Work of the Holy Spirit. Grand Rapids 1977; W. E. Oates, The Holy

bezeichnung „Pfingstkirchen" „wird eine große Zahl von unter sich sehr verschiedenartigen Gemeinschaften zusammengefaßt, deren gemeinsames Kennzeichen darin besteht, daß sie alle auf die Vergegenwärtigung des Hl. Geistes und seine kraftvolle Bezeugung in den urchristlichen Gnadengaben ausgerichtet sind" [443]. Ihre geistigen und geschichtlichen Wurzeln sind in der anglikanischen Heiligungsbewegung, der amerikanischen Negerfrömmigkeit und einem biblischen Fundamentalismus zu suchen, der die normative Bedeutung der Urgemeinde betont. Die Entstehung der Pfingstkirchen hängt mit Erweckungsbewegungen zusammen, die in den USA um die Jahrhundertwende auftraten und mit Manifestationen der Geistesgaben verbunden waren. Heute finden sich Pfingstkreise in freier oder organisierter Form in allen Kontinenten. Seit 1913 arbeiten die verschiedenen Pfingstkirchen auf internationaler Ebene zusammen, seit 1947 besteht die ständige Einrichtung einer Weltpfingstkonferenz. Hinsichtlich des Platzes der Pfingstkirchen in der Ökumene gilt: „Die Pfingstbewegung versteht sich selbst als eine ökumenische Erweckung: Die dogmatischen Schranken innerhalb der Christenheit können überwunden werden durch die Wirksamkeit des Hl. Geistes (,Pfingsten ist keine Lehre, sondern eine Erfahrung'). Der Widerspruch der Kirchen und die soziologische Entwicklung führten jedoch zur Herausbildung einer evangelistischen Freikirche mit fundamentalistischem Einschlag. Die Stellung der Pfingstkirchen in der Weltchristenheit wird viel diskutiert." [444] Einflüsse der Pfingstkirchen sind direkt oder indirekt auch in den charismatischen Erneuerungsbewegungen am Werk, wie sie sich

---

Spirit in Five Worlds: the Psychedelic, the Nonverbal, the Articulate, the New Morality, the Administrative. New York 1968; E. D. O'Connor, The Pentecostal Movement in the Catholic Church. Notre Dame 1971; A. W. Pink, The Holy Spirit. Grand Rapids 1970; K. u. D. Ranaghan, Le retour de l'Esprit (Le pentecotisme catholique aux Etats Unis). Paris 1972; J. O. Sanders, The Holy Spirit and his Gifts. Grand Rapids 1970; J. W. Sanderson, The Fruit of the Spirit. A Study Guide. Grand Rapids 1972; W. H. G. Thomas, The Holy Spirit of God. Grand Rapids 1963; S. Tugwell, Reflections on the Pentecostal Doctrine of „Baptism in the Holy Spirit". In: HeyJ 13 (1972), S. 268–281, 402–414; R. A. Torrey, Der Heilige Geist. Sein Wesen und Wirken. Frankfurt o. J.

[443] H. Delfs, a. a. O. 176.

[444] H. Delfs, a. a. O. 177; vgl. F. Rolim, Religion und Armut in Brasilien. In: Conc (D) 16 (1980), S. 26 f.

gegenwärtig innerhalb und außerhalb der christlichen Konfessionen bemerkbar machen.

Die Hinwendung zum Geist als der Seele und dem Atem der Kirche entspricht einem tiefen und berechtigten Verlangen der gegenwärtigen Christenheit. Nähert man sich dem Phänomen der charismatischen Bewegung auf dem Weg beschreibender pneumatischer Empirie, dann stößt man auf die Geisttaufe und ihre Äquivalente als zentrale charismatische Erfahrung: Diese „ist keine zweite Taufe, sondern in ihr bricht das Wissen um die Anwesenheit des Heiligen Geistes eindrucksvoll in das Bewußtsein ein, obwohl dieser Geist schon bei der Taufe empfangen wurde und seitdem im Christen anwesend ist"[445]. Versteht man sie als Umkehrerfahrung, dann lassen sich Vorgänge wie Lebensübergabe oder -erneuerung, Bitte um die Pfingstgnade oder Entscheidung unschwer in diesen Zusammenhang integrieren. H. Mühlen deutet die in der Geisterfahrung steckende Umkehrstruktur als ein Erfahren der Erfahrung der Abhängigkeit von Gott.[446] Auf diese Weise dient der Geist dazu, der Erfahrung und vor allem der Emotionalität innerhalb des Glaubens Ausdruck zu verschaffen: „Religiöse Erfahrung hat zu tun mit der Totalität eines Ereignisses zwischen Gott, der den Menschen beruft, und dem Menschen, der auf diesen Ruf antwortet. Zu diesem Ereignis gehören auch die Gefühle. Die Forderung nach einer ‚reinen' religiösen Erfahrung ohne Gefühle würde diese nicht nur denaturieren, sondern sie wäre auch eine Entscheidung für das, was weniger gefährlich ist. Sie wäre auch weniger menschlich."[447] Man steht allerdings nicht an, gleichzeitig vor einer Überbewertung des Gefühls und der Erfahrung zu warnen, die das Moment der Offenbarung, der Erkenntnis und des Denkens vernachlässigt.[448] Aus diesem Grund ist der Ruf nach der Unterscheidung der Geister und entsprechenden Kriterien mehr als verständlich. Doch sind

---

[445] K. McDonnell, Die Erfahrung des Heiligen Geistes in der katholischen charismatischen Erneuerungsbewegung. In: Conc (D) 15 (1979), S. 545; vgl. F. Sullivan, Baptism in the Holy Spirit. In: Gr. 55 (1974), S. 49–68.

[446] Vgl. H. Mühlen, Der gegenwärtige Aufbruch der Geisterfahrung und die Unterscheidung der Geister. In: W. Kasper (Hrsg.), a. a. O. 33; K. Niederwimmer – J. Sudbrack – W. Schmidt, Unterscheidung der Geister, Kassel 1972.

[447] K. McDonnell, a. a. O. 547.

[448] Vgl. I. Pantschowski, a. a. O. 554.

einem solchen Vorhaben wohl auch Grenzen gesetzt: „Niemand kann mit absoluter Sicherheit, die jeden Zweifel ausschließt, wissen, ob mehr der Heilige Geist, mehr seine eigene Selbsterfahrung oder mehr dämonische Mächte in einem bestimmten Vorgang bei sich selbst oder bei anderen wirksam sind. Die Frage nach der Heilssicherheit (vgl. DS 1534) ist analog auf die Erfahrung der Geistesgaben anzuwenden." [449]

Wohl ein anderes Charakteristikum der charismatischen Bewegung ist darin zu suchen, daß sie vor allem eine Gemeinschafts- und Laienbewegung darstellt: „Vielleicht ist die Betonung der Gemeinschaft der dauerhafteste Beitrag der charismatischen Bewegung. Die örtliche Gemeinde ist das erste Instrument der Evangelisierung. Nicht die richtigen Methoden zur Verkündigung des Evangeliums fehlen uns, sondern vielmehr lebendige Gemeinden, die so sehr Jesus als den Herrn anerkennen und in denen jeder dem anderen so zugetan ist, daß sie Erstaunen und Verwunderung hervorrufen. Nur wenn jemand auf solche bestehende Gemeinden hinweisen und sagen kann: ‚Komm und sieh', kann eine erfolgreiche Evangelisierung stattfinden. Die lebendige Wirklichkeit besitzt eine unersetzliche Überzeugungskraft, und durch die wird das Evangelium glaubwürdig. Diese Ansicht ist so stark in der charismatischen Bewegung verwurzelt, daß in ihr gesagt wird: Keine Gemeinden = keine Glaubwürdigkeit = keine Evangelisierung." [450] Aufgrund des der Erfahrung des Geistes immanenten Wir-Charakters ist es entscheidend, daß der Geist die Kirchen aufschließt für die größere Einheit, die in Jesus Christus begründet ist. Von daher ist es äußerst widersprüchlich, sich unter Berufung auf den Geist abzusondern und Konventikel zu bilden. [451] Der mehr oder weniger gleichzeitige charismatische Aufbruch in nahezu allen christlichen Konfessionen rückt die Hoffnung auf die Einheit der Christen in ein neues Licht. Die Geisterfahrung als Wir-Erfahrung und die daraus resultierende charismatisch-missionarische Erneuerung „trägt eine Kraft in sich, die Kirchen zu erneuern, sie von geschichtlich bedingten Einseitig-

---

[449] H. Mühlen, a. a. O. 48; vgl. I. Pantschowski, a. a. O. 555 f.; J.-R. Bouchet, Die Unterscheidung der Geister. In: Conc (D) 15 (1979), S. 550–552.

[450] K. McDonnell, a. a. O. 548; vgl. ders., Charismatical Renewal and the Churches. New York 1976; Charismatical Renewal and Ecumenism. New York 1978.

[451] Vgl. I. Pantschowski, a. a. O. 555.

keiten und Übertreibungen zu befreien und so umzuwandeln. Die Kirche wird nur durch persönliche Umkehr ‚von innen' erneuert; diese ist die Seele der ganzen ökumenischen Bewegung."[452] Die dritte Europäische Charismatische Konferenz hat auf ihrem Treffen 1975 drei inhaltliche Schritte auf dem Weg zu der vom Geist geführten Einheit formuliert; sie lauten: Selbstfindung, Öffnung und Rezeption. Ihnen entspricht in methodischer Hinsicht der Drei-Schritt: Dialog, Konvergenz und Konsens.[453]

Soweit diese Einheit der Kirchen noch aussteht und ein Hoffnungsziel des Glaubens, der unterwegs ist, markiert, wird damit die Geschichte des Geistes und der Pneumatologie aus einer einseitigen Bindung an die Vergangenheit oder Gegenwart gelöst und als eine zutiefst noch offene und zu vollendende ausgewiesen. Der Geist erscheint darin als die eigentliche Triebfeder, welche die Geschichte bewegt und an ihr von Gott gesetztes Ziel bringt. Er ist es, der die Geschichte, dem Glauben, dem Leben und darin auch der Theologie ihr eigentliches Thema stellt. Es dürfte reizvoll sein, sich mit diesem für die Zukunft des Geistes geschärften Blick dem biblischen Zeugnis über ihn zuzuwenden.

Überblickt man den äußerst bruchstückhaften Gang durch die Geschichte der Pneumatologie, so kann man sich der Einsicht nicht entziehen, daß hier die Aufgabe noch mehr vor uns steht als in anderen Fällen. Der Eindruck, der bleibt, zeugt von einem gewissen Dilemma. Eine nur im Rahmen der Trinitätslehre vorgetragene Pneumatologie dürfte der Wirklichkeit und den Erfordernissen des dritten Glaubensartikels nicht genügen. Ähnliches gilt von einer Gnadenlehre, in der die Gnade den Geist absorbiert. Der Geistbegriff selber ist ein weithin schillernder geworden bzw. geblieben, der eine theologische Brauchbarkeit erschwert und ständigen Mißbräuchen und Mißverständnissen ausgesetzt ist. Die Entdeckung des Geistes im Idealismus hat die Theologie der Berufung auf den Geist gegenüber vollends mißtrauisch werden lassen und zu einer radikalen und gegensätzlichen Trennung von göttlichem und menschlichem Geist geführt. Pneumatologie wird dadurch nicht nur vor

---

[452] J. B. Banawiratma, a. a. O. 165.
[453] Vgl. H. Mühlen, Morgen wird Einheit sein. Paderborn 1974, S. 21–33; L. J. Suenens, Gemeinschaft im Geist. Charismatische Erneuerung und Ökumenische Bewegung. Salzburg 1979, S. 55–19.

noch ausstehende und ungelöste Aufgaben gestellt, sie hat zu einem Teil auch jene Hypothek abzutragen, die ihr von ihrer Vergangenheit her auferlegt wird. Beide Problemstellungen können kaum getrennt voneinander in Angriff genommen werden.

B. DAS BIBLISCHE ZEUGNIS VOM HEILIGEN GEIST

Das biblische Zeugnis vom Heiligen Geist entbehrt nicht einer gewissen Problematik. Wir können nicht übersehen, daß das Sprechen der Schrift verschiedene und vielschichtige Töne aufweist. Es steht außerdem nicht für sich allein. Wie die Religionsgeschichte bestätigt, ist das Phänomen „Heiliger Geist" auch außerhalb und im Umkreis der Bibel bekannt. Mythologie und Religion im Rahmen des Griechentums und Hellenismus, Philosophie und Mantik, Kosmogonie und Anthropogonie kennen sehr wohl die Vorstellung eines wie auch immer gearteten göttlichen Geistes. Die weite Verbreitung dieser Idee spricht natürlich weder für noch gegen eine Identifizierung mit dem biblischen heiligen Geist. Des weiteren können wir bei der Frage nach dem Heiligen Geist nicht von einem feststehenden Begriff ausgehen. Das Bedeutungsfeld erweist sich als umfassender als eine bestimmte Terminologie; selbstverständlich ist damit eine schwerpunktmäßige Orientierung an gewissen Bezeichnungen nicht ausgeschlossen. Eine Schwierigkeit liegt darin, daß sich die biblischen Geistaussagen nicht systematisieren lassen; wir müssen mit offenen Stellen und unverrechenbaren Äußerungen leben. Wohl ein sehr großes Problem besteht darin, daß den Aussagen der Schrift sehr elementare Erfahrungen des Geistes zugrunde liegen, die uns als solche nicht zugänglich und unserem Erfahrungs- und Vorstellungshorizont eventuell auch völlig fremd sind. Schließlich müssen wir in Rechnung stellen, daß das biblische Interesse am Geist sich durchaus nicht mit unserem decken muß. Die Schrift ist weit mehr mit den Wirkungen, Heilsfunktionen und dem Wirken des Geistes befaßt als mit der Frage nach seiner Art und seinem Wesen. Es ist das Anliegen der Wirksamkeit des Geistes, das wie ein roter Faden die gesamte Schrift durchzieht. Nur mit diesen Einschränkungen und Vorbehalten kann man sich dem biblischen Zeugnis vom Geist nähern.

I. Alttestamentliche Geistaussagen

Die alttestamentlichen Geistzeugnisse erweisen sich als äußerst mannigfaltig und spannungsreich. Bevor sie in ihrer theologischen Relevanz erschlossen werden sollen, sei kurz auf den Vorstellungsreichtum im *biblischen Umkreis* und *Profangebrauch* verwiesen. Dem griechischen πνεῦμα liegt eine energetische Vorstellung zugrunde; es verweist auf eine elementare Lebenskraft und Naturmacht, die sich sowohl als Stoff wie als Vorgang, im Wehen des Windes wie im Einziehen und Aushauchen des Atems bemerkbar macht. Von hier aus erklären sich die weiteren Bedeutungen im Makro- wie im Mikrokosmos als Wind, Luft, Sturm, Hauch, Atem, Seele, Geist, Begeisterung, Geistwesen, Lebens- und Schöpferkraft, Stimme, dichterischer und seherischer Geist.[1] Eine ähnlich bewegte Geschichte weist das hebräische Äquivalent „ruah" auf. Es bedeutet zugleich Wind und Atem: „Bei beidem ist nicht das Naturphänomen als solches gemeint, sondern die im Wind und im Atem begegnende Kraft; eine Kraft, deren Woher und Wohin rätselhaft bleibt (Joh 3, 8). Wind ist eine Kraft, die anderes in Bewegung setzt; die Verben, mit denen das Wort in Verbindung gebracht wird, sind fast nur Verben der Bewegung und des In-Bewegung-Setzens. Der Atem ist der Wind im Menschen; es ist die im Atemstoß sich äußernde Kraft oder Vitalität. ruah ist also nicht der normale, ruhige Atem, der heißt neshāmāh, sondern die hinter dem heftigen Atem stehende Kraft. So kann vom ‚Geist der Eifersucht' gesprochen werden als einer unheimlichen, den Menschen mitreißenden Kraft, die zum Mord führen kann. Später wird die Bedeu-

[1] Vgl. H. Kleinknecht – F. Baumgärtel – W. Bieder – E. Sjöberg – E. Schweizer, πνεῦμα In: ThW VI (1959), S. 330–453; M.-A. Chevallier, Souffle de Dieu. Le Saint-Esprit dans le Nouveau Testament, Bd. 1: Ancien Testament, Hellénisme et Judaisme. La tradition synoptique. L'œuvre de Luc. Paris 1978; St. Horton, What the Bible says about the Holy Spirit. Springfield 1976; M. E. Isaacs, The Concept of Spirit: A Study of Pneuma in Hellenistic Judaism and its Bearing on the New Testament. London 1977; H. Haag, Geist Gottes. In: BL. Einsiedeln ²1964, S. 692; D. A. Milavec, The Bible, the Holy Spirit and Human Powers. In: SJTh 29 (1976), S. 215–236; M. Ramsey, Holy Spirit. A Biblical Study. London 1977; H. Saake, Pneuma. In: PRE Suppl. 14 (1974), S. 387–412; L. J. Wood, The Holy Spirit in the Old Testament. Grand Rapids 1976; K. S. Wuest, The Holy Spirit in Greek Exposition. In: Bibl. Sacra 118 (1961), S. 216–227.

tung allmählich eingeebnet, so daß ruah auch das normale Atmen bezeichnen kann. Daneben vollzog sich ein Angleich an näphäsh, Seele, Leben, so wurde ruah später auch Bezeichnung des Willens- und Aktionszentrums im Menschen, konnte also auch das bedeuten, was wir unter dem Geist des Menschen verstehen. Auch in diesen Abwandlungen aber ist ruah immer auf die körperliche Realität bezogen. Niemals wird ruah der Körperlichkeit entgegengesetzt. Den Gegensatz von Fleisch und Geist gibt es im AT nicht. Der Begriff Geist, wie wir ihn in ‚Geistesgeschichte‘ oder ‚Geisteswissenschaften‘ gebrauchen, hat einen anderen Ursprung. L. Klages: ‚Der Geist ist eine Erfindung der Griechen.‘ Aus dem profanen Gebrauch ergibt sich: ruah in der Bedeutung Wind, Atem, meint immer das Besondere, Außergewöhnliche, das besondere, zeitlich begrenzte Erregtsein des Windes oder des Atems." [2]

Der spezifisch *theologische Gebrauch* begegnet entwicklungsgeschichtlich klar in der *Richterzeit*. Es ist der Geist, der sich charismatischer Führergestalten bemächtigt. Von Gideon heißt es beispielsweise: „Ganz Midian, Amalek und die Leute aus dem Osten taten sich zusammen, zogen herüber und schlugen in der Ebene Jesreel ihr Lager auf. Da kam der Geist des Herrn über Gideon. Gideon blies ins Widderhorn und rief die Abiesriter, ihm (in den Kampf) zu folgen" (Ri 6, 33 f.; vgl. Ri 3, 10; 11, 29; 13, 25; 14, 6; 1 Sam 11, 6). In einer Stunde äußerster Not ergreift der Geist Gottes jeweils bestimmte Menschen, um das Gottesvolk aus seiner Bedrängnis zu befreien. Dieses Wirken des Geistes entzündet und orientiert sich an einer allen offenkundigen Not und Notwendigkeit. Es hat das in dieser Situation Notwendige, d. h. die Not Wendende, zum Inhalt und Ziel. Dahinter steht kein menschlicher Auftrag. Die Wirksamkeit des Geistes beruht auf dem Prinzip der Freiwilligkeit, der zahlenmäßigen Ohnmacht oder Unterlegenheit und bleibt exakt auf die herrschende Notlage begrenzt.[3] Der Geist Gottes macht das Charisma des Führers aus.

---

[2] C. Westermann, Geist im Alten Testament. In: EvTh 41 (1981), S. 224; vgl. ders., Geist. In: THAT II (1974), S. 726–753; E. Schweizer, Heiliger Geist. Stuttgart 1978, S. 19–66; F. Porsch, Gottes Kraft – genannt Geist. In: BiKi 37 (1982), S. 114–118; P. Simpfendörfer, Wesen und Werk des Heiligen Geistes in der Gottesoffenbarung Alten und Neuen Testamentes. Reutlingen 1937.

[3] Vgl. C. Westermann, Geist im Alten Testament, S. 225.

Etwas anders liegen die Akzente in der *ekstatischen Prophetie* der Frühzeit Israels. Sowohl einzelne Ekstatiker wie auch ganze Gruppen können vom Geist befallen werden (vgl. 1 Sam 10; 19, 18–24; Num 11, 25–29). Die Rede von der „ruah elohim" anstatt der „ruah Jahwe" weist darauf hin, daß es sich hier um ein allgemein religiöses Phänomen handelt, das keineswegs auf Israel beschränkt ist. Bei der geistgewirkten Ekstase „führt die ruah weder eine Tat noch ein Wort herbei; die Ekstase als solche ist Geistwirkung. Eine Verbindung zum Gotteswort gibt es nicht, aber auch nicht zu den Geschichtstaten Gottes; in der Ekstase ist das Religiöse etwas von der Geschichte und vom Gotteswort Abgelöstes."[4] Ein an der Ekstase interessiertes Geistverständnis spielt daher in der Geschichte Israels keine nennenswerte Rolle.

Es ist bezeichnend, daß in der *vorexilischen Schriftprophetie* der Geistbegriff nahezu ganz fehlt. Fragt man nach dem tieferen Grund dafür, so wird man auf die Unvereinbarkeit der Vorstellung des Propheten als Gottesboten mit dem der „ruah" eigenen Gedanken der Kraft verwiesen. Die Aufgabe des Propheten besteht darin, das Wort Gottes auszurichten und den Willen Gottes kundzutun, nicht aber Machttaten und Kraftdemonstrationen dieses oft ohnmächtig erscheinenden Wortes zu vollbringen. Das Prophetenschicksal widerspricht allen kraftstrotzenden Geistauffassungen: „Zum biblischen Propheten gehört wesentlich das Verfolgtsein und das Martyrium ... Das eigentliche Martyrium des Propheten spielt sich jedoch in seinem Innern ab: Jahwes Hand lastet auf ihm. Als ‚Mann des Widerspruches' von den Seinen verflucht, ist er einsam und fühlt sich, selbst von seinem Gott verlassen, betört, verraten und dem Gespötte preisgegeben (Jr 15, 10;. 17f.; 20, 7). Jahwes Wort verzehrt ihn (Jr 20, 9), und er muß selbst erst durchleiden, was er andern androht (Is 21, 3). Er muß tun, was ihm aus tiefster Seele zuwider ist (Ez 4, 12ff.) und niederreißen, woran er hängt (Jr 1, 10). Dazu weiß er im voraus, daß all sein Mühen umsonst sein wird, ja daß er durch seine Verkündigung die Schuld und den Fall des Volkes nur noch schrecklicher macht (Is 6, 9f.; Ez 3, 7. 11). So ist der Prophet ein von innen und außen angefochtener Mensch."[5] Erst in

---

[4] C. Westermann, a. a. O. 225f.
[5] N. Füglister, Prophet. In: HThG II (1963), S. 371.

der nachexilischen Zeit wird das Wirken des Propheten mit dem des Geistes in Verbindung gebracht; hier wird Gottes Geist dann auch als „heiliger Geist" bezeichnet (vgl. Sach 7, 12; Jes 63, 11; 2 Chr 15, 1; 24, 20).

Mit dem *Königtum* wird der Geistbegriff einschneidenden Veränderungen ausgesetzt. Die Institutionalisierung des rettenden und führenden Handelns Gottes im Königtum verleiht auch dem Wirken des Geistes den Aspekt einer gewissen Stetigkeit und Beständigkeit, sofern der Geist des Herrn auf dem König ruht. Der Salbungsritus bezeichnet die bleibende Geistbegabung (vgl. 1 Sam 18, 12). Im Unterschied zu früher wird der „Geist Gottes" mehr und mehr zu einem abstrakten Allgemeinbegriff: „Bei den Königen wird vom Geist, von der Begabung mit dem Geist, vom Ruhen des Geistes auf ihnen nur im Zusammenhang des Königwerdens oder allgemein des Königseins geredet, im Vorblick oder im Rückblick, dagegen niemals bei einer bestimmten Handlung oder einem bestimmten Wort des Königs. Wo von den Taten eines Königs geredet wird, begegnet niemals das Wort Geist; und wo ein besonderes Wort des Königs hervorgehoben werden soll, ist es nicht ein vom Geist eingegebenes, sondern ein Wort, in dem die Weisheit des Königs zum Ausdruck kommt, wie bei Salomo."[6] In diesem Kontext ist nicht zuletzt auch die Anwendung des Geistbegriffs auf den Messias als den zukünftigen Heilskönig zu sehen. Welcher Wandel sich hier vollzogen hat, erhellt aus Jes 42, 1: „Seht, das ist mein Knecht, den ich stütze; das ist mein Erwählter, an ihm finde ich Gefallen. Ich habe meinen Geist auf ihn gelegt, er bringt den Völkern das Recht" (vgl. Jes 11, 2; 61, 1). Anstelle des Königs wird der Knecht nunmehr zum Träger des Gottesgeistes. Nicht mehr das politische Mandat des Königs, sondern das Verkünden der Heilsbotschaft an die Armen wird zum Feld, auf dem der Geist wirkt. Einen zusätzlichen Akzent trägt die Heilsprophetie der Spätzeit in das alttestamentliche Geistverständnis ein, wenn sie neben der individuellen Geistbegabung auch eine solche des gesamten Gottesvolkes kennt. Das Bild von der Ausgießung des Geistes dient dazu, einen gewandelten, aus der inneren Erneuerung resultierenden und endgültigen Zustand zu charakterisieren. Was das heißt, bringt Joel 3, 1–5 sehr anschaulich

---

[6] C. Westermann, a. a. O. 227.

zum Ausdruck: „Danach aber wird es geschehen, daß ich meinen Geist ausgieße über alles Fleisch. Eure Söhne und Töchter werden Propheten sein, eure Alten werden Träume haben, und eure jungen Männer haben Visionen. Auch über Knechte und Mägde werde ich meinen Geist ausgießen in jenen Tagen" (3, 1 f.; vgl. Ez 36, 26 f.).

In der *Spätzeit* wird Geist zu einem höchst allgemeinen Begriff, der kein spezifisches Handeln Gottes mehr kennzeichnet, sondern mit dem Gottsein Gottes identisch wird. Gott, Geist oder „heiliger Geist" lassen sich in dieser Verallgemeinerung nicht mehr unterscheiden (vgl. Neh 9, 30; Jes 63, 10 f.; Ps 51, 13; 139, 7). Dieser generalisierende Gebrauch lebt weiter im rabbinischen Schrifttum des Frühjudentums, das mit dem Stichwort „heiliger Geist" die Transzendenz Gottes und seines Tuns unterstreicht: „Was zwischen Gott und Menschen geschieht, wird auf eine höhere Ebene gehoben, durch den ‚heiligen Geist' wird es zu heiliger Geschichte, die bewußt über die profane Realität erhöht wird. Dieses verallgemeinernde und transzendierende Reden vom Geist Gottes und vom heiligen Geist entsteht erst am äußersten Rande des AT und erhält seine volle Ausbildung außerhalb des Kanons im Frühjudentum." [7]

Spät formuliert wird auch der ursprüngliche Zusammenhang zwischen *Geist und Schöpfung*. Das hatte gewiß seine guten Gründe: „Israel hat Gottes Geistwirken in den merkwürdigen prophetischen Erfahrungen entdeckt, bevor es über sein Wirken in auffallenden oder alltäglichen Naturereignissen ausdrücklich nachdachte... Daß Gott Welt und Mensch erschaffen hat, ist Israel wie seinen Nachbarvölkern selbstverständlich. Gerade darum ist es nicht Gegenstand eines Glaubensbekenntnisses. Aber die Erfahrung Israels in seiner Geschichte läßt es aufmerken auf Gottes Handeln auch dort, wo nichts Außergewöhnliches geschieht wie im Tauwetter jedes Frühlings oder wo kein Mensch als Zeuge dabei war wie in der Schöpfung am Uranfang der Welt." [8] Gottes Gegenwart und Macht, die in einmaligen geschichtlichen Ereignissen am Werk sind, machen vor der Natur nicht halt. Von den Erfahrungen am Schilfmeer her weiß man, daß Gott sich zur Verfolgung seiner Ziele des Sturm- und Ostwinds bedienen kann (vgl. Ex 14, 21; 15, 8.10; Jes

---

[7] C. Westermann, a. a. O. 229.
[8] E. Schweizer, Heiliger Geist, S. 26 f.

27, 8; Ps 147, 18; Gen 8, 1). Gottes Wind oder Geist steht hinter und über allem Werden der Schöpfung, er scheidet und zieht die Grenzen zwischen Licht und Finsternis, Tag und Nacht, Erde und Meer (vgl. Gen 1, 2; Ps 33, 6). Alles Leben, vor allem das des Menschen, wird mit Gott, Gottes Lebensatem und Geist in Verbindung gebracht. Das geschieht zuweilen auf die höchst anschauliche Art, daß Lebensgewährung bzw. Lebensentzug mit dem Aus- und Einatmen Gottes verglichen werden (vgl. Ps 104, 29 f.; Ijob 34, 14 f.; Gen 2, 7; 6, 3.17; 7, 15.22).

In unmittelbarer Nähe zum Leben steht der Bereich der *Erkenntnis*, die auf den Einfluß des Geistes Gottes zurückgeführt wird und Weisheit, Verstand, Wort, Einsicht oder prophetische Erfahrung umgreift. All dieses Wissen verdankt sich der besonderen Teilhabe des Menschen am Geist Gottes. Spektakulär tritt das in der prophetischen Erkenntnis zutage, wo Gottes Geist den Menschen in Bahnen zwingt, an die er nie gedacht hätte. Ähnliches geschieht überall, wo der Mensch sich wahre Weisheit schenken läßt. Nicht die gewöhnliche oder außergewöhnliche Art des Zustandekommens solcher Erkenntnis ist ausschlaggebend, sondern die Frage, worauf der Mensch sein Leben gründet (vgl. Ijob 32, 8; Jer 17, 5; Jes 30, 1; Dan 4, 5; 5, 11; 6, 4; 2 Sam 23, 2; Ps 33, 6).

Diese Erfahrungen und Beobachtungen führen zu der Einsicht, daß Gott und sein Geist die überschaubare Welt des Menschen um ein Vielfaches überragen. Dem Geist Gottes stehen unvorstellbare Möglichkeiten des Wirkens offen. Das zeigt sich in der prophetischen Zukunfts-, Gerichts- und Verheißungsverkündigung, im Hinweis auf die neuschaffende, den Menschen und die Welt umgestaltende und vollendende Tätigkeit Gottes (vgl. Ps 51, 12 f.; Num 11, 29; Sach 12, 10; Ez 11, 19 f.; 36, 25–27; 37, 1–14; 39, 28 f.). Das wirklich Neue besteht darin, daß Gott alles Böse beseitigen und dem Menschen seinen Geist verleihen wird. Damit wird gesagt, daß der Glaube nicht nur aus der Vergangenheit lebt, daß Gottes Geist ihn in die Zukunft hineinführt. Der Mensch soll lernen, von der Zukunft Gottes her und auf sie hin zu leben. Darum muß er auch bereit sein, sich seine Vorstellungen vom Geist und dessen Wirken jederzeit durch Gott korrigieren zu lassen. In diesem Rahmen beginnt man dann in der zwischentestamentarischen Zeit über die Zukunft des Individuums, das Einzellos des Menschen nach dem Tod nachzudenken. Entscheidend ist, daß dieses Leben hier und das Dasein in der Scheol noch nicht alles sein können; Gott selber wird die Vollendung schenken, und zwar so, daß darin auch der Leib des Menschen zu seinem Recht kommt. Diese Fragestellung ist wohl nicht ohne griechischen Einfluß artikuliert worden.

Israel hat das Wirken des Geistes Gottes zunächst erfahren und versucht, diese Erfahrungen zu verbalisieren. Der Geist wurde dabei als eine unerwartete und unberechenbare, alle menschlichen Möglichkeiten übersteigende Größe erlebt, ohne daß er sich auf außerordentliche Begleiterscheinungen einengen ließe. Darin offenbart sich ein Stück der dem Geist eigenen Fremdartigkeit, die ihn vom Menschengeist scheidet und unterscheidet. Diese Fremderfahrung des Geistes widersteht einer Zurückführung auf menschliche Selbsterfahrung. Bezeichnend ist weiterhin, daß die Macht des Gottesgeistes alles umgreift. Gottes Geist ist in der ganzen Schöpfung am Werk. Die Welt als Schöpfung und Gottes Geist entsprechen einander. Da sich alles Leben ihm verdankt, kann dieses auch nie zum Besitz des Menschen werden. Diese Umstände schließen eine besondere Partizipation von Menschen am Geist Gottes keineswegs aus, die sich auf verschiedene Weise äußern kann. Sie wird vor allem in der Dynamik geschichtlicher Ereignisse transparent, in denen sich die „ruah" Gottes als Geschichtsmacht betätigt. Die verschiedenen Geisterfahrungen schlagen sich in Differenzierungsversuchen nieder, die den Geist als personifiziertes Wesen (vgl. 1 Kön 22, 21) oder dämonische Macht (vgl. Ri 9, 22; 1 Sam 16, 14–23; 18, 10; 1 Kön 22, 19–28; Ijob 1, 6–12) fassen und sich nicht immer systematisieren lassen. Diese Hinweise lassen sich rückwirkend als Ausschau und Offenheit des Alten Bundes auf jene Zukunft Gottes und seines Geistes hin deuten, von der im Neuen Testament die Rede sein wird.

II. Neutestamentliche Pneuma-Aussagen

Die neutestamentlichen Zeugnisse über den Hl. Geist stehen unter einer ähnlichen Klammer wie die des Alten Testamentes: „Auch die neutestamentliche Gemeinde hat das Wirken des Geistes erfahren, längst bevor sie darüber nachgedacht und in Sätzen auszudrükken versucht hat, wie dieses Wirken zu beschreiben wäre. Auch sie hat eins nach dem andern sehen gelernt und hat nicht von allem Anfang an alle Dimensionen des Heiligen Geistes entdeckt. Wenn man einen Menschen kennenlernen will, muß man auch sein gesamtes Leben sehen, die kleinen und die großen Dinge, die Irrwege und die Erleuchtungen, die Niederlagen und die Erfolge. Man kann sich nicht mit ein paar dürren Daten und den ‚Resultaten‘, den Leistungen, die er schließlich vollbracht hat, begnügen. So muß man Schritt um Schritt den Entdeckungsfahrten der neutestamentlichen Gemeinde nachgehen und hineinschauen in all das, was sie mit dem Heiligen Geist erfahren hat."[9] Für diese Entdeckungsfahrt ist es sinnvoll, an das alttestamentliche Geistverständnis anzuschließen. Diesem kommen bei aller Einheit und Verschiedenheit der einschlägigen Texte die des Markus- und Matthäus-Evangeliums am nächsten.[10]

1. Markus und Matthäus

Der alttestamentlichen Prägung zufolge fassen *Markus* (= Mk) und *Matthäus* (= Mt) den Geist als Gottes Kraft. Besondere Erwähnung verdient in diesem Kontext das Wort von der Lästerung wider den Hl. Geist. Diese begehen nach Mk 3, 28–30 diejenigen, die in den Dämonenaustreibungen Jesu statt der Gotteskraft die Teufelskraft am Werk erblicken.[11] Dieses Logion spricht immerhin die Überzeugung der neutestamentlichen Gemeinde aus, im Besitz des Geistes zu sein. Zu beachten bleibt dabei, daß Mk 3, 28 (= Mt 12, 32) zunächst die Unfaßbarkeit der Vergebung herausstreicht.

---

[9] E. Schweizer, a. a. O. 68.

[10] Vgl. außer der in Anm. 1 angeführten Literatur: M. Laconi, La Pentecoste e la funzione dello Spirito Santo nei Vangeli. In: RAMi 14 (1969), S. 209–232; F. Büchsel, Der Geist Gottes im Neuen Testament. Gütersloh 1926; F. Hahn, Die biblische Grundlage unseres Glaubens an den Heiligen Geist, den Herrn und Lebensspender. In: H. Bürkle – G. Becker (Hrsg.), Communicatio fidei. Regensburg 1983, S. 125–137; K. Kertelge, Heiliger Geist und Geisterfahrung im Urchristentum. In: LebZeug 26 (1971), Heft 2, S. 24–36; M. Limbeck. Vom Geist reden sie alle. In: BiKi 37 (1982), S. 118–126; R. P. Merendino, Des Geistes Kraft im Verkündigungswort. In: LebZeug 26 (1971), Heft 2, S. 37–56.

[11] Vgl. R. Pesch, Das Markusevangelium, I. Teil. Freiburg 1976, S. 216–221; J. Gnilka, Das Evangelium nach Markus, 1. Teilband. Zürich 1978, S. 151 f.

Aus dem Kontrast dazu läßt sich die Schärfe begreifen, womit der Widerspruch gegen die offenkundige Bezeugung des Geistes verurteilt wird. In diesen Zusammenhang gehört die Aussage von Mt 12, 28: „Wenn ich aber die Dämonen durch den Geist Gottes austreibe, dann ist das Reich Gottes schon zu euch gekommen." Hier erscheint der Geist Gottes als Werkzeug oder Mittel zur Dämonenaustreibung, seine Gegenwart wird mit der Präsenz des Reiches Gottes identifiziert. Darin spiegelt sich die Auffassung der neutestamentlichen Gemeinde wider, für die im Kommen des wunderwirkenden Geistes die Endzeit anbricht.[12]

Ein weiterer Hinweis auf den Geist begegnet in Mk 12, 36, wo Jesus sagt: „David hat, vom Heiligen Geist erfüllt, selbst gesagt . . ." An dieser Stelle werden Geist und Schrift gegeneinander ausgetauscht, denn nach der Überzeugung der Kirche gilt, daß ihr der Geist zum Verstehen der Schrift verliehen ist, wie dieser in der Zeit der Propheten bereits wirksam war.[13]

Mk 1, 8 spricht von einer allgemeinen Geistbegabung: „Ich habe euch nur mit Wasser getauft, er aber wird euch mit dem Heiligen Geist taufen." In der Ausgießung des Geistes auf die Gemeinde liegt die Erfüllung dieses Täuferwortes. Geistmitteilung – oft unter dem Bild des reinigenden Wassers ausgedrückt – wie Gerichtsfeuer entsprechen eschatologischer Erwartung. Gegenüber der Johannestaufe, die ursprünglich als Ritus einer Gruppe von Büßern verstanden wurde, die auf diesem Weg dem drohenden Gericht zu entgehen hofften, ist hier ein entscheidender Schritt getan: Die Teilhabe am Geist in der Gemeinde Jesu antizipiert die Rettung aus dem endzeitlichen Gericht. Die Taufe mit Geist und Feier bildet die Vollendung der Johannestaufe.[14]

In Mk 1, 9–11 ist uns der Bericht über die Taufe Jesu erhalten. Er will wohl mehr als nur die Berufung eines Propheten erzählen. Von den verschiedenen Deutungsmöglichkeiten her weist wohl auch eine Linie zur Darstellung der Geistbegabung des Messias. Daß der Messias Träger des Gottesgeistes ist, ist bereits alttestamentlich belegt und wird im Judentum mehr als einmal wiederholt. Die Neu-

---

[12] Vgl. E. Schweizer, Das Evangelium nach Matthäus. Göttingen ¹⁴1976, S. 136f.
[13] Vgl. R. Pesch, Das Markusevangelium, II. Teil. Freiburg 1977, S. 253 ff.
[14] Vgl. J. Gnilka, a. a. O. 48.

heit und Andersartigkeit des Geschehens wird neben der sichtbaren Erscheinung der Taube und der hörbaren Bestätigung durch Gott vor allem dadurch angedeutet, daß diese Geistbegabung am Ende der Zeiten erfolgt, nachdem der Geist schon längst erloschen war.[15] Damit wird dieses Ereignis zum Anfang oder Auftakt der neuen Gotteszeit gestempelt. Ursprünglich galt die Geistbegabung in der Taufe als der Beginn der Messianität Jesu, eine alles andere als reflektierte Aussage; das ersieht man nicht zuletzt daraus, daß die Problematik, die aus dem Nebeneinander dieser Geschichte neben der von der Geistempfängnis Jesu erwächst, noch nicht empfunden wurde. Die Intention beider Erzählungen ist es vielmehr, Jesu geglaubte Einmaligkeit dadurch zum Ausdruck zu bringen, daß Gottes Handeln an ihm an bestimmten Punkten explizit aufgezeigt wird.

Aus dem Sondergut des Mt ist in unserem Zusammenhang Mt 5, 3 zu erwähnen: „Selig die im Geist Armen; denn ihnen gehört das Himmelreich." Geist ist hier der menschliche Geist. Das Neue jüdischen Parallelen gegenüber liegt darin, daß zu solcher Haltung nicht als moralischer Anstrengung aufgerufen wird; es werden vielmehr diejenigen seliggepriesen, denen sie gegeben ist. Bereits im Judentum zielte „ruah" auf die religiös-sittliche Qualität und Individualität des Menschen. In diesem Sinn gilt die Seligpreisung Jesu dem Volk der Armen, dessen einzige und ganze Hilfe Gott ist.[16]

Eine Sonderstellung kommt dem Taufbefehl von Mt 28, 19 zu. Nicht weniger bezeichnend als die Erwähnung des Geistes bei der Taufe ist die Anführung des „ὄνομα τοῦ πνεύματος" (Name des Geistes) neben den beiden anderen „Namen". Damit wird „πνεῦμα" bei Mt anders als sonst verstanden. Der Evangelist muß die Formel als Taufformel eines bestimmten Kreises gekannt haben. Wurde darin neben Gott der Kyrios genannt, dann war es nicht unmöglich, auch noch auf das „πνεῦμα" zu verweisen. Damit war zum Ausdruck gebracht, daß man Gott nicht als Gipfel eines mono-

[15] Vgl. J. Gnilka, a. a. O. 49–55; F. Lentzen-Deis, Die Taufe Jesu nach den Synoptikern. Frankfurt 1970.

[16] Vgl. J. B. Lotz, Eure Freude wird groß sein. Freiburg 1977; P. Lapide – C. F. v. Weizsäcker, Die Seligpreisungen. Stuttgart 1980; F. W. Kantzenbach, Die Bergpredigt. Stuttgart 1982; A. Stöger – R. Hammerstiel, Die Bergpredigt. Klosterneuburg 1982.

theistischen Systems logisch erschließen kann; es geht auch nicht
um die gegenseitige Relation von Vater, Sohn und Geist. Man begegnet vielmehr dem wirklichen Gott nur dort, wo er selber dem
Glaubenden gegenübertritt, d. h. im Sohn bzw. im Geist.[17]

Schließlich muß noch Mt 1, 18.20 notiert werden, der Hinweis
auf die übernatürliche Zeugung Jesu aus dem Heiligen Geist. Hier
wie in Lk 1, 35 ist „πνεῦμα" nach der Auskunft der historisch-kriti-
schen Exegese gleichbedeutend mit göttlicher Schöpferkraft, die das
Leben dieses einzigartigen Kindes schafft. Der Glaube an das
einmalige schöpferische Eingreifen Gottes verbindet sich hier mit
der bereits im Alten Bund belegten Anschauung von der Schöpferkraft des Geistes Gottes.[18]

Diese Hinweise zeigen, daß Mk und Mt relativ wenig Geistaussagen enthalten. Darin darf man wohl auch ein Zeichen für die Treue
der Überlieferung erkennen, sofern die Geisterfahrungen der Gemeinde kaum in die Schilderung des Wirkens Jesu zurückgetragen
werden. Die Versuchung, Jesus als Pneumatiker zu zeichnen, lag
nicht fern. Hinter dieser Zurückhaltung steht ein vornehmlich
theologisches Anliegen: Gott selber begegnet in Jesus Christus seinem Volk. Die Geistaussagen über Jesus wollen daher dessen Einzigartigkeit und eschatologische Stellung unterstreichen: in Jesus
Christus ist Gott selber wie sonst nirgendwo da und am Werk. Jesus
selber hat vermutlich nur wenig vom Geist gesprochen. So sehen
Mk und Mt den Geist wesentlich im alttestamentlichen Sinn als
Gottes Kraft, die zum Reden und Handeln befähigt. Die erwähnten
Geistphänomene stehen unter dem Vorzeichen der messianischen
Endzeit. Die pneumatologischen Aussagen sind der Christologie
zu- und untergeordnet.

2. Lukas

Bei *Lukas* (= Lk) finden sich dreimal soviel Aussagen über den
Geist als bei Mk; in der *Apostelgeschichte* (= Apg) treffen wir inner-

---

[17] Vgl. K. Kertelge, Der sogenannte Taufbefehl Jesu (Mt 28, 19). In: H. J. Auf
der Maur – B. Kleinheyer (Hrsg.), Zeichen des Glaubens. Zürich 1972, S. 29–40; G.
Lohfink, Der Ursprung der christlichen Taufe. In: ThQ 156 (1976), S. 35–54.

[18] Vgl. A. Vögtle, Messias und Gottessohn. Düsseldorf 1971; E. Nellessen, Das
Kind und seine Mutter. Stuttgart 1969.

halb des Neuen Testamentes auf die relativ häufigste Erwähnung des Geistes.[19] Darin drückt sich ein unverkennbarer Fortschritt im Nachdenken des Glaubens über den Geist aus. Näherhin lassen sich folgende Aspekte unterscheiden:

Relation des Geistes zu Jesus: Mk scheint noch eine Art urtümlicher „Geistchristologie" zu kennen, wenn er den Geist Jesus in die Wüste hinaustreiben läßt (vgl. 1, 12), Lk 4, 1 formuliert bereits so, daß Jesus als das dem Geist übergeordnete Subjekt erscheint. Er wird zum Träger des Geistes, er handelt im Heiligen Geist, er ist der Herr des Geistes, nicht nur ein Pneumatiker oder Charismatiker. Als Geistgeborener ist Jesus von Anfang an im Besitz des Geistes. Der Geist ist bleibend bei ihm, Lk kennt kein Wachstum des Geistes bei Jesus. Dem widerspricht keineswegs der Hinweis auf den Geistempfang oder die Geistbegabung Jesu bei späteren Gelegenheiten (vgl. 3, 21 f.);[20] dahinter steckt die in der Bibel belegte Vorstellung, daß der Geist als Geist Gottes immer auch im Gegenüber zum Menschen verbleibt. Als derjenige, der den Geist von Anfang an besitzt, wird Jesus nach seiner Auferstehung zum Spender des Geistes für seine Gemeinde. Der Geist tritt in Parallele zum irdischen Jesus: „Lukas unterscheidet... offensichtlich relativ streng zwischen Jesus und dem Geist. Der Geist ist ‚Ersatz' für den abwesenden Jesus. Indessen will Lukas Jesus und den Geist keineswegs trennen. Wir sahen ja bereits, daß er den irdischen Jesus in besonderer Weise als Träger des Geistes darstellt, und Apg 2, 33 erfahren wir, daß der Gemeinde zu Pfingsten die verheißene Gabe des Geistes von dem

[19] Vgl. J. Borremans, L'Esprit Saint dans la catéchèse évangélique de Luc. In: LV 25 (1970), S. 103–124; F. F. Bruce, The Holy Spirit in the Acts of the Apostles. In: Interp. 27 (1973), S. 166–183; J. Laporte, The Holy Spirit, Source of Life and Activity in the Early Church – Perspectives on Charismatic Renewal. In: University of Notre Dame Press 1975, S. 57–100; C. Schedl, Als sich der Pfingsttag erfüllte. Erklärung der Pfingstperikope Apg 2, 1–47. Wien 1982; J. Kremer, Pfingstbericht und Pfingstgeschehen. Eine exegetische Untersuchung zu Apg 2, 1–13. Stuttgart 1973; W. Schmithals, Geisterfahrung als Christuserfahrung. In: C. Heitmann – H. Mühlen (Hrsg.), Erfahrung und Theologie des Heiligen Geistes. Hamburg 1974, S. 112 ff.; H. Giesen, Der Heilige Geist als Ursprung und Kraft christlichen Lebens. In: BiKi 37 (1982), S. 126–132; A. Weiser, Pfingsten ohne Sturm und Feuer. In: LebZeug 26 (1971), Heft 2, S. 11–23.

[20] Vgl. H. Schürmann, Das Lukasevangelium, I. Teil. Freiburg 1969, S. 188–197. A. George, L'Esprit Saint dans l'œuvre de Luc. In: RB 85 (1978), S. 500–542.

erhöhten Jesus mitgeteilt wurde. Vor allem aber muß man beachten, daß die Empfänger des pfingstlichen Geistes die zwölf Apostel sind, die Apg 1, 21 f. zufolge Jesus von seiner Taufe durch Johannes an bis zu seiner Himmelfahrt begleitet haben. Ihre Aufgabe ist, in der Kraft des Heiligen Geistes bis ans Ende der Erde Zeugen dieses Jesusgeschehens zu sein (Apg 1, 8; vgl. Lk 24, 47). Lukas bindet also mit Bedacht die Zeit des Geistes, d. h. die Kirche, an (den irdischen, nicht den ‚historischen'!) Jesus und in dieser Weise auch Jesus und den Geist eng aneinander. Zugleich will er aber den erhöhten Christus und den Geist deutlich trennen ... Er sieht die Kirche ... durchaus im Besitz des eschatologischen Gottesgeistes. Er fügt in das Joelzitat sogar den Hinweis auf die letzten Tage ein (Apg 2, 17). Zugleich bindet er den Geist unlösbar und exklusiv an das im Evangelium berichtete Christusgeschehen. Er will aber jeder Identität des Geistes mit dem erhöhten Jesus wehren. Dieser erhöhte Jesus ist nur der Vermittler des Geistes, den er selbst vom Vater empfing (Apg 2, 33)."[21] Für Lk ist Jesus wesentlich mehr als ein Pneumatiker; in ihm offenbart sich der Geist. Diese Sicht ist aus der Genesis des christlichen Glaubens zu verstehen. Während an seinem Ausgangspunkt der Geist Gottes als alttestamentlich bekannte Größe, Jesus Christus aber als eine unbekannte erscheinen mußte, hat sich diese Relation im Lauf der Zeit zugunsten der Christologie verschoben. Von einem sich zunehmend klärenden Verständnis Christi her wird das tradierte Bild des Geistes fraglich und vom Christusereignis und von der Christologie her „definitionsbedürftig". Dieses Stadium spiegelt das lukanische Pneumaverständnis.

Zueinander von Geist und Gemeinde: Lk bevorzugt die Vorstellung vom Geist als einem den Menschen erfüllenden Fluidum. Er prägt die gesamte Existenz des Glaubenden und der Gemeinde, ohne zu deren naturhaftem Besitz zu werden. Ausdrücke wie „voll des Geistes", „mit dem Geist erfüllt werden" betonen die bleibende Verbundenheit mit dem Geist. Das Leben der Gemeinde ist ohne Geist undenkbar. Der Geist ist die Gabe Gottes an die Gemeinde, er ist allen Glaubenden verliehen. Die Verleihung des Geistes wird in einen engen Zusammenhang mit der urchristlichen Taufe gebracht, sofern der Getaufte in den Bereich des in der Gemeinde wirksamen

---

[21] W. Schmithals, a. a. O. 112 f.

Gottesgeistes einbezogen wird. Aufgrund der Einheit von Wasser-
und Geisttaufe gilt: „Wo ein Mensch im Glauben zur Taufe kommt,
da schenkt Gott ihm den Heiligen Geist und damit die Kraft, im
Glauben zu leben."[22] Der Geist beinhaltet Mut und Weisung für
die Verkündigung; er ist alles andere als ein einmal verliehener sicherer Besitz: „Die Gemeinde hat . . . erlebt, daß ihr der Heilige
Geist wohl für ihr gesamtes Leben geschenkt ist; aber doch nicht so,
daß er einfach in ihren Besitz überginge und sie darüber verfügen
könnte. Besonders in Schwierigkeiten, in denen sie eigentlich ver-
zagte, hat sie immer wieder erfahren, daß Gott ihr seinen Geist neu
verlieh. Darum ist gerade bei Lukas die Gemeinde auch so stark auf
das Beten angewiesen."[23] Der Geist bildet die missionarische Seele
der Kirche, er inspiriert und dirigiert sie: „Der Weg der Christus-
verkündigung wird weitgehend vom heiligen Geist bestimmt (Apg
8, 29.39; 11, 13; 16, 7f.). In der vom Geist ‚inspirierten' Schrift hat
Gott seinen Heilsplan festgelegt und kundgetan (1, 16; 4, 25;
28, 25). Deswegen ‚muß' die Schrift in Erfüllung gehen (Lk 22, 37;
24, 44; Apg 1, 16). Der Geist greift förmlich in den Gang der Heilsgeschichte ein (Apg 8, 29. 39; 20, 23; vgl. Lk 1, 41–43. 67–79;
10, 21; 12, 12). Wichtige kirchliche Entscheidungen wie die über die
Heiden im ‚Aposteldekret' gelten als letztlich vom Geist gewirkt
(Apg 15, 28). Die Apostel haben als durch den heiligen Geist von
Jesus Erwählte ihren Auftrag erhalten (1, 2). Die Gemeinde-Älte-
sten sind vom heiligen Geist in ihr Amt eingesetzt (20, 28). Man
kann insofern von einer ausgesprochen ekklesiologischen Ausrichtung der lukanischen Geistes-Auffassung sprechen. Jesus selbst hat
den Geist nur verheißen (Lk 24, 49; Apg 1, 5). Damit ist angezeigt,
wie Lukas Christologie und Ekklesiologie miteinander verbindet:
Die Kirche empfing den Geist durch Jesu Vermittlung (Lk 24, 49;
Apg 2, 33). In der Zeit der Kirche wird durch den Geist das Werk
Jesu fortgeführt, und zwar sowohl in der verfaßten und missionie-
renden Kirche als auch in spontanen Impulsen, die auf das von Gott
verfügte Ziel hinlenken."[24]

Sichtbarkeit der Manifestation des Geistes: Lk ist an der Leiblich-

---

[22] E. Schweizer, Heiliger Geist, S. 89.
[23] E. Schweizer, a. a. O. 105.
[24] G. Schneider, Die Apostelgeschichte, I. Teil. Freiburg 1980, S. 259 f.

keit oder leiblichen Erscheinung des Geistes interessiert. In der
Taufperikope bemerkt er, der Geist sei „in leiblicher Gestalt"
(3, 22) auf Jesus herabgekommen. Damit soll mit die Objektivität
der Herabkunft des Geistes sichergestellt werden. Das ist auch ein
Grund, warum an Pfingsten die Zeichen für das Kommen des Geistes erwähnt werden.[25] Lk verrät ein Gespür für die Äußerungen
des Geistes. In diesen Rahmen gehören Wundertaten und Heilungen, die von Lk auf die „Kraft" Gottes zurückgeführt werden. Zwar
sind „Geist" und „Kraft" nah verwandt, dennoch unterscheidet Lk
konsequent zwischen ihnen: „Bei Wundertaten spricht er immer
von der ‚Kraft', nicht vom ‚Geist' Gottes. Er will offenbar die Tätigkeit des Heiligen Geistes nicht allzu direkt mit den Wundertaten
verbinden. Darum sieht er auch die Sünde gegen den Heiligen Geist
nicht mehr wie Markus darin, daß man die Dämonenaustreibungen
Jesu ablehnt, sondern darin, daß man nicht bereit ist zum Zeugnis
für Jesus (12, 10–12). Auch in dem Jesuswort vom Austreiben der
Dämonen steht bei ihm noch der altertümliche Ausdruck ‚Finger
Gottes', während Matthäus vom Heiligen Geist spricht (11, 20).
Wahrscheinlich spürt Lukas ein gewisses Unbehagen, wenn man
Wundertaten und Heiligen Geist allzu eng verknüpft. Zwar wirkt
Gottes Geist bis ins Körperliche hinein; aber man kann ihn nicht
einfach fassen und jedes Wunder sofort schon als Werk des Gottesgeistes ansehen. Darum ist der Geist in erster Linie dort zu erleben,
wo er sich im Wort ausspricht, das eindeutig auf Christus hinweist.
Wunderbare Heilungen oder Ähnliches können auch auf ganz andere ‚Kräfte' zurückgehen, die sogar gegen Gott gerichtet sein können (10, 19). Darum muß auch bei Wundern ausdrücklich der
Name Jesu Christi ausgesprochen werden (Apg 4, 30; 9, 34; 16, 18;
19, 13)."[26] Die Begabung mit dem Geist äußert sich nach Lk nicht
zuletzt in der Prophetie, der Zungenrede oder der Rede in Sprachen. Die Einzelheiten sind dabei nicht entscheidend, wichtig ist in
erster Linie der Einbruch des Gottesgeistes in die Gemeinde (vgl.
Apg 2, 17; 11, 27f.; 15, 32; 19, 6; 20, 8–11.23; 21, 4). Der Geist
offenbart sich und teilt sich mit bis in das Äußere, Sichtbare und
Feststellbare hinein. Darin drückt sich die Überzeugung und Erfah-

---

25 Vgl. J. Kremer, a. a. O. 99–126.
26 E. Schweizer, a. a. O. 84.

rung aus, daß der Geist auch die Leiblichkeit des Menschen Gott unterstellen will und seine Wirkung bis in den körperlichen Bereich hineinreicht.

Wirkungen des Geistes: Der Geist ist für Lk vor allem der Geist der Prophetie (vgl. Apg 3, 24; 8, 28; 10, 43; 13, 1; 21, 10). Obwohl ihm Wunder, Heilungen oder Dämonenaustreibungen als wichtig erscheinen, so werden sie doch kein einziges Mal unmittelbar auf den Geist zurückgeführt. Heilende Wirkung kommt in erster Linie dem Namen Jesu, dem Glauben an Jesus, Jesus selber oder dem Gebet zu (vgl. Apg 2, 38; 3, 6; 4, 10; 16, 18). Dem Rahmen der Prophetie werden die Verkündigung, die Einsicht in Gottes verborgenen Willen und Heilsplan, das Zeugnis der Jünger zugerechnet (vgl. Apg 5, 32; 6, 5; 13, 2; 20, 23; 21, 11). Durch die Betonung des Prophetischen, des Wortes bzw. Worthaften vertritt Lk ein Geistverständnis, das dem Außerordentlichen als Maßstab für das Wirken des Geistes distanziert gegenübersteht.

Geist als Kennzeichen der Zeit der Kirche: Für Lk ist der Geist der Inbegriff der Gaben Gottes, die Gabe schlechthin; sie wird allen und jedem Gemeindeglied verliehen. Jeder Glaubende bzw. Getaufte besitzt den Geist, und zwar auch fühlbar und sichtbar. Die Geistbegabung, der Geistempfang ist als selbstverständliche Folge im Gläubigwerden eingeschlossen (vgl. Apg 2, 4; 4, 31; 8, 15; 10, 44; 11, 15; 13, 52; 19, 6). Lk geht es nicht mehr um gelegentliche Aktionen und Erscheinungen des Geistes, ihm liegt an der Kirche. In ihr als Volk Gottes sind die Geistverheißungen erfüllt, ihr insgesamt ist der Geist geschenkt (vgl. Apg 1, 8; 2, 4.38). Die Existenz von Kirche und das Wirken des Geistes lassen sich nicht trennen. Kirche selber erscheint als Ereignis des Geistes.

3. Paulus

Von den Geistaussagen des *Paulus* (= Pl) heißt es: „Bei ihm begegnet zum erstenmal eine durchreflektierte und schon weitgehend ausgebaute Lehre vom Heiligen Geist."[27] Für Pl ist der Hl. Geist

---

[27] F. Hahn, Das biblische Verständnis des Heiligen Geistes. In: C. Heitmann – H. Mühlen (Hrsg.), a. a. O. 140 f.; W. Schmithals, a. a. O. 107–112; H. Schlier,

Gott selber in seiner innersten Selbsterkenntnis und Selbsterfahrung, in der er sich zugleich nach außen zu erfahren gibt und uns mitteilt. Dieser Geist ist es, der Gott und sein unbegreifliches Heilsgeheimnis offenbart. Er ist der Geist Christi, sofern sich Jesus Christus, der Gekreuzigte und Erhöhte, der neue Adam und lebendigmachende Geist (vgl. 1 Kor 15, 45), in ihm als der in seiner Wahrheit gegenwärtige und wirksame erweist: „Diese Macht, in der Gott sich in Jesus Christus offenbart, wird nun auch ‚der Heilige Geist' bzw. ‚der Geist' schlechthin genannt. Gott in seiner heiligenden Heiligkeit kommt im Geist über uns und entnimmt uns durch Jesu Christi Gegenwart unserer Weltlichkeit, vgl. 1 Thess 4, 3 ff. Dies ist Geist schlechthin. Die Selbstverständlichkeit, mit der der Heilige Geist auch einfach ‚der Geist' genannt wird, weist darauf hin. Aber die Rede vom Heiligen Geist oder von dem Geist schlechthin ist noch in einem anderen Sinn bedeutsam. Sie trägt dazu bei, so etwas wie eine personale Eigenständigkeit und Eigenwirksamkeit des Geistes neben Gott und Jesus Christus herauszustellen und damit spätere Reflexionen vorzubereiten... Der Heilige Geist ist seiner Herkunft nach, die sein Wesen vorzüglich bestimmt, die heilige und heiligende Macht des sich selbst offenbarenden Gottes. Er ist dies als die Jesus Christus in seiner Wahrheit vergegenwärtigende Kraft. In ihm ist der Geist schlechthin in die Welt und ihren Geist eingebrochen."[28]

Geist des Glaubens (πνεῦμα τῆς πίστεως: 2 Kor 4, 13): Die Grundbedeutung entsprechender paulinischer Wendungen ist die vom Geist als Gottes Kraft. Dieser Geist wird näher dadurch charakterisiert, daß er den Menschen zum Glaubenden macht und als Glaubenden leben läßt. Der Geist ist demnach die Glauben schaffende, zum Glauben rufende und Glauben ermöglichende Gotteskraft (vgl. Gal 3, 14; 1 Kor 12, 9). Dieser Glaube stellt keine allgemeine oder neutrale Verhaltensweise dar, sondern schließt eine bestimmte Erkenntnis, ein bestimmtes Wissen ein: die Tiefe der

---

Herkunft, Ankunft und Wirkungen des Heiligen Geistes im Neuen Testament. In: C. Heitmann – H. Mühlen (Hrsg.), a. a. O. 118–130; ders., Der Geist und die Kirche. Freiburg 1980, S. 151–164; O. Knoch, Der Geist Gottes und der neue Mensch. Stuttgart 1975; E. Schweizer, a. a. O. 91 ff., 97 f., 109–132.

[28] H. Schlier, Herkunft, Ankunft und Wirkungen des Heiligen Geistes im Neuen Testament, S. 119 f.

Gottheit (1 Kor 2, 10), die im Geheimnis verborgene Weisheit Gottes (1 Kor 2, 7), Christus als den Gekreuzigten, das Kreuz oder das Heilshandeln Gottes im und am Kreuz, die Erkenntnis Jesu als Kyrios und das Bekenntnis zu ihm, das Leben in der Sohnschaft, die neue Gerechtigkeit, die Eingliederung in den Leib Christi. Werk und Wirkung des Geistes bestehen im Beginn und in der Fortdauer solchen Glaubens.

Geist als Absage an die „Sarx": Der Geist verweist in diesem Kontext auf die Macht bzw. Kraft, unter der der Glaubende lebt (Röm 8, 4. 13; Gal 5, 17ff.). Er deckt das heilende Handeln Gottes für den Glaubenden auf, er begründet das neue Leben, er besagt die objektive Kraft der göttlichen Gnadenzusagen, die dieses Leben schafft, er stellt es unter den Stern der Verheißung. Das Pneuma erweist sich als diejenige Kraft, die die ganze Existenz des Glaubenden als die eines aus dem Christusereignis Lebenden bestimmt. Dem Geist steht die „Sarx" gegenüber als Inbegriff des aus eigener Kraft und Ohnmacht lebenden Menschen, seiner eigenen Gerechtigkeit, seines eigenen Wollens, aller Eigenschaften und Taten, deren sich der Mensch als seiner eigenen rühmt oder rühmen könnte: „Die Grundeinstellung des gefallenen Menschen gegen Gott ist Selbstverschließung, Selbstgerechtigkeit, Selbstverweigerung, die zu Gleichgültigkeit, zu Ungehorsam, Empörung und Abfall führen. Diese Grundhaltung des gefallenen Menschen, der selbst dann nicht dem Willen Gottes auf rechte Weise zu entsprechen vermag, wenn er dies will, bezeichnet Paulus mit dem Wort Fleisch, sarx."[29] Der Geist besagt in diesem Zusammenhang den Weg, die Norm oder den Wandel eines Lebens: das Leben nach dem Geist (vgl. Röm 8, 4; Gal 5, 16. 25). Er enthüllt sich aufgrund dessen, daß Gott gehandelt hat, als eine neue und geschenkte Möglichkeit zu leben. Ein Leben nach dem Geist beinhaltet das Ja des Menschen zu der ihm nicht verfügbaren Kraft Gottes, die anstelle seiner eigenen sein Dasein tragen und prägen soll. Die Entscheidung des Glaubenden, die hier stärker als das Geschehen an ihm betont wird, wird jedoch nicht als des Menschen eigene Tat, sondern als Geschenk Gottes verstanden.

Geist als Sinn für Gott und den Mitmenschen: Als das eigentliche

[29] O. Knoch, a. a. O. 53.

Werk des Geistes kann das Gebet gelten. Er tritt vor Gott für den Menschen ein, der von sich aus nicht einmal weiß, was er beten soll (vgl. Röm 8, 27). Das bedeutet: der Geist bezeugt dem Menschen seine Sohnschaft, die durch das heilende Handeln Gottes in Christus begründet ist, und er läßt ihn darin leben. Der Geist macht ihn gleichzeitig frei vom Zwang des Gesetzes und Buchstabens, den Werken der Sünde, dem Sinnen und Verlangen der Sarx, den Taten des Leibes, der Ausführung des Begehrens des Fleisches (vgl. Röm 8, 12; Gal 5, 16ff.). Er bildet die Grundkraft und Grundnorm christlichen Lebens insgesamt, sofern er den Glaubenden in eine neue Schöpfung verwandeln hilft (vgl. 2 Kor 5, 17f.). Positiv kann dafür die Gabe der Kindschaft, der Freiheit, des Vertrauens, der Zuversicht, der Gewißheit, des Friedens oder der Freude stehen. Das alles läßt sich auf den Nenner der Liebe bringen: „Die ἀγάπη ist also tatsächlich nichts anderes als das Leben im Geist, das frei geworden ist vom Trauen auf die σάρξ, aber insofern als es sich nach außen wendet. Sie ist der ‚wirkende Glaube‘. In ihm kommt es konkret zur Erfüllung des Gesetzes, und zwar gerade dadurch, daß dem Menschen das Streben nach der eigenen Gerechtigkeit abgenommen wird.“[30] Der Geist befreit den Menschen vom Gesetz und den Mächten des Todes für Christus und die Mächte des Lebens, die Gnade, das Kreuz und die Liebe. Die Agape ist die erste Geistesgabe, die alle anderen in sich schließt. Man kann sie aber nur in ihrer konkreten und auf den anderen blickenden Orientierung in der rechten Weise verstehen und verwirklichen.

Geist und Christus: Einer Bestimmung der Beziehung zwischen beiden kann man die Aussagen von Röm 8, 1–11 zugrunde legen. Dort tauchen folgende Präzisierungen auf, die sich sachlich nicht voneinander trennen lassen: Gottes Geist in euch (V. 9), Christus in euch (V. 10), ihr im Geist (V. 9), die in Christus (V. 1). Das Sein in Christus beinhaltet zugleich das Sein des Geistes in uns. Dahinter steht die Vorstellung von einer Sphäre, in der der Glaubende gleichsam lebt, von einer Kraft, in deren Bereich der Mensch getreten ist, die sein Sein, Denken und Verhalten beeinflußt. Diese Kraft ist keineswegs namenlos und unbekannt, sondern identisch mit dem erhöhten Herrn, sofern man diesen nicht an sich, sondern in seiner

---

[30] E. Schweizer, πνεῦμα etc. In: ThW VI (1959), S. 429.

Beziehung und in seinem Handeln seiner Gemeinde gegenüber betrachtet. Die Frage, wie sich Gott, Christus und der Geist zueinander verhalten, dürfte Pl kaum berühren. Wichtig für die Identität
der Aussagen ist 2 Kor 3, 17. Hier wird ausgesagt, daß der erhöhte
Christus das Pneuma ist; die Hinwendung zu ihm besagt die Einfügung in den Bereich des Pneuma. Dennoch werden Kyrios und
Pneuma gleichzeitig unterschieden, d. h. es wird nicht die Identität
zweier personaler Größen ausgesagt: „Immer wieder ist behauptet
worden, hier läge eine Identitätsaussage vor, hier werde der Geist
mit Christus als kyrios in eins gesetzt. Aber dagegen spricht allein
schon, daß Paulus in demselben Vers fortfährt mit der Wendung:
,Wo aber der Geist des Herrn ist, da ist Freiheit.' Es handelt sich in
V. 17a lediglich um ein exegetisches Interpretament zu dem alttte-
stamentlichen Zitat. Dieses Interpretament hat folgenden Sinn: Was
für Israel der kyrios war, nämlich Jahwe, das ist jetzt in der nachösterlichen Heilszeit das pneuma, der Geist, und zwar der ,Geist
Christi'. Paulus konnte auf den Gedanken einer Identitätsaussage
hier überhaupt nicht kommen, weil die Voraussetzungen einer personalen Geistvorstellung völlig fehlten. Wohl aber ist für ihn jetzt
klar, daß der Geist Gottes eo ipso auch der Geist des erhöhten Christus ist."[31] Insofern Christus in seiner Bedeutung für die Gemeinde, in seinem kraftvollen Handeln an ihr gesehen wird, kann er mit
dem Pneuma identifiziert werden; insofern er aber auch Herr über
seine Kraft ist, kann er von ihr unterschieden werden. Der Grund
für diese Geist-Wirkung Christi liegt in der Auferweckung, durch
die er zum lebendigmachenden Geist wurde (vgl. 1 Kor 15, 45).

Die Frage, ob Pneuma bei Pl die dritte Person der Trinität be-
zeichne, muß sehr vorsichtig behandelt werden. Pneuma erscheint
bei ihm oft „unpersönlich", es kann mit σοφία (Weisheit) und
δύναμις (Kraft) wechseln. Der von Gott den Menschen gewährte
Geist kann als „sein" Pneuma oder als Pneuma der Sohnschaft gekennzeichnet werden (vgl. Röm 8, 14f.; Gal 4, 6). Daß der Geist
Tätigkeiten wie Lehren, Denken, Beten usw. ausübt, teilt er mit der
Weisheit und der Sarx. Mit dem Judentum ist Pl die Anschauung
vom Geist als Gabe und Kraft der Endzeit gemeinsam. Ihm liegt
nicht daran, den Begriff der Kraft zugunsten des der Person aufzu-

---

[31] F. Hahn, a. a. O. 143.

lösen, wohl aber daran, daß diese Kraft kein unbestimmtes Etwas darstellt. Darum können die Gleichsetzung mit Christus und die Unterordnung unter ihn nebeneinanderstehen. Pl kann gelegentlich auch Gott, Christus und Geist parallel anführen, weil ihre Begegnung mit dem Glaubenden immer ein und dasselbe Ereignis zum Inhalt hat. Das Handeln Gottes im Sohn bzw. im Geist muß in jedem Fall als ein Handeln Gottes verstanden werden. Die Frage, wie sich Gott, Herr und Geist zueinander verhalten, wurde noch nicht als solche empfunden, wiewohl bestimmte Anhaltspunkte für eine spätere Trinitätsreflexion – wie beispielsweise 2 Kor 13, 13 zeigt – bereitgestellt werden.[32]

Geist als Lebensprinzip der christlichen Gemeinde (Gaben des Geistes): Die Kirche ist für Pl eine pneumatische Größe. Das, was sie ist, verdankt sie dem Geist Gottes bzw. Christi; dieser Geist ermöglicht, trägt und prägt ihr Leben; dieser Geist ist im Sein und Wirken der Kirche gegenwärtig, am Werk und erfahrbar. Die Kirche selbst wird dadurch gleichsam zum „Sakrament" des Geistes und seiner zu einem neuen Leben ermächtigenden Kraft: „Die Kirche und ihre einzelnen Gemeinden sind so der Bereich, in dem sich der Geist Gottes in dieser Welt auswirkt und die neue Menschheit, das Volk Gottes des Neuen Bundes, schafft."[33] Der Geist eröffnet gleichsam die Dimension Christi, die Dimension der Kirche als des „Leibes Christi". Er bewirkt die Inkorporation des Geistes Christi in der Kirche, indem er diese auf- und ausbaut. Der Heilige Geist teilt der Welt die in Jesus Christus erschienene heilende Macht Gottes mit, die mit der Heils- und Herrschaftsdimension Christi identisch ist: „Diese von ihm erschlossene Dimension erscheint durch den Heiligen Geist im ‚Leibe Christi', der Kirche. Ihre Glieder sind die, die sich dem Geist im Gehorsam des Glaubens aufschließen und von ihm erfüllt werden."[34] Der Geist bedient sich dazu der Verkündigung des Evangeliums, der Taufe und des Herrenmahls, des durch Handauflegung weitergegebenen apostolischen Amtes, Zeichen, Werkzeuge und Handlungen, an die er seine Präsenz und Wirksamkeit bindet.[35]

[32] Vgl. H. Schlier, a. a. O. 120.
[33] O. Knoch, a. a. O. 101.
[34] H. Schlier, a. a. O. 124.
[35] Vgl. H. Schlier, a. a. O. 120–123.

Die neuen Dimensionen des Lebens, die der Geist von Christus her erschließt, konkretisieren sich in den Wirkungen des Geistes. Im Anschluß an 1 Kor 1, 5 läßt sich der Geist als Geist der Erkenntnis definieren. Der Geist tritt als der Interpret und Hermeneut des Willens und Heilsplans Gottes, der Schrift, des Kreuzes, der Wahrheit und der Welt in Erscheinung (vgl. 1 Kor 2, 11 f.; Eph 1, 17 f.; Kol 1, 9). Er verbindet die rechte Erkenntnis mit dem Bekenntnis des Glaubens. Als der Geist der Rede ist er zugleich der Geist der Freiheit (vgl. 2 Kor 3, 17). Er schenkt die Freiheit zum Wort wie zum Dienst, die den Glaubenden den Mächten des Verderbens entnimmt und als Knecht Christi allen alles werden läßt (vgl. 1 Kor 9, 22). Die Freiheit des Glaubens beinhaltet einen Gegensatz zum Sklavesein und eine neue Form von Hörigkeit zugleich; diese Paradoxie verweist ganz entscheidend auf den „Geist" der Freiheit, der sie konkret inspiriert und in Gestalt der Liebe alle innerweltlichen und -geschichtlichen Begrenzungen transzendiert. Zu den Wirkungen des Geistes gehört nicht zuletzt, daß er uns beten lehrt. Er läßt uns zu Gott „Abba" sagen (vgl. Röm 8, 14 ff.; Gal 4, 6 f.). Ähnliche pneumatische Urworte christlicher Gebetssprache sind das „Amen" (vgl. Röm 1, 25; 9, 5; 11, 36; 15, 38; 16, 24. 27; 2 Kor 1, 20) und der Ruf „Maranatha" (vgl. 1 Kor 16, 22). Gerade darin enthüllt sich der Geist in seiner Eigenschaft als „Erstlingsgabe" (Röm 8, 23), „Angeld" (2 Kor 1, 22; 5, 5), Vor-Gabe, Vor-Griff oder Vor-Zeichen dessen, was noch an Verheißung aussteht.

In Gal 5, 22 f. zählt Pl eine ganze Liste von weiteren Früchten oder Wirkungen des Geistes auf: Liebe, Freude, Friede, Langmut, Freundlichkeit, Güte, Treue, Sanftmut und Selbstbeherrschung. Damit verbindet er noch andere Gaben des Geistes, Kräfte, Dienste und Charismen. Zu ihnen rechnet er im einzelnen das Zungenreden, die Gabe der Deutung, die Prophetie, die Gaben der Weisheitsrede, der Erkenntnisrede, des Lehrens, der Unterscheidung der Geister, der Krankenheilung, des Glaubens, der Führung, die Fähigkeit seelsorglicher Ermahnung, die Fähigkeit, Wunder zu wirken, den Dienst selbstloser Sorge für die Armen.[36] Der Wert dieser Geistesgaben bemißt sich nach dem Bekenntnis zu Jesus Christus als Herrn (vgl. 1 Kor 12, 3) und dem aufbauenden Einsatz

---

[36] Vgl. O. Knoch, a. a. O. 110–185.

in der Gemeinde (vgl. 1 Kor 12, 7). Die eigentliche Bewährung aller Charismen liegt in der Liebe: „Das wahre Charisma ist eine Liebesgabe des Geistes. Alles andere, und mag es noch so eindrücklich und außerordentlich sein, mag es ein noch so mächtiges Wort oder Werk sein, bleibt Rhetorik und Mirakel, die die Kirche niederreißen. Charismen sind die lebendige Fülle des Geistes in der Gemeinde. In ihnen weist er drängend und lockend auf seine Nähe in Evangelium und Sakrament hin. In den Charismen hat die Kirche auch ihre Überzeugungskraft und Überwindungsmacht der Welt gegenüber. Eine Kirche ohne Charismen ist für Paulus eine arme Kirche. Man soll vielmehr um die Geistesgaben ‚eifern'. . . Zu diesem Eifern gehört auch und gewiß nicht zuletzt das Gebet um die Geistesgaben, vgl. 1 Kor 14, 13."[37]

4. Johannes

Die Geistaussagen des *vierten Evangeliums* verraten ein eigenständiges Profil. Insgesamt fällt auf, daß in ihm jene Aspekte zurücktreten, die den anderen Zeugnissen als wichtig erschienen.[38] Der Gedanke an ein plötzliches Auftreten des Geistes, außerordentliche Äußerungen, Wunder und ekstatische Erscheinungen ist Johannes (= Joh) fremd. Der johanneische Jesus trägt gleichfalls keine Züge eines Charismatikers. Jesu Worte, Werke oder Zeichen werden in dieser Hinsicht nicht mit dem Geist in Verbindung gebracht. Die durch das Christusereignis heraufgeführte Zeitenwende

---

[37] H. Schlier, a. a. O. 129.

[38] Vgl. P. de Haes, Doctrina S. Joannis de Spiritu Sancto. In: CMech 44 (1959), S. 521–525; A. M. Kothgasser, Die Lehr-, Erinnerungs-, Bezeugungs- und Einführungsfunktion des johanneischen Geist-Parakleten gegenüber der Christus-Offenbarung. In: Sal. 33 (1971), S. 557–598; 34 (1972), S. 3–51; G. W. Locher, Der Geist als Paraklet. In: EvTh 26 (1966), S. 565–579; F. Porsch, Anwalt der Glaubenden. Das Wirken des Geistes nach dem Zeugnis des Johannesevangeliums. Stuttgart 1978; H. Schlier, Der Heilige Geist als Interpret nach dem Johannesevangelium. In: IKaZ 2 (1973), S. 97–108; ders., Der Geist und die Kirche, S. 165–178; D. Serra, The Eschatological Role of the Spirit in the Lord's Supper. In: DunR 11 (1971), S. 185–202; E. Schweizer, Heiliger Geist, S. 91–94, 98–102, 132–147; 157ff.; J. Heer, Der Geist ist es, der lebendig macht. In: BiKi 37 (1982), S. 139–142; E. Schweizer, Was ist der Heilige Geist? Eine bibeltheologische Hinführung. In: Conc (D) 15 (1979), S. 494–498.

wird weniger durch die Ankunft des Geistes als durch die Präsenz des Vaters in Jesus charakterisiert. Zugespitzt kann man die Formulierung wagen, daß bei den Synoptikern die Einheit Gott–Geist vorgegeben ist, die in der Geistbegabung auf Jesus ausgeweitet wird, während bei Joh die Einheit zwischen Vater und Sohn dominiert, die zur Spendung des Geistes durch beide führt. Unter diesem Gesichtspunkt erübrigen sich der Hinweis auf die Geistzeugung Jesu und die Erwähnung seiner Ausstattung mit dem Geist anläßlich der Taufe.[39] Es wäre jedoch verkehrt, aus diesen Beobachtungen und dem Zurücktreten des Begriffs Pneuma auf eine Unterbewertung des Geistes bei Joh zu schließen: „In keinem der vier Evangelien hat der Heilige Geist, den Johannes auch den ‚Geist der Wahrheit' und den ‚Beistand' (Parakleten) nennt, einen so zentralen Platz wie im Johannesevangelium. Kein Evangelist hat über das Wirken des Geistes in der Gemeinde so viel und so intensiv nachgedacht wie der vierte. Er ist, nach einem Wort Leisegangs, der ‚einzige, der den Begriff des Geistes mit seinem ganzen Evangelium . . . so innig verbunden hat, daß man ihn nirgends aus den einzelnen Gedanken loslösen kann, ohne zugleich das Ganze zu zerstören'. Kein Wunder, daß man sein Evangelium schon sehr früh als das ‚geistliche Evangelium' (pneumatikon euangelion), als ‚die Botschaft des Parakleten' bezeichnet hat."[40]

Jesus und der Geist: An die Stelle des synoptischen Taufberichtes tritt bei Joh das Zeugnis des Täufers über die Herabkunft und das Bleiben des Geistes auf Jesus sowie über Jesus als Geisttäufer: „Ich sah, daß der Geist vom Himmel herabkam wie eine Taube und auf ihm blieb. Auch ich kannte ihn nicht; aber er, der mich gesandt hat, mit Wasser zu taufen, er hat mir gesagt: auf wen du den Geist herabkommen siehst und auf wem er bleibt, der ist es, der mit dem Heiligen Geist tauft. Das habe ich gesehen, und ich bezeuge: Er ist der Sohn Gottes" (1, 32 ff.).[41] In Jesus erfüllt sich die Verheißung von

---

[39] Vgl. E. Schweizer, πνεῦμα, S. 436.

[40] F. Porsch, Anwalt der Glaubenden, S. 13.

[41] Vgl. F. Lentzen-Deis, a. a. O. 59–95; F. Porsch, Pneuma und Wort. Ein exegetischer Beitrag zur Pneumatologie des Johannesevangeliums. Frankfurt 1974, S. 42–47; R. Schnackenburg, Das Johannesevangelium, I. Teil. Freiburg 1965, S. 284–305; J. Blank, Das Evangelium nach Johannes, 1. Teil a. Düsseldorf 1981, S. 129–139.

Jes 11, 2 und 42, 1. Die Kennzeichnung Jesu als „Geisttäufer" liegt in der Nähe einer Wesensbestimmung, die Jesus als den „unbegrenzten" Geber des Geistes (vgl. Joh 3, 34) ausweist. Letzterer wird durch Begriffe wie „Leben" (vgl. Joh 1, 4; 3, 36; 5, 24. 26; 6, 33. 35. 51. 53. 63; 8, 12; 10, 11. 15; 11, 25; 14, 6; 15, 13; 20, 31) und „Wahrheit" (vgl. Joh 1, 14. 17; 3, 21; 4, 24; 8, 32. 40. 44; 14, 6; 16, 13; 17, 17; 18, 37 f.; 19, 35) interpretiert und präzisiert. Die Mitteilung des Geistes ist allerdings an eine eigenartige Bedingung geknüpft; von ihr heißt es in Joh 7, 37 ff.: „Am letzten Tag des Festes, dem großen Tag, stellte sich Jesus hin und rief: Wer Durst hat, komme zu mir, und es trinke, wer an mich glaubt. Wie die Schrift sagt: Aus seinem Inneren werden Ströme von lebendigem Wasser fließen. Damit meinte er den Geist, den alle empfangen sollten, die an ihn glauben; denn der Geist war noch nicht gegeben, weil Jesus noch nicht verherrlicht war." Der Einladungsruf Jesu knüpft an den Ritus des Laubhüttenfestes an und stellt die Erfüllung endzeitlicher Erwartungen in Aussicht. Diese werden mit dem Ursymbol des Wassers, einem biblischen Inbegriff wichtigster Lebens- und Heilsgaben und einem alttestamentlichen Sinnbild für Gott selber, für Gottes Weisung, Offenbarung und Wort, in Zusammenhang gebracht und auf das Geschenk des Geistes übertragen. Die Frei-Gabe dieses Geistes hat allerdings die Verherrlichung Jesu zur Voraussetzung. Die Verherrlichung des Menschensohns erfolgt zu „seiner Stunde", womit eine theologische oder christologische, nicht eine chronologische Größe gemeint ist: „Nach 12, 27–33 umfaßt diese Stunde Jesu Erschütterung vor der Passion, das Gericht über die Welt mit der Entmachtung ihres Herrschers, die Verherrlichung des Vaternamens und schließlich Jesu ‚Erhöhung', das heißt Jesu Tod am Kreuz." [42] Den eigentlichen Zenit der Verherrlichung besagt der Tiefpunkt der Erniedrigung Jesu: seine Erhöhung am Kreuz. [43]

In Jesu Sterben laufen wie in einem Schnittpunkt die verschiedenen theologischen, soteriologischen, christologischen, ekklesiologischen und pneumatologischen Linien zusammen. Hier wird das Geheimnis seiner Sendung, seines Weges, seines Werkes, seiner

---

[42] F. Porsch, Anwalt der Glaubenden, S. 33.
[43] Vgl. W. Thüsing, Die Erhöhung und Verherrlichung im Johannesevangelium. Münster ²1970.

Person vollends offenbar: die Einheit von Vater und Sohn (vgl. Joh
8, 16; 10, 30; 14, 10f. 20; 16,32; 17, 21). Im Sterben als dem Höhe-
punkt der Stunde und Verherrlichung Jesu erfolgt darum konsequent auch die Frei-Gabe des Geistes, die Joh in die Worte faßt:
„Als Jesus von dem Essig genommen hatte, sprach er: Es ist vollbracht! Und er neigte das Haupt und übergab den Geist" (19, 30).
Durch diese mehrdeutige Formulierung bringt Joh zum Ausdruck,
daß Jesus im Sterben den Geist, der bislang an ihn als seinen Träger
gebunden war, nach dem Willen des Vaters nunmehr an seine Jünger frei- und übergibt. Auf diese Freigabe verweist auch die Symbolik des die Seite Jesu öffnenden Lanzenstichs, der „Blut und Wasser" entströmen (vgl. 19, 34; 1 Joh 5, 6f.). Auf diese Weise wird der
Anbruch der Zeit des Geistes signalisiert: „Mit dieser Darstellung
hat der vierte Evangelist den gesamten Vorgang der Verherrlichung
und Heilsvermittlung in einem einzigen Geschehen, sozusagen in
einem ‚theologischen' Bild zusammengefaßt: Tod, Auferstehung,
Verherrlichung Jesu und auch die Geistmitteilung sind theologisch
untrennbar miteinander verbunden." [44] Der „exitus" Jesu wird zum
„exitus" des Geistes.

Johanneische Theologie kennt darüber hinaus eine Geistmitteilung durch den auferstandenen Gekreuzigten. Von dem am Oster-
abend seinen Jüngern erscheinenden Herrn heißt es: „Jesus sagte
noch einmal zu ihnen: Friede sei mit euch! Wie mich der Vater gesandt hat, so sende ich euch. Nachdem er das gesagt hatte, hauchte
er sie an und sprach zu ihnen: Empfangt den Heiligen Geist! Wem
ihr die Sünden vergebt, dem sind sie vergeben; wem ihr die Vergebung verweigert, dem ist sie verweigert" (Joh 20, 21 ff.). Die Geistverleihung wird hier in den großen Kontext der Sendung hinein-
komponiert. Der Ursprung aller Sendung liegt beim Vater (vgl. Joh
5, 24; 10, 37f.; 12, 44; 16, 27; 17, 3), Jesus selber ist der Gesandte
des Vaters (vgl. Joh 6, 26f.; 17, 3. 8. 21 f. 25), Adressat der Sendung
ist die Welt (vgl. Joh 8, 12. 42; 12, 46; 17, 8. 18). Inhalt und Ziel sind
die Erkenntnis des Vaters und seines Gesandten, die gleichbedeutend ist mit der Gewinnung des ewigen Lebens (vgl. Loh 6, 33. 51;
12, 47; 17, 1–3. 21 ff.; 18, 37); als Motiv liegt der Sendung die Liebe
Gottes zur Welt zugrunde (vgl. Joh 3, 17; 17, 23; 1 Joh 4, 9 ff.).

[44] F. Porsch, a. a. O. 102.

Diese Sendung Jesu setzt sich in der Sendung der Jünger durch ihn
fort; letztere steht ganz und gar unter den Bedingungen ersterer
(vgl. Joh 13, 36; 14, 3; 15, 18–20). Die Dimensionen dieses weltweiten und zeitübergreifenden Sendungsauftrags werden mit der
Verheißung der Präsenz und des Beistands des Geistes verbunden.
Die Geistmitteilung an die Jünger wird in Erinnerung an Gen 2, 7
gleichsam als Weitergabe des dem Auferstandenen eigenen Lebens-
hauches geschildert. Die Beziehung des Geistes zur Vollmacht der
Sündenvergebung muß keineswegs eine Beschränkung bedeuten,
wenn man auf den Kontext des Unglaubens und des Gerichts achtet, in dem die johanneische Rede von der Sünde steht (vgl. Joh
1, 9 ff.; 3, 18–21; 6, 26 f.; 8, 21–36; 9, 41; 15, 22. 24; 16, 8 ff.;
19, 11). Diese österliche Geistmitteilung muß auch nicht den Parakletsprüchen der Abschiedsreden widersprechen, wenn man bedenkt, daß sie im Hinblick auf die Abwesenheit Jesu erfolgt: „Diese
Sendung des Geist-Parakleten bzw. sein ‚Kommen‘ zu denen, die
an Jesus glauben, geschieht aber nicht in einem einmaligen geschichtlichen Ereignis, sondern vollzieht sich immer wieder in der
‚Zeit der Kirche‘, der ‚Zeit des Geistes‘. Immer wieder kommt der
Geist-Paraklet als Beistand zu den Glaubenden, immer wieder sendet Jesus ihn ‚vom Vater her‘ und erweist sich darin als der, der den
Geist ‚bleibend‘ besitzt und ‚mit heiligem Geist tauft‘. Das aber läßt
sich in einem Bericht gar nicht darstellen. In der Sicht des Johannesevangeliums ist die Geistmitteilung von 20, 22 daher eher als Beginn
und Bild der Geisttaufe zu verstehen, die Jesus als der Geisttäufer
von nun an immer wieder in der ‚Zeit der Kirche‘ vollziehen
wird." [45]

Geist und Leben: Eine Schlüsselfrage des vierten Evangeliums
lautet: Wie gewinnt man das ewige Leben? Joh antwortet darauf:
Der Geist schafft das Leben (vgl. Joh 6, 63). Für Joh besteht dieses
Leben vor allem im Erkennen Gottes (vgl. Joh 17, 3), das sich darauf bezieht, daß in Jesus Gott selber in diese Welt des Todes gekommen ist, um sich ihr mitzuteilen. Diese Erkenntnis wird im
Glauben an Jesus als den Gesandten Tat und Wirklichkeit. Sie ist
ganz und gar Geschenk Gottes, das jenseits aller menschlichen
Möglichkeiten liegt (vgl. Joh 6, 44). Diese Erkenntnis macht gera-

[45] F. Porsch, a. a. O. 113.

dezu das Leben des Glaubenden aus.[46] Das Werk Gottes besteht darin, daß ein Mensch zum Glauben an Jesus kommt (vgl. Joh 6, 29). Dieses gleicht geradezu einer Neuschöpfung oder Wiedergeburt durch den Geist (vgl. Joh 3, 1–13): „Die neue ‚Zeugung' durch den Geist ist die Erweckung zum Glauben. Heilungen usw. könnten immer noch eingeordnet werden in ähnliche Erscheinungen im Heidentum, die zwar selten geschehen, aber immerhin nicht unbegreiflich sind. Daß aber ein Mensch zum Glauben kommen darf, das ist für Johannes das Wunder über alle Wunder. Da bricht eine neue Welt, eine neue Art von Leben ein. Ähnlich redet 6, 63 vom ‚lebendigmachenden Geist', der in Jesu Wort dem glaubenden Menschen Leben schenkt. Auch hier ist es der Schöpfergeist, der ins Leben ruft. Was in der Schöpfung einst geschehen ist und dauernd geschieht, wo immer Gott Leben erweckt, was in der Auferstehung am Ende der Tage geschehen wird, das geht auch dort vor sich, wo ein Mensch durch das Wort Jesu zum Glauben kommen darf. Und wie Gottes Geist in der Schöpfung die Quellen rauschen läßt (Ps 147, 18), so läßt er ‚Ströme lebendigen Wassers' von Jesus und vom Glaubenden aus weitersprudeln (Joh 7, 38–39; vgl. 4, 14). Damit ist wohl vor allem die Leben spendende Verkündigung des Geistes Gottes in den Jüngern gemeint (20, 22); freilich so, daß nicht an ein bloßes Reden, sondern an eine Lebensart gedacht ist, die alles umfaßt und als Ganzes wirkt."[47] Der Geist wird in Joh 3, 8 mit dem Wind verglichen; von ihm kennt man weder das Woher noch das Wohin, ein Hinweis auf seine Unfaßbarkeit und Unverfügbarkeit. In Entsprechung dazu wird der aus dem Geist gezeugte bzw. Wiedergeborene verstanden. Wer zum Glauben kommt, wird aus dem Geist geboren. Ihm wird damit etwas geschenkt oder zuteil, was seine irdisch-leibliche Existenz überdauert (vgl. Joh 11, 21–28). Geist heißt in diesem Sinn: Leben, Erkennen, Glauben an die Offenbarung Gottes in Jesus Christus.

Geist-Paraklet: In den Abschiedsreden taucht die Gestalt des Parakleten auf. Ihm werden recht unterschiedliche Funktionen zugewiesen. Er wird auch Geist der Wahrheit genannt und erscheint

---

[46] Vgl. F. Mußner, ZOE. Die Anschauung vom Leben im vierten Evangelium unter Berücksichtigung der Johannesbriefe. München 1952; ders., Die johanneische Sehweise und die Frage nach dem historischen Jesus. Freiburg 1965.

[47] E. Schweizer, Heiliger Geist. S. 99f.

damit als Repräsentant der eigentlichen Wirklichkeit im Gegensatz zu allem Schein.[48] In ihm ist die Welt Gottes präsent, wie sie in Jesus da war. Von ihm heißt es, daß er wie Jesus in den Jüngern ist. Diese, nicht der Kosmos, erkennen ihn wie Jesus. Beide, Jesus und der Paraklet, sind vom Vater gesandt und gehen von ihm aus. Der Geist ist neben Jesus der andere Paraklet. In ihm kommt Jesus selbst, und doch ist er nicht einfach identisch mit Jesus. Er kommt erst, nachdem Jesus gegangen ist. Der wörtlichen Bedeutung nach ist der Paraklet der „Herbeigerufene", trägt also einen passivischen Unterton. Als solcher ist er einfach der Beistand, der Anwalt oder Advokat und der Fürsprecher. Wesen und Aufgabe des johanneischen Parakleten sind der Intention der Abschiedsreden entsprechend vor allem den durch die Abwesenheit Jesu, das Alleinsein, den Haß und Widerspruch der Welt und die Gefahr des Glaubensärgernisses charakterisierten Situationen der Jünger zu entnehmen. Diese finden sich gleichsam in einen um Leben und Tod, Licht und Finsternis, Wahrheit und Lüge ringenden Prozeß verwickelt, der dem johanneischen Dualismus gemäß zwischen der ungläubigen Welt und ihren Repräsentanten einerseits und Jesus und seinen Freunden andererseits tobt. Dieser Auseinandersetzung kommt eine geradezu für den Glaubenden typische und exemplarische Bedeutung zu. Ihr Schwerpunkt liegt im Inneren des Menschen. Die wahre Perspektive dieses Prozesses liefert allein der Glaube. Die Entfaltung dieser Perspektive erfolgt in den Parakletsprüchen.[49]

Der erste Parakletspruch (vgl. Joh 14, 16 f.) spricht von keiner bestimmten Tätigkeit des Geistes; er verheißt allein sein Kommen nach dem Scheiden Jesu. Der Geist ist das Geschenk des Vaters an die Jünger für die Zeit der Abwesenheit Jesu. Als „Geist der Wahrheit" erschließt er das Offenbarungswort, ist er „bei" den Jüngern

---

[48] Vgl. J. Becker, Die Abschiedsreden Jesu im Johannesevangelium. In: ZNW 61 (1971), S. 215–246; O. Betz, Der Paraklet. Leiden 1963; G. Bornkamm, Der Paraklet im Johannesevangelium. In: ders., Geschichte und Glaube, I. Bd. München 1968, S. 68–89; U. B. Müller, Die Parakletvorstellung im Johannesevangelium. In: ZThK 71 (1974), S. 49–71; H. Schlier, Zum Begriff des Geistes nach dem Johannesevangelium. In: ders., Besinnung auf das Neue Testament. Freiburg ²1967, S. 264–271.

[49] Vgl. F. Porsch, a. a. O. 37–96; R. Schnackenburg, Das Johannesevangelium, III. Teil. Freiburg 1975, S. 79–86, 124–138, 143–173.

als ihr Beistand und Lehrer, der sie in die Fülle der Offenbarungs-
wahrheit einführt. Im Unterschied zur Welt können sie den Geist
an den Zeugnissen und Werken des Glaubens und der Liebe sehen.
Der zweite Parakletspruch (vgl. Joh 14, 26), der den Geist im Namen des Sohnes vom Vater gesandt sein läßt und damit Inhalt und
Anspruch des Sendungsmotivs auf den Geist überträgt, handelt von
den Funktionen des Parakleten: „Lehren" und „Erinnern". Beide
zielen auf ein und denselben Vorgang und bezeichnen letztlich ein
neues und vertieftes Verinnerlichen, Vergegenwärtigen und Verstehen der Offenbarung und des Offenbarers Jesus. Der dritte Parakletspruch (vgl. Joh 15, 26 f.) erwähnt als Funktion des Geistes das
Zeugnisgeben für Jesus. Dabei ist daran gedacht, daß der Paraklet
den Jüngern im großen Prozeß mit der Welt mit seinem Zeugnis für
Jesus zur Seite stehen wird. Dieses Zeugnis nach außen hat das Jesus-
zeugnis des Geistes im Inneren der Glaubenden zur Voraussetzung:
„Erst dieses innere Zeugnis, das der Geist vor dem Gewissen der
Jünger für Jesus ablegt, indem er Jesus als den beim Vater Verherr-
lichten erweist, wird die Jünger zu ihrem äußeren Zeugnis befähi-
gen. So sind die beiden Zeugnisse zwar zu unterscheiden, verbinden
sich aber doch zu einem einzigen Zeugnis für Jesus." [50] Hier ist üb-
rigens davon die Rede, daß auch der Sohn den Geist senden wird.
Der vierte Parakletspruch (vgl. Joh 16, 7–11) spricht vom Fortge-
hen Jesu als einer Vorbedingung für das Kommen des Geistes und
qualifiziert aus der Glaubenserfahrung und -überzeugung der johanneischen Gemeinde heraus diesen Umstand als „gut" für die
Glaubenden. Das Kernstück des Spruchs bildet die forensische Tätigkeit des Parakleten: das Überführen der ungläubigen Welt, worin
sich je neu das Gericht der gottlosen Welt vollzieht. Der Geist führt
diesen Nachweis im Herzen der Glaubenden, so daß diese klar erkennen, daß die Welt im Unrecht ist. Der Paraklet deckt dabei die
Sünde der Welt auf, die darin besteht, daß sie sich Gott und seinem
Gesandten verweigert und verschließt (vgl. Joh 8, 21–47). Er erweist gleichfalls vor dem Gewissen der Glaubenden Jesus als einen
Gerechten und Gerechtfertigten, sofern er zum Vater heimgegan-
gen und beim Vater ist. Der Geist öffnet gleichzeitig den Jüngern

---

[50] F. Porsch, a. a. O. 73; vgl. J. Beutler, Martyria. Traditionsgeschichtliche
Untersuchungen zum Zeugnisthema bei Johannes. Frankfurt 1972.

die Augen dafür, daß mit Jesu Tod die Herrschaft des Bösen in dieser Welt bereits gebrochen ist (vgl. Joh 3, 19; 8, 44; 12, 31; 14, 30; 1Joh 5, 4f.). Der fünfte Parakletspruch (vgl. Joh 16, 13–15) beschreibt die innergemeindliche Funktion des Geistes: Der Geist tritt an die Stelle Jesu und setzt dessen Offenbarerwirken fort, indem er die unverständigen und nur unvollständig glaubenden Jünger in die Fülle und Tiefe der Wahrheit der Offenbarung und des Glaubens einführt. Diese Wirksamkeit des Parakleten wird zurückgebunden an den gesamten Offenbarungsprozeß: „Seinen letzten Ursprung im Vater, seine Vermittlung durch den Sohn, der die Wahrheit Gottes in der Welt gegenwärtig macht, und schließlich das immer tiefere Hineinführen in das Erkennen dieser Wahrheit, die letztlich in diesem Geheimnis der Zuordnung von Vater, Sohn und Geist besteht.“ [51]

Den Rahmen und Hintergrund dieser Parakletsprüche bilden der Christusglaube und die Geisterfahrung des johanneischen Christentums, seiner Traditionsträger und Lehrer. Die johanneische Gemeinde lebt aus der Überzeugung, vom Geist erfüllt, getragen und geleitet zu sein. Das Wissen um den Geistbesitz prägt das Selbstbewußtsein dieser Gemeinde gegenüber der ungläubigen Welt als dem Bereich der Sarx und läßt sie in der Konfrontation mit ihr standhalten. Das schier unbegrenzte Vertrauen auf die Vollmacht des Geistes konzentriert alles Leben der Gemeinde auf das eine, was nötig ist: „Der Geist gibt den Zugang zu Jesus. Davor verschwinden alle menschlichen Unterschiede. Das führt zu einem Einssein der Gemeinde, weil alles Anderssein des Bruders nebensächlich wird gegenüber dem, worin er mit allen Glaubenden eines ist, nämlich seiner Liebe zu Jesus. Freilich ist das zugleich das, was leicht zu Mißverständnissen führen kann . . . Johannes braucht das Bild von den Schafen, die alle denselben Hirten haben, von den Zweigen, die alle am gleichen Weinstock wachsen, von den Weizenkörnern, die von derselben Ähre getragen werden . . . Darum ist die Gemeinde ein für allemal Jesus zugeeignet und damit von der Welt geschieden, obwohl sie noch in ihr lebt.“ [52]

Geist und Gemeinde: Joh hebt die Zeit Jesu von der Zeit des

[51] F. Porsch, a. a. O. 94.
[52] E. Schweizer, a. a. O. 146f.

Geistes deutlich ab. Letztere fällt zusammen mit der Zeit der Gemeinde. Präsenz und Wirksamkeit des Parakleten in der Gemeinde werden neben anderem einmal dadurch gekennzeichnet, daß der Geist der Kommende ist. Das Wort „kommen" kann als ein johanneisches Kennwort für den Parakleten gelten (vgl. Joh 15, 26; 16, 7. 8. 13). Das Tun des Geistes scheint darin zu bestehen, daß er kommt. Wir sind geneigt, den darin ausgedrückten Bezug des Geistes zur Zukunft rein chronologisch zu fassen. Mehr als eine zeitliche soll damit eine inhaltliche Aussage erfolgen, die bedeutet, daß der Geist nicht nur einmal, sondern stets und von Wesen her kommt. Keine seiner Ankünfte erweist sich als so erschöpfend, daß er nur noch gekommen ist, aber nicht mehr kommen könnte oder würde. Sein Kommen in der Vergangenheit und Gegenwart kann von seinem Kommen in der Zukunft nicht getrennt werden. Als derjenige, der kommt, kann der Geist weder besessen noch verwaltet werden. Sein Kommen ist der bleibende Hinweis auf die Dimension der Verheißung und Offenheit für das je Größere und Unähnliche. Dem Kommen des Parakleten entspricht johanneisch gesehen seitens des Glaubenden das Bitten um dieses Kommen, um den Geist (vgl. Joh 4, 9f.; 14, 13. 16; 15, 7. 16; 16, 23f. 26; 17, 9. 15. 20).

Darin drückt sich ein weiterer fundamentaler und pneumatologisch relevanter Zusammenhang aus. Das „Veni, sancte (bzw. creator) Spiritus" stellt sozusagen die legitime Urform des gläubigen Sprechens vom und zum Geist dar.[53] Das Kommen des Geistes steht in einer Entsprechung zur Bitte des Glaubens. Das Bitten ist die menschliche Sprechweise vom Geist. Zwischen dem Kommen und Bitten waltet eine innere Angemessenheit. Das Bitten öffnet und schafft Offenheit. Je mehr Offenheit besteht, desto mehr kann der Geist kommen. Im Bitten als einer Grundhaltung des Menschen kann der Geist bei ihm „ankommen". Der Mensch kann ja nicht nur neben vielem anderen auch bitten, sondern ist geradezu Bitte, d. h. Armut, Ohnmacht, aber auch Demut, Offenheit, Empfänglichkeit und Bereitschaft. Der Glaubende muß mit Wesen und Existenz zum Bittenden werden, damit der Geist kommen kann. Das Maß der Bitte wird in gewissem Sinn zum Maß für das Empfangen des

---

[53] Vgl. F. Untergaßmair, Im Namen Jesu. Der Namensbegriff im Johannesevangelium. Stuttgart ²1978.

Geistes. Die Bitte kann aber auch dort nicht verstummen, wo der Geist gekommen ist. Sie ist Voraussetzung und Antwort zugleich, wenn man auf das Kommen des Geistes blickt. Alles Kommen des Geistes kann die Bitte nur intensivieren, nicht erübrigen.

Nach johanneischer Überzeugung bekommt man den Geist nicht als solchen zu Gesicht (vgl. Joh 3, 8). Das, worin der Geist aufscheint, sind seine Wirkungen. Dieser Zug ist charakteristisch für den Geist. Der Geist wird geradezu von seinen Wirkungen her als Kraft, Macht, Energie, Tätigkeit, schöpferisches Prinzip, Leben, Lehrer, Erinnerer, Führer, Anwalt, Fürsprecher usw. definiert. Er ist von sich aus wesentlich auf Wirken und Wirkung hin angelegt. Es ist bezeichnend für den Geist, daß er von seinem Erscheinungsbild her nahezu ganz in seine Wirkungen ein- und darin aufgeht; er behält gleichsam nichts von sich für sich zurück. Er erscheint als die Selbstlosigkeit in Person, deren Dasein und Aufgabe darin besteht, sich zu entäußern. Erwägt man die grundsätzliche Zusammengehörigkeit von Geist und Wirkung, dann nimmt es nicht wunder, daß sich der Geist und seine Wirkung gerade dahingehend bemerkbar machen, daß sie andere wirken lassen, sie zum Wirken ermächtigen, freisetzen und begeistern. Der Geist wirkt, indem er andere wirken macht und wirken läßt (vgl. Joh 15, 26 f.). Das Merkmal des Geistes liegt dabei nicht so sehr in der Außerordentlichkeit der Wirkungen und Phänomene, vielmehr in der Tatsache des Wirkens selber, das nicht ohne Wirkung bleibt. Das Beispiel dafür ist die Gemeinde der Jünger und Freunde Jesu, die der Welt vorlebt, was Glauben und Leben aus der Kraft des Geistes bedeuten: „Liebe Brüder, wenn Gott uns so geliebt hat, müssen auch wir einander lieben. Niemand hat Gott je geschaut; wenn wir einander lieben, bleibt Gott in uns, und seine Liebe ist in uns vollendet. Daran erkennen wir, daß wir in ihm bleiben und er in uns bleibt: Er hat uns von seinem Geist gegeben" (1 Joh 4, 11 ff.).

Das neutestamentliche Bekenntnis zum Hl. Geist kreist um verschiedene Schwerpunkte, die miteinander zusammenhängen. Gleichsam a priori legt sich die Verbindung von Geist und Gott nahe. Im Geist wird etwas von der Eigenart Gottes, seiner Gegenwart und Wirksamkeit inmitten der Welt offenbar und erlebt. Von der Erscheinung und Erfahrung her dominiert dabei der Aspekt der Fremdheit und Unberechenbarkeit. Inhaltlich interpretieren sich

Gott und Geist gegenseitig. Der Geist ist da, wo Gott wirklich Gott sein darf. Wo Gott erscheint und am Werk ist, dort ist immer auch der Geist. Der Geist wird so zum „Exegeten" Gottes. Das wird deutlich an der Erscheinung, der Person und dem Werk Jesu. Er ist auf einzigartige Weise mit Hl. Geist erfüllt, er ist ganz und gar vom Geist Gottes bestimmt. Letzterem kann sogar die Auferweckung des Gekreuzigten von den Toten zugeschrieben werden. Der Geist verweist auf die Präsenz und Wirksamkeit Gottes in Jesus. Aufgrund der Einheit von Jesus und Geist kann letzterer auch zum Offenbarer des Gekreuzigten werden. Der Geist deckt die volle Wahrheit Jesu auf, er führt den Glaubenden sowohl in die Ohnmacht und den Skandal wie in die Erhöhung und Verherrlichung des Gekreuzigten ein und öffnet ihm das Herz dafür.

Davon ist die Verbindung von Geist und Kirche nicht zu trennen. Der Geist wird grundsätzlich als Verheißung und Gabe an die Jünger erfahren und geschildert, die ihrerseits als Erben und Empfänger des Geistes gelten. Das Pneuma kann dabei sowohl als Dauergröße wie als Helfer in besonderen Fällen beansprucht werden. Den verschiedenen Formen seiner Äußerung und Wirksamkeit ist der Verweis auf Jesus Christus und das Bekenntnis zu ihm gemeinsam. Von hier aus ist es nur ein kleiner Schritt, das Leben der Kirche insgesamt wie auch ihrer einzelnen Glieder aus dem Geist zu verstehen. In der Kraft des Geistes wird die Kirche aus der Welt erbaut und auferbaut, wie diese ihrerseits der Welt exemplarisch vorlebt und bezeugt, was es letztlich um ihr eigenes Geheimnis und das der Welt ist. Aufgrund der schöpferischen Dynamik des Geistes, die sich an Jesus Christus und den Glaubenden erwiesen hat und erweist, ist es nicht schwer, das schöpferische, neuschöpferische und vollendende Handeln des Geistes auf Mensch, Welt und Geschichte insgesamt auszudehnen. In diesem Sinn sind der neue Mensch und die neue Welt das Werk des Geistes; der Geist vollendet sowohl die individuelle wie die universale Geschichte. In diesem Rahmen kann der Zusammenhang von Geist und Glaube nicht unerwähnt bleiben. Dieser Konnex drückt sich zunächst darin aus, daß der Geist als Gabe Gottes allen Glaubenden verliehen ist. Der Glaube an Jesus Christus und die Zugehörigkeit zu ihm sind gleichbedeutend mit der Teilhabe am Geist. Die besondere Funktion des Geistes im Glauben und für ihn besteht in der Hilfestellung, die er der Verkündigung gewährt. Die neutestamentliche Gemeinde hat diesen Beistand des Geistes im Freimut der Verkündigung, in der Vollmacht des Wortes, im Durchhalten des Glaubens, im missionarischen Aufbruch und Wagnis des Neuen erfahren. Es ist der Geist, der den Menschen im Glauben mit Jesus Christus verbindet und zusammenbindet.

C. DIMENSIONEN DER THEOLOGISCHEN REDE VOM HEILIGEN GEIST

In diesem Abschnitt sollen die streng systematischen Überlegungen zum Themenkomplex „Heiliger Geist" zu Wort kommen. Seinen Hintergrund bilden die Ergebnisse des dogmengeschichtlichen und biblischen Befundes. Aus all dem resultiert ein einmal global theologisch genannter Gebrauch des Wortes „Geist". Die durch Schrift und Tradition vorgegebene terminologische Praxis ist keineswegs einheitlich. Zusammenhänge und Sachverhalte, in denen dieser Ausdruck erscheint, sind recht unterschiedlich. Da Zufall und Willkür als Regulative für den theologischen Sprachgebrauch nicht in Frage kommen, muß man aus den bestehenden Differenzierungen auf tiefer liegende Wurzeln schließen. Diese sollen hier unter dem Terminus „Dimensionen" versuchsweise erfaßt werden. Da jedoch der theologische Sprachgebrauch nicht völlig isoliert besteht und das Wort „Geist" auch in anderen Kontexten eine unübersehbare Rolle spielt, so ist es geraten, bei dem etwas weiter gefaßten Bedeutungsfeld von Geist einzusetzen. Damit geschieht dem Hl. Geist kein Unrecht, da es eines seiner Merkmale ist, sich dem Menschen und damit auch dessen Geist mitzuteilen.

I. Bemerkungen zum Sprachgebrauch von Geist

Diese Beobachtungen bewegen sich im Vorfeld einer Theologie des Hl. Geistes. Sie zielen keineswegs auf die Frage nach der Definierbarkeit des Geistes; denn: „‚Geist' ist ein Urwort, das nicht durch irgendwelche Bestimmungen eingeschränkt werden kann. Auf den ersten Blick scheint ja Geist nur einer Species des Lebendigen auf Erden, eben uns Menschen, zuzukommen (und das stimmt ja auch). Eine Grenzleistung der biologischen Evolution also? Der zweite Blick zeigt: Geist ist auf seiten des Subjekts die Entsprechung zu allem, was auf der Objektseite nur möglich ist; nicht nur zu Leben, sondern zu Sein überhaupt... Wie also könnte sich ‚Geist' de-finieren, ab-grenzen lassen!"[1]

Der Rekurs auf den Sprachgebrauch versteht sich keineswegs als eine Art Flucht durch die Hintertür. Er weiß um seine Begrenztheit und Fraglichkeit; deshalb will er nicht mehr, als das Umfeld des Begriffs ein wenig zu klären und zu umgrenzen. Überblickt man das Sprachfeld von „Geist", so stößt man dabei nicht nur auf interessante Beobachtungen, sondern auch auf bestimmte Probleme, die man gewöhnlich übersehen würde: „Mit dem Worte Geist verbinden sich die widersprüchlichsten Assoziationen: Geist als Gottes Wesen, aber auch als Gespenst; als personales Bewußtseinszentrum, aber auch als überindividuelle Macht; als Wesensbestandteil des Menschen, aber auch als etwas, was nur wenige haben oder was im vollen Sinne eigentlich nur das Genie besitzt; als natürlicher Witz, als Esprit, aber auch als übernatürliche Gnadengabe; als Organ des abstrakten, theoretischen Denkens, aber auch als Quelle von Mut, als Ursache begeisterten Willens zur Tat."[2]

Noch differenzierter wird der Eindruck, wenn wir auf die mannigfachen Wortverbindungen achten, in denen die Vokabel Geist begegnet. Wir sprechen positiv von Geistesleben, Geistesarbeit, Geisteswissenschaften, Geisteskraft, Geistesgegenwart, Geistesblitz, Geistesgabe oder Geisteshaltung. Dem stehen Ausdrücke gegenüber wie Geistesabwesenheit, Geistesgestörtheit, Geistesschwäche oder Geisteskrankheit. Entsprechendes gilt von Adjektiven wie geistvoll, geistreich, geistlos oder geisttötend. Obwohl in den angeführten Fällen der singularische Gebrauch überwiegt, spielt in der Praxis die Pluralform keine geringe Rolle. Erinnert sei an Redewendungen wie gute bzw. böse Geister, Volksgeister, verschiedene Weisen von Zeitgeist, Weltgeist oder Ungeist.

---

[1] W. Kern – Y. Congar, Geist und Heiliger Geist. In: Enzyklopädische Bibliothek 22 (1982), S. 62.

[2] G. Ebeling, Dogmatik des christlichen Glaubens, Bd. III. Tübingen 1979, S. 77; vgl. J. Greisch, Le témoignage de l'Esprit et la philosophie. In: D. Coppieters de Gibson (Hrsg.), L'Esprit Saint. Bruxelles 1978, S. 65–96; H. Küng. Wie heute vom Heiligen Geist reden? In: Conc (D) 15 (1979), S. 557f.; ders. – J. Moltmann, Der Heilige Geist im Widerstreit. In: Conc (D) 15 (1979), S. 493; J. Sahi, Indian Symbols of the Holy Spirit. In: Jeevadhara 8 (1978), S. 243–246; R. Sublon, L'Esprit Saint dans la perspective psychoanalytique. In: D. Coppieters de Gibson (Hrsg.), a. a. O. 97–130.

Noch einmal weitet sich der Rahmen, wenn man komplementäre Gegenbegriffe heranzieht, z. B. Geist–Materie, Geist–Natur, Geist–Leib, Geist–Körper, Geist–Fleisch, Geist–Buchstabe usw. Endlich kann man auf eine Reihe von sprachlichen Äquivalenten und verwandten Begriffen aufmerksam machen wie Seele, Verstand, Vernunft, Gesinnung, Herz, Bewußtsein. Kompliziert wird es, wenn die Äquivalenz zum Vokabular anderer Sprachen bestimmt werden soll. Das Lateinische bietet beispielsweise eine sehr farbige Palette von Möglichkeiten an (vgl. spiritus, mens, animus, anima, intellectus, ratio, ingenium), das Griechische bietet dafür gleichfalls mehrere Termini an (vgl. νοῦς, πνεῦμα, ψυχή, διάνοια, φρόνημα, γνώμη, ἦθος, ἀγχίνοια), während das Deutsche dafür sehr undifferenziert das Wort Geist setzen kann. Ein gewisser Mangel an terminologischer Distinktion im Gebrauch von „Geist“ läßt sich nicht verbergen. Die Folge davon bildet eine nicht zu leugnende Überlagerung und Durchdringung von Sachverhalten.

Die Hinweise auf den Sprachgebrauch führen zur Feststellung einer bestimmten Ambiguität und Doppelsinnigkeit des Wortes Geist. Welche Grundbedeutung und Grunderfahrung von Geist verbirgt sich dahinter? Die Etymologie von „Geist“ ist umstritten. Für seinen Sinngehalt erweist sich der etymologische Hintergrund seiner Entsprechungen in denjenigen Sprachen als aufschlußreich, die sein Verständnis entscheidend geprägt haben: das hebräische „ruah“ und das griechische πνεῦμα. Beide orientieren sich an der Erscheinung des Windes oder Lufthauchs, einer Urerfahrung, die darüber hinaus die Seelenvorstellung vieler Völker bestimmt hat. Darin sind wohl folgende Momente vereinigt: „Was uns unsichtbar und zumeist unbemerkt umgibt, kann mit ungeheurer Gewalt sichtbare Wirkungen hervorrufen. Während es normalerweise schweigt, kann es tönen und brausen und ist in seinem Wehen sprunghaft und unberechenbar ... Eben dieses Element der Luft erweist sich nun gleichzeitig als Lebensprinzip, als der Lebensodem. Das wird am Atem erkennbar. Dessen Aufhören zeigt den Eintritt des Todes an und läßt darauf schließen, daß der Sterbende seine Seele ausgehaucht hat."[3]

Das Griechische kennt neben den Bezeichnungen πνεῦμα vor

---

[3] H. Kleinknecht, πνεῦμα. In: ThW VI (1959), S. 335 f.

allem noch die Vokabel νοῦς. Darin drückt sich eine andere fundamentale Erfahrung von Geist aus, die gleichfalls der Wahrnehmung entspringt. Beide Termini „unterscheiden sich, wie das unbewegte, ruhig-klare Medium des Lichts, das für das reine und distanzierte Schauen des Auges die Dinge in ihrem Stillstehen ganz das sein läßt, was sie in Wahrheit sind, sich von der so viel stofflicheren Kraft des Luftzuges unterscheidet, der seiner Natur nach sei es den Betrachter, sei es den Gegenstand mit elementarer Macht erfüllt, durchdringt, ergreift, umfängt, in eine Spannung oder Bewegung mit hineinreißt ... Auf dieser Grundlage erhält πνεῦμα ... später in der Mantik sowie in der nach ihrem Vorbild gedeuteten Dichtung spezielle Bedeutung als der inspiratorisch erregende, enthusiastisch erfüllende Hauch ... Verblaßt zum terminus technicus für die Äußerungsform menschlicher Rede in erhabenem Stil erscheint πνεῦμα schließlich in der antiken Rhetorik und Literarästhetik, wo es weniger die Begeisterung, als vielmehr den mitreißenden expressiven Schwung des Redners und Dichters bezeichnet ... Ob seiner dem Menschen nicht verfügbaren, elementaren Natur und unmittelbaren Wirkungsmächtigkeit wird πνεῦμα vielfach als überhaupt etwas Göttliches erfahren und dementsprechend ... prädiziert."[4] In diesen Beobachtungen drücken sich polare Spannungen aus.

Für das biblische wie für das griechische Verständnis von Geist ist ein starkes Ineinandergreifen des Bezugs auf den Menschen und des Bezugs auf Gott charakteristisch. Dabei kann weder von einer Teilung in zwei getrennte Bereiche noch von einer Reduktion auf einen einzigen Bereich die Rede sein. Das Geistverständnis impliziert auf alle Fälle eine fundamentale Unterscheidung, die mit dem Gottesverhältnis des Menschen zu tun hat. Diese Differenz kann verschieden gefaßt werden. Menschlicher Geist ist seinerseits vom göttlichen abhängig und bleibt auf ihn angewiesen, andererseits stehen sich beide auch wiederum gegenüber. Neben der Vorstellung vom Göttlichen spielt für die Auffassung des menschlichen Geistes der Bezug zu dem wie auch immer konzipierten Zustand des Menschen nach dem Tod eine wesentliche Rolle. Im Verständnis des Geistes stoßen also anthropologische, theologische und eschatologische In-

---

[4] G. Ebeling, a. a. O. 82; vgl. H. W. Wolff, Anthropologie des Alten Testaments. München 1973, S. 57–67.

teressen und Perspektiven aufeinander. Vergleicht man biblisches
und griechisches Geistverständnis miteinander, so ist für ersteres
das Gegenüber von göttlichem und menschlichem Geist konstitutiv, während letzteres diese Unterscheidung verwischt. Eine
theologische Lehre vom Geist kann diese Sachverhalte und deren
Konsequenzen in der Geistes-, Philosophie-, Religions- und Theologiegeschichte nicht ignorieren.

Ihr fällt unter anderem die Aufgabe zu, wesentliche Struktur-
momente des Geistes aufzuzeigen und in ein entsprechendes Licht
zu rücken.[5] Dazu gehört eine grundsätzliche personale Bestimmt-
heit des Geistes. Der Geist findet und erfährt in der Person seine
Zentrierung. Das hängt zutiefst mit der Wahrheitsfrage und den für
den Geist charakteristischen Funktionen des Erkennens und Wollens zusammen. Am Phänomen der Sprache wird dieser Konnex besonders deutlich. Des weiteren ist für den Geist das Moment der
Partizipation kennzeichnend. Die Bewegung der Partizipation besagt ein Geben und Nehmen zugleich. Der Geist ist über das andere
seiner selbst bei sich und kommt über es zu sich, ohne sich in dieses
zu verlieren. Das bedeutet, daß der Geist mehr und anderes ist als
nur ein Organ oder Seelenvermögen und ein Arsenal von Gedanken. Mit dieser Eigenart des Geistes hängt seine intentionale Struk-
turierung zusammen. Der Geist ist ständig unterwegs, er übersteigt
fortwährend seine Aktionen und Gegenstände, er ist in einer unablässigen Bewegung über sich hinaus auf ein Ziel hin, das den Sinn aller Sinne und das bleibende Gegenüber darstellt. Dazu kommt, daß
der Geist zugleich Leben und Gegenwart beinhaltet: „Wie der Geist
alles, was er anrührt und in Angriff nimmt, mit Leben erfüllt, so erfüllt er vor allem seinen Träger selbst mit Leben. Und beides steht
untereinander in Korrespondenz. Darum erfordert der Geistbegriff
eine Besinnung auf das Leben und der Lebensbegriff eine Besinnung
auf den Geist. Wo aber die Frage nach dem Leben radikal gestellt
wird, erwacht das Problem der Quelle des Lebens, nicht im Sinne
des genetischen Problems . . ., sondern im Sinne des ständig akuten
Problems der geschichtlichen Erneuerung des Lebens, der Quelle
des wahren Lebens."[6] Auf diese Weise mündet die Frage nach

---

[5] Vgl. dazu G. Ebeling, a. a. O. 90–93.
[6] G. Ebeling, a. a. O. 93; vgl. G. Gessler – K. Bannach, Geist – Schöpfer des Lebens. Stuttgart 1982.

dem Geist, radikal gestellt aus der Erfahrung und Perspektive des menschlichen Geistes, ein in die Frage nach dem Geist als Geist Gottes.

Nimmt man die in dieser Zuspitzung der Frage liegende Herausforderung an, dann läßt sich Gott als „der unbedingt-unendliche Inbegriff von Geist" begreifen.[7] In Anlehnung an die klassische Philosophie mit ihrer Lehre von der Analogie und der Analogie alles Seienden kann man von einer alles umfassenden und zugleich gestuften Universalität des Geistes in Mensch, Welt und Gott sprechen. Die Anschauung von den Transzendentalien alles Seienden, wonach alles Seiende wahr und gut ist, verweist auf eine letztlich mit der Seinsstruktur identische Geiststruktur. Der analoge Charakter von Sein und Geist hebt damit den qualitativen Unterschied von Geist und Geist nicht auf. Es gibt gewisse Konvergenzlinien naturwissenschaftlicherseits, die sich als eine Bestätigung dieser philosophischen Position interpretieren lassen. Der Aufbau der physikalischen Welt und ihrer Teilbereiche fördert Aspekte der Natur zutage, die für die Entwicklung des Lebens erforderlich waren und die auf eine delikate Weise auf bestimmte „Zufälle" angewiesen sind. Diese „Zufälle" im Aufbau der physikalischen Welt enthüllen sich bei näherem Zusehen als Vorbedingung für die Existenz jeder Lebensform. Mikrokosmos und Makrokosmos haben durch eine Fülle von anscheinend „zufälligen" Querverbindungen dazu beigetragen, irdisches Leben zu ermöglichen. Untersucht man die Bedingungen, denen unser Kosmos und die Naturgesetze genügen müßten, um ein Lebewesen hervorzubringen, das diese Voraussetzungen und Zusammenhänge auch zu erkennen vermag, dann ergibt sich eine enge Einheit und Abstimmung zwischen Kosmos, Naturgesetzen und der Existenz des Menschen. Man bezeichnet diesen Zusammenklang als „anthropisches Prinzip".[8] Ihm zufolge steht der Mensch gleichsam im Fadenkreuz der Naturgesetze. Es gibt eine Logik, die in der Schöpfung seit Anfang an herrscht und zielstrebig auf den Menschen und damit auf den Geist hinführt und verweist.

[7] Vgl. W. Kern – Y. Congar, a. a. O. 73 f.; H. F. Woodhouse, The Role of the Life Giver. In: MCM 16 (1972/73), S. 128–136; C. M. Monios, The Giver of Life. In: Diaconia (New York) 7 (1972), S. 271–276.

[8] Vgl. R. Breuer, Das anthropische Prinzip. Wien 1981.

Das „anthropische Prinzip", abgestützt durch vielerlei Beobachtungen der Astrophysik, der Geophysik, der Biologie usw., behauptet: „Die Naturgesetze, die Entstehung der Materie, kosmi-
sche Expansion und biologische Evolution wirkten offenbar mit so
vielfältiger und subtiler Präzision zusammen, daß intelligentes Leben nur durch das Funktionieren der gesamten ,Maschinerie der
Natur' entstehen konnte."[9] Es ist erstaunlich, wieviel Indizien die
Naturwissenschaften für den Zusammenhang des Menschen mit
dem kosmischen Gesamtgeschehen zu liefern vermögen. Das Universum besitzt Intelligenz. Im Rahmen der Erklärung biochemi-
scher Vorgänge der Steuerung aufgrund gespeicherter Anweisun-
gen spielt beispielsweise das Wort Information eine zentrale Rolle;
es läßt darauf schließen, daß das Phänomen des Lebens und die Materie von Grund auf geistig verfaßt und strukturiert sind. Es sind
Naturwissenschaftler, die behaupten, Naturwissenschaft sei Gei-
steswissenschaft, und die zu der Konsequenz gelangen: „Wenn man
fordert, daß die Natur intelligentes Leben hervorbringen soll, dann
sind die Naturgesetze, der Aufbau des Universums, sowie die
Struktur des menschlichen Lebens fast eindeutig bestimmt. Dieser
Kosmos hat im wesentlichen die Eigenschaften, wie wir sie bisher in
der Natur vorgefunden haben. Jedes anders veranlagte Universum
würde unbelebt bleiben und könnte niemals den Zustand kosmi-
scher ,Selbsterkenntnis' erlangen. ,Wenn wir ins Universum hin-
ausblicken', sagt Freeman Dyson, ,und erkennen, wie viele Zufälle
in Physik und Astronomie zu unserem Wohle zusammengewirkt
haben, dann scheint es fast, als habe das Universum in gewissem
Sinne gewußt, daß wir kommen.'"[10] Der Geist stellt so gesehen
alles andere als ein Spät- und Zufallsprodukt der Schöpfung dar.
Wer Schöpfung sagt, sagt zugleich Geist.

In dem hier nur grob skizzierten Rahmen des Wortes und Phänomens Geist hat auch der theologische Gebrauch seinen „Ort".
Die Rede vom Hl. Geist erweist sich in diesem Horizont als alles
andere denn eine periphere Angelegenheit. Sie hat hinsichtlich ihrer
Notwendigkeit, Eigenart, Sachgemäßheit und Verschiedenheit ge-

---

[9] R. Breuer, a. a. O. 17.
[10] R. Breuer, a. a. O. 23; vgl. W. Heitler, Naturwissenschaft ist Geisteswissen-
schaft. Zollikerberg 1972.

nug Anhaltspunkte im Bereich der Sprache und des Denkens, der Erfahrung und der Wirklichkeit. Im Dialog und in der Auseinandersetzung damit hat die theologische Rede vom Geist ihr Profil zu verdeutlichen und zu rechtfertigen.

II. Geist und Gott

Die Frage nach dem Zusammenhang zwischen Geist und Gott darf wohl dem bisherigen Befund zufolge nicht nur und nicht sogleich auf eine Theologie der dritten Person eingegrenzt werden. Die Verbindung zwischen Gott und Geist ist älter als eine Pneumatologie im strengen Sinn des Wortes. Geschichtlich betrachtet verhält es sich so, daß letztere aus dem viel grundsätzlicheren Konnex von Gott und Geist erwachsen ist und diesen horizontmäßig voraussetzt. Unter diesen Bedingungen legt es sich nahe, zunächst die Funktion des Geistes im Rahmen der Gotteslehre überhaupt zu bedenken.

1. „Gott ist Geist" (Joh 4, 24)

In der traditionellen Gotteslehre, die das Sein und die Attribute Gottes behandelt, wird man einer Erörterung der Aussage, daß Gott Geist ist, nicht gerade häufig begegnen. Dieser Hinweis versteht sich, so meint man wenigstens, von selbst. Er wird als ein mehr oder weniger notwendiger Appell begriffen, der vor jeder Art von Verdinglichung des Gottesbildes und des Gottesverhältnisses warnt. Positiv gewendet läßt er sich als eine Umschreibung für Gottes Transzendenz, Unendlichkeit und Unermeßlichkeit, sein Erkennen und Wollen interpretieren. Es fragt sich allerdings, ob eine solche, insgeheim am Gegensatz Geist – Materie orientierte Bestimmung Gottes sehr weit zu tragen vermag, ohne gleichzeitig bei aller Betonung des fundamentalen Unterschieds zu einer Verzerrung der Beziehung zwischen Geschöpf und Schöpfer zu führen und den universalen Anspruch des Schöpfungsglaubens zu relativieren. Eine weitere Frage ist es, ob eine solche Auffassung von Gottes Geistsein den Intentionen der ursprünglich biblischen Aussage gerecht wird. Dort nämlich hat man wohl den eigentlichen

Einstieg für die Erhellung der Charakterisierung Gottes als Geist zu suchen.

Die Aussage, daß Gott Geist ist, wird in Joh 4, 23 f. mit dem Gebet in Verbindung gebracht: „... die Stunde kommt, und sie ist schon da, zu der die wahren Beter den Vater anbeten werden im Geist und in der Wahrheit; denn so will der Vater angebetet werden. Gott ist Geist, und alle, die ihn anbeten, müssen im Geist und in der Wahrheit anbeten." Gebet, Gottesdienst oder Gottesverehrung werden hier als ein Geschehen „im Geist" präzisiert. Das Gebet wird gleichsam seiner natürlichen Selbstverständlichkeit entnommen, indem gesagt wird, daß es der Geist ist, der zum Beten inspiriert und erweckt und ermächtigt, der es ermöglicht, bewirkt und durchdringt. Der Grund dafür wird in der Eigenart Gottes als Geist gefunden. Damit ist keine abstrakte philosophische oder theologische Wesensdefinition Gottes angezielt, sondern eine Aussage über das Handeln und Verhalten Gottes in der Geschichte seines Volkes und in seiner Schöpfung. In Entsprechung zu den gleichstrukturierten Feststellungen: „Gott ist Licht" bzw. „Gott ist Liebe" (vgl. 1 Joh 1, 5; 4, 8. 16) „ist mit dem Geist-Sein Gottes sozusagen die den Menschen zugewandte Seite Gottes, sein dynamisches sich selbst offenbarendes Handeln an den Menschen ausgedrückt. ‚Im Geist' öffnet sich Gott dem Menschen, teilt er sich ihm liebend und machtvoll mit, ist er ihm mit seinem Heilswirken gegenwärtig. Darum sagt Johannes: ‚Gott ist Geist.' Auf diesem Hintergrund bedeutet der Hinweis auf das Geist-Sein Gottes in Joh 4, 23, daß die Anbetung Gottes ‚im Geist' nur dadurch möglich ist, daß Gott selber sich zuerst mitgeteilt hat oder – mit den Worten des ersten Johannesbriefes gesagt – ‚weil er uns von seinem Geist gegeben hat' (4, 13). Wie dort der Geist Gottes (und seine Wahrheit) die wahre Liebe zu den Brüdern bewirkt und ermöglicht, so ermöglicht und bewirkt er auch das neue Beten ‚im Geist und in der Wahrheit'."[11]

Im Gebet als einem Geschehen „im Geist" wird der Beter Gottes als „Geist" inne, wird er der ihm zugekehrten Seite Gottes gewahr. „Geist" kann damit als eine Art Zusammenfassung dafür gelten, daß Gott ein Gott mit „Antlitz" oder mit „Angesicht" ist, der sich, biblisch gesprochen, geradezu durch die Relation zu bestimmten Men-

---

[11] F. Porsch, Anwalt der Glaubenden. Stuttgart 1978, S. 151.

schen deren Leben und Erfahrungen im Umgang mit ihm vorstellt
und charakterisiert. Der Genitiv, dessen Gott sich im Rahmen seiner Selbstmitteilung bedient, erweist sich als unerläßlich, wenn es
um eine angemessene Prädikation Gottes geht. Gott als Geist meint
also nicht einen Gott, der der Welt und dem Menschen den Rücken
zukehrt, sondern auf sie immer schon zugeht und sich quasi per de-
finitionem ihnen zugehörig weiß. Das Geist-Prädikat bezieht sich
auf den für Welt und Mensch offenen, interessierten und engagier-
ten Gott. Dieser Gott besagt mehr ein Sein mit . . . bzw. ein Sein für
. . . als ein Sein über . . . oder in sich selber. Damit werden die Anliegen der traditionellen Geist-Prädikation nicht negiert oder zum
Verschwinden gebracht, wohl aber in den keineswegs überflüssigen
Hintergrund der Voraussetzungen gerückt. Diese im Geistbegriff
verankerte Offenheit, Dynamik und Relationalität ist keineswegs
unbedeutend, wenn es um Wesen und Geheimnis Gottes und der
Trinität geht. Der Gott des Glaubens ist in einem fundamentalen
Sinn ohne „Geist" nicht erfahrbar, erreichbar, sagbar und glaubbar.
Wenn in der Auseinandersetzung mit den pneumatomachischen
Anschauungen auf das Argument abgehoben wird, der Hl. Geist
müsse Gott sein, um die Gottheit Gottes zu wahren, dann kommt
dabei der sachliche Zusammenhang von Gott und Geist zum Tragen.

Es geschieht nicht von ungefähr, daß als der sachgemäße Kontext
der Rede von Gott als Geist das Gebet bezeichnet wird. Dieses ist
einer ursprünglichen Bedeutung zufolge vor allem Ansprache, Anrede. In dieser Eigenschaft wendet es sich an ein Gegenüber, das gerade dadurch, daß es angesprochen wird, als Gegenüber bestätigt
und gefordert wird. In dieser für das Gebet charakteristischen Situation des Gegenüberseins wird das Gegenüber in seiner Wirkung
als Gegenüber erfahrbar und wahrgenommen. Das Gebet sorgt
gleichsam dafür, daß das Gegenüber zur Wirkung kommen kann.
Als Ansprache dient das Gebet dazu, das Gegenüber Gottes nicht
nur für dieses oder jenes zu beanspruchen, sondern auch und noch
mehr dazu, dieses Gegenüber selber im Hinblick auf seine Wirklichkeit in Anspruch zu nehmen. Das Gebet stellt so betrachtet
einen Höchstfall dafür dar, Gottes Wirklichkeit und Wirkung als
Gegenüber des Menschen in Erfahrung zu bringen. Wirklichkeit
und Wirkung Gottes als Gegenüber aber hängen nach biblischem

Verständnis unleugbar mit Gott als „Geist" zusammen. Wer zu Gott
betet, d. h. ihn „anspricht" oder „anredet", der rechnet mit ihm im
höchsten Maß als wirklich, als Wirkendem. Der für die Konzeption
des Gebetes wesentliche Hinweis auf den Geist geht der gängigen
Auffassung vom Gebet als Dialog gewissermaßen auf den Grund.[12]
Der Beter ist alles andere als ein distanzierter Denker oder Zu-
schauer, er ist in seiner Eigentlichkeit, Wahrheit und Wahrhaftig-
keit gefordert.

Dieser Anspruch resultiert nicht zuletzt daraus, daß das Gebet
selber einen zutiefst „geist-igen" Vorgang darstellt, der in einem
mehr als oberflächlichen Sinn auf Wirklichkeit und Wirkung basiert
und zielt. Im Gebet kommt nämlich heraus, wie es um den Menschen bestellt ist, was es mit seiner Befindlichkeit auf sich hat, welches seine Grund- und welches seine augenblickliche Verfassung
ist. Der Mensch geht selten in etwas so sehr in seiner Wirklichkeit
und Wirkung ein wie in das Gebet. Darin wird offenbar, was es um
sein Leben und sein Geheimnis ist. Davon läßt sich das Gottesverhältnis nicht ausnehmen, für dessen Echtheit das Gebet geradezu
den Prüfstein darstellt. Das Gebet stellt den Menschen, es ruft und
fordert ihn heraus, es versetzt ihn in eine Situation äußerster Unmittelbarkeit. Es ist Gott als Gegenüber, das ihn angeht. Der Beter seinerseits darf und kann nichts anderes als Gott ansprechen; er ver-
zichtet darauf, Gott zu objektivieren, er läßt und beläßt ihn als
„Geist", im „Geist". Dieses Gegenüber Gottes als „Geist" dispensiert den Menschen aber keinesfalls davon, Gott fortwährend anzusprechen, ihn als sein Gegenüber zu prädizieren, ihn als Wirklichkeit anzusprechen und ihm gleichzeitig Wirklichkeit und Wirkung
zuzusprechen. Das Gebet übersetzt auf diese Weise das Gottesverhältnis des Beters in den Zustand der „Wahrheit" und des
„Geistes".

Nimmt man das Gebet als dialogisches Geschehen ernst und fragt
man nach dem Grund des Ansprechens Gottes durch den Menschen, dann setzt es ein Angesprochensein des Menschen durch
Gott voraus. Alles „Wie" und „Woraufhin" unseres Betens weiß
sich Gott als „Geist" verpflichtet und verbunden. Unser Anspre-

---

[12] Vgl. H. Ott, Wirklichkeit und Glaube. Bd. II. Göttingen 1969, S. 323–329;
ders., Gott. Stuttgart 1971, S. 113–126.

chen Gottes lebt von der Ansprache Gottes. Diese aber steht ganz
im Zeichen und Horizont des Geistes, wenn man den Zusammenhang von Geist und Wort, von Wort und Tat bzw. Geschehen bedenkt. Gottes Geist spricht den Menschen an, ermächtigt und befähigt ihn zur Antwort. Das Gebet gleicht gewissermaßen einem
unablässigen Bemühen, dem Wort des Geistes auf die Spur zu kommen. In ihm wird alles vordergründige Verständnis von Gottes
Wort und Sprache auf den „Geist" hin überstiegen: „Obwohl im
Gebet nur der Beter als Redender erscheint, hat doch für sein Reden
zu Gott das Hören auf Gott den Primat, so daß in Wahrheit das Reden Gottes zum Menschen die Wirklichkeit des Gebets konstituiert. Sollte das Reden und Hören Gottes entfallen, so entfällt auch
das Gebet. Umgekehrt ist sogar noch die Klage über das Schweigen
Gottes ein Zeichen dessen, daß nicht das Reden des Menschen, sondern sein Angesprochensein das Entscheidende am Gebet ist. Im
übrigen aber hat das Gebet durchaus nicht den Charakter einer vorläufigen Gesprächsäußerung... Vielmehr eignet dem Gebet in jedem Falle ein definitiver Charakter... Das Wort, auf das das Gebet
die Antwort ist, hat als Gottes Wort den Charakter des Endgültigen, auf welches allerdings sich lebenslang und insofern andauernd
zu beziehen Sache des Gebets ist; jedoch so, daß das Definitive am
Worte Gottes dadurch nicht zerredet, sondern bejaht und eingeübt
wird." [13]
Der Beheimatung der Rede von Gott als Geist im Gebet als der
Rede an Gott kommt eine für die Glaubensrelation wie für die
Theologie als Rede von Gott fundamentale Bedeutung zu. Sie stellt
gleichsam die geheime Rückkoppelung aller Aussagen über Gott
dar, die besagt, daß Theologie grundsätzlich einen mehr oder
weniger ausgeprägten doxologischen Charakter hat. Aufgabe der
Theologie ist es, nicht nur eine begriffliche Fixierung christlicher
Glaubenswahrheiten zu liefern, sondern auch deren praktisch religiöse Relevanz herauszustellen. Theologie ist zwar nicht Gebet,
dennoch bedürfen beide einander, um ihrer Bestimmung gerecht zu
werden. Der Geist des Gebetes muß die Theologie beseelen und be-

---

[13] G. Ebeling, Dogmatik des christlichen Glaubens, Bd. I. Tübingen 1979,
S. 202; vgl. L. M. Martinez, Le Saint-Esprit, Bd. I: La vraie dévotion au Saint-
Esprit. Paris 1958.

fruchten, ebensowenig kann das Gebet auf den Geist als Theologie verzichten. In der Frage nach dem Geist, d. h. nach Gott als Geist, kommen im Grunde beide überein. Aufgabe der Theologie ist es, die Frage nach Gott als Geist zu stellen bzw. stellen zu helfen, dem Gebet kommt es zu, diese Frage in den Vollzug des Glaubens und des Lebens zu „übersetzen". In dieser Hinsicht stellt der Geist gleichsam beide auf die Probe und behaftet sie bei ihrer unvertauschbaren Eigenart und übergreifenden Gemeinsamkeit wie Verantwortung füreinander. Die Aussage: „Gott ist Geist" führt somit in das Zentrum nicht nur des Gottesproblems, sondern auch des Selbstverständnisses von Theologie und Glaube; ihr ist unter theoretischer und praktischer Perspektive eine mehr als regionale Bedeutung eigen. Die Frage nach dem Hl. Geist wird so zu einem Kristallisationspunkt von gesamttheologischem und den Glauben berührendem Gewicht. Nicht nur Gebet und Geist, auch Gott und Geist, Glaube und Geist lassen sich christlich unmöglich trennen.

2. Geist und Trinität

Die Frage nach dem Zusammenhang zwischen dem Hl. Geist und dem trinitarischen Dogma sowie nach dem Hl. Geist als der dritten Person in der Trinität gehört zur Standardausrüstung der traditionellen Gottes- und Trinitätslehre. Diese muß dem Vorausgehenden zufolge in einem mehr als isoliert trinitätstheologischen Rahmen gesehen und erörtert werden. Es steht mit ihr nicht nur ein Sonder- oder Randproblem christlicher Glaubensweise und Theologie zur Debatte.

Der vorher konstatierte Konnex von Geist und Gebet erweist sich auch für unsere Problemstellung als fruchtbar. Seine trinitätstheologische Ausweitung hat Lk 10, 21 formuliert, wenn es heißt: „In dieser Stunde rief Jesus, vom Heiligen Geist erfüllt, voll Freude aus: Ich preise dich, Vater, Herr des Himmels und der Erde, weil du all das den Weisen und Klugen verborgen, den Unmündigen aber offenbart hast. Ja, Vater, so hat es dir gefallen." Jesu Gebet wird hier mit dem Stichwort „Hl. Geist" verbunden. Was aber läßt sich über Jesu Gebetsverständnis und -praxis verbindlich ausmachen? Das Gebet besitzt für ihn sicher mehr als nur eine Randbedeutung.

Es ist die Quelle, aus der er lebt, wirkt, leidet und stirbt: „Die gesamte Jesus-Überlieferung, darin also auch die Aussagen über Jesu Gebetsleben, sind von der Absicht geleitet, Jesus als den einmaligen und endgültigen Offenbarungsbringer zu verkünden. Dem entsprechend wird Jesu Gebetsleben als Erfüllung all dessen dargestellt, was das Judentum über die Größe und Macht des Gebetes wußte, als der vollendete Ausdruck der Gottverbundenheit, die von diesem Menschen Jesus auf alle Menschen, die sich im Glauben ihm anschließen, übergeht." [14] Das Beten Jesu weist auf ein Letztes und Eigentliches zurück. Es ist bezeichnend, daß das Neue Testament bei der Schilderung und Deutung des Geheimnisses der Person und Sendung Jesu auf Termini zurückgreift, die der Gebetssprache Jesu entstammen. Auch dürfte es kein Zufall sein, daß in den wenigen Gebeten Jesu, die uns überliefert sind, fast durchgehend die Anrede: „Abba, mein Vater!" auftaucht. In ihnen spiegelt sich am eindrucksvollsten die Besonderheit des Gottesverhältnisses Jesu. Jesu Gebetspraxis ist zugleich mit einem für ihn typischen Geist des Gebets verbunden. Dieser inspiriert und belebt sein Beten. Er verweist auf Qualitäten wie Unmittelbarkeit, Unvertretbarkeit, Freiheit, Offenheit, Vertrauen, Intimität, Stärke, Klarheit, Gelassenheit, Freude usw., von denen christliches Beten nur einen schwachen Abglanz darstellt. Zu Jesu Beten gehört dieser „Geist" des Gebetes. Es steht gleichsam von Anfang an in einem „trinitarischen" Rahmen.

Ausgehend von der Funktion des Geistes im Gebet Jesu läßt sich unschwer eine „pneumatische" Komponente als für sein Gottesverhältnis insgesamt charakteristisch nachweisen. Die „Sache", um die es Jesus ging und die den Inhalt seines Daseins ausmachte, heißt in der Sprache der Synoptiker „Herrschaft" bzw. „Reich Gottes". Jesu Konzeption der Gottesherrschaft ergibt sich aus seinem ganzen Auftreten, seiner Verkündigung, seiner Lebenspraxis. In all dem erscheint er geradezu als „der Exeget Gottes" (R. Pesch). Durch sein Wort und Verhalten legt er die wahren Konturen Gottes frei. Wie Jesus ist und handelt, so ist und handelt Gott selber. Das alles impliziert nicht nur das strenge Gegenüber von Jesus und Gott als seinem Vater, sondern zugleich etwas „Atmosphärisches",

---

[14] F. Lentzen-Deis, Beten kraft des Gebetes Jesu. In: ThAk 12 (1975), S. 14.

einen neuen „Geist", eine neue „Situation" und „Einstellung", die untrennbar mit Gott und Jesus verbunden ist. Sucht man nach Ansatzpunkten, an denen man dieser neuen „Atmosphäre" begegnet, so könnte man auf Jesu Abba-Anrede mit all ihren Implikationen, vor allem der ihr zugrunde liegenden Abba-Erfahrung,[15] auf Jesu Glaubensforderung und exemplarische Glaubenshaltung oder auf das von ihm propagierte und praktizierte Ethos der vollkommenen Gerechtigkeit aufmerksam machen. Alle diese Daten stehen in einem trinitarischen und pneumatischen Kontext, auch wenn dieser nicht immer explizit thematisiert wird. Dieser Rahmung nach ist es nicht unbedingt erforderlich, daß Jesus neben dem Bezug zu Gott als seinem Abba den zum Geist bewußt artikuliert.

Innerhalb der synoptischen Tradition kann eventuell nur das Logion Mk 3, 28ff. Anspruch auf Authentizität als Geist-Wort erheben. Es wendet sich gegen jene, die Jesu Wunder als Teufelswerk verdächtigen und auf diese Weise Gottes Geist lästern. Nach Mt 12, 28 handelt Jesus aus dem Bewußtsein göttlicher Machtvollkommenheit: „Die älteste Überlieferung hat die in Jesus wirksame Gotteskraft offensichtlich noch nicht unter die Bezeichnung ‚(Heiliger) Geist' subsumiert. Man sprach von der exousia . . . oder der dynamis . . . Jesu. Wo . . . vom ‚heiligen Geist' die Rede ist, liegt bereits eine Angleichung an die nachösterliche Geisterfahrung vor . . . Obwohl Jesus selber kaum jemals vom heiligen Geist gesprochen hat, haben ihn doch die Evangelisten zumindest als ‚Charismatiker', als einen vom Heiligen Geist erfüllten Prediger und Wundertäter dargestellt. Zwar geschieht dies ausdrücklich nur an wenigen Stellen, aber diese haben dafür um so größeres Gewicht. So hat der synoptische Taufbericht (Mk 1, 9–11 parr) den Rang einer das ganze Wirken Jesu rahmenden Interpretation. Was hier zu Beginn des Evangeliums verkündigt wird, soll dem Leser einen Schlüssel zum Verständnis aller folgenden Berichte an die Hand geben: Jesus von Nazareth, der sich mit vielen anderen Juden seiner Zeit im Jordan von Johannes taufen ließ, war in Wirklichkeit Gottes ‚geliebter Sohn', der mit dem Heiligen Geist gesalbte Messias (Is 11, 2) und Gottesknecht (Is 42, 1) . . . Trotz aller späteren und taufkatechetischen Einfärbung des Berichtes darf man sagen, daß die nachösterli-

---

[15] Vgl. E. Schillebeeckx, Jesus. Freiburg 1977, S. 237.

che Gemeinde zumindest auch deshalb im erhöhten Herrn das Ur-
bild und die Quelle aller pneumatischen Begabung sehen konnte,
weil sich bereits im irdischen Jesus die Kraft des Gottesgeistes
geoffenbart hatte." [16] Der Hinweis auf den Geist kehrt wieder in der
Versuchungsgeschichte (vgl. Mk 1, 12), bei der Rückkehr Jesu aus
der Wüste und seinem ersten Auftreten in Nazareth (vgl. Lk 4, 14),
in einem Reflexionszitat von Mt 12, 17–21 und im Rahmen des bereits erwähnten Jubelrufs (vgl. 10, 21 f.). Darf man diese Aussagen
in einem trinitarisch-pneumatologischen Sinn verstehen? „Gewiß
ist hier . . . nicht explizit von der dritten Person der Dreifaltigkeit
die Rede, aber wie anders ist denn die Kirche zur Erkenntnis der
Dreipersönlichkeit Gottes gelangt als durch die Erfahrung jener
göttlichen Kraft, die in Jesus wirksam war und die sich nach einer
Auferstehung auch den Gläubigen mitteilte?" [17] Der Geist läßt sich
nach dem Gesagten aus dem Kontext, in dem Jesus steht und sein
Verhältnis zum Vater lebt, unmöglich wegdenken. Wer hier den
Geist streichen wollte, der versteht auch Jesus und seinen Vater
nicht mehr.

Das bedeutet: Der trinitarische Glaube, der zugleich Glaube an
den Hl. Geist ist, stellt keine Spekulation im luftleeren Raum dar,
sondern hängt zutiefst mit dem in Jesus Christus erfolgten Offenbarungsgeschehen selber zusammen. Als Ausgangspunkt und Quelle
aller trinitarischen und pneumatologischen Gotteserkenntnis, aller
Offenbarung des lebendigen Gottes hat das Christusereignis, hat
die Christologie zu gelten. Dabei darf man weder das Christusgeschehen noch die Christologie zu eng fassen. Diese stehen immer
schon in einem weiter verzweigten Koordinatensystem. Sie lassen
sich unmöglich trennen vom Pneuma und von der Kirche als Sphäre
und Ort, wo sie präsent, wirksam, erfahrbar und zugänglich sind.
Vom Geist her und in ihm erschließt sich das Geheimnis Christi,
denn seine Mitteilung steht nicht neben der Ankunft und dem Werk
Christi, sondern bildet geradezu deren Vollendung. Jesus Christus
selber läßt sich unmöglich ohne Geist und Gott seinen Vater begreifen. Bei diesen Beziehungen handelt es sich weder um ein Neben-

---

[16] F. J. Schierse, Die neutestamentliche Trinitätsoffenbarung. In: J. Feiner –
M. Löhrer (Hrsg.), Mysterium Salutis, Bd. 2. Einsiedeln 1967, S. 98–101.
[17] F. J. Schierse, a. a. O. 102.

noch ein Nacheinander, sondern um ein unauflösbares Ineinander. Wo Jesus Christus ist, da ist zugleich der Vater und der Geist. Er ist die Ikone beider. Das Geheimnis Jesu ist ein durch und durch trinitarisches. Sein Wort und Wirken tragen trinitarische Struktur und Züge.

Diese Aussage will nicht in erster Linie im Sinne der innergöttlichen oder Wesenstrinität, sondern in der Intention der Heilsökonomie gefaßt sein. Dieser trinitarisch-pneumatische Rahmen steht oder fällt nicht damit, daß Jesus über sein Verhältnis zum Vater und zum Geist formell und explizit nachgedacht bzw. gesprochen hat; er reicht weiter als seine ausdrücklichen Formulierungen. Gleichzeitig aber muß man sich auch von einer Minimalisierung dieser Zusammenhänge hüten: „Die Rolle, die sich Jesus in der Heilsveranstaltung Gottes zuschreibt, kann durch keine christologische Formel voll ausgeschöpft werden. Wir müssen immer wieder dem intellektualistischen Mißverständnis wehren, als habe Jesus selber nur schwache und undeutliche Ansätze zur christlichen Glaubenslehre geliefert, während die eigentliche und volle Wahrheit erst von der späteren Kirche definiert worden sei. In Wirklichkeit ist es genau umgekehrt: Jesus hat in seinem Wort und Werk die ganze und endgültige Wahrheit geoffenbart, und alle späteren Explikationen sind nur Versuche, den einen oder anderen Teilaspekt des Offenbarungsgeschehens in Begriffe zu fassen.“[18] Jesus Christus steht in einem trinitarischen Grundriß, der Gott als Geist und den Hl. Geist wesentlich einschließt. Dieser kann im Rahmen einer systematischen Darstellung nur im schematisierenden Nacheinander entfaltet werden, wobei man nicht vergessen darf, daß es sich sachlich und wirklichkeitsgemäß um ein Ineinander handelt.

Diese Zusammenhänge muß man sich vor Augen halten, wenn vom Geist als Person die Rede sein soll. Selbstverständlich erhebt diese Feststellung nicht den Anspruch, den Gipfel aller möglichen Prädikate über den Hl. Geist darstellen zu wollen. Vielmehr steht sie wie jede genuine theologische Aussage immer auch im Schatten negativer Theologie. Was es um Wesen und Wirken des Hl. Geistes ist, das läßt sich durch keine noch so umfassende und profunde Reflexion ermitteln. Trotz dieser Schwierigkeit besteht kein

---

[18] F. J. Schierse, a. a. O. 94.

Grund, auf die Reflexion in diesem Fall zu verzichten. Es gibt immerhin verschiedene Aspekte, unter denen diese Aufgabe in Angriff genommen wurde; einer davon, den das Dogma – gestützt auf Schrift, Überlieferung und lebendiges Glaubenszeugnis der Kirche – entwickelt hat, ist der der Personalität des Geistes. Dieser gehört sachlich in den Bereich der Gottes- und Trinitätslehre, soll seiner Relevanz wegen an dieser Stelle keineswegs unterschlagen werden.[19]

Der Personbegriff spielt innerhalb der Theologie vor allem in der Trinitätslehre, der Christologie und Anthropologie eine Rolle; seine Verwendung unterliegt bestimmten Schwankungen und entbehrt keineswegs ihrer Problematik. Letztere resultiert nicht zuletzt aus der vom theologischen Verständnis abweichenden neuzeitlichen anthropologischen Konzeption von Person. Der theologische Personbegriff ist grundsätzlich substanzontologisch verfaßt und orientiert, während der moderne Personbegriff eher relationalontologisch denkt. In der Trinität dient der Personbegriff dazu, die dreifache hypostatische Selbständigkeit als Vater, Sohn und Geist zu bezeichnen. Mit Hilfe des Personbegriffs wird die Individuation geistiger Substanzen ausgesagt.[20] In diesem Sinn wird grundsätzlich auch dem Hl. Geist Personsein zugesprochen. Dabei handelt es sich nicht so sehr um eine direkt zugängliche und erschlossene Personalität, sondern eher auf indirektem Weg erfahrene bzw. erkannte. Das darf nicht als ein qualitatives Urteil verstanden werden, son-

[19] Vgl. H. Berkhof, Theologie des Heiligen Geistes. Neukirchen 1968, S. 128–133; W. Kern – Y. Congar, a. a. O. 100–111; Y. Congar, Der Heilige Geist. Freiburg 1982, S. 325–453; F. Bourassa, Sur la propriété de l'Esprit Saint. In: SE 28 (1976), S. 243–264; 29 (1977), S. 23–43; R. P. C. Hanson, The Divinity of the Holy Spirit. In: ChQ 1 (1968), S. 298–306; G. W. H. Lampe, God as Spirit. Oxford 1977; W. Kasper, Der Gott Jesu Christi. Mainz 1982, S. 243–282; F. Marinelli, Ven Espíritu Santo. In: Estudios Trinitarios 2 (1968), S. 359–373; D. Moody, Spirit of the living God. Nashville 1976; V. Subilia, Le Mystère de l'Esprit. In: RRef 18 (1967), S. 21–43; J. Wolinski, Le mystère de l'Esprit Saint. In: D. Coppieters de Gibson (Hrsg.), a. a. O. 131–164.
[20] Vgl. J. Auer, Person. Ein Schlüssel zum christlichen Mysterium. Regensburg 1979; I. U. Dalferth – E. Jüngel, Person und Gottebenbildlichkeit. In: Enzyklopädische Bibliothek 24 (1981), S. 57–99; A. Ganoczy, Der Heilige Geist als Kraft und Person. In: H. Bürkle – G. Becker (Hrsg.), Communicatio fidei. Regensburg 1983, S. 111–123; A. Patfoort, La „fonction personelle" du Saint-Esprit. In: Ang. 45 (1968), S. 316–327.

dern bezieht sich auf den Modus der Erkenntnis, verglichen mit der Weise, wie Sohn und Vater der Erkenntnis des Glaubens sich präsentieren.

Der Mensch gilt als der eigentliche Adressat der Sendung und Ausgießung des Hl. Geistes. Als Empfänger des Geistes ist er über alle Kreatur herausgehoben. Das mag seinen Grund in der Defizienz des menschlichen Geistes wie in der dabei vorausgesetzten Sonderstellung des Menschen als Geschöpf haben. Fragt man näherhin nach dem Zusammensein von Mensch und Hl. Geist, so kann man sich am Leitfaden entsprechender biblischer Aussagen orientieren, die von einem „Sein" bzw. „Wohnen" des Geistes im Glaubenden sprechen (vgl. Röm 5, 5; 1 Kor 3, 16; 12, 3). Der Tenor dieser Bestimmungen macht deutlich, daß der Geist den Menschen und sein Leben in seinem Innersten und Eigentlichen trifft und betrifft. Das läßt sich unschwer an den Früchten und Wirkungen des Geistes ablesen. Der Geist verändert und verwandelt Menschen, er schafft sie zu neuen Menschen um. Das Verhältnis des Geistes zum Menschen läßt sich damit nicht auf bestimmte Gegebenheiten oder Potenzen des Menschen beschränken, sondern behaftet den Menschen bei sich selber, es greift gewissermaßen in die Grundsituation und Personmitte des Menschen ein und zwingt ihn, sich dem Geheimnis und Postulat seiner Individualität und Singularität zu stellen; gleichzeitig ermächtigt und befreit der Geist zu wahrem Mensch- und Personsein, er befähigt den Glaubenden zu einem personalen Vollzug seines Daseins im Gegenüber zu Gott.

Wenn der Hl. Geist so sehr auf die Person und Personalität des Menschen ausgerichtet ist, dann kann er selber nicht gut hinter diesem Maßstab der Wirklichkeit zurückbleiben und weniger als Person sein. Damit, daß er Geist ist und in Beziehung zum Menschen steht, kann er weder irrational noch amoralisch sein und walten: „Er fügt sich zwar nicht in das Schema rationalistischen Denkens, weil es ihm um den Menschen als ganzen geht. Aber eben deshalb ist das Wort in verständlicher Sprache das Medium des heiligen Geistes. Er ist der Geist der Erkenntnis, der Weisheit und der Wahrheit, nicht aber der Ungeist eines agnostischen Skeptizismus. Ebenfalls ist dann notwendig mitgesetzt, daß der heilige Geist nicht amoralisch waltet. Er läßt sich zwar nicht in ein Moralsystem zwingen. Er sprengt moralistische Gesetzlichkeit. Aber nicht, weil er die

Freiheit der Selbstsucht und die Auflehnung gegen Gesetz und Ordnung an sich propagierte, sondern weil er der Geist der Liebe ist, die das Gesetz dadurch aufhebt, daß sie es erfüllt. Dem Heiligen Geist gebühren diese personalen Epitheta, weil er seinem Ursprung nach personhaft ist. Er ist der Geist des Gottes, dessen Gegenübersein als Gewährung des Zusammenseins mit dem Menschen geglaubt wird und dessen Personsein darum sich das Personsein des Menschen verdankt. Er nimmt vollends die Züge menschlicher Personalität an als der Geist Jesu Christi, so daß das Verständnis des Heiligen Geistes untrennbar ist von der Beziehung zu dieser Person, in der das Gottesverhältnis seinen Brennpunkt hat." [21]

Geht man nun den umgekehrten Weg, der nicht vom Menschen, sondern von der Erfahrung und Wirklichkeit des Hl. Geistes seinen Ausgang nimmt und diese mit dem Begriff der Person und Personalität in Verbindung bringt, so ist zunächst zu betonen, daß uns die Personalität des Hl. Geistes als solche nicht einsehbar ist. Der Geist verschwindet gleichsam hinter seinen Wirkungen. Wenn auch die Bezeichnung des Geistes als Person nicht ohne Probleme ist, so gilt doch: „Unser Glaube würde sicherlich den Geist verfehlen, wenn er ihn nicht als eine Person wie die des Vaters und des Sohnes bekennen würde. Aber er befindet sich so in einer extremen Situation, denn der Geist entzieht uns absichtlich sein Antlitz und vermeidet es, uns gegenüberzutreten. Was die Bilder betrifft, die es uns ermöglichen, an den Heiligen Geist zu denken, von ihm zu sprechen, sich an ihm zu freuen, so weisen sie den Nachteil auf, daß sie nicht an eine Person gemahnen." [22] In einem noch recht undifferenzierten Sinn dient die Rede vom Geist als Person dazu, das alles Begreifen Transzendierende an ihm zum Ausdruck zu bringen. Man hat ihn deswegen nicht ohne Grund mit der Vorstellung der „Ekstase" oder „Kenose" in Verbindung gebracht. [23] Die Transzendenz des Geistes schließt sein Gegenüber- und Subjektsein ein. Bei aller Mitteilung und Wirksamkeit bleibt die Relation des Geistes zum Glaubenden und die des Glaubenden zu ihm immer im strengen Gegenüber. Der Geist verhält sich nicht so und teilt sich auch nicht so mit, daß er in

---

[21] G. Ebeling, Dogmatik des christlichen Glaubens, Bd. III, S. 116.

[22] P. Y. Emery, Le Saint-Esprit présence de communion. Taizé 1980, S. 117.

[23] Vgl. W. Kern – Y. Congar, a. a. O. 103; C. Duquoc, Dieu différent. Paris 1977, S. 121 f.

den Menschen eininge und zu einer Kraft oder Gabe werden würde. Das personhafte Verständnis des Geistes bedeutet, daß der Glaube auch hier mit einem Gegenüber konfrontiert wird, das die Zusage verbürgt. Andernfalls würden die Verheißungen und Gaben des Geistes auf klägliche Selbsterlösungsversuche des Menschen hinauslaufen. Allen Anstrengungen unseres Denkens und sittlichen Bemühens gegenüber bleibt der Geist freies Subjekt, dem wir uns verdanken und das in uns wirkt. Personsein des Geistes besagt: Er ist freies Subjekt in freier Zuwendung seiner Liebe.

Der Personbegriff impliziert die Vorstellung der Beziehung zu einem personalen Gegenüber. In seiner sowohl inner- wie außertrinitarischen Verwendung von Gott drückt er aus, daß Gott in immerwährender Selbstüberschreitung subsistiert. Mit anderen Worten heißt das: Gott führt keine monologische, sondern dialogische Existenz. Das gilt auch vom Geist in seiner inner- wie heilstrinitarischen Position. Er ist die innertrinitarische Verkörperung des Dialogs von Vater und Sohn, der personalisierte Dialog beider. Der Geist ist die hypostasierte Selbstüberschreitung oder sich selbst transzendierende Freiheit von Vater und Sohn. Er wird als „das Außer-sich-Sein Gottes" bezeichnet.[24] Von ihm heißt es: „Er ist das Innerste in Gott, Einheit in sich selbst überschreitender Freiheit, und zugleich das Äußerste, die Freiheit und Möglichkeit in Gott, sich in einer neuen Weise, d. h. nach außen, nochmals mitzuteilen."[25] Der Geist ist gleichsam das Prinzip der göttlichen Ekstase in Person, wenn gesagt wird: „Der Geist bricht das mögliche Sich-selbst-Genügen des ‚Gegenübers' der drei ersten Gestalten. Die christliche Tradition hat ihm eine dynamische, schöpferische Rolle zuerkannt; er ist in diesem Sinn derjenige, der weitere Unterschiede hervorbringt. Er ist die Öffnung der göttlichen Gemeinschaft auf das Nichtgöttliche hin. In ihm nimmt Gott da Wohnung, wo Gott gewissermaßen ‚außer sich' ist. Darum wurde er ‚Liebe' genannt. Er ist ‚die Ekstase' Gottes auf seinen ‚Anderen', die Kreatur hin."[26] Diese Aussage gilt nicht nur im heilsökonomischen Sinn, sondern

[24] H. Mühlen, Morgen wird Einheit sein. Paderborn 1974, S. 128; ders., Die Erneuerung des christlichen Glaubens. München 1974, S. 186.

[25] W. Kasper – G. Sauter, Kirche – Ort des Geistes. Freiburg 1976, S. 34.

[26] C. Duquoc, a. a. O. 121 f., zit. bei Y. Congar, a. a. O. 421; vgl. H. Mühlen, Der Heilige Geist als Person. Münster ³1966, S. 157.

a fortiori für den Geist, sofern er der Abschluß der Substanzmitteilung in Gott ist.

Der Bedeutungsgehalt des Personbegriffs sagt, daß die Person nie in einen Begriff eingeht. Das erhellt bereits aus dem Umkreis menschlicher Beziehungen. Personen haben Namen und signalisieren damit, daß sie unter keinen Allgemeinbegriff subsumiert werden können. Die im Namen hinterlegte Identität weigert sich, durch irgend etwas anderes definiert zu werden. Hl. Geist ist in diesem Sinn auch Name und verweist auf einen Überschuß an Inhalt und Realität, der sich dem Begriff entzieht und durch die Betonung der Personalität des Geistes sichergestellt werden soll. Der Hinweis auf den Geist als Person legt eine wesentliche Dimension der Wirklichkeit des Hl. Geistes frei. Er behauptet durchaus nicht, die erschöpfende, übergreifende oder zentrale Aussage über den Geist zu sein. In gewisser Hinsicht versieht er die Stelle einer Schutzfunktion. Es geht daher nicht an, diese mit anderen Dimensionen zu verbinden und in ein systematisches Abhängigkeitsverhältnis zu bringen. Bei den verschiedenen Dimensionen handelt es sich eher um Aspekte, unter denen sich die umfassende Realität des Geistes zeigt, mitteilt und zu erfahren gibt; dabei ist es keineswegs notwendig, über die Legitimität einzelner Perspektiven zu streiten oder ihre Relation zueinander einer unbedingten Klärung zuführen zu wollen.

3. Geist und Sohn

Das Verhältnis zwischen Sohn und Geist gilt als kontrovers zwischen Griechen und Lateinern. Diese Kontroverse weist eine lange und diffizile Vorgeschichte und Geschichte auf. Massive politische und kirchenpolitische Probleme und Interessen, die unzureichende Kenntnis der theologischen Tradition und Zusammenhänge der Gegenseite, zu kurzgreifende Einigungsversuche haben den Verlauf der Auseinandersetzung belastet und die Gesprächs- und Verständigungsbereitschaft immer mehr sinken lassen.[27] Beschränkt man

[27] Vgl. D. Ritschl, Geschichte der Kontroverse um das Filioque. In: Conc (D) 15 (1979), S. 499–504; J. Gill, Le concile de Florence. Paris 1966; J. Decarreaux, Les Grecs au Concile de l'union Ferrare – Florence. Paris 1970; V. Laurent, Concilium Florentinum IX. Rom 1971; A. Leidl, Die Einheit der Kirchen auf den spätmittel-

sich auf die theologischen Sachfragen der Kontroverse, dann wäre zunächst auf den unterschiedlichen Denk- und Sprachstil zwischen Rom und Byzanz aufmerksam zu machen. Die trinitätstheologischen und pneumatologischen Aussagen des Ostens stehen in einem apologetischen Kontext, der die theologische Reflexion der doxologischen Sprache der Anbetung zu- und unterordnet. Die einschlägigen Begriffe bei Athanasius wie οὐσία (Wesen), ὑπόστασις (Hypostase), πρόσωπον (Antlitz, Person), ἐνέργεια (Wirksamkeit) sind noch verhältnismäßig weich und lassen sich im Sinn einer sowohl funktionalen wie immanenten Pneumatologie interpretieren.[28] Durch die Kappadokier kommt Sorgfalt in diese Begrifflichkeit, sie unterscheiden zwischen der ἐκπόρευσις (Hervorgang) des Geistes und der γεννησία (Geburt) des Sohnes, wobei der Vater als alleinige Quelle von Sohn und Geist in Frage kommt. Photius verschärfte später diese Position, indem er vom Geist behauptet: ἐκ μόνου πατρὸς ἐκπορεύεται (er geht aus dem Vater allein hervor).[29] „Zeugung" und „Hervorgang" begründen die individuellen Proprietäten der einzelnen Personen.[30] Diese Differenzierung hat einen differenzierenden Sprachgebrauch im Fall der immanenten und ökonomischen Trinität bzw. Pneumatologie zur Folge: „Während man also sagen kann, der Geist des Vaters komme zu den Gläubigen ‚durch den Sohn', ist eine solche Aussage im Hinblick auf die innere Dynamik der Trinität sinnlos, ja irreführend, denn sie legt den Gedanken nahe, es seien zwei Quellen, zwei Ursachen, zwei Wurzeln in der Gottheit."[31]

Natürlich lassen sich an diese Position des Ostens unter westlicher Perspektive Fragen und Einwände richten: so der Vorwurf

alterlichen Konzilien von Konstanz bis Florenz (1439) als vorläufiges Modell eines kommenden Unionskonzils. In: ThG 63 (1973), S. 184–197; H. J. Marx, Filioque und Verbot eines anderen Glaubens auf dem Florentinum. Steyl 1977; Y. Congar, Der Heilige Geist, S. 444 ff.; J. M. Garrigues, Procession et ekporèse du Saint-Esprit. Discernement de la tradition et réception oecumenique. In: Ist. 17 (1972), S. 345–366.

[28] Vgl. D. Ritschl, a. a. O. 502 f.

[29] Vgl. M. Fahey, Sohn und Geist: Theologische Divergenzen zwischen Konstantinopel und dem Westen. In: Conc (D) 15 (1979), S. 508 f.

[30] T. Stylianopoulos, Sohn und Geist: Orthodoxe Stellungnahme. In: Conc (D) 15 (1979), S. 511.

[31] D. Ritschl, a. a. O. 503.

eines gewissen Monopatrismus, der die Wesensgleichheit und -einheit
der Hypostasen verdeckt, oder der Eindruck einer Verunklarung
des Verhältnisses zwischen Geist und Christus, das am neutestamentlichen Befund gemessen etwas defizitär ausfällt.[32] Die Anschauung des Westens, daß der Geist vom Vater und vom Sohn ausgeht, taucht im letzten Drittel des vierten Jahrhunderts auf; sie
findet sich bei Ambrosius, Victorinus, Rufinus, Hilarius und anderen. Augustinus hat sie aufgegriffen und in ›De Trinitate‹ formuliert. Es ist ein anderer Denkstil und eine andere Terminologie, die
hier am Werk sind: Augustinus „begann die Reflexion nicht mit
dem Vater, wie die Griechen, sondern mit dem Abstraktum ‚Trinität‘ als solcher, wobei die drei Personen in symmetrischen relationes
sich gegenseitig bedingen, so sehr sogar, daß er die Partizipation des
Sohnes in seiner eigenen Sendung lehrt. Letztlich wehrt nur der Bezug auf die Bibel dem logisch möglichen Gedanken, daß der Vater
oder auch der Sohn aus dem Geist hervorgegangen ist. So wird da
auch ‚processio‘ [Hervorgang] in viel breiterem Sinn verwendet, als
es die griechischen Bestimmungen der unverwechselbaren hypostatischen Eigenschaften gestattet hätten."[33] Es ist nicht verwunderlich, daß Augustinus bestimmte Schwierigkeiten hatte; so verstand
er den Unterschied zwischen Wesen und Hypostase nicht gänzlich,
wie er gleichfalls sein Unvermögen gesteht, wie sich die Differenz
zwischen „Zeugung" und „Hervorgang" rational erhellen ließe,
oder warum der Geist nicht ein weiterer „Sohn" sei.[34] Ihrem Ursprung nach geht die Zeugung des Sohnes dem Hervorgang des Geistes voraus. Sie gewährt dem Sohn mit Ausnahme der Vaterschaft
alle Vollkommenheiten und Eigenschaften, die Hauchung des
Geistes eingeschlossen.

Im Anschluß an Augustinus, der sehr wohl die Sonderstellung
des Vaters in der processio des Geistes notiert, taucht das Filioque
(und aus dem Sohn) auf den Lokalsynoden von Toledo in den Jahren 446/47, 589, 633, von Gentilly, Frankfurt, Friaul und Aachen
auf. Eine besondere Rolle spielt bei seiner Rezeption durch die
fränkische und römische Kirche das fälschlicherweise Athanasius

---

[32] Vgl. Y. Congar, a. a. O. 452.

[33] D. Ritschl, a. a. O. 503 f.

[34] Vgl. Augustinus, De trin. XV, 24, 44–26, 47: BKV 14, 318–325; T. Stylianopoulos, a. a. O. 511 f.

zugeschriebene Symbolum ›Quicumque‹: „Dieses Credo, worin gesagt wird, daß der Heilige Geist vom Vater und vom Sohne ausgeht, entsprach ganz der Einstellung der Konzilsväter von Toledo, weil es sich dazu eignete, eine ausgeprägte antiarianische Christologie vorzulegen. Falls nämlich der Geist vom Vater und vom Sohne zugleich ausgeht, ist der Sohn nicht – wie das die arianische Position implizierte – weniger hohen Ranges als der Vater."[35] Die spätere Theologie des Geistes im Westen fügte diesen Überlegungen neue und andere Aspekte bei.[36]

Nach zahlreichen Unterredungen und Annäherungsversuchen mit wechselndem Erfolg kam es 1439 zur Übereinkunft zwischen Ost und West auf dem Unionskonzil von Ferrara-Florenz. Sie hat folgenden Wortlaut: „Im Namen der heiligen Dreifaltigkeit, des Vaters und des Sohnes und des Heiligen Geistes, definieren wir unter Zustimmung dieses heiligen allgemeinen Konzils von Florenz, daß von allen Christen folgende Glaubenswahrheit zu glauben und anzunehmen ist, so daß alle bekennen: Der Heilige Geist ist von Ewigkeit her aus dem Vater und dem Sohn zugleich und geht von Ewigkeit her aus beiden als von einem Prinzip und einer einzigen Hauchung hervor. Wir erklären, daß das, was die heiligen Lehrer und Väter sagen, daß nämlich der Heilige Geist durch den Sohn aus dem Vater hervorgehe, so verstanden werden will, daß damit gesagt wird, auch der Sohn sei – wie der Vater – nach den Griechen Ursache, nach den Lateinern Prinzip der Subsistenz des Heiligen Geistes. Und weil alles, was des Vaters ist, der Vater bei der Zeugung seinem eingeborenen Sohn gibt, mit Ausnahme des Vaterseins, hat der Sohn das, daß der Heilige Geist auch aus ihm hervorgeht, von Ewigkeit her vom Vater, von dem er auch von Ewigkeit her gezeugt wird. Wir definieren auch, daß die Ausfaltung in der Formel ‚Filioque' zur Erklärung der Wahrheit und aus damals dringender Notwendigkeit dem Symbolum mit Fug und Recht beigefügt worden ist."[37] Dieser Text definiert die Gleichwertigkeit der beiden Formeln „Filioque" und „per Filium", wobei erstere als maßgebende angesehen wird. Heute fragt man mit allem Nachdruck, ob nicht auch das „Filioque" dem „per Filium" (durch den Sohn) gleich-

---

[35] M. Fahey, a. a. O. 506.
[36] Vgl. Y. Congar, a. a. O. 439–449.
[37] DS 1300 ff.

komme und damit der Monopatrismus mit entsprechenden Einschränkungen versehen als rechtsgültig anerkannt werden könne.[38]
Allerdings darf eine solche Interpretation nicht auf eine faktische
Annihilierung des Anteils des Sohnes am ewigen Hervorgang
des Geistes hinauslaufen, ein Gedanke, der auch mehreren griechischen Vätern nicht unbekannt ist, selbst wenn sie ihn nicht systematisch auswerten. Versuche, die in dieser Frage heute ein gegen-
seitiges Einvernehmen anstreben, können trotz des prowestlichen
Charakters der Florentiner Entscheidung davon nicht abstrahieren.

Ein sachliches und methodisches Problem zugleich stellt das
Phänomen des Zusatzes zum Credo dar. Das Filioque stellt in den
Augen des Ostens eine nicht kanonische Hinzufügung zum Glaubensbekenntnis der Kirche dar. Er beruft sich dabei auf eine entsprechende Entscheidung des dritten ökumenischen Konzils von
Ephesus 431, das bestimmt hatte: „Die Heilige Synode verfügte,
daß es niemandem gestattet ist, einen anderen Glauben aufzustel-
len, d. h. zu schreiben oder zu verfassen, als den, der von den Heiligen Vätern, die im Heiligen Geist zu Nizäa versammelt waren,
definiert worden ist."[39] Der Osten versteht dieses Verbot im strengen Sinn des Wortes. Mit seiner Infragestellung steht zugleich das
Verständnis der Kirche als κοινωνία (Gemeinschaft) und die Autorität der ökumenischen Konzile als verbindlicher Äußerung und In-
stanz der Kirche zur Debatte und in Gefahr. Auf dieser Ebene wird
das Filioque zu einem Angriff auf die Katholizität der Kirche, es erscheint als Willkürakt einer Ortskirche: „Die Einfügung des Filioque verletzt das Band der Liebe, das die ganze Kirche zusammen-
hält. Wenn eine Ortskirche willkürlich handelt, wird dann nicht das
Vertrauen zueinander zerbrochen, kraft dessen alle entschlossen
sind, in dem, was die wesentlichsten Glaubensfragen betrifft, wie
sie für gewöhnlich auf ökumenischen Konzilen entschieden worden
sind, einigzugehen?"[40]

Der Westen wertet das Filioque anders. Der Umstand, daß er die
Kirche als eine in Bewegung begriffene Lebens- und Traditionsge-

---

[38] Vgl. A. de Halleux, Orthodoxie et Catholicisme: du personalisme en pneumatologie. In: RTL 8 (1975), S. 3–30; Y. Congar, a. a. O. 445 f.

[39] DS 265.

[40] T. Stylianopoulos, a. a. O. 513 f.

meinschaft versteht, erlaubt es, in besonders gelagerten Fällen klä-
rende Worte einzufügen, um irrigen Auffassungen entgegentreten
und den Glauben unversehrt bewahren zu können. Solche Schritte
wurden nicht als eine Neuerung oder Verfälschung des Glaubens
empfunden, sondern als eine legitime Interpretation, die sich auf
das Beispiel früherer Konzile berufen konnte. Einen Beleg dafür liefert das Unionskonzil von Ferrara-Florenz, das bestimmt, „daß die
Ausfaltung in der Formel ‚Filioque‘ zur Erklärung der Wahrheit
und aus damals dringender Notwendigkeit dem Symbolum mit Fug
und Recht beigefügt worden ist"[41]. Diese Erklärung wurde auch
von den Griechen akzeptiert.[42] Hier stoßen unterschiedliche Auffassungen vom Symbolum aufeinander: „Für den Osten war dieses
die unveränderliche Form des Glaubensbekenntnisses, die von der
Kirche in der Liturgie doxologisch proklamiert wird. Die Lateiner
sahen die Sache mehr vom Intellekt, mehr von außen her an: als eine
Glaubensformel, die von einem Konzil oder dem Papst promulgiert
wird, wobei hier die promulgierende Autorität das Entscheidende
ist . . . Ekklesiologisch und kirchlich verhält sich die Sache anders.
Das Filioque einseitig, ohne Befragung des Ostens, in ein Symbol
von ökumenischer Geltung einzuführen, war nicht nur ein kirchen-
rechtlich unerlaubter Schritt, sondern ein Akt, der die Einheit der
christlichen Familie geringachtete. ‚Ein moralischer Brudermord‘,
sagte Khomiakov."[43]

Ist eine Einigung möglich? Eine Antwort auf diese Frage hat sich
zunächst auf die Gemeinsamkeiten zu besinnen, die im Glauben an
das Geheimnis des dreifaltigen Gottes und an den Hl. Geist liegen.
Streitende Parteien verlieren gerne den Blick für den Kontext und
neigen dazu, die Streitpunkte zu verabsolutieren. Ost und West bekennen in Gebet, Gottesdienst und Symbolum denselben Glauben.[44] Beide glauben an die Inspiration der Schrift durch den Geist,
an dessen Präsenz und Wirksamkeit in den Sakramenten, Diensten
und Charismen der Kirche. Der Geist steht den Bischöfen bei ihren
Entscheidungen auf lokalen und ökumenischen Konzilen zur Seite
und manifestiert seine Fruchtbarkeit in den Heiligen und in der

[41] DS 1302.
[42] Vgl. H. J. Marx, a. a. O. 203 f.
[43] Y. Congar, a. a. O. 450; vgl. M. Fahey, a. a. O. 508.
[44] Vgl. T. Stylianopoulos, a. a. O. 510.

Heiligung der Schöpfung.[45] Insgesamt gilt wohl: „Der Glaube, auf den die einen wie die anderen getauft worden sind, ist ihnen gemeinsam. Hier wie dort ‚wird der Geist als dritte Person-Hypostase der einzigen göttlichen Natur-Wesenheit bekannt, als wesensgleich mit dem Vater und dem Sohn'. Hier wie dort wird der Vater als der ursprungslose Ursprung der ganzen Gottheit bekannt. Hier wie dort wird vom Sohn bekannt, daß er am Hervorbringen des Heiligen Geistes durch den Vater nicht unbeteiligt ist."[46] Darüber hinaus fehlt es nicht an ausgleichenden Erklärungs- und Formulierungsversuchen, die insgesamt gewaltsam, künstlich und wenig befriedigend wirken, weil sie einer Quadratur des Kreises gleichkommen.[47] Dieser Weg ist vermutlich ein Holzweg.

Als möglicher Ausweg bleibt die Anerkennung der Einheit im Glauben an den Hl. Geist zwischen Ost und West, wobei zugleich der Unterschied der dogmatischen Ausdrucksgestalten dieses Glaubens als legitim bestehen bleibt, da keine in die andere „übersetzbar" ist und keine die andere für sich gewinnen konnte.[48] Tatsache ist, daß die westliche Tradition das Filioque seit dem 4. Jahrhundert kennt, ohne daß es längere Zeit hindurch als Störfaktor der Glaubensgemeinschaft zwischen Ost und West empfunden worden wäre. Soll in der Folge dieser Überlegungen das Filioque aus dem Symbolum im Westen gestrichen werden? Diese Forderung wurde schon zu Beginn des Unionskonzils zu Ferrara-Florenz griechischerseits erhoben, ihre Annahme wäre damals dem Eingeständnis eines Glaubensirrtums gleichgekommen. Die altkatholische Kirche hat das Filioque bereits 1875 aus dem Nizänum gestrichen.[49] Die

---

[45] Vgl. M. Fahey, a. a. O. 505.

[46] Y. Congar, a. a. O. 448 f.

[47] Vgl. V. de Buck, Essai de conciliation sur le dogme de la procession du Saint-Esprit. In: ÉtRel 2 (1857), S. 305–351; M. Jugie, De processione Spiritus Sancti. Rom 1936, S. 8–12; J.-M. Garrigues, Le sens de la procession du Saint-Esprit dans la tradition latine du premier millénaire. In: Contacts 3 (1971), S. 283–309; ders., a. a. O. 345–366; P. Henry, Contre le „Filioque". In: Irén. 47 (1975), S. 170–177; A. de Halleux, Pour un accord oecuménique sur la procession du Saint-Esprit et l'addition du Filioque au Symbole. In: Irén. 51 (1978), S. 451–469; O. Clément, De l'ekporèse du Saint-Esprit. In: Ist. 17 (1972), S. 442–456.

[48] Vgl. Y. Congar, a. a. O. 448.

[49] Vgl. St. Zankov, Beziehungen zwischen Alt-Katholiken und orthodoxen Kirchen. In: IKZ 52 (1962), S. 26 ff.; D. Ritschl, a. a. O. 502.

Lambeth-Konferenz von 1978 legte den Kirchen der anglikanischen Gemeinschaft nahe, diesem Beispiel zu folgen, nachdem zwei Jahre zuvor die Joint Doctrinal Commission das Filioque als Bestandteil eines ökumenischen Credos abgelehnt hatte.[50] Die theologische Kommission des Weltrates der Kirchen "Faith and Order" hat 1979 einstimmig die Resolution verabschiedet: „Die ursprüngliche Form des Artikels des Glaubensbekenntnisses von Nizäa-Konstantinopel über den Heiligen Geist ... ist von allen als normative Form des Credo anzuerkennen und wieder in die Liturgie einzuführen."[51] Katholiken des östlichen Ritus können die Formel legitimerweise bereits weglassen. In der Zwischenzeit wächst die Zahl katholischer Theologen, die aus Gründen der Demut und Brüderlichkeit der römisch-katholischen Kirche eine Auslassung des Filioque empfehlen, vorausgesetzt, daß diese Geste nicht mit dem Eingeständnis der Häresie gleichgesetzt wird.[52]

III. Geist und Glaube

Die Verbindung von Geist und Glaube ist bereits neutestament-lich vorgegeben durch die Redewendung vom „Geist des Glaubens" (2 Kor 4, 13). Geläufiger dürfte jedoch jene Kombination von Geist und Glaube sein, die den Geist als einen jener „Gegenstände" be-trachtet, auf die sich der Glaube inhaltlich richtet, an die er konkret glaubt. Unsere Themenstellung ist an dieser „objektiven" Vision nicht in erster Linie interessiert. Sie hat vielmehr das Geschehen, den Vorgang, die Haltung oder das Werk des Glaubens als solchen und deren Konnex mit dem Hl. Geist im Auge. Der Glaube gilt in der herkömmlichen Theologie als eine der drei göttlichen Tugen-den, die in besonderer Weise mit dem Hl. Geist als dem Geist der Wahrheit und der Liebe Gottes zusammenhängt.[53] Hier soll noch grundsätzlicher nach dem Geistbezug des Glaubens bzw. nach dem Glaubensbezug des Geistes gefragt werden. Der biblische Befund

---

[50] Vgl. Report of the Lambeth Conference 1978, S. 51 f.; D. Ritschl, a. a. O. 502.

[51] SOEP, Genf 1979; vgl. Y. Congar, a. a. O. 451.

[52] Vgl. Y. Congar, a. a. O. 452 f.

[53] Vgl. J. Auer, Kleine Katholische Dogmatik, Bd. V. Regensburg ²1972, S. 122–124.

legt eine innere Beziehung beider nahe: „Jeder Glaubende als solcher ist Wohnsitz des Geistes Gottes, Ort der Gegenwart Gottes. Man höre dies mit den Ohren des antiken Menschen, ob Heiden oder Juden, der noch wußte, was ein Tempel ist: der Glaubende, jeder Glaubende in seiner Leiblichkeit ist ein Tempel Gottes (1 Kor 3, 16; 6, 19). ‚Wer Christi Geist nicht hat, gehört nicht zu ihm' (Röm 8, 9). Darum ist der Geist der Geist der Sohnschaft (Röm 8, 15), der zu Gottes Söhnen macht (Röm 8, 14). Er ist nicht ein Geist der Knechtschaft, sondern der Freiheit. ‚Wo der Geist des Herrn ist, da ist Freiheit' (2 Kor 3, 17)." [54] Wird der Zusammenhang von Geist und Glaube in einer so fundamentalen Weise gesehen, dann läßt sich der Geist sinngemäß als „Grund des Glaubens" bestimmen. [55] Als jene Macht, die das Heil vergegenwärtigt und uns zueignet, löst er zugleich ein Annahmegeschehen in uns aus, wodurch wir in das Heil einbezogen werden. Dieser Vorgang läßt sich unschwer unter dem Oberbegriff des Glaubens erfassen. Betrachtet man den Glauben als Ereignis, dann kann er als eine Bewegung „im Geist mit Christus zum Vater" begriffen werden. [56] Der Glaube als Grundhaltung ist das Werk des Geistes. Alles, worin sich diese Haltung äußert, also alles am, im und mit dem Glauben ist dem Wirken des Geistes offen und ausgesetzt. Der Geist tritt dabei keineswegs als Konkurrent anderer Faktoren auf, er läßt vielmehr diese selber aktiv werden und bedient sich ihrer. Sieht man die Querverbindung von Geist und Glaube in diesem weiteren Horizont, dann erfährt die dadurch angezeigte Aufgabenstellung im Vergleich zur traditionellen Pistologie eine inhaltliche Erweiterung und Vertiefung.

1. Glaubensbegründung

Wenn es um eine Erhellung des Zueinander von Geist und Glaube geht, ist es naheliegend, zunächst in jenem Bereich anzusetzen, der durch die herkömmliche Glaubensbegründung und Analy-

---

[54] G. Ebeling, a. a. O. 105.

[55] Vgl. H. Thielicke, Der evangelische Glaube, Bd. III: Theologie des Geistes. Tübingen 1978, S. 16–79.

[56] Vgl. J. Trütsch – J. Pfammatter, Der Glaube. In: J. Feiner – M. Löhrer (Hrsg.), Mysterium Salutis, Bd. 1. Einsiedeln 1965, S. 830–838.

sis fidei (Erhellung des Glaubensaktes) ausgewiesen wird.[57] Nach christlichem Verständnis entscheidet der Glaube über Heil und Unheil des Menschen. Der des Heils bedürftige und fähige Mensch vollzieht im Glauben geradezu seine wahre Existenz.[58] Solcher Glaube läßt sich im Anschluß an eine hermeneutische Glaubenstheologie auf eine Formel gebracht als „Ich-Du-Wir-Glaube" umschreiben. Das „Ich" wäre dabei das glaubende Subjekt in seiner Ganzheit als Mensch und in seiner Einmaligkeit als Person, das nie allein glaubt, sondern der im „Wir" zusammengefaßten Gemeinschaft der Glaubenden angehört, von der es den Glauben empfängt und in der es den Glauben verwirklicht; mit dem „Du" ist Gott bzw. Jesus Christus angesprochen als Adressat und Gegenüber der im Glauben stattfindenden Begegnung. Dieser Glaube wird herkömmlicherweise mit einem Glaubenslicht, einer inneren Glaubensgnade oder der Übernatürlichkeit des Glaubens in Verbindung gebracht. Dahinter steckt die auf Erfahrung sich gründende Überzeugung, daß die bloß äußere Vorlage der Offenbarung zum Glauben noch nicht reicht. Zum Glauben bedarf es eines inneren Anstoßes, der biblisch auf eine Erleuchtung oder Salbung durch Gott (vgl. Mt 16, 17; 2 Kor 1, 21f.; 4, 4–6; Gal 1, 15f.), eine Eröffnung des Herzens durch Christus (vgl. Apg 16, 14), ein Ziehen, Bezeugen oder Belehrtwerden seitens Gottes, des Vaters oder des Geistes (vgl. Joh 5, 37; 6, 44f. 66) zurückgeführt wird. Ohne „Geist" lassen sich weder Jesu ursprüngliche Glaubenshaltung noch die von ihm dem Glauben in Worten bescheinigte bergeversetzende Kraft sowie in Heilungen demonstrierte Wundermacht begreifen (vgl. Mt 17, 20; 21, 21f.). Wie sehr der Glaube mit dem Vermögen des Geistes zusammenhängt, wird aus der Antwort Jesu an den Vater des besessenen Jungen deutlich: „Was heißt: wenn du kannst? Alles kann, wer glaubt" (Mk 9, 23).

[57] Vgl. E. Biser, Glaubensverständnis. Freiburg 1975; ders., Gott verstehen. Erwägungen zum Verhältnis Mensch und Offenbarung. München 1971.

[58] Vgl. E. Biser, Glaubensvollzug. Einsiedeln 1967; P. Luislampe, Die Bedeutung des Heiligen Geistes im Wachstumsprozeß des Glaubens. In: Monastische Informationen Nr. 36 (1983), S. 11–17; C. Schütz, „Der Geist des Glaubens" (2 Kor 4, 13). Überlegungen zur pneumatologischen Dimension von Glaube und Glaubensbegründung. In: H. Bürkle – G. Becker (Hrsg.), a. a. O. 209–219; ders., Vom „Geist" des Glaubens. In: Monastische Informationen Nr. 34 (1983), S. 10–14; H. F. Woodhouse, The Authority of the Holy Spirit. In: SJTh 20 (1967), S. 183–197.

Diesen Andeutungen gemäß rechnet beispielsweise Hugo von St. Viktor bei der Erörterung der Offenbarung und Erkenntnis Gottes zur „doctrinae eruditio" (Unterweisung in der Lehre) und „miraculorum ostensio" (Zeigen von Wundern) die „inspiratio divina" (göttliche Eingebung), von der er sagt: „diese ist der letzte Zeuge, da anschließend niemand mehr zweifelt".[59] Nach Thomas von Aquin lädt Gott durch einen innerlich erweckten „instinctus" (angeborenes Verlangen) und Glaubenswillen zum Glauben ein.[60] Dabei handelt es sich um eine Art innerer Anziehung, die im Menschen eine entsprechende Neigung oder Disposition hervorruft. In diesem Sinn teilt Gott mit der Offenbarung zugleich das innere Vermögen, die Kraft und das Verlangen mit, sie anzunehmen. Mit der von außen her ergehenden Offenbarung bezeugt Gott sozusagen sich selber im Inneren des Menschen.

Es ist nicht einzusehen, warum man diese das Innere ergreifende Initiative Gottes nicht pneumatologisch interpretieren sollte. Demnach wäre es der Hl. Geist, der die Konformität zwischen der Offenbarung und dem Herzen des Menschen herstellt. Der Geist würde das dadurch tun, daß er dieses Herz erweckt, ermahnt, ihm den Sinn für das Wort Gottes erschließt und dessen Erfahrung vermittelt, um seine Zustimmung wirbt usw. Es ist naheliegend, diese Aktivität des Geistes nicht nur auf ausdrückliche Glaubensakte zu beschränken, sondern sie auf die Transzendenzdynamik des Menschen und ihre verschiedenen Ausdrucksweisen auszudehnen. Man mag in diesem Zusammenhang sogar von einer gewissen Anonymität der Wirksamkeit des Geistes sprechen können, die unter Umständen bestimmten geläufigen Unterscheidungen vorausliegt und bei aller Bedeutungsvielfalt wie Ambiguität durch den Geistbegriff eingefangen wird. Die auf den Nenner „Geist" gebrachte Transzendenzbewegung des Menschen in seinem Erkennen, Wollen und Leben ist über alle noch so private und innerliche Subjekterfahrung hinaus offen und empfänglich für gemeinschaftliche, gesellschaftliche, geschichtliche und menschheitliche Vorgänge und

[59] Hugo v. St. Viktor, Vorlesungen; dazu vgl. C. Schütz, Deus absconditus – Deus manifestus. Rom 1967, S. 27f.; Th. Preiss, Das innere Zeugnis des Heiligen Geistes. Zürich 1948.
[60] Vgl. M. Seckler, Instinkt und Glaubenswille nach Thomas von Aquin. Mainz 1961.

Konnexe. Dadurch werden die pneumatologische Frage und Erfahrung nicht nur nicht unterdrückt, sondern in der rechten Weise radikalisiert und aktualisiert, sofern die Frage nach dem Geist Gottes die höchste Zuspitzung der Frage nach dem Geist des Menschen darstellt und alles Fragen nach dem Geist auf diesen Punkt und die damit zusammenhängende Unterscheidung der Geister zustrebt. Wo Glaube ist, da ist immer auch der Geist am Werk. Es wäre zu prüfen, unter welchen Bedingungen und inwiefern auch die Umkehrung davon gilt. Auf alle Fälle läßt sich christlicher Glaube nur dann adäquat beschreiben, wenn er als eine Bewegung begriffen wird, die vom Geist ausgeht und im Geist vollzogen wird, und zwar in jenem Geist, den der Vater sendet, der der letzte Ursprung der heilsgeschichtlichen und immanenten Trinität ist.

Von diesem Einfluß läßt sich sinnvollerweise der Vollzug des Glaubens nicht ausklammern. Alles, was den Glauben konstituiert und betrifft, ist grundsätzlich vom Geist geschenkt und von ihm getragen. Der Mensch ist von sich aus nicht in der Lage, zu glauben. Er steht dem Glauben im Zustand der „Passivität" oder des Empfangens gegenüber. Sosehr der Glaube ein Akt ist, der sich in uns abspielt, so verdankt er sich doch einem Geschehen extra nos (außer uns): „Er wird durch das Pneuma erweckt, das uns für das Wort unserer Befreiung aufschließt, oder umgekehrt gesagt: das uns das Wort erschließt. Das, was unser Nicht-hören und Nicht-sehen bewirkt, ist die Befangenheit in einem ‚fremden Geist' (Joh 14, 17; 15, 26; vor allem 1 Joh 4, 6), aus dem unsere Natur nicht auszubrechen vermag, auch nicht durch ‚Aufklärung'."[61] Der Mensch empfängt daher im Glauben gleichsam neue Augen, geistgeschenkte „Augen des Glaubens", die sich als ein „Sehen durch Liebe" oder als „Sicht der Liebe", die an Jesus Christus Maß nimmt, charakterisieren lassen. Dieses Licht des Glaubens ersetzt, verdrängt und erdrückt das menschliche nicht. Es macht gerade den mit Vernunft und freiem Willen ausgestatteten Menschen zu einem gläubig Sehenden und Zustimmenden, ohne selber Gegenstand des Sehens oder Wollens zu werden. Mit anderen Worten bedeutet das: Der Glaube ist nicht sosehr im Sinne eines objektiven Gegenüber Begegnung mit dem Hl. Geist, er führt vielmehr im Hl. Geist zur Be-

---

[61] H. Thielicke, a. a. O. 35.

gegnung mit Jesus Christus und dessen Vater. Der Geist stellt sozusagen das bleibende Vorzeichen oder den eigentlichen Motor jener
Begegnung dar, die der Mensch im Glauben vollzieht.

Noch unter einem weiteren Aspekt wird die Pneumatologie für
die Glaubensbegründung und -analyse relevant: nämlich unter dem
Stichwort der Glaubensgewißheit. Gottes Offenbarung verlangt
vom Menschen eine unbedingt gewisse und zugleich freie Zustimmung. Gott glaubt man nur dort, wo man ihm bedingungslos und
ohne Zwang glaubt. Die Unbedingtheit der Glaubenszustimmung
gründet bzw. fußt auf der Gewißheit des Glaubens, die ihren
Grund im geglaubten Du besitzt, das in der Glaubensbeziehung für
sich selber zeugt. Dabei ist all das vorausgesetzt, was von der Kirch-
lichkeit des Glaubens her über dessen Gewißheit und Unfehlbarkeit
zu sagen ist.[62] Diese Aussagen werden hier perspektivisch erweitert
und vertieft. Die Weise der Präsenz und Selbstdarstellung jenes Du,
dem man glaubt, muß als eine höchst spirituelle bezeichnet werden.
Die Erfahrung der Glaubensgewißheit läßt sich von den geschöpflichen Prämissen her noch am ehesten mit einer auf Intuition beru-
henden Erkenntnis vergleichen. In ihr erfährt sich der Glaubende
als einen, der die Wahrheit und Richtigkeit des Glaubens „sieht".
Diese intuitive Wahrnehmung stellt ein Evidenzerlebnis dar und
verdankt sich der Selbsterscheinung des Du des Glaubens.[63] Je
seinsmächtiger dieses Du ist, desto vollkommener wird die Zustimmung, desto stärker die Gewißheit sein. Nichts hindert daran,
diesen Vorgang mit dem Pneuma in Verbindung zu bringen, da
biblisch gesprochen das absolute Du Gottes bzw. Jesu Christi
wesentlich im Geist präsent, wirksam und zugänglich wird.

Der Geist zeigt dem Glaubenden gewissermaßen sein „Objekt"
in dessen absoluter Größe und Einmaligkeit, er läßt ihn zugleich
seiner eigenen und eigentlichen Intentionalität innewerden. Der
Mensch wird darin mit der Autorität des sich offenbarenden Gottes
konfrontiert und weiß intuitiv, daß er nur eines sinnvollerweise
kann und soll: nämlich Gott um seiner selbst willen gehorchen und
zustimmen. Es gibt für ihn keinen anderen Grund, sich Gott glau-
bend zu beugen, als Gott selber. Gleichzeitig ist er sich dabei dessen

---

[62] Vgl. J. Trütsch – J. Pfammatter, a. a. O. 817–898.

[63] Vgl. L. Eley, Intuition. In: HPhG III (1973), S. 748–760; C. Schütz, „Der
Geist des Glaubens" (2 Kor 4, 13), S. 209–213.

bewußt, daß das, was er tut, zutiefst richtig und seinem Wesen konnatural ist. Der Glaubende erfährt das mit einer rational nicht erhellbaren Klarheit, die ihrerseits als Geschenk und Werk des Geistes gelten kann. So gesehen bezeugt und rechtfertigt der Glaube im Glaubenden in einem gewissen Sinn sich selber. Die Gewißheit des Glaubens verdankt sich nicht der Intuition des Glaubens, sondern dem in der Intuition wahrgenommenen vollkommenen absoluten Du des Glaubens. Das Licht, in dem dieses sich zeigt und gewährt, richtet sich nach der Seinsfülle und -mächtigkeit, die ihm eigen ist.

Diese Erfahrung darf allerdings nicht rein statisch und punktuell gefaßt werden. Der Glaube selber besagt ja sowohl eine Grundhaltung (habitus) wie auch den konkreten Akt oder Ausdruck des Glaubens (actus). Da er sich in seiner Grundgestalt als Du-Glaube auf das vollkommene Du, das mit dem Geheimnis der Liebe und der Fülle des Lebens identisch ist, richtet, so ist darin eingeschlossen, daß es in ihm aufgrund der geschöpflichen Endlichkeit sehr wohl ein Mehr an Erkenntnis, Erfahrung, Intuition und Gewißheit gibt. Biblisch formuliert können wir Gott glauben wie Knechte ihrem Herrn, aber auch wie Kinder ihrem Vater, wie Freunde einem Freund. Abstrakt ausgedrückt heißt das: Mit der Erhöhung des personalen Charakters eines Erkenntnisaktes wachsen auch die Qualität der Erkenntnis und der Gewißheit. Solches Wachstum kann auf keinen Fall quantitativ verstanden werden; es handelt sich um ein qualitatives Plus. In dieser qualitativen Steigerung wird der Glaube selber immer mehr Glaube, Du-Glaube, er kommt in seiner Eigentlichkeit mehr und mehr zur Erscheinung. Derselbe Prozeß läßt sich auch damit beschreiben, daß man sagt, der Glaube werde im ursprünglichen Sinn immer spiritueller als ein Geschehen des Geistes und im Geiste. In dieser Hinsicht bringt alle Verwesentlichung und Vertiefung des Glaubens die Rolle des Geistes deutlicher zur Erfahrung. Der Glaube begreift sich selber als eine Bewegung im Geist und mit dem Geist. Er hört dann auf, unter anderem auch eine pneumatische Komponente zu haben; vielmehr wird er in seinem Kern als ein eminent und zentral vom Geist initiierter und inspirierter Weg offenbar. Wenn es einer Kurzformel zufolge die Eigenart des Glaubens ausmacht, Gott Gott sein zu lassen, so ist diese Gleichung nur dann möglich und herstellbar, wenn sie im Zeichen des

Geistes steht, denn der Geist läßt Gott als Gott präsent und wirksam werden (vgl. Joh 4, 24).

Die aufgezeigte fundamentale Relevanz des Geistes für den Glauben und im Glauben hebt dessen Nichtintegrierbarkeit und Verborgenheit nicht auf. Es gibt „keine Erfahrung des Geistes in dem Sinne, daß wir in uns selbst oder in andern das Wirken des Geistes als evidentes, aufweisbares Geschehen diagnostizieren könnten, um die Gewißheit unserer Annahme dann auf dies Offenkundige, auf eindeutige Erlebnisse und eindeutige Symptome, zu gründen. In demselben Sinne, wie wir nicht an unseren Glauben glauben, sondern nur mit ihm . . ., ist es uns verwehrt, an unser geistgewirktes ,inneres Leben' zu glauben und es zum Grunde unserer Gewißheit zu machen. Unser psychischer Mensch ist ja ,gestorben, und unser Leben – unser geistgewirktes Leben – ist verborgen mit Christus in Gott' (Kol 3, 3). Auch der Geist ,in uns' kann deshalb keine Introversion unseres Blickes bewirken. Er ist ja nur der Brückenkopf, den das Heilsgeschehen Gottes auf dem Terrain unseres Ich errichtet hat, um uns in sich hineinnehmen zu können und so ,außer uns' sein zu lassen."[64] Aus eben den genannten Gründen dürfte es auch unmöglich sein, daß der Geist mit anderen Größen oder Instanzen konkurrieren würde. Gerade aufgrund seiner Nichtintegrierbarkeit und Nichtregionalisierbarkeit kann der Geist entscheidend am Werk des Glaubens beteiligt sein.

Zwischen Geist und Glaube herrscht eine wesentliche Beziehung. Der Hinweis auf den Geist ist um des Glaubens, seiner Eigenart und seiner Konsequenzen willen unerläßlich. Christlicher Glaube ist nur dann in seinem Proprium erkannt, wenn er als das erfaßt wird, wozu der Mensch von sich aus nicht imstande ist. Der Geist macht den Menschen zum Glaubenden. Auf dem Hintergrund dieser Zusammenhänge wird auch die Notwendigkeit des Hinweises auf den Glauben für das rechte Verständnis des Geistes einsichtig: „Die Gerechtigkeit des Glaubens ist die eigentliche Gabe des Geistes. Das Wort des Glaubens ist die Quelle des Geistes. Die Gemeinschaft des Glaubens ist die Geschichtsgestalt, in welcher der heilige Geist weiterwirkt."[65]

[64] H. Thielicke, a. a. O. 51.
[65] G. Ebeling, a. a. O. 192; vgl. G. Martelet, D'une définition de l'Esprit Saint à travers la génération multiforme du Christ. In: LV 27 (1972), S. 385–605.

2. Erfahrung der Gegenwart des Geistes im Glauben

Die Frage nach der Erfahrung des Geistes soll hier weniger unter dem Eindruck der charismatischen Bewegung auf ihre kirchliche Relevanz hin gestellt werden; der Akzent soll vielmehr auf das grundsätzliche Zueinander von Glaube und Erfahrung gelegt werden, das eines pneumatologischen Rückverweises keineswegs entbehrt. Es ist nicht zu verkennen, daß der Glaube heute unter einem gewissen Erfahrungsdefizit leidet, das bis in die Theologie und Verkündigung hineinreicht. Dieser Mangel geht zu einem großen Teil auf das Konto der geistesgeschichtlichen Entwicklung der Neuzeit. Es war Descartes, der das Erfahrungsmoment aus dem Bereich des Denkens und Erkennens zugunsten der Ratio verbannt hat. Der Einfluß des neuzeitlichen Rationalismus auf Glaube und Theologie macht sich nicht zuletzt insofern geltend, als das Erfahrungsmoment von Gnade aus dem Selbstvollzug des Glaubens verdrängt wurde. Von daher ist es dem Glauben geradezu verboten, von Erfahrungen zu sprechen.

Unser Vorverständnis von Erfahrung ist von einem naturwissenschaftlich gefärbten Erfahrungsbegriff geprägt. Ihm zufolge scheint zwischen Glaube und Erfahrung ein unversöhnlicher Gegensatz zu bestehen. Gott selber ist nicht Inhalt unserer innerweltlichen bzw. innergeschichtlichen Erlebniszustände, Gegenstände, Kausalreihen oder Personen. Eine solche Auffassung von Erfahrung erweist sich in der Konfrontation sowohl mit dem alltäglichen wie streng wissenschaftlichen Sprachgebrauch als viel zu eng. Erfahrung gibt es eigentlich nicht im Plural, sondern nur im Singular, und auch hier nur als individuelle Erfahrung. Spricht man im Wissen um diese Relativität von Erfahrung in der Einzahl, dann meint man damit die Art und Weise, wie wir heute der uns umgebenden Wirklichkeit innewerden, wie wir ihr begegnen, wie wir sie handhaben, wie wir in der Welt sind und wie die Welt bei uns ist.[66] Erfahrung bezeichnet ein praktisches, aus dem Umgang mit Dingen und Menschen gewonnenes Wissen; sie besagt mehr als rein sinnliche Wahrnehmung und stellt ein Modell dar, um Realität zu verstehen. Die Erfahrung selber ist ein komplizierter Modus von Wirklich-

---

[66] Vgl. W. Kasper, Glaube und Geschichte. Mainz 1970, S. 125–133.

keitsbegegnung, die sowohl Wider-fahrnis wie Er-fahrnis beinhaltet, also objektiv und subjektiv, passiv und aktiv, rezeptiv und schöpferisch zugleich ist. Die Rede von der rein objektiven Erfahrung erweist sich daher als höchst mißverständlich, wenn nicht geradezu falsch. Man sieht sehr deutlich, welchen Engführungen ein an der Empirie sich orientierendes Verstehensmodell von Erfahrung unterliegt. Wir wissen, daß die Phänomene an sich nicht klar sind, sondern nach einer Interpretation rufen. Diese aber ist wesentlich das Werk des Menschen, der nur dann Erfahrungen sammelt, wenn er zuvor schon bestimmte Fragen an die Dinge und Erscheinungen richtet; diese Fragen aber muß der Mensch entwerfen und mitbringen. Ohne Fragen, ohne Interesse, ohne Aufgeschlossenheit und Empfänglichkeit gibt es keine Erkenntnis, keine Erfahrung. Erfahrung kommt nur durch Erfahrung zustande und trägt immer auch die Signatur des Menschen, der sie erwirbt und zur Synthese vereinigt. Sie stellt eine Grundgegebenheit unseres Menschseins dar, sie repräsentiert die Weise, wie wir mit der Welt und den Dingen umgehen. Was man wissenschaftlich als Erfahrung anspricht, ist eigentlich ein Sonderfall von Erfahrung überhaupt. Es gehört zur Eigenart der Erfahrung, daß sie ein Mittleres zwischen Anschauung und Denken bildet; sie stellt ein noch nicht begriffliches Erkennen dar, das auf begriffliche Durchdringung und Auswertung hin angelegt ist.[67]

Der Gegenstandsbereich der Erfahrung läßt sich global als Wirklichkeit bezeichnen, die den Menschen als Individuum wie in Gemeinschaft umfaßt. Im weiteren Sinn zählt dazu auch die Welt als Lebensraum des Menschen mit dem Netz vielfacher und vielfältiger Bezüge und Beziehungen. Am Charakter der Wirklichkeit partizipiert auch die Zeit, am aufdringlichsten wohl in Gestalt der Vergangenheit. Obwohl sie zeitlich gesehen schon vorüber ist, bildet sie doch das tragende Fundament der Gegenwart, sie kann nicht mehr zurückgeholt und geändert werden; gerade dadurch erweist sie sich als ein hartes Stück Wirklichkeit. Desgleichen stellt auch die Zukunft ein Stück Wirklichkeit dar, da aus ihr heraus und auf sie hin die Gegenwart immer schon erlebt und gestaltet wird. Wirklichkeit

---

[67] Vgl. K. Lehmann, Erfahrung. In: SM I (1968), S. 1117–1123; E. Schillebeeckx, Christus und die Christen. Freiburg 1977, S. 25f.

in diesem Sinn umfaßt das Gesamt von Welt und Geschichte. Erfahrung enthält immer auch das Angebot des Neuen: Sie „modelliert die Wirklichkeit – nicht in Gegenständlichkeit und Verfügbarkeit und vorfindlicher Präsenz, sondern kraft ihrer Eigenart, Geben und Nehmen, Empfangen und Deutung, Aktivität und Passivität in einem zu sein, ermöglicht sie einen Raum echter Begegnung und bringt Wirklichkeit zum Klingen und Sprechen. Erfahrung bewahrt das Gestern und ist Gespräch mit dem Gestern, kann dieses präsenthalten. Sie ist aber auch Ausgriff nach dem Morgen, sei es in Gestalt der Hoffnung, sei es in Gestalt des Kalküls, sei es in Gestalt der Phantasie oder der Utopie."[68] Erfahrung und Wirklichkeit implizieren sich gegenseitig, sie enthalten den Aspekt der Ganzheit und Gesamtheit.

Wie läßt sich von hier aus der Schritt zu Glaube und Theologie vollziehen? Die Verbindung wird dadurch hergestellt, daß der Glaube zunächst selber in einem elementaren Sinn Erfahrung ist, die sich auf Offenbarung stützt.[69] Für ihn ist es kennzeichnend, daß er die Welt unter dem Blickwinkel der Wirklichkeit und der Gesamtheit wahrnimmt. Die Wirklichkeit als ganze verweist auf eine Einheit, einen Grund. Nichts verbietet, daß man dafür die Vokabel „Sinn" setzt. Erfahrung ist Sinnwahrnehmung, Sinnerfahrung.[70] Die Begegnung mit der Wirklichkeit, die im Modell der Erfahrung erfolgt, ist so geartet, daß sie dabei von selbst auf Sinn stößt. Die Erfahrung vermeldet, daß der „Sinn" in der Mitte der Wirklichkeit immer schon präsent ist. Auf der Jagd oder Suche nach Glück, Erfolg, Frieden, Hoffnung, Leben usw. sind wir unterwegs zu ihm. Wer nach Sinn fragt, fragt unausweichlich nach universalem Sinn. Sinnfrage und Sinnerfahrung übersteigen die Schranken des Partikulären: „Hier erfährt der Mensch, daß er über alles objektiv Erfaßbare je schon hinaus ist und in eine grenzenlose Offenheit hinweist. Sinn kann nur erfahren werden, wenn ein Mensch bereit ist, sich auf diese Offenheit einzulassen und sich ihr anzuvertrauen. Sinn kann nur im Tun des Sinnvollen erfahren werden. Man muß den Sinn wa-

---

[68] H. Wagner, Theologie und Wirklichkeitserfahrung. In: ThQ 157 (1977), S. 260.

[69] Vgl. E. Schillebeeckx, Erfahrung und Glaube. In: Enzyklopädische Bibliothek 25 (1980), S. 76–85.

[70] Vgl. W. Kasper, a. a. O. 130–133; E. Schillebeeckx, a. a. O. 103–108.

gen, um ihn zu erfahren." [71] Erfahrungen als Sinnerfahrungen sind nur möglich im Rahmen und auf dem Hintergrund eines totalen Sinns. Den Sinn des Ganzen aber kann man nicht wissen, nur glauben; er ist mehr eine Sache der „Orthopraxis" als der „Orthodoxie".

Im christlichen Glauben tritt diese Sinnerfahrung und ihre Deutung aus dem Stadium der Allgemeinheit und Anonymität heraus und bekennt sich als Glaube an Gott, als Erfahrung Gottes. Aufgabe der Theologie ist es, diese Erfahrung der Wirklichkeit = Glaube auf den Begriff zu bringen. Bei der Lösung dieser Aufgabe wissen sich Glaube und Theologie auf die Autorität jener Erfahrung verwiesen, die in der Heils- und Offenbarungsgeschichte Jesu Christi gründet. Die Erfahrung des Glaubens führt über Jesus Christus. Es macht die Singularität dieser Erfahrung aus, daß sie im Geist geschieht und als Geisterfahrung auftritt. Fragt man, wie der Glaube heute wieder mehr Erfahrung werden könne, so ist er wohl zunächst gehalten, zu seiner Ursprungserfahrung zurückzukehren. Dieser wird er vor allem in Gestalt exemplarisch Glaubender, am meisten in Jesus Christus selber inne. [72] Der Glaubens- und Gotteserfahrung Jesu kommt diesbezüglich eine Schlüsselfunktion zu. Bei ihm bilden Glaube und Erfahrung eine Einheit. Von ihm her wird aber auch ein allzu idealistisches und optimistisches Verständnis von Glaubenserfahrung einer entscheidenden Korrektur ausgesetzt. Es gehört mit zur Eigenart der Erfahrung des Glaubens, daß sie von der Notwendigkeit, selber Erfahrungen zu gewinnen, nicht dispensiert, sondern dazu anhält, mit ihr Erfahrungen zu machen. Der Glaube ist erfahrungsbezogen, aber nicht deshalb, weil er sich erst vollsaugen müßte mit Erfahrung, sondern weil er als solcher immer schon voller Erfahrung ist.

Die Frage nach der Erfahrung des Glaubens hängt eng mit seiner zeitlichen Orientierung zusammen. Wie präsentiert sich der Glaube: als vergangenheits-, gegenwarts- oder zukunftsbezogen? Gewiß ist die Alternative in dieser Form einseitig, ja sogar falsch, dennoch könnte sie darauf aufmerksam machen, daß das Schwergewicht des Glaubens und seiner Aussagen weithin retrospektiv ist oder wenigstens in dieser Weise mißverstanden wird. Ein Glaube, der sich auch

---

[71] W. Kasper, a. a. O. 131.
[72] Vgl. E. Schillebeeckx, Jesus. Freiburg 1975, S. 203–240; ders., Erfahrung und Glaube, S. 78–85.

als Erfahrung begreift, wird die Dimension der Gegenwart und der Zukunft bewußter als bisher ins Auge fassen müssen. Solcher Glaube wird vor allem auch den Aspekt des Handelns nicht verbergen können. So könnte auf dem Weg über die Erfahrung die Kluft zwischen Glaube und Ethos geschlossen werden. Soll der Glaube das Moment der Erfahrung wieder zurückgewinnen, dann muß er schließlich die existentiellen Grunderfahrungen des Menschen heute kennen und sich jenen Bereichen zuwenden, in denen heute Erfahrungen zustande kommen. Hinter den Grunderfahrungen erhebt sich die Frage, ob sie bereits das Gesamt der Erfahrung ausmachen oder zu einer tieferen Erfahrung unterwegs sind. Ein möglicher Entwurf verweist auf die für den Menschen kennzeichnende Erfahrung der Abhängigkeit; diese könnte erweitert werden zur Erfahrung der Gegenseitigkeit. Eine zweite durchgehende Erfahrung ist die des Wandels und der Änderung; sie könnte übergeführt werden in die des Austausches, des Teilens und der Gemeinsamkeit. Eine dritte Grunderfahrung unserer Zeit spricht sich aus im Wort oder Programm der Erkenntnis; diese könnte verwesentlicht werden in der Erfahrung der Anerkenntnis.

Die Frage der Erfahrung des Geistes wird von K. Rahner vor allem im Rahmen der Transzendenzerfahrung verhandelt. Letztere wird am Beispiel menschlicher Erkenntnis und Freiheit abgelesen. In ihnen erweist sich der Mensch als ein Wesen der Transzendenz: „In Erkenntnis und Freiheit ist der Mensch immer zugleich beim einzelnen benennbaren und von anderen abgrenzbaren Einzelgegenstand seiner Alltagserfahrung und seiner einzelnen Wissenschaften und immer auch gleichzeitig darüber hinaus, auch wenn er dieses immer schon mitgegebene Darüberhinaus unbeachtet und unbenannt läßt. Die Bewegung des Geistes auf den einzelnen Gegenstand, mit dem er sich beschäftigt, geht immer auf den jeweiligen Gegenstand hin, indem er ihn überschreitet. Das einzelne gegenständlich und genannt Gewußte wird immer erfaßt in einem weiteren unbenannten, schweigend gegenwärtigen Horizont möglichen Wissens und möglicher Freiheit überhaupt, auch wenn es der Reflexion nur schwer und immer nur nachträglich gelingt, diese schweigend anwesende Bewußtheit noch einmal zu einem gewissermaßen einzelnen Gegenstand des Bewußtseins zu machen und verbalisierend zu objektivieren. Die Bewegung des Geistes und der

Freiheit, der Horizont dieser Bewegung ist grenzenlos. Jeder Gegenstand unseres Bewußtseins, der uns in unserer Mitwelt und Umwelt, sich von sich aus meldend, begegnet, ist nur eine Etappe, ein immer neuer Ausgangspunkt dieser Bewegung, die ins Unendliche und Namenlose geht. Was in unserem Alltags- und Wissenschaftsbewußtsein gegeben ist, ist nur eine kleine Insel . . . in einem grenzenlosen Meer des namenlosen Geheimnisses, das wächst und deutlicher wird, je mehr und je genauer wir im einzelnen erkennen und wollen. Und wenn wir diesem, wie leer erscheinenden Horizont unseres Bewußtseins eine Grenze setzen wollen, hätten wir ihn gerade durch diese Grenze schon wieder überschritten. Mitten in unserem Alltagsbewußtsein sind wir die auf namenlose, unumgreifbare Unendlichkeit hin Beseligten oder Verdammten (wie man will). Die Begriffe und die Worte, die wir nachträglich von dieser Unendlichkeit, in die wir dauernd verwiesen sind, machen, sind nicht die ursprüngliche Weise solcher Erfahrung des namenlosen Geheimnisses, das die Insel unseres Alltagsbewußtseins umgibt, sondern die kleinen Zeichen und Idole, die wir errichten und errichten müssen, damit sie uns immer aufs neue erinnern an die ursprüngliche, unthematische, schweigend sich gebende und gebend sich verschweigende Erfahrung der Unheimlichkeit des Geheimnisses, in dem wir bei aller Helle des alltäglichen Bewußtseins wie in einer Nacht und weiselosen Wüste beheimatet sind; die uns erinnern an den Abgrund, in dem wir unauslotbar gründen."[73] Die in der Weite unseres Bewußtseins sich spiegelnde Transzendenzerfahrung zeugt davon, wie das Geheimnis Gottes unserer Erfahrung voraus- und zugrunde liegt. Aufgrund der Eigenart der Selbstmitteilung Gottes besagt die Gott präsent-sein-lassende Transzendenzerfahrung soviel wie Erfahrung des Geistes Gottes, auf dessen Mitteilung alle Bewegung Gottes faktisch zielt. Die Alltagsgestalt solcher transzendentaler Gotteserfahrung im Hl. Geist kennt zahllose Erscheinungsweisen. Die konkrete Erfahrung des Geistes mitten im alltäglichen Leben bricht dort auf, wo wir an die Durchsichtigkeit der Güte, Größe, Wahrheit oder Schönheit unseres Daseins rühren bzw. an letzte und umgreifende Grenzen unserer Alltagswirklich-

---

[73] K. Rahner, Schriften zur Theologie, Bd. 13. Zürich 1978, S. 233–235; ders., Erfahrung des Geistes. Meditation auf Pfingsten. Freiburg 1977.

keiten stoßen. Die in der Mystik des Alltags sich ereignende Erfahrung des Geistes beinhaltet die Erfahrung des Übernatürlichen.

Unter Berufung auf den universalen Heilswillen Gottes ist es nicht einzusehen, die Erfahrung des Geistes auf den Bereich des verbalisierten und organisierten Christentums einzuschränken. Enthusiastische und ekstatische Phänomene sind in vielen Religionen bekannt. Was ist von ihnen zu halten? In ihnen wird die Vorläufigkeit alles Institutionellen überstiegen auf die unmittelbare Wirklichkeit und Gegebenheit des Göttlichen selber hin. Von den einigermaßen echten und ernsthaften Enthusiasmusphänomenen gilt: „In ihnen gerät der Mensch ‚außer sich‘; die traditionelle, alltägliche Objektivation des eigentlich religiös Gemeinten, die gerade durch ihre beruhigte Herrschaft das verdeckt und in die Ferne rückt, wofür sie doch eigentlich Zeichen und Verweis sein will, gerät aus ihrer Gefügtheit . . . der Mensch wird auf seine eigene Subjektivität zurückgeworfen . . . man wagt es, sich dem an sich selber anzuvertrauen, was . . . in seiner eigenen Unkontrollierbarkeit . . . als Vollzug jener Freiheit erfahren wird, die im Akt der Übergabe an die souveräne und nicht noch einmal von uns selbst zu rechtfertigende Verfügung Gottes west. Durch all dies aber kann mindestens die eigentliche transzendentale, von Gottes Selbstmitteilung getragene Verwiesenheit auf Gott deutlicher und unausweichlicher gelebt werden. Es ist zwar nicht so, daß solche enthusiastische Erfahrungen einfach unausweichlich und rein diese eigentlich gnadenhafte Erfahrung Gottes im Bewußtsein vorkommen lassen. Sie können auch eine neue Weise der Verstellung dieser eigentlichen Gnadenerfahrung sein, gerade durch und wegen der mit ihnen gegebenen Durchbrechung der Alltäglichkeit des in Gegenständlichkeit verfangenen religiösen Bewußtseins."[74]

Die Deutung mystischer Erfahrung im Raster des ursprünglichen Grundvollzugs der Transzendentalität des Menschen als Geist und Freiheit ermöglicht es, letzte radikale Selbstvollzüge des Menschen in Geist und Freiheit auch außerhalb des Rahmens von Christentum und Kirche als das anzusprechen, was in christlicher Theologie als Hl. Geist oder Gnade bezeichnet wird. Theologischerseits kann die

---

[74] K. Rahner, Das enthusiastisch-charismatische Erlebnis in Konfrontation mit der gnadenhaften Transzendenzerfahrung. In: C. Heitmann – H. Mühlen (Hrsg.), Erfahrung und Theologie des Heiligen Geistes. Hamburg 1974, S. 74 f.

Möglichkeit einer gnadenhaften Transzendenzerfahrung außerhalb des expliziten Christentums nicht ausgeschlossen werden. Der Theologe kann allerdings nicht über die Möglichkeit von Erfahrungen befinden, die in einem gewissen Sinn unsere alltäglichen Erfahrungen transzendieren und als „mystische" eingestuft werden, in Wirklichkeit aber keinen übernatürlichen und gnadenhaften Charakter aufweisen.[75] Solche Grenzen mahnen zur Vorsicht und Selbstbescheidung. Dadurch werden zugleich die Übergänge zwischen den Phänomenen christlicher und außerchristlicher Mystik in mancher Hinsicht fließend. Die Prüfung der kategorialen Inhaltlichkeit enthusiastischer Erlebnisse richtet sich nach den Regeln, denen die Beurteilung theologischer Aussagen und Inhalte überhaupt unterliegt. Die Frage nach der Beziehung enthusiastischer Phänomene und Bewegungen zur Kirche beantwortet sich – soweit es sich dabei um innerkirchliche Strömungen handelt – von der Ekklesiologie her, die um den Stellenwert des Charismatischen, dessen Recht, Einordnung und Spannung dem Institutionellen gegenüber weiß. Charismen haben einen dem Aufbau der Gemeinde dienenden Charakter und verlangen nach einer „Unterscheidung der Geister". Blickt man von hier aus auf die charismatischen Bewegungen in der Christenheit, dann braucht ihnen gegenüber eine eher nüchtern und rational verfaßte Theologie nicht von vornherein eine ablehnende oder skeptische Stellung zu beziehen.[76]

Die bisher erörterte implizite Erfahrung des Geistes tritt in ihr explizites Stadium in der Gestalt der Mystik. Diese wird „als Bewußtwerden der Erfahrung der ungeschaffenen Gnade als Offenbarung und Selbstmitteilung des dreifaltigen Gottes" beschrieben.[77]

---

[75] Vgl. K. Rahner, Schriften zur Theologie, Bd. 13, S. 207–225; G. B. Duncan, The Person and Work of the Holy Spirit in the Life of the Believer. Atlanta 1975.

[76] Vgl. K. Rahner, a. a. O. 232; L'experience de l'Esprit. Mélanges E. Schillebeeckx. Paris 1976; L'esperienza dello Spirito. Brescia 1974; H. Schauf, Die Einwohnung des Heiligen Geistes. Freiburg 1941; E. Mersch, La théologie du Corps mystique, 2 Bde. Paris 1944; A. Vonier, Le Saint-Esprit et l'Épouse. Paris 1947; S. Tromp, Corpus Christi quod est Ecclesia, Bd. III. Rom 1960; R. Spiazzi, Lo Spirito Santo nella vita cristiana. Rom 1964; I. Willig, Geschaffene und ungeschaffene Gnade. Münster 1964; K. Lehmann, Heiliger Geist, Befreiung zum Menschsein – Teilhabe am göttlichen Leben. Tendenzen gegenwärtiger Gnadenlehre. In: W. Kasper (Hrsg.), Gegenwart des Geistes. Freiburg 1979, S. 181–204.

[77] H. Fischer, Mystik. In: SM III (1969), S. 649.

Die Theologie der christlichen Mystik hat durch ihre Betonung der außergewöhnlichen und elitären Eigenart mystischer Randphänomene und Begleitumstände das eigentliche mystische Kernerlebnis, die Erfahrung des Hl. Geistes, eher vernachlässigt. Die philosophischen und theologischen Verbalisierungsversuche reichen an die ursprüngliche Erfahrung selber nicht heran: „Hier sagten und sagen die Begnadeten, daß sie entweder in einem plötzlichen Durchbruchserlebnis oder in einem langen stufenförmigen Aufstieg Gnade, unmittelbare Nähe Gottes, Vereinigung mit ihm im Geiste, in heiliger Nacht oder in seligem Licht, in schweigend von Gott erfüllter Leere erleben und – mindestens innerhalb des mystischen Geschehens selbst – nicht daran zweifeln können, daß sie die unmittelbare Nähe des sich selbst mitteilenden Gottes erfahren als Wirkung und Wirklichkeit der heiligenden Gnade Gottes in der Tiefe ihrer Existenz – eben als ‚Erfahrung des Heiligen Geistes‘.“[78] Dieses Zeugnis des Mystikers, der im Untergang des Geistes den Anfang des Hl. Geistes erfährt, unterscheidet sich im Grunde nur wenig von dem, was der Christ in Gestalt der Transzendenzerfahrung mitten in seinem Alltag auch erfahren kann. An dieser Stelle wären wohl die Erfahrungsberichte einzelner Mystiker anzuführen, die sich bei aller Verschiedenheit der Zeugnisse hinsichtlich der zugrundeliegenden Erfahrung nicht widersprechen würde. Sie weisen wohl in die Nähe und Gemeinsamkeit einer letzten Gleichzeitigkeit mit Jesus selber, seiner Abba-Erfahrung und jenem neuen Gottesbild, das sich in der Kenosis und den Annäherungserfahrungen an den Hiatus des Gekreuzigten entbirgt.[79] Dabei handelt es sich um zutiefst geistliche Erfahrungen, um Erfahrungen dessen, was Hl. Geist ist.

IV. Christliche Existenz als befreites Leben aus dem Geist

Eine Variante gegenwärtiger Theologie begreift Pneumatologie als „Lehre vom Tun“ und erhebt das Postulat einer „spirituellen

---

[78] K. Rahner, a. a. O. 230.
[79] Vgl. H. U. v. Balthasar, Mysterium Paschale. In: J. Feiner – M. Löhrer (Hrsg.), Mysterium Salutis, Bd. 3, 2. Einsiedeln 1969, S. 143–158, 171–182.

Ethik". In ihren Augen stellt das Tun die eigentliche Wirkungs-
weise des Geistes dar.[80] Solche Forderungen wissen sich in tiefem
Einklang mit urchristlichen Äußerungen. Die Begriffe Leben und
Freiheit können als Kennzeichen christlicher Existenz gelten. Ihre
Einführung in die Rede vom Hl. Geist ist dem biblischen Geistverständnis alles andere als fremd. Schon in Gen 2, 7 ist der Vorgang
einer Belebung der Materie durch Geist angesprochen. In Ez 37
stellt Gott den Propheten im Geist auf ein Feld mit Totengebein und
versieht ihn mit dem Auftrag, diese Gebeine anzureden und zum
Leben zu bringen. Paulus erweitert diesen schöpfungsmäßigen Zusammenhang von Geist und Leben in 1 Kor 15, 45 in einen eschatologischen, wenn er sagt: „Adam, der Erste Mensch, wurde ein irdisches Lebewesen. Der letzte Adam wurde lebendigmachender
Geist." In Gal 5, 1 wird christliches Leben auf den Nenner der Freiheit gebracht. Ähnlich stellt Joh 8, 31–36 das gesamte Werk Jesu
unter das Vorzeichen der Freiheit: „Wenn ihr in meinem Wort
bleibt, seid ihr wirklich meine Jünger. Dann werdet ihr die Wahrheit erkennen, und die Wahrheit wird euch befreien . . . Wenn euch
also der Sohn befreit, dann seid ihr wirklich frei." Dieser urkirch-
liche Rekurs auf den Wortschatz von Leben und Freiheit ist ohne
entsprechende Erfahrung nicht vorstellbar. Die Wurzeln des biblischen Sprachgebrauchs liegen in einer engstens mit dem Geist verbundenen Erfahrung von Leben und Freiheit. In welchem Sinn
gelten diese Weichenstellungen auch heute noch für das Selbstverständnis und den Selbstvollzug christlicher Existenz?

1. Hl. Geist als Quelle des Lebens

Alles Reden von Geist wie von Leben muß sich dem gegenüber
ausweisen, was wir als Leben erfahren und bezeichnen. Einem biologisch orientierten Verständnis zufolge erscheint der Geist als Produkt der Evolution; das der Materie entsprungene Leben bringt den

---

[80] Vgl. H.-R. Müller-Schwefe, Produktive Vernunft oder weltverwandelnder
Gottesgeist? Pneumatologie als Lehre vom Tun. In: C. Heitmann – H. Mühlen
(Hrsg.), a. a. O. 275–288; H. Beck, Geist und Technik. Geschichtsphilosophisch-
ethische Präliminarien zu einer modernen Geisttheologie. In: C. Heitmann –
H. Mühlen (Hrsg.), a. a. O. 289–302.

Geist hervor. Dieser Auffassung muß die religiöse Vorstellung von einem ewigen oder vollkommenen Leben als Widerspruch erscheinen. Da jedes Einzellebewesen die Folge von Geburt, Leben und Tod durchläuft, würde es den bisherigen Erfahrungsrahmen sprengen, wenn das Dasein auch nur eines einzigen Individuums prinzipiell dem Gesetz des Vergehens nicht erliegen würde. Wie kann der Glaube angesichts der naturwissenschaftlich fundierten Beobachtungen und Aussagen dem Phänomen Leben teilweise völlig andere Qualitäten zuschreiben?

Darauf ist zunächst zu antworten, daß das Leben keineswegs jene Eindeutigkeit aufweist, die seine naturwissenschaftliche Erhellung suggerieren könnte. Eine mehr als oberflächliche Betrachtung kann unmöglich jene Spannungen und Polaritäten übersehen, die mit dem Phänomen Leben verbunden sind. Unter diesem Aspekt dürfte für den Lebensprozeß auf allen Stufen des Lebendigen die Spannung zwischen Identität und Veränderung charakteristisch sein. Der vom Erscheinungsbild her dominierenden Variabilität und Verwandlung steht die durch alle Phasen des Lebensvorgangs hindurch konstitutiv bleibende Identität gegenüber. Alles Lebendige trägt anscheinend das Prinzip seiner Veränderung und seiner Identität zugleich in sich. Aus diesem Grund ist das, was die Veränderung bestimmt, zugleich das, was die Identität konstituiert. In diesem Spannungsverhältnis meldet sich eine Differenz zu Wort, die besagt, daß nichts voll oder erschöpfend das Wesen dessen realisiert, was es repräsentiert. Aus diesem Abstand resultiert die Frage der Identität. Für den Menschen stellt sich damit in verschärfter Form das Problem, daß er sich nicht mit sich selber in Deckung befindet und unter Umständen nicht einmal weiß, wer er ist bzw. sein soll. Wird er einerseits sich selbst als das fragende Wesen zum Gegenstand, so ist er andererseits gerade deswegen sich selber wiederum entzogen und verborgen. Er kann nicht einfach sein, was er ist. Als das noch ungeklärte Wesen hat er sich selbst zu fragen, das Experiment seiner selbst zu riskieren und eventuell dessen Scheitern auf sich zu nehmen, worin sich erneut das Problem seiner Identität stellt.[81] Was aber heißt im Fall des Menschen Identität, was Veränderung, Selbstentfaltung, Endgültigkeit, Gestalt, Ganzheit, Ein-

---

[81] Vgl. J. Moltmann, Mensch. Stuttgart 1971, S. 11–37.

heit, Irreversibilität oder Potentialität, Bildsamkeit, Vergänglichkeit, Erfüllung, Hinfälligkeit, Tod?

Ähnlich wie zwischen Identität und Wechsel schwankt das Leben zwischen Selbständigkeit und Abhängigkeit. Auch dafür liefert der Mensch das überzeugendste Anschauungsmaterial. Hinsichtlich seiner Selbständigkeit ist er entscheidend bestimmt durch die ihm eigene Art von Innerlichkeit. Er kann so sehr nach innen zu leben, daß man geradezu vom Innenleben des Menschen sprechen kann. Was die Gestaltung des Inneren betrifft, ist derselbe Mensch auf das angewiesen, was von außen auf ihn zukommt. So wird das Innere zum Ort, an dem der Mensch seine Abhängigkeit erkennt und erfährt; hier fällt auch die Entscheidung darüber, wie er sich äußert und ent-äußert. Je mehr einer auf sich selbst zurückgeworfen wird, desto stärker wird er der Radikalität der Außenwelt ausgesetzt. Sehr eindrucksvoll ließe sich dieser Vorgang am Phänomen der Sprache beobachten. Die Frage nach dem Verhältnis von Selbständigkeit und Abhängigkeit dient dazu, die Situationsbezogenheit, die Interdependenz, die Sozialität und Verborgenheit des Lebens, im Fall des Menschen die Eigenart seiner Freiheit aufzudecken.

Parallele Überlegungen ergeben sich, wenn man die Bewegung des Lebens in den Blick nimmt. Die normale Lebenskurve gleicht einer Parabel des Wachstums bis zum Zenit des Lebens, dem dann der Abstieg folgt. Das Leben zeigt die Polarität von Werden und Vergehen, Vervollkommnung und Verfall.[82] Diese Spannung verdichtet sich beim Menschen, sofern er zwar das höchste, aber keineswegs das vollkommenste Wesen darstellt. Das Streben nach Perfektion treibt ihn über alle vorläufigen Erfüllungen hinaus. Mit Hilfe von Wissenschaft und Technik entwickelt er nahezu unbegrenzte Möglichkeiten der Herrschaft und der Selbstsicherung, die eine Lawine neuer Schwierigkeiten und Gefahren zur Folge haben. Die Vervollkommnung seiner Möglichkeiten kommt dem Menschen teuer zu stehen. Je weiter er vorankommt, desto mehr scheint er hinter sich zurückzubleiben. In diesem Mißverhältnis meldet sich das Problem menschlichen Wachstums, menschlicher Leistung unabweisbar zu Wort. In welchem Sinn besagt Leben Wachstum? Ist

---

[82] Vgl. Z. Bucher, Natur Materie Kosmos. Eine allgemeine Naturphilosophie. St. Ottilien 1982, S. 118–139, 147–155, 179–200.

Wachstum gleichbedeutend mit Leistungssteigerung? Hier tut sich ein weites Feld von Fragen auf, die zur Rechenschaft darüber nötigen, wie der Mensch mit dem Leben in all seinen Erscheinungsweisen einschließlich des Todes und des Unverständlichen zurechtkommt. Es kann nichts darüber hinwegtäuschen, daß die Probleme der Ökologie, des Rohstoff- und Energiehaushalts, des Umweltschutzes, der Atom- und Kernenergie, der Human- und Sozialethik, der Friedensforschung usw. sich im Grunde als „Lebens-Fragen" erweisen.[83]

Was ergibt sich aus den bisher beobachteten Phänomenen? Ausgehend von einer biologisch ansetzenden Betrachtungsweise sind wir auf Erscheinungen des menschlichen Lebens gestoßen, welche die Eindeutigkeit des Lebens entscheidend in Frage stellen. Nimmt man den Duktus dieser Fragen auf, dann gerät man unwillkürlich an den Nerv dessen, was wir als Geist bezeichnen. Das Leben in seiner Vieldeutigkeit ruft nach dem Geist. Es sind sicher sehr wesentliche Aspekte auch dessen, was Geist heißt, getroffen, wenn das Problem der Identität, der Selbständigkeit oder der Vollkommenheit des Lebens zur Diskussion steht. Auf diese Weise wird der Geist zum Lebensvollzug in Beziehung gesetzt. Zieht man die skizzierten Linien noch ein Stück weiter aus, dann münden sie in die Frage nach der Wirklichkeit des Hl. Geistes. Alles Reden vom Geist ist gehalten, über seine Wirklichkeit Auskunft zu geben. Schon die Schrift spricht vom „Erweis von Geist und Kraft" (vgl. 1 Kor 1, 5) oder vom „Geist der Kraft" (vgl. 2 Tim 1, 7) und legt damit die Vermutung nahe, daß in die Wirklichkeit des Geistes noch anderes als theologisches Nachdenken einführt. Wer nach der Realität des Geistes fragt, wird auf das Leben als Ort der Verifikation verwiesen.

Schon von der Tradition her wird dem *Geist* ein besonderer Bezug zum *Leben* attestiert. Dieser wird noch unterstrichen durch seine Prädikation als „creator spiritus". Unter den Tätigkeiten des Geistes kommt seinem schöpferischen Wirken ein hervorragender Platz zu. Eine solche Kennzeichnung läßt das Tun des Geistes am schöpferischen Handeln Gottes Maß nehmen. Die Vorstellung der

---

[83] Vgl. C. Schütz, Weiterführende Perspektiven. In: M. Löhrer – C. Schütz – D. Wiederkehr, Mysterium Salutis. Ergänzungsband. Zürich 1981, S. 325–332; H. Thielicke, Der Evangelische Glaube, Bd. 3. Tübingen 1978; M. C. Cherian, The New-Creative Spirit. In: Jeedvadhara 8 (1978), S. 231–242.

Schöpfung bestreitet im Fall des göttlichen Wirkens jede Art von Vorgabe und Abhängigkeit. Gottes Handeln ist kreativ, d. h. es besagt ein Rufen ins Sein. Deutet man den ihm zugrunde liegenden Gedanken der „creatio ex nihilo" (Schöpfung aus dem Nichts) in einem protologischen und zugleich eschatologischen Kontext, dann wird die Rede von der Schöpfung insofern verschärft, als das Nichts, wogegen sie sich wendet, dem Widerstand gegen Gott entstammt. Siedelt man die Auffassung der Kreativität des Geistes in diesem Kontext an, dann kann es auch keine Konkurrenz zwischen Geist und Schöpfung geben. Der Nachweis des Geistes kann unmöglich dadurch erfolgen, daß man die Schöpfung abwertet oder vergewaltigt. Das Wirken des Geistes hält sich vielmehr an die in der Schöpfung vorgezeichneten Bahnen und Grenzen. Was es mit dem Lebensbezug des Geistes auf sich hat, das wird biblisch unübertreffbar in Röm 8, 22–26 formuliert. Hier wird gesagt, in welchem Sinn der Geist der Kreatur zu Hilfe kommt. Das Seufzen der geängstigten Kreatur, die der Gabe des Geistes entbehrt, und die Stimme des Geistes, der als Erstlingsgabe zuteil geworden ist, kommen auf eine eigentümliche Weise zur Deckung. Das Seufzen der Kreatur verschwindet nicht, selbst nicht in denen, die den Geist empfangen haben; es verträgt sich offensichtlich mit dem Besitz des Geistes. Es verhält sich vielmehr so, daß der Geist der so vielfach verdrängten Erfahrung der kreatürlichen Schwachheit geradezu Ausdruck verleiht. Im Seufzen der Kreatur wird die Wirksamkeit des Geistes vernehmbar. Der Geist steht unserer Schwachheit nicht in der Weise zur Seite, daß er sie aufhebt, sondern ihr zur sachgemäßen Äußerung verhilft.

Wesen und Eigenart des Hl. Geistes bestehen demnach auch darin, daß sie die Wirklichkeit des Lebens nicht verdecken, sondern aufdecken und dazu frei und fähig machen, sie zu akzeptieren. Der Geist, der von Jesus kommt und sich auf ihn beruft, schämt sich des kreatürlichen Seufzens nicht. Die Präsenz des Geistes erweist sich nicht in imponierenden Machttaten noch in einem um jeden Preis erfolgreichen Dasein. Er verhilft dazu, das Leben ungeschmälert das werden und sein zu lassen, was es in Wahrheit ist. Nach Röm 8, 18–30 erscheint der Geist gleichsam als „Leidensgenosse" von Mensch und Kreatur auf dem Weg zur Befreiung und Vollendung in Gott. Der darin angesprochene Prozeß einer „Geistwerdung" beider steht unter dem Vorzeichen des Eschatons, nicht der Evolution. Der Geist führt den Menschen zur Erkenntnis und Annahme seiner selbst, seiner Situation, auch dessen, wogegen er sich wehrt.

Der Konnex von Geist und Leben bedeutet, daß dort, wo der Geist am Werk ist, das ganze Leben unter die Bewegung jener Wende gerät, die vom Tod zum Leben führt. In ihr vollzieht sich jener Subjekt- und Herrschaftswechsel, von dem es heißt: „Nicht mehr ich lebe, sondern Christus lebt in mir" (Gal 2, 20). Dieser Tausch bedeutet keine Entfremdung oder Vergewaltigung des Menschen, sondern seine Befreiung, die sein Dasein erfüllt. Darum beinhaltet der Geistempfang nicht etwas zum Christwerden bzw. Christsein Hinzukommendes, sondern das „Zu-Christus-Gehören" und das „Aus-dem-Geist-geboren-Sein" sind ein und dasselbe.[84] Der Geist beantwortet die Frage, wem der Mensch letztlich und eigentlich gehört, wer der Herr und Eigentümer des Menschen ist. Insofern hat die Wirklichkeit des Geistes im Leben nichts mit einer nebensächlichen Zutat zur natürlichen Ausstattung des Menschen als Steigerung seiner vorhandenen oder Ersatz seiner fehlenden Potenzen zu tun. Seinen eigentlichen Sitz im Leben hat der Geist nicht in den menschlichen Fähigkeiten und Qualitäten. Er betrifft nicht eine Änderung am Menschen, sondern er schafft Änderung hinsichtlich dessen, wem er gehört und wovon er abhängt.

---

[84] Vgl. L. Bouyer, Le Consolateur. Esprit Saint et grâce. Paris 1980; F. D. Bruner, A Theology of the Holy Spirit. Grand Rapids 1970; D. Bertetto, Lo Spirito santo e santificatore. Roma 1977; D. Coffey, The Gift of the Holy Spirit. In: IThQ 38 (1971), S. 202–223; Y. Congar, Actualité renouvelée du Saint-Esprit. In: LV 27 (1972), S. 543–560; Ph. Delhaye, L'Esprit Saint et la vie morale du chrétien. In: Ecclesia a Spiritu Sancto edocta. Gembloux 1970, S. 141–152; R. W. Gleason, The Indwelling Spirit. Staten Islands 1966; J. Guillet, Le Saint-Esprit dans la vie du Christ. In: LV 27 (1972), S. 561–571; G. Huyghe, Growth in the Holy Spirit. Westminster 1966; H.-G. Koch, Neue Perspektiven der Theologie des Heiligen Geistes? Zu einigen Versuchen einer zeitgerechten Pneumatologie. In: HerKorr 30 (1976), S. 456–462; F. Lieb, Der Heilige Geist als Geist Jesu Christi. In: EvTh 23 (1963), S. 281–298; D. J. Lull, The Spirit and the Creative Transformation of Human Existence. In: JAAR 47 (1979), S. 39–55; L. Malevez, L'existence chrétienne dans sa relation à l'Esprit. In: Ecclesia a Spiritu Sancto edocta. Gembloux 1970, S. 127–140; A. Nossol, Der Geist als Gegenwart Jesu Christi. In: W. Kasper (Hrsg.), a. a. O. 132–154; F. Roustang, Growth in the Spirit. New York 1966; J. de Senarclens, Le Saint-Esprit et la sanctification des chrétiens. In: FV 62 (1963), S. 113–128.

Darum gilt grundsätzlich: Jeder Glaubende ist Träger des Geistes; dieser Geist tut sich nicht in erster Linie in außerordentlichen Wirkungen kund, sondern im Zeugnis des Glaubens und in der Tat der Liebe. Dieses Zeugnis ist das wahrhaft Außerordentliche, das in jedem Menschenleben Platz hat und es auf das allein Lebensnotwendige (vgl. Lk 10, 42) konzentriert. Auch darin bewahrheitet sich, wie sehr der Geist Vorgabe, nicht Vorwegnahme des ewigen Lebens ist.

Es liegt auf der Hand, daß dadurch eine Umwertung dessen, was gewöhnlich Leben oder Tod heißt, erfolgt. Nach der Meinung der Bibel sind Leben und Tod alles andere als eindeutige Phänomene. Das Leben hat man nicht einfach, es muß vielmehr erst noch gewonnen werden. Desgleichen kann der, der den Weg des Glaubens nicht geht, schon vorzeitig unter die Toten gerechnet werden (vgl. Mt 8, 22). Die darin enthaltene Relativierung von Leben und Tod wäre mißverstanden, wollte man daraus kein Interesse für ein Leben nach dem Tod folgern. Der Streit um Sinn und Erfüllung des zeitlichen Lebens in seiner Einmaligkeit zwingt dazu, Leben und Tod zusammenzudenken und die materialisierende Betrachtungsweise beider zu transzendieren. Leben ist nicht gleich Leben, es kann Domäne des Todes, aber auch Ackerfeld des ewigen Lebens sein. In der Frage nach dem ewigen Leben meldet sich die Frage nach dem Leben in der Zeit zu Wort. Das jedoch ist eine Angelegenheit des Geistes.

Leben und Tod besitzen eine pneumatologische Relevanz. Der Geist entscheidet über beide. Ihm ist es eigen, daß er Mut zum Leben und zum Tod zugleich verleiht. Wer sich auf den Geist Jesu einläßt, der ergreift das ewige Leben, bekommt aber zugleich Mut und Freiheit zu diesem zeitlichen Leben, wovon das Ertragen jener Anfechtungen nicht ausgenommen ist, die zeitlebens seitens der Todesmächte das Dasein bedrohen. Im Wissen um die im Geist erfolgte Kehre vom Tod zum Leben beinhaltet der Glaube sowohl ein Nein zur Allmacht des Todes wie ein Ja zum Tod. Es ist der Geist, der in der Ausrichtung des Lebens auf Gott diese Vergleichgültigung des Todes bewirkt.

Der Lebensbezug des Geistes läßt sich gleichfalls vom Zusammenhang zwischen *Geist und Wort* und der damit gegebenen Worthaftigkeit des Geistes her aufweisen. Geist und Wort stehen in

einer ursprünglichen Beziehung. Das wird schon deutlich an den
Funktionen, die dem Geist zugeschrieben werden und einen Bezug
zu Wort und Sprache dokumentieren: lehren, beweisen, überführen, erinnern, beten, erschließen, in die Wahrheit einführen usw.
Anscheinend ist der Geist derjenige, der nicht nur andere zum Sprechen ermächtigt, sondern auch sich selber in die Sprache hinein ent-
äußert, sich auf dem Weg der Sprache äußert. Der Geist steckt „im
Wort", hat worthaften Charakter. Das wird sichtbar in der Wirkung des Wortes, aber auch darin, daß der Geist gewissermaßen als
Wirkung des Wortes erscheinen kann (vgl. Apg 10, 44).

Wo aber bleibt der Bezug des Wortes zum Leben? Er wird prä-
gnant formuliert in dem biblischen Wort: „Nicht nur von Brot lebt
der Mensch, sondern von jedem Wort, das hervorgeht aus dem
Munde Gottes" (Dtn 8, 3; Mt 4, 4). Das heißt: Das Leben selber ruft
und hungert nach dem Wort des Geistes bzw. nach dem Geist des
Wortes. Dem korrespondiert zutiefst die Neigung des Geistes, der
als Wort gerade in das Leben will, schöpferisch durch das Wort
Leben ermöglicht. Im Vorhandensein des zum Leben notwendigen
Wortes wird von den Anfängen des Christentums an ein deutliches
Zeichen pneumatischer Wirksamkeit erblickt; am Kern dieser Erfahrung hat sich bis heute kaum etwas geändert.[85] Wie äußert sich
diese auf das Leben bezogene worthafte Dynamik des Geistes?
Grundsätzlich wohl darin, daß der Geist als Interpret oder Hermeneut erscheint. Er übt dem Leben gegenüber eine explizierende,
erklärende, deutende Funktion aus. Das Leben des Menschen hat
Sprach- und Zwiesprache-Charakter: „Wir werden in den Zeichen
des widerfahrenden Lebens angeredet. Wer redet?"[86] Es ist kurz
gesagt die im Leben ergehende „Stimme". Stimme ist alles andere als
eindeutig in Worten formulierte Botschaft. Sie besagt vor allem Anruf, Appell, Aufforderung, die inhaltlich erst entschlüsselt werden
müssen. Stimme ist für den Glaubenden identisch mit dem, was von
Gott oder Christus her auf ihn zukommt. Indem der Geist diese
Stimme in das Wort oder die Sprache übersetzt, wird deutlich, daß
er selber nichts Neues lehrt, nur die Funktion eines Dolmetschers

---

[85] Vgl. K. Rahner, Schriften zur Theologie, Bd. 3. Einsiedeln ⁵1962, S. 105
bis 109.

[86] M. Buber, Werke, Bd. I. München 1962, S. 187.

oder Interpreten wahrnimmt. Er deutscht die Stimme in das Leben ein.

In dieser Hinsicht fällt dem Geist als Hermeneuten des Daseins eine Mittlerrolle in doppelter Weise zu. Er interpretiert zunächst den mehrdeutigen Text, die Stimme, die in und aus dem Leben ergeht; er macht diesen Text eindeutig, verständlich, lebendig. Das aus dem Leben gewonnene Wort fängt nun seinerseits an, sich in das Leben zu übersetzen, sich darin fortzusetzen. Nur als Wort vermag die Stimme lebensmäßige Resonanz zu entfalten. Im Wort des Geistes wird gerade der Sinnhunger des Lebens aufgefangen und gestillt. Der Geist wird mittels des Wortes zum eigentlichen Motor des Lebens. Man sollte sich daher hüten, den Geist vorschnell mit irrationalen Elementen und Erscheinungen in Verbindung zu bringen. Grundsätzlich gehören Geist und Wort, nicht Geist und Stimme zusammen. Die Sprache des Geistes ist das Wort. Dieses Wort kennt viele Formen. An bevorzugter Stelle stehen das prophetische Wort, das Wort der Auferbauung oder Lehre, des Gebetes und des Zeugnisses, in denen sich der Geist artikuliert. Dieses Wort ist immer Wort des Lebens, das Leben zuspricht und gewährt, eröffnet und bewirkt.

Wie eng Geist und Leben zusammenhängen, wird noch einmal klar, wenn man auf die Verbindung von *Geist und Leib* achtet. Der Geist mag zwar zunächst als Widersacher des Leibes erscheinen, wir dürfen aber dabei keineswegs an den bekannten biblischen Gegensatz von Geist und Fleisch denken; denn Fleisch und Leib sind nicht dasselbe. Was hat der Geist mit dem Leib, der Leib mit dem Geist zu tun? Das Ineinander von Geist und Leib besitzt ein unübertroffenes Ur- und Vorbild im Verhältnis des Geistes zur Kirche. Letztere ist der Leib Christi, dessen Bau- und Lebensprinzip der Geist darstellt. Der Geist ist dabei die aktive, schöpferische, dynamische und gestaltende Kraft; sein Wirken zielt auf die Entstehung, das Wachsen und Reifen des Leibes (vgl. 1 Kor 12, 13). Der Leib der Kirche bezeichnet den Ort, die Wohn- und Wirkungsstätte des Geistes (vgl. 1 Kor 6, 19). Wie Kirche und Geist lassen sich auch Leib und Geist grundsätzlich nicht trennen. Der Geist verlangt nach Verleiblichung, nach Inkarnation; der Leib hungert und ruft nach dem Geist, nach Ver-Geistigung. Zwischen beiden besteht ein wahres „consortium", eine Lebens- und Schicksalsgemeinschaft, in der der Geist den Weg des Leibes begleitet und mitgeht.[87] So gesehen bezeichnet der Leib im weitesten Sinn des Wortes das Feld des Ausdrucks und der Betätigung des Geistes. Unter diesem Aspekt ist der Geist in einem sehr ursprünglichen Sinn auf den Leib geradezu angewiesen. Ohne den Leib würden wir nie erfahren, was es letztlich um den Geist ist. Hl. Geist will sich verleiblichen; Geist, der sich nicht verleiblicht, stammt nicht von ihm. Was sich auf diese Weise im Leib zeigt, ist der Reichtum des Geistes in seiner Einheit und Verschiedenheit. Der Leib als solcher ist dem dadurch angezeigten Spannungsverhältnis nicht gewachsen; es ist der Geist, der die Einheit in die Vielheit entläßt und diese aus der Verschiedenheit und in der Verschiedenheit sammelt und eint. Es gehört zur Eigenart des Leibes, daß er auf den Geist konkret und konkretisierend wirkt; er nimmt dem Geist seine Abstraktheit und Allgemeinheit, seine Unverbindlichkeit und Anonymität. Dadurch bewahrt er ihn gleichzeitig vor der Gefahr der Einseitigkeit, der Wirkungs- und Erfolglosigkeit. Der Leib selber wird damit zum Träger des Geistes, der sich seinen Leib schafft und baut, ohne in ihm auf- und unterzugehen. Ohne den Geist ist der Leib zum Zerfall, zur Bedeutungslosigkeit verurteilt. Was der Leib ist, verdankt er dem Geist.

Weiß man um diese gegenseitige Abhängigkeit und um die Tendenz des Geistes, sich einzuleiben, dann hat es keinen Sinn, Leib und Geist gegeneinander auszuspielen. Beide bedürfen einander und korrigieren einander. Der Leib ist die notwendige Hand des Geistes, ohne die es um sein Wirken geschehen wäre; der Geist bildet das lebendige Wissen und Gewissen des Leibes, ohne das er zu Untätigkeit und Sinnlosigkeit verurteilt wäre. Unser aller Leben und Glauben zeugt von der Notwendigkeit beider. Wir wissen: „Nicht jeder, der zu mir sagt: Herr! Herr!, wird in das Himmelreich kommen, sondern nur, wer den Willen meines Vaters im Himmel erfüllt" (Mt 7, 21). Zugleich aber gilt auch: „Keiner kann sagen: Jesus ist der Herr!, wenn er nicht aus dem Heiligen Geist redet" (1 Kor 12, 3).

Dieser an einigen Knotenpunkten des Daseins paradigmatisch

---

[87] Vgl. R. Schulte, Leib und Seele. In: Enzyklopädische Bibliothek 5. Freiburg 1980, S. 5–61; G. P. Pardington, Spirit Incarnate: the Doctrine of the Holy Spirit in Relation to Process Philosophy. Diss. 1973.

aufgewiesene Lebensbezug des Geistes wäre mißverstanden, wollte man ihn nur individualethisch oder in anthropologischer Verengung gelten lassen. Er besitzt sehr wohl eine ekklesiale, Welt und Geschichte ergreifende Dynamik. Der Geist läßt sich unmöglich nur auf einer individuellen, örtlich und zeitlich begrenzten Basis verrechnen. Hinterfragt man die vorher konstatierten Zusammenhänge von Geist und Leben, Geist und Wort, Geist und Leib, so lassen sie sich unschwer auf die Stichworte Gemeinschaft bzw. Gemeinsamkeit, Sinn, Ganzheit bzw. Einheit zurückführen. Geist und Leben münden in eine partnerschaftliche *Solidarität*; in ihr „erreichen die Glieder ihre Fülle nur in der gegenseitigen Ergänzung zum Ganzen; die Individuen erlangen Aktivierung, Vertiefung und Weitung ihres Eigenseins nur im Maße ihres verantwortlichen Einsatzes für andere und das übergreifende Ganze. Die Liebe ist deshalb sowohl das Individuellste und Intimste als auch das Sozialste; und die Haltung der Ichverhaftung leistet gerade dem Ich keinen Dienst. Die in übergreifender Perspektive mögliche Begeisterung bewirkt den Aufbruch des Ich aus der Enge des egozentrischen Individualismus in die befreiende Solidarität mit andern und im Ganzen." [88]

Die Verbindung von Geist und Wort führt zu einer verschärften Konfrontation mit der *Sinnfrage*. Die Herausforderung durch Technik und Wissenschaft, gesellschaftliche und politische Entwicklungen lehrt, wie wenig der Sinn als eine sich automatisch verwirklichende naturgesetzliche oder geschichtliche Größe betrachtet werden kann, sondern nach einem entsprechenden Ethos ruft, das allerdings in einer tiefen Konformität zum Sein alles Seienden zu stehen hat. Sein aber besagt nicht einfach nur Da-sein, sondern immer auch ein Mit- und Zusammen-sein, ein Voneinander- und Füreinander-sein. Anders gesagt heißt das: „Die Welt ist in einem universalen Auseinander-Zusammenschwingen begriffen, das Kosmos und Menschheit und deren Glieder umfaßt und worin alle und das Ganze ihre höchste (gemeinsame) Wirk-lichkeit, Sinnsteigerung und Freiheit erlangen können." [89] Die Sinnfrage stellt sich dem Menschen nicht mehr in einer nur individuellen oder anthropologischen Verkleidung, sie nimmt vielmehr eine universalkosmische

---

[88] H. Beck, a. a. O. 300.
[89] H. Beck, a. a. O. 295.

und -geschichtliche Gestalt an. Mensch und Welt sind und werden sich gegenseitig zum Schicksal. Diese Verkettung wird zu einer sich steigernden Herausforderung der Sinnfrage und damit der Frage nach dem Geist und dem Wort: „„Welt‘ ist die Sprache, die raumzeitliche Gestalt von Sinn, die Sprache des ‚Seins‘, das sich dem Menschen enthüllt und ihn damit einlädt, ein Heim für den Sinn und damit für sich selbst zu bauen. Verliert er nicht überhaupt die Fähigkeit zum Nachdenken, so kann es ihm in neuer Eindringlichkeit klarwerden, daß er sich nicht als Person verwirklichen kann, ohne seine Verantwortung in der Welt wahrzunehmen. Es gibt keinen Rückzug in ein heiles Ich-du-Eiland. Der Mensch kann sich auch nicht jenseits dieser neuen Welt ansiedeln, die von der modernen Technologie und einer durch die Humanwissenschaften geschärften Bewußtseinshaltung geprägt ist. Doch der Frage nach dem letzten Sinn von alldem und nach dem Ausdruck ihrer Verantwortung im Gebrauch der modernen Möglichkeiten kann die Menschheit nicht ohne unabsehbare Folgen ausweichen.“ [90] Fragt man nach dem, was der Rekurs auf den Hl. Geist zur Weltgestaltung und Sinnantwort beitragen kann, dann sind nicht in erster Linie Programme und Lösungen zu erwarten, sondern Maßstäbe und Perspektiven, die von der Offenbarung inspiriert und insinuiert sind und sich dem Ethos der Bergpredigt verpflichtet wissen. Mit der Welt wird der Mensch selber zur Diskussion gestellt; damit aber wird unabweisbar deutlich, wie sehr die Zukunft der Welt in der Hand des Menschen liegt.

Die Zusammengehörigkeit von Geist und Leib stellt die Frage nach der *Einheit des Ganzen*. Was ist das einigende Band von allem? Was ist das Ganze? Das kann letztlich nur dasjenige sein, was sowohl die Geschichte des Einzelnen wie des Ganzen bewegt. Was dem Menschen bleibt, ist die Hingabe an das Eine und Ganze und das Tun des Einen und Ganzen im Sinne der biblischen Martyria (Zeugnis).[91] Antwortet man auf die vorher gestellte Frage mit dem Hinweis auf den Hl. Geist, dann kommt er vor allem in seiner eschatologischen Funktion zur Sprache. Der Geist ist als der Geist der Auferstehung zugleich der Geist der Vollendung, ja der Voll-

---

[90] B. Häring, Frei in Christus, Bd. III. Freiburg 1981, S. 139.
[91] Vgl. H.-R. Müller-Schwefe, a. a. O. 288.

ender der Werke Gottes, des Ganzen von Mensch, Welt und Geschichte: „Der Heilige Geist ist der Theologe der Auferstehung
schlechthin, der Auferstehung, die sein anfängliches Werk ist, das
er vollenden wird und deren Licht das erste Werk Gottes, seine
ganze Schöpfung überstrahlt." [92] Der Geist ist es, der den „Leib"
des Menschen, der Kirche, der Menschheit und ihrer Geschichte
eint. Das jedoch vermag der Geist nur, wenn man ihn als den Geist
der Einheit und Gemeinsamkeit sieht, ja der Geist selber ist das
Band und Geschenk der Gemeinsamkeit. In diesem Kontext wird
das Ethos zu einer Forderung und Realisierung der alle und alles
umspannenden „communio" des Geistes. Alles Sollen entspringt
dem Vermögen der dem gemeinsamen Geist entstammenden Gemeinschaft. [93] Das bedeutet eine Überführung einer reinen „Forde-
rungsethik" in eine „Vollbringungsethik" und zugleich eine grundsätzliche Option zugunsten der Zukunft, des Lebens und des Heils
von Mensch, Welt und Geschichte, für die der Geist hoffen lehrt. [94]
Was es mit dieser Hoffnungskraft des Geistes konkret auf sich hat,
wird nirgendwo so deutlich wie an der Theodizeefrage: „Ohne
Eschatologie keine Theodizee. Die absolute Eschatologie des Gottes Jesu Christi schließt jedoch die relative Eschatologie, die tätig
heraufgeführt werden soll von jenen Menschen, die Christen sind,
nicht aus, sondern ein. Die (absolute) Eschatologie des Glaubens als
(relative) Eschatologie der Tat: ‚Eschatopraxis' im Heute. Wir dürfen, wir müssen die Welt und das Leben für besser halten, als sie
scheinen oder sind: indem wir unser Dafürhalten wahrmachen.
Wenn je, so gilt hier: daß die Wahrheit im Werden ist, im freien Tun
des Menschen. Immer war die Antwort derer, die wie Jesus Christus und mit ihm dasein wollten für die Menschen, das tätige Angehen gegen allen Übelstand von Seele und Leib. Eine tätige, gelebte,

---

[92] R. Landau, „Komm, Heiliger Geist, du Tröster wert . . ." Gestaltungen des
Heiligen Geistes. In: EvTh 41 (1981), S. 197.

[93] Vgl. C. K. Ginsberg, Family by choice. Die Realität des Geistes in einer Gruppe. In: C. Heitmann – H. Mühlen (Hrsg.), a. a. O. 303–311; A. Favale (Hrsg.), Mo-
vimenti ecclesiali contemporanei. Roma ²1982, S. 268–326; K. McDonnell, Pres-
ence–Power–Praise, 3 Bde. Collegeville 1980; A. Favale, Erneuerung der Kirche
aus dem Geiste Gottes. In: Erneuerung in Kirche und Gesellschaft 10 (1981),
S. 1–31.

[94] Vgl. H. Beck, a. a. O. 302.

erlittene und erstrittene Antwort."[95] Daraus erhellt, was „spirituelle Ethik" heißt.

2. Hl. Geist als Prinzip christlicher Freiheit

Die Verbindung von Geist und Freiheit klingt riskant. Dieses
Wagnis entspringt nicht erst der Möglichkeit des Mißverständnisses
oder des Mißbrauchs, der beide immer wieder ausgesetzt waren und
sind; es verhält sich vielmehr so, daß Geist und Freiheit den Keim
des Risikos bereits in sich tragen und ohne Risiko weder bestehen
noch verwirklicht werden können. Es ist nicht in unser Belieben gestellt, ob wir an der Kombination von Geist und Freiheit festhalten
wollen, wenn wir das Wort von 2 Kor 3, 17 unterschreiben: „Der
Herr aber ist der Geist, und wo der Geist des Herrn wirkt, da ist
Freiheit." Der Geist wirkt wesentlich Freiheit wie Freiheit eine
entscheidende Frucht, Erscheinungs- und Wirkweise des Geistes
darstellt. Doch welche Erfahrung und Auffassung von Geist und
Freiheit stehen hier zur Debatte?

Es besteht kein Zweifel, daß Freiheit ein entscheidendes Kennwort christlicher Existenz bildet. Wie alle Freiheit hängt auch die
Freiheit des Glaubens vor allem am Wort. Fragt man nach dem eigentlichen Movens für das freie Wort des Glaubens, dann stößt man
unweigerlich auf den Geist. Die freimütige Rede des Glaubens verdankt sich dem Wirken des Geistes. Der Geist ist das Bindeglied
zwischen Glaube und Freiheit. Wie sehr der Glaube die Sprache der
Freiheit spricht, wird deutlich an der lukanischen Pfingstgeschich-
te, wonach die Genesis von Glaube und Kirche einem die ganze
Welt erfassenden Sprachwunder gleicht, dessen äußere Nebener-
scheinungen belanglos wirken, wenn man sie mit dem vergleicht,
was hier den Glauben auslöst und zum Weitersagen be-geistert (vgl.
Apg 2, 1–47). Christlicher Glaube beinhaltet die Vollmacht zum
Wort, er kann unmöglich stumm sein, ihm eignet eine geradezu
elementare Sprachlichkeit. Von der Inanspruchnahme dieses Ver-
mögens hängt in einer fundamentalen Weise die Freiheit des Chri-

---

[95] W. Kern, Theodizee: Kosmodizee durch Christus. In: J. Feiner – M. Löhrer
(Hrsg.), Mysterium Salutis, Bd. 3, 2. Einsiedeln 1969, S. 579 f.

sten ab. Der Gebrauch dieser Vollmacht, der einen sehr urtüm-
lichen und ursprünglichen Vollzug christlicher Freiheit bedeutet,
kann zuweilen wie ein Zwang von innen her auf einem liegen (vgl.
1 Kor 9,16; Apg 4,20).

Die im Wort sich dokumentierende Freiheit des Glaubens leuchtet paradigmatisch auf in der *Abba-Anrede* Gott gegenüber. Das
aramäische Abba stellt die Brücke dar zwischen dem Beter Jesus
und der betenden frühchristlichen Gemeinde. Es verkörpert in
konzentrierter Form den von Jesus initiierten neuen Geist des Gebetes und erklärt sich aus dessen Gottesbeziehung und Gotteserfahrung. Das Wort Abba steht bei Jesus für seinen Lebenszusammen-
hang mit Gott, der Ausdruck höchster Liebe, Hingabe, Gemeinschaft und Freiheit in einem ist. Autorisiert durch Jesus, darf der
Christ sich mit der Abba-Anrede als Kennwort seiner ganzen Freiheit an Gott wenden: „Er darf sich von Gott als seinem Vater angenommen, bejaht, geliebt wissen, er darf sich darum vom Geist der
Sohnschaft bestimmt und in die Freiheit versetzt wissen, und er darf
von dem Zugang zu Gott Gebrauch machen und alles, was ihn bewegt, in den Ruf ‚Abba, Vater'. . . hineinnehmen." [96] In Röm 8, 15
und Gal 4, 6 wird das Wort Abba als Gottesbezeichnung verstanden, zu der ausdrücklich der Geist Recht und Macht verleiht. Als
der Geist der Sohnschaft beinhaltet er die Erlaubnis zum Wort und
zur Freiheit, zu Gott Abba zu sagen. Hier wird das Thema christlicher Freiheit sachlich der Vaterschaft Gottes und der Gottessohn-
schaft des Glaubenden zugeordnet und damit die Möglichkeit
eröffnet, das eine durch das andere zu interpretieren. Zusätzlich
verstärkt wird die Verbindung des Abba-Namens mit dem Motiv
der Freiheit durch das Verbot von Mt 23, 9, wonach die Zugehörigkeit zum Vater im Himmel alle gleichlautenden irdischen Ansprü-
che ausschließt. Positiv ergänzt und überhöht wird der Gedanke der
Freiheit durch den Hinweis auf die lebensmäßige Rolle, die der Gestalt des Vaters zukommt. [97] Im Abba Jesu wird der Mensch aufgrund der Einmaligkeit und Einzigartigkeit mit einem Daseinsent-
wurf konfrontiert, der höchsten Anspruch und höchste Freiheit in

---

[96] G. Ebeling, Dogmatik des christlichen Glaubens, Bd. 2, S. 76.
[97] Vgl. H.-R. Müller-Schwefe, Welt ohne Väter. Hamburg 1962; A. Mitscher-
lich, Auf dem Weg zur vaterlosen Gesellschaft. München 1963.

sich vereint. Der Glaubende, der mit seinem Leben Abba sagt, vollbringt damit die Tat der Freiheit.

Eine ähnlich urtümliche Verknüpfung von Wort und Freiheit begegnet uns in dem altkirchlichen Gebetsruf *„Marana tha"* (vgl. 1 Kor 16, 22; Offb 22,17). Worin liegt das Freiheitsmoment dieses Ausrufs? Wer „Marana tha" sagt, der blickt auf den kommenden Herrn. Seine Aufmerksamkeit gilt der Zukunft. Unter allen Zeitformen erweist sich die Zukunft als die noch am meisten offene, unentschiedene und damit freie. Insofern stellt der Gebetsruf „Marana tha" ein Plädoyer für die vom Herrn des Glaubens her kommende Zukunft und Freiheit dar. Wichtig ist die ihm zugrunde liegende Erwartungshaltung, die einer Parteinahme für die Freiheit gleichkommt. In dieselbe Richtung verweist das bekannte biblische Gebetswort *„Amen"*.[98] Wer Amen sagt, der gibt seine Zustimmung zu dem an ihn ergangenen Wort oder Anruf. Am dichtesten kommt diese Auffassung in 2 Kor 1, 20 zum Vorschein: „Er (= Christus Jesus) ist das Ja zu allem, was Gott verheißen hat. Darum rufen wir durch ihn zu Gottes Lobpreis auch das Amen." Das Amen des Christen kennzeichnet eine Existenz, die unter dem Zeichen der Verheißung steht. Verheißung aber verweist auf den Geist als Inbegriff und hält wesentlich den Horizont der Zukunft offen. Ein Leben unter ihr blickt auf das Ende als Vollendung und gründet in der Treue Gottes. Da die Verheißung letztlich mit Gott selber identisch ist, vermag keine ihrer Erfüllungen ihrem Anspruch zu genügen und wird sie selber zu einer unersetzlichen Lehrmeisterin und Erfahrung von Freiheit, die im Geist offen und empfänglich macht für den Geist.

Die genannten Beispiele verraten eine vorrangige Sensibilität für den Zusammenhang von Glaube, Geist und Wort. Dem Wort fällt dabei die Funktion eines Ventils für die Freiheit des Glaubens zu. Diese Beobachtungen stellen uns vor die Frage: Spricht unser Glaube heute noch die Sprache der Freiheit? Worin konzentriert sich für heutiges Glauben die befreiende Macht des Wortes? Welche Worte gibt der Geist der Freiheit dem Glauben ein?

Dem Kontext von Glaube und Wort zufolge spricht das Wort des Glaubens den Menschen auf Freiheit hin an, die es als konkrete oder

---

[98] Vgl. A. Grabner-Haider, Praktisches Bibellexikon. Freiburg 1969, S. 29.

praktische Freiheit in hervorragender Weise mit dem Geist zu tun hat. Dabei läßt sich die Frage, welche Freiheit näherhin gemeint sei, nicht mehr länger unterdrücken. Im Hinblick auf den soziologischen Befund dessen, was als Freiheit propagiert und praktiziert wird, erkennt man dem Glauben eine relativierende Kraft zu, wenn es heißt: „Es gibt nicht mehr Juden und Griechen, nicht Sklaven und Freie, nicht Mann und Frau; denn ihr alle seid ‚einer' in Christus Jesus" (Gal 3, 28). Das bedeutet: Mit Jesus Christus ist eine selbstverständliche Bruderschaft aller freien Söhne Gottes gegeben, in der die vorhandenen sozialen und übrigen Unterschiede nicht mehr ins Gewicht fallen. Diese Differenzen sind zwar noch präsent, spielen aber dort, wo man durch den Glauben Christus angehört, keine Rolle, sofern sie nicht mehr als störend oder gar trennend in Betracht kommen. Warum wohl? Weil die Gemeinschaft und Gemeinsamkeit des Geistes alles, was Unterschiede schafft, reduziert und relativiert. Diese wird zunächst paränetisch relevant. Alle jene Verschiedenheiten, die unter Menschen gewöhnlich so ausschlaggebend sind, werden durch die Freiheit des Glaubens entschärft und auf das individuelle Bewußtsein beschränkt. Der Glaube entläßt aus sich die Freiheit, sich in diesen Fällen nach ganz natürlichen und nüchternen Maßstäben zu verhalten; er gewährt ein neues inneres Verhältnis dazu, das unter dem eschatologischen Vorbehalt des „als ob" bzw. „als ob nicht" steht. Das ist alles andere als eine Nivellierung bestehender unterschiedlicher Gegebenheiten, es handelt sich vielmehr um einen souveränen Umgang damit, welcher der Freiheit des Nicht-sorgen-Müssens, des Darüber-Stehens oder des Darüber-überlegen-Seins entspringt. Die Freiheit des Glaubens bannt die Allmacht der Zwänge und Verhältnisse, sie verwandelt die Einstellungen, Haltungen und Bedingungen, sie setzt neue Maßstäbe im mitmenschlichen Bereich und im Umgang mit der Welt und den Dingen. Auf diese Weise ist sie geeignet, weiterwirkende Veränderungen im Sozial- und Seinsgefüge auszulösen.

Mit dem Verschwinden der Unterschiede allein ist das Problem der Freiheit keineswegs gelöst. Dieses erweist sich als ein wesenhaft dialektisches. Der Freiheitsbegriff „ist auf die Frage bezogen, wem der Mensch gehört, wer über ihn Verfügungsrecht hat. Mit dem negativen Sinn von Freiheit, wonach ein Verfügungsrecht über den Menschen abgelehnt wird, erledigt sich nicht die Frage, wem der

Mensch gehört, wessen Eigentum er ist. Freiheit wird deshalb positiv dahin bestimmt, daß ein freier Mensch sich selbst gehört und über sich selbst verfügt. Will er nicht anderen gehören, so muß er sich selbst gehören. Sollen nicht andere über ihn verfügen, so muß er über sich selbst verfügen. Der Mensch ist wesenhaft dem Problem seiner Hörigkeit, der Verfügung über ihn ausgesetzt... Freiheit betrifft die Art, wie sich in Hinsicht auf das Menschsein die Machtfrage stellt: offensichtlich nicht allein durch Mächte, die ihn von außen her in seinem Vermögen einschränken, sondern auch durch Mächte, die er in sich selbst beherbergt."[99] Freiheit schließt damit eine bestimmte Weise von Bestimmt- bzw. Verfügtsein letzten Endes nicht aus, es fragt sich nur, welche dafür in Betracht kommt.

Mehr als gegen äußere richtet sich christliche Freiheit gegen innere Mächte, die ihr Vermögen dem Menschen selber verdanken. Sie nötigt dazu, die Machtfrage im Fall des Menschen konsequent zu Ende zu denken. Wer oder was kommt zur Herrschaft, wenn es um die Freiheit und Unabhängigkeit des Menschen geht, wenn andere über ihn verfügen bzw. er selber über sich verfügt? Der Christ kann und darf seine Freiheit weder an Menschen noch an sich selber verlieren. Er gehört weder sich noch anderen. Er ist frei, weil er Christus gehört (vgl. 1 Kor 6, 19f.; 7, 23; Gal 3, 13; 4, 5). Darin wird der letzte und spezifische Grund seiner Freiheit sichtbar. Christliche Freiheit ruft den Menschen aus allen Abhängigkeiten in die Gegenwart Christi und Gottes, in deren Angesicht sie ihn mit der denkbar höchsten Zuständigkeit und Verantwortung für sich, seine Nächsten, die Welt und die Schöpfung behaftet. Es ist der Geist, in dem Gott und Christus gegenwärtig sind und der den Menschen in diese Gegenwart holt. Wer an Christus glaubt, der wird in die Gegenwart Gottes versetzt. Je gegenwärtiger Gott ist, desto freier wird der Mensch. Wo Gott ist, steht alles im Zeichen der Freiheit: „In Christus und im Geistgeschehen ereignet sich die Gegenwart Gottes als gegenwärtigmachende Gegenwart. Ganz gegenwärtig sein heißt frei sein. Unfreiheit besteht darin, dem nachzuhängen, was einen nicht gegenwärtig sein läßt."[100]

---

[99] G. Ebeling, Dogmatik des christlichen Glaubens, Bd. 3, S. 176f.
[100] G. Ebeling, a. a. O. 180.

Gott ist kein Konkurrent der Freiheit des Menschen; er erscheint im Glauben als derjenige, der sie am meisten fördert und fordert. Diese Erfahrung erschließt sich nur dem, der den Glauben wagt; jenseits des Glaubensstandpunktes gibt es keinen Zugang zu ihr. Selbst der Glaubende erfährt fortwährend, wie sehr er lebensmäßig durch seine Grenzen und Begrenzungen hinter dem Anspruch solcher Freiheit zurückbleibt. Daraus resultiert zumindest die Anfrage, wie weit er fähig und willens ist, die Spannung der Freiheit des Glaubens auszuhalten und glaubhaft erfahrbar zu machen. Gerade darin wird die Frage nach dem „Geist" der Freiheit virulent.[101] Der Geist ist es, der aus dem anthropologischen Freiheitsbegriff einen theologischen macht. Seine Aneignung geschieht nach Röm 14, 23 in jenem Glauben, der weiß, daß die größte Provokation christlicher Freiheit von der Sünde ausgeht. Ihr setzt die Freiheit des Evangeliums die Überzeugung und Entschiedenheit des Glaubens entgegen. Der Geist verleiht der Freiheit des Glaubens eine letzte Immunität gegenüber jeder Form von außergöttlicher Abhängigkeit, um sich auf diesem Weg Ehre oder Geltung zu verschaffen (vgl. Joh 5, 12; 12, 4; Röm 8, 21). Christliche Freiheit nimmt es mit dem in Jesus Christus anwesenden und gegenwärtigen Gott auf, mit nichts und niemand anderem. Diese Konfrontation gläubiger Freiheit mit Gott verdankt sich dem Werk des Geistes. Versteht man in dieser gegenseitigen Verschränkung den Hl. Geist als den Geist oder die Seele christlicher Freiheit, so kann man mit guten Gründen das traditionelle Stichwort Gnade durch das der Freiheit erhellen.

Bedenkt man das pneumatologisch strukturierte christliche Freiheitsverständnis auf seine praktische Konkretisierung hin, so bietet sich dafür der biblische Begriff der „diakonia" (Dienst) an. Man kann sich zwar vordergründig keinen größeren Gegensatz denken als den zwischen einem Diener bzw. Knecht und einem Freien, dieser verflüchtigt sich aber, sobald man nach dem eigentlichen Gegenüber des christlichen Dienstverhältnisses fragt und Freiheit als ein ausschließlich Gott bzw. Jesus Christus verpflichtetes Be-

---

[101] Vgl. E. Käsemann, Der Ruf der Freiheit. Tübingen 1968; E. Biser, Provokationen der Freiheit. München 1974; G. Greshake, Geschenkte Freiheit. Freiburg 1977, S. 106–122; ders., Gnade als konkrete Freiheit. Mainz 1972, S. 280–310; K. Rahner, Gnade als Freiheit. Freiburg 1968; L. Scheffczyk (Hrsg.), Erlösung und Emanzipation. Freiburg 1973.

stimmtsein faßt. Will man die Freiheit des Glaubens auf ihre grundsätzliche Betätigungsform bringen, dann läßt sich die Aussage auf-
stellen: Freiheit ermächtigt geradezu zum Dienst. In welchem Sinn
ist dies gemeint?

Faßt man zunächst das Verhältnis von Freiheit und Dienst ins
Auge, dann muß die Freiheit der Atem des Dienstes sein, der Dienst
aber die in die Tat übersetzte Freiheit. Christliche Freiheit ist nach
dem Beispiel Jesu nicht zum Herrschen, sondern zum Dienen bestimmt (vgl. MT 23, 11; Lk 9, 48). Sie macht frei und fähig zum
Dienen. Das Dienen selber steht unter dem Vorzeichen einer Freiheit, die man nicht sich selber nimmt oder gibt, zu der vielmehr
Christus allein oder der Glaube befreien und instand setzen. Es
besagt alles andere als eine Beeinträchtigung der Freiheit, es stellt
vielmehr deren Ernstfall und Bewährungsprobe dar. Im Glauben
gilt: Nur ein freier Dienst zählt, nur in Freiheit kann man dienen,
nur der Freie kann Knecht werden. Bei diesem Zueinander von
Freiheit und Dienst geht es nicht so sehr um „Sachen" oder die anderen, sondern um den Glaubenden selber, um sein Verhältnis zum
Glauben, zu Gott bzw. Christus, zum Evangelium; dieses Verhältnis steht oder fällt mit der Freiheit des Dienens, es erweist sich als
eine höchst pneumatisch-pneumatologische Angelegenheit. Nur als
in Gebrauch genommene kann die Freiheit des Glaubens bestehen.

Die Freiheit des Glaubenden ist hineingenommen in die Freiheit
des Glaubens selber, die eine Freiheit zum Wort ist. Das aber bedeutet, daß die Freiheit des Glaubens keine private oder persönliche, sondern eine öffentliche und mitmenschliche Freiheit besagt,
der es eigen ist, zum Mitmenschen hin aufzuschließen. Es macht die
Freiheit des Glaubens aus, daß sie sich ganz auf den Menschen einläßt. Dieser Schritt beinhaltet bei aller Beschränkung und Konkretisierung keine Selbstbeschränkung christlicher Freiheit, sondern
geradezu deren eigentliche Selbsterfüllung. Dem Sich-ganz-auf-
den-Menschen-Einlassen steht die mangelnde Freiheit, sich aus der
Befangenheit in Vorurteile und Denken in Gruppengegensätzen zu
lösen, massiv im Wege. Es gehört zur Unfreiheit des Menschen,
sich seine Freiheit durch Absonderung sichern zu wollen. Es ist eine
Scheinfreiheit, die wähnt, durch Abgrenzung anderen gegenüber
das eigene Menschsein und Leben bewältigen zu können. Die Welt
der Unfreiheit ist die der Gegensätze. Für die Freiheit des Christen

dürfen Gegensätze keine Grenzen sein. Die Freiheit seines Dienstes steht grundsätzlich unter dem Postulat des „allen alles werden" (vgl. 1 Kor 9, 22).

Dieser Dienst der Freiheit hat mehr als nur ein Gesicht. Die Freiheit des Glaubens weiß sich letztlich allen gegenüber als Schuldner. Dieses im Evangelium selber begründete Wissen macht ihr allen gegenüber, denen sie begegnet, Rücksichtnahme zur Pflicht. Was das heißt, wird an der Erscheinung Jesu Christi unübersehbar deutlich. Das Kreuz bildet die äußerste Verwirklichung dessen, was das „allen alles werden" beinhaltet. Wer sich in diesem Sinn auf die Situation des anderen einläßt, tut das nicht in der Absicht, sich ihm anzugleichen oder ihn zu bestätigen, sondern mit dem Ziel, ihn daraus auf wirksame Weise zu befreien. Zu solcher Freiheit, die andere befreit, ermächtigt der Glaube, in dem Gott am Werk ist. In ihr scheint die Einheit von Gott und Mensch durch. Der Geist ist die Transparenz christlicher Freiheit: „Gottes Wirken und das Handeln der Menschen dürfen nicht als ein Nacheinander oder gar als Konkurrenz aufgefaßt werden. Wer ‚im Geist' Gottes Wirken wahrnimmt, wird auch seine eigenen Lebensäußerungen nicht mehr nur in Passivität und Aktivität, in Erleben und Handeln aufteilen können. Der Geist läßt ihn in die Welt Gottes eintreten, er befreit aus der Selbstsucht, die sich Gottes Urteil nicht aussetzen will, und läßt uns Gottes Werk erleiden, das den Menschen schafft, der sich Gottes Willen gefallen läßt. Dieses Sich-gefallen-Lassen ist der Grund der Doxologie, der Verherrlichung Gottes. Mit ihr wird nicht entrückt und verzückt die Welt ihrem Schicksal überlassen, sondern Gottes Werk in der Welt Raum gegeben, und darin allein kann unser Tun Verheißung haben." [102]

Die Freiheit des Geistes läßt den Glaubenden nicht so sehr auf sich, vielmehr auf den anderen schauen; sie erweist sich als einzigartige Quelle kirchlicher Gemeinschaft. Im Anschluß daran läßt sich dienende Liebe geradezu als die andere zur Freiheit befreiende Freiheit des Glaubens beschreiben. An dieser Stelle steigt wohl auch eine Ahnung jener Möglichkeiten und Potenzen auf, die insgeheim in der Freiheit des Glaubens stecken und die auf den „Freiraum Kirche" als Asyl und Stätte der Freiheit verweisen, wobei es der Kirche

---

[102] G. Sauter, Geist und Freiheit. In: EvTh 41 (1981), S. 220.

obliegt, in wachsender Freiheit des Geistes sich selber auf das endzeitliche Werdeziel des Reiches Gottes zu übersteigen.[103] Die Frei-
heitsperspektive des Glaubens darf dabei nie bloß auf die Kirche
fixiert sein; sie muß sowohl die Liebe als das Herz der Freiheit wie
auch die Welt als Adressaten des Evangeliums und der Kirche ins
Visier nehmen. Daran bemißt sich ihre „diakonia" der Freiheit:
„Die Kirche schuldet der Welt das Christuswort als das Wort des
Glaubens und damit den Glauben selbst als die Freiheit zur Liebe.
Wenn etwas unmittelbar den Zusammenhang aufleuchten lassen
kann, der zwischen dem, worum es im Glauben und deshalb im Dasein von Kirche geht, und dem, was für den heutigen Menschen in
höchstem Maße strittig ist und in Frage steht, so ist es das Thema der
Freiheit... Wenn die christliche Gemeinde ihren Beitrag zum
Freiheitsthema liefern will, so muß sie etwas von dem kundtun und
an sich selbst erkennbar werden lassen, was es um die Heiligkeit
Gottes in Jesus Christus ist, inwiefern hier das Heilige mit dem ganzen Ernst und Gewicht seines befreienden Inanspruchnehmens begegnet. Nur so ist diejenige Freiheit zum Mitmenschen bezeugbar
und lebbar, die sich von dem sonstigen Verständnis und Gebrauch
der Freiheit durch zwei Charakteristika unterscheidet. Sie ist nicht
in der Weise der Selbstbeschränkung, sondern als Selbsterfüllung
Freiheit zum Dienen. Und in diesem Dienen ist sie freimachende
Freiheit, nicht ein Erzwingen der Freiheit von außen her, sondern
die innere Befreiung zu eben dieser Freiheit, die zu lieben vermag.
Die christliche Gemeinde muß lernen, nicht aus Gründen der Pro-
paganda, sondern als eine ihr notwendige Lebensäußerung, eine
Zelle der Freiheit in geschwisterlicher Liebe zu werden, die von aus-
strahlender und ansteckender Kraft ist. Der Angelpunkt liegt dabei
nicht in bestimmten Aktionen der Umweltveränderung, sosehr
diese die Folge sein können, sondern in einer Veränderung des Verhältnisses zur Umwelt, wodurch bestehende Zwänge keineswegs
nur anders eingeschätzt, sondern tatsächlich gesprengt werden."[104]
So ruft der Zusammenhang von Geist und Freiheit im Leben des
Glaubenden notgedrungen die Frage nach der Kirche auf den Plan.

---

[103] Vgl. E. Biser, a. a. O. 171–182; E. Buess, „Geist und Gericht" in der Gemeinde. In: EvTh 41 (1981), S. 243–258.
[104] G. Ebeling, a. a. O. 380.

V. Kirche als Gemeinschaft im Heiligen Geist

Präsenz und Wirksamkeit des Hl. Geistes in der Welt und in der Geschichte sind untrennbar mit der Kirche verbunden. Die Kirche läßt sich ohne ihn nicht begreifen; der Hl. Geist kann ohne Kirche nicht verstanden werden, wobei das Geheimnis des Geistes das der Kirche umgreift, nicht umgekehrt. Das Geheimnis des Geistes geht zwar in das der Kirche ein, geht jedoch nicht darin auf. Aber die Kirche ist immerhin in Raum und Geschichte das sichtbare und wirksame Zeichen des Geistes innerhalb der Welt.[105] Dieser Zusammenhang zwischen Kirche und Geist ist alles andere als peripherer Natur. Bekanntlich ist es nicht gut möglich, das Wesen der Kirche näherhin zu definieren. Es fehlt in der Geschichte der Ekklesiologie nicht an Bestimmungsversuchen, von denen jedoch keiner eine unbedingte Bedeutung beanspruchen kann. In Vergangenheit und Gegenwart hat man immer wieder versucht, ausgehend von

---

[105] Vgl. A. Laminski, Der Heilige Geist als Geist Christi und Geist der Gläubigen. Leipzig 1970; ders., Die Entdeckung der pneumatologischen Dimension der Kirche durch das Konzil und ihre Bedeutung. In: F. Hoffmann – L. Scheffczyk – K. Feiereis (Hrsg.), Sapienter ordinare. Leipzig 1969, S. 392–405; H. Mühlen, Una mystica persona. Paderborn ³1968; B. Przybylski, Der Heilige Geist im Leben der Kirche. Leipzig 1980; N. Afanassieff, L'Église du Saint-Esprit. In: Ecclesia a Spiritu Sancto edocta. Gembloux 1970, S. 81–90; A. M. Charue, L'Esprit Saint dans Lumen Gentium. In: Ecclesia a Spiritu Sancto edocta. Gembloux 1970, S. 19–40; R. Coggi, Lo Spirito Santo nella Costituzione dogmatica ›Lumen Gentium‹ del Concilio Vaticano II. In: Sacra Doctrina 23, Nr. 86 (1978), S. 133–153; Cl. Dagens, L'Esprit Saint et l'Église. In: NRT 96 (1974), S. 225–244; S. Dockx, L'Esprit Saint, âme de l'Église. In: Ecclesia a Spiritu Sancto edocta. Gembloux 1970, S. 65–80; P. Evdokimov, L'Esprit Saint et l'Église d'après la tradition liturgique. In: L'Esprit Saint et l'Église. Paris 1969, S. 85–124; E. Flesseman – van Leer, De Heilige Geest en de katholiceit van de kerk. In: Rondom het Woord 10 (1968), S. 178–182; K. Gatzweiler, L'Esprit Saint et l'Église. In: FoiTe 4 (1974), S. 256–269; H. Häring, Der Geist und die Erneuerung der Kirche. In: BK 31 (1976), S. 14–22; G. Haya-Prats, L'Esprit force de l'Église. Paris 1975; G. Kaitholil, The Holy Spirit and the Mission of the Church. In: The Living Word 82 (1976), S. 20–32; M. Mascarenhas, What the Spirit says to the Churches. In: Jeevadhasa 8 (1978), S. 247–267; K. McNamara, The Holy Spirit in the Church. In: IThQ 32 (1965), S. 281–294; Th. R. Potvin, Esprit Saint et l'Église. In: Thom. 36 (1972), S. 483–511; E. Schlink, The Holy Spirit and the Catholicity of the Church. In: ER 21 (1969), S. 98–115; J. Moltmann, Kirche in der Kraft des Geistes. München 1975, S. 222–388; L. Peyrot, Le Saint-Esprit et le prochain retrouvé. Paris 1974.

bestimmten theologischen Modellen, das Geheimnis der Kirche zu explizieren.[106] Die Orientierung an sakramententheologischen Kategorien schlägt sich nieder in der Bezeichnung der Kirche als Ur- oder Wurzel- bzw. einfach Sakrament. Mit dem Hinweis auf den fundamentalen zeichenhaften Charakter der Kirche, der innen und außen miteinander verbindet, ist sicher eine entscheidende Dimension ihres Wesens getroffen; abgesehen von der Statik dieser Sicht bleibt dabei das Verhältnis Christus – Kirche etwas verdeckt, wie auch die sakramententheologische Spannung zwischen „sacramentum" (Sakrament) und „res" (Sache) nicht durchgehalten wird.

In gewisser Hinsicht berührt sich damit die inkarnatorisch-christologisch konzipierte Explikation der Kirche. Die hypostatische Union in Christus dient als Gleichnis, um das theandrische Wesen der Kirche zu erklären, die als Fortsetzung der Menschwerdung des Logos begriffen wird. Hier wird die Einheit zwischen Christus und der Kirche wohl in einer nicht mehr zu überbietenden Weise hervorgehoben. Die Stärke dieser Deutung macht zugleich deren Schwäche aus, sofern sie die Analogielosigkeit der hypostatischen Union übersieht, die eschatologische Dimension zu kurz geraten läßt und die Frage nicht beantwortet, was in der wirklichen Kirche mit Christus identifiziert werden kann. In gewisser Hinsicht hebt sich von den genannten Vorstellungen das heilsgeschichtlich ausgerichtete Verständnis der Kirche ab; dieses will keineswegs den Eindruck erwecken, das, was die Kirche ist, in erschöpfender Weise zum Ausdruck zu bringen. Will man dem Anliegen einer umfassenden Bestimmung der Kirche gerecht werden, so müßte man alle heilsgeschichtlichen Bilder und Aussagen über die Kirche erfassen, da keines verabsolutiert werden darf. Desgleichen gilt, daß die ekklesiologischen Vorstellungen der Heilsgeschichte nur begrenzt systematisch auswertbar sind.

Unter Berufung auf die Nachteile, Begrenzungen und Einseitigkeiten der skizzierten Positionen fordert man mehr und mehr eine pneumatologische oder spirituelle Ekklesiologie. Diese macht sich

---

[106] Vgl. P. Dias, Kirche: in der Schrift und im 2. Jahrhundert. Freiburg 1974; P.-Th. Camelot, Die Lehre von der Kirche. Väterzeit bis ausschließlich Augustinus. Freiburg 1970; Y. Congar, Die Lehre von der Kirche. Von Augustinus bis zum Abendländischen Schisma. Freiburg 1971; ders., Die Lehre von der Kirche. Vom Abendländischen Schisma bis zur Gegenwart. Freiburg 1971.

teilweise die Problematik der genannten Modelle zunutze, indem sie deren Engpässe bewußt verarbeitet. Daraus resultieren folgende Vorzüge:

Das Inkarnatorische bringt das Eschatologische nicht genügend zur Geltung; auf katholischer Seite fügt man das Eschatologische dem Inkarnatorischen hinzu. Der Charakter des Pneuma ist inkarnatorisch und eschatologisch zugleich: es ist Angeld, Erstlingsgabe, Geist der Verheißung, zugleich aber Versiegelung, Leben und ewiges Leben. Der Geist stellt die Vergegenwärtigung des Eschatons dar, er schafft den neuen Menschen der Endzeit.

Damit ist die Paradoxie des „schon jetzt" und des „noch nicht" gegeben. Bei Christus und Pneuma kann man nicht von einem Gegensatz sprechen, da der Geist des Vaters zugleich jener Geist ist, der vom Sohn ausgeht. Das Pneuma und die Glaubenden sind nicht identisch. Die Möglichkeit des Versagens bleibt auf seiten letzterer bestehen. Beim Pneuma gehen Indikativ und Imperativ durchaus zusammen. Dennoch stehen sich pneumatische und menschliche Komponente nicht in einem exklusiven Sinn gegenüber, dem Geist kommt dabei die Funktion des Umgreifenden zu, ausgedrückt in dem Begriff der κοινωνία τοῦ πνεύματος (Gemeinschaft des Geistes).

Mit dem Begriff der Koinonia (Gemeinschaft) liefert das Pneuma zugleich eine geeignete Kategorie für die Erfassung der Beziehung Christus – Kirche. Die Kirche ist nicht Christus, sondern Teilhabe an ihm. Dadurch fällt zunächst der gesamten Kirche die Aufgabe der Repräsentation Christi auf Erden zu, d. h. die „repraesentatio" (Vergegenwärtigung) ist einheitlich und umgreifend. Die Kirche ist als ganze „communio sanctorum" (Gemeinschaft der Heiligen). Der Gedanke der Koinonia sichert die Kategorie des Transsubjektiven, die im Kausaldenken gefährdet ist.

Die Vorstellung der Koinonia läßt die Kirche vor allem als die im Gottesdienst versammelte Gemeinde erscheinen. Damit kommt besonders auch das Tun und Leben der Gemeinde in Sicht; von ihm gilt, daß es im Geist vollzogen wird und auf der Wirksamkeit der Charismen fußt.

Das Wirken des Geistes schließt das Moment der Gnade und die Selbständigkeit des urteilenden und handelnden pneumatischen Menschen in sich. Die Zeit des Parakleten ist gekennzeichnet durch den Kampf zwischen „sarx" (Fleisch) und „pneuma" (Geist). Die Spannung zwischen beiden bestimmt auch das Dasein der Kirche. Mit dem neuen Aion wirkt auch der alte noch weiter. Die dadurch signalisierte Spannung muß ausgehalten werden.

Die Kategorie des Inkarnatorischen ist dem Pneuma keineswegs fremd. Sie dient dazu, das Institutionelle in der Kirche zu rechtfertigen. Die Verbindung mit dem Geist könnte hier insofern weiterhelfen, als der Geist sich bindet und gleichzeitig souverän bleibt; denn er „weht, wo er will" (Joh 3, 8). Dieses „wo er will" muß ernstgenommen werden, es bewahrt vor abstraktem „Prinzipiendenken" und öffnet die Tür für das katholische „und".

1. Kirche als „Sakrament des Geistes"

Die Glaubensartikel über Geist und Kirche gehören zusammen. Im Wissen um diese Einheit spiegelt sich die biblische Glaubenserfahrung und -überzeugung wider, für die die Kirche „Tempel des Geistes" (vgl. 1 Kor 3, 16f.) oder im Geist erbaute „Wohnung Gottes" ist (vgl. Eph 2, 22). Wie immer man diese Zusammengehörigkeit auch denken mag, sie ist sowohl für das Verständnis von Geist wie von Kirche wesentlich. Man kann die Verbindung beider höchstens entfalten, aber keineswegs hinter sie zurück. Auf dieser Linie denkt gegen Ende des 4. Jahrhunderts beispielsweise Didymus von Alexandrien konsequent weiter, wenn er den Geist als „Urheber, Lenker und Förderer der Kirche" bezeichnet.[107] Soll es sich dabei um mehr als nur rhetorische Beteuerungen handeln, so wird man den Konnex zwischen Kirche und Geist in der Eigenart des Geistes selber, in seiner innertrinitarischen und heilsökonomischen Stellung verankern müssen.

Wie immer man die Pfingstperikope interpretieren mag, für Lukas ist der Hl. Geist der Ursprung allen kirchlichen und christlichen Lebens: „Die Kirche steht unter seinem Gesetz; er ist die Kraft, die die Geschichte bestimmt, wenn Christen sich von ihm führen und leiten lassen."[108] Dieser Geist ist der Geist der Verheißung und der

---

[107] Enarr. in Ep. 2 s. Petri 3, 5 (Pl 39, 1774).
[108] H. Giesen, Der Heilige Geist als Ursprung und Kraft christlichen Lebens. In:

Endzeit, er ist eschatologische Gabe, seine Ausgießung und Verleihung sind gleichfalls eschatologisch, d. h. von Gott wie vom Geist her irreversibel. Dieser Geist trägt das Mal der Herkunft vom Vater und der Mitteilung durch den Sohn. Seine heilsgeschichtliche Sendung weist zurück auf seine trinitarische Gestalt und Stellung. Der Geist ist wesentlich der Geist des Vaters und des Sohnes. Das gilt von ihm in einem mehr als nur ökonomischen Sinn. Wirken und Bedeutung des Geistes auf heilsgeschichtlicher Ebene können ohne innertrinitarische Entsprechung nicht verstanden und gewahrt werden: „Damit der Heilige Geist die subjektive Möglichkeit der eschatologisch-endgültigen Offenbarung der Liebe und d. h. des Gottseins Gottes sein kann, muß er diese Freiheit in der Liebe sein, d. h., er muß die Liebe Gottes in Person sein. Er muß nicht nur Gottes Gabe, sondern auch der Geber dieser Gabe sein; er muß das, was Gott seinem Wesen nach ist, in einer eigenen personalen Weise verwirklichen." [109] Vater und Sohn lieben und erkennen sich im Geist, ja, der Geist ist geradezu das Band der Liebe und Erkenntnis beider; er ist die Liebe, in der sie sich lieben, die Erkenntnis, in der sie sich erkennen. Der Geist stellt gleichsam die Ekstase von Vater und Sohn dar. In ihm übersteigt der Vater sich auf den Sohn und der Sohn sich auf den Vater hin. Er läßt sich geradezu als Urform und Urinhalt der Selbstmitteilung Gottes, des Vaters an den Sohn und umgekehrt bezeichnen. Der Vater schenkt sich im Geist und als Geist an den Sohn, der Sohn übereignet sich im Geist und als Geist an den Vater. Im Geist bilden Gabe und Geber eine Einheit in Person. Der Geist ist die Entäußerung von Vater und Sohn in Persongestalt. Er bringt somit das Wesen Gottes, seine Gottheit zum Ausdruck; er ist der Offenbarer und die Offenbarung Gottes schlechthin, in ihm wird Gott offen und offenbar. Der Geist definiert geradezu, was im Fall Gottes Leben, Liebe oder Erkenntnis heißt.

Aufgrund dieser Zusammenhänge ist der Geist gleichsam die Nahtstelle von immanenter und heilsökonomischer Trinität; er gleicht der Tangente des dreifaltigen Gottes, die unsere Welt in der

---

BiKi 37 (1982), S. 132; vgl. ders., Der Heilige Geist als Ursprung und Kraft christlichen Lebens. In: A. Rotzetter (Hrsg.), Geist und Welt. Zürich 1981, S. 17–40.
[109] W. Kasper, Der Gott Jesu Christi. Mainz 1982, S. 277.

Heils- und Offenbarungsgeschichte berührt. Von daher begreift er sich als derjenige, der vom Vater und vom Sohn her kommt bzw. gesandt wird. Er ist der Gesandte bzw. Bote beider in Person, der nicht nur etwas von ihnen, sondern sie selber bringt, erschließt und mitteilt. Der Geist ist von Haus aus missionarisch, der in trinitarischer wie heilsgeschichtlicher Logik und Konsequenz die Kirche aus sich entläßt oder hervorbringt. Seine Mission schafft die Kirche, teilt sich ihr mit und lebt in ihr weiter. Darin liegt eine tiefe Verwandtschaft zwischen Geist und Kirche begründet. Der Geist ist es, der die Kirche und ihr Leben als ein Spiegelbild des innertrinitarischen Geschehens entstehen und bestehen läßt. Die Kirche erscheint als ein vom Geist gewirkter, getragener und erfüllter Lebens-, Erkenntnis- und Liebesorganismus. Das macht das eigentliche und ganze Wesen, Dasein und Tun der Kirche aus, nicht nur etwas an ihr bzw. in ihr. Damit trägt alles, was die Kirche ist, tut oder sagt, grundsätzlich den Stempel des Geistes und steht in seinem Dienste: Wort, Sakrament, Liturgie, Diakonie, Zeugnis des Lebens und des Glaubens. Der Geist formt die Kirche als sein Werkzeug und zu seinem Werkzeug; als solches steht sie nicht über dem Geist und verfügt sie keineswegs über ihn.

Gleichzeitig aber bildet derselbe Geist Herz und Leben der Kirche; was Leben der Kirche heißt, hat sich am Leben des Geistes zu orientieren und von ihm her messen zu lassen: „Wenn der Geist die eigentliche Vergegenwärtigung und Verwirklichung des durch Jesus Christus geschenkten Heils ist, dann hat alles Äußere in der Kirche, sowohl die Schrift wie die Sakramente, die Ämter und erst recht die Disziplin der Kirche . . . die Aufgabe, auf den Empfang dieser Gabe des Geistes vorzubereiten, sie instrumental zu vermitteln und sie zur Wirkung zu bringen. Das bedeutet für die Kirche, daß die Herrschaft Christi weiter und umfassender ist als die sichtbare Kirche. Überall dort, wo Liebe geschieht, ist der Geist Gottes am Werk und die Herrschaft Christi auch ohne institutionelle Formen und Formeln verwirklicht. Andererseits ist damit ebenso gesagt, daß der Heilige Geist das innere Lebensprinzip, die Seele der sichtbaren Kirche ist. Aus ihm muß sie leben und aus ihm sich immer wieder erneuern. Durch das stets gegenwärtige Wirken des Geistes bleibt die Kirche stets jung. Das Wirken des Geistes in der Kirche besteht ja darin, Jesus Christus in seiner Neuheit immer

wieder neu zu vergegenwärtigen. Gerade als der Geist Jesu Christi
ist der Geist der Geist der Freiheit vom tötenden Buchstaben. Der
Geist bewahrt die Kirche eben dadurch in der Teue zur Tradition,
daß er sie prophetisch in alle Wahrheit einführt und ihr das Kommende kundtut (Joh 16, 13). Er ist nicht eine Art ideologischer Ab-
sicherung des Status quo der Kirche, sondern der Geist ständiger
Erneuerung. Er erschließt der Kirche vor allem immer wieder neue
missionarische Möglichkeiten, und er weist ihr immer wieder neue
Wege. Er drängt sie, auf sein Wirken in den ‚Zeichen der Zeit' zu
achten, sie zu deuten und von ihnen her die christliche Botschaft
tiefer zu verstehen." [110]

Fragt man, worin sich der Geist als der Geist der Kirche erweist,
so macht man vor allem auf seine Rolle als Einheits- und Gemein-
schaftsprinzip der Kirche aufmerksam; der Geist ist es, der die
Glaubenden eint, mit Gott und miteinander und mit der Welt verbindet. [111] Die Einheit der Kirche ist eine höchst spirituelle und personale, die als solche zugleich äußerst konkret und universal ist. Der
Einheitspunkt der Kirche ist nicht etwas, sondern einer, Gott, der
Vater und Jesus Christus, dem als Ursprung, Mitte und Ziel der
Geist alle und alles zuordnet, zuweist und angelobt. Der Geist sorgt
dafür, daß alle Glaubenden in Gott eins sind, indem sie immer mehr
in ihm eins werden und sich in ihm eins wissen. Er symbolisiert geradezu das „Einheits-Gewissen" der Kirche. Alles, was nach Spaltung oder Trennung aussieht, verträgt sich nicht mit dem Geist.
Aufgrund dieses Geistes der Einheit, der als Herr und Lebensprinzip in der Kirche am Werk ist, gibt es für die Glaubenden nur einen
Herrn; diese Einheit manifestiert sich und wirkt weiter in dem einen
Glauben und in der einen Taufe innerhalb der Kirche. Der Geist
macht die Christen zu einer Glaubens- und Lebensgemeinschaft, zu
einer Gemeinde von Brüdern, die sich durch das gemeinsame Gut
der göttlichen Vaterschaft und der christlichen Brüderlichkeit verbunden wissen.

Als Garant der Einheit relativiert der Geist vorhandene Unterschiede und Hindernisse und läßt die Kirche als „communio sanctorum" im vollen Sinn des Wortes ans Licht treten. Einheit des

---

[110] W. Kasper, a. a. O. 281 f.
[111] Vgl. Y. Congar, Der Heilige Geist. Freiburg 1982, S. 167–176.

Geistes meint Einheit des Lebens und des Lebensstroms: „Wo die Kirche ist, dort ist Gottes Geist, und wo Gottes Geist ist, ist die Kirche und jegliche Gnade und der Geist der Wahrheit; sich von der Kirche entfernen, heißt den Geist verwerfen' und sich ebendamit ‚vom Leben ausschließen'. Seien wir stets im Glauben überzeugt, daß Johannes recht hat: daß es unmöglich ist, den Geist zu hören, ohne darauf zu lauschen, was er zu der Kirche spricht. Erinnern wir uns, daß es keinerlei Hoffnung auf gefestigte Einheit gibt außerhalb der Kirche, die die entsprechende Verheißung erhalten hat . . . Schmeicheln wir uns nicht mit dem Gedanken, wir könnten nach einem Kirchenaustritt noch ‚in der Gemeinschaft mit Christus' verbleiben. Lassen wir uns vielmehr von Augustin gesagt sein: ‚Um vom Geiste Christi zu leben, muß man in seinem Leibe wohnen.' Und ‚im selben Maße, wie man die Kirche Christi liebt, hat man in sich den Heiligen Geist'." [112]

Einheit des Geistes ist nicht gleichbedeutend mit Uniformität, sie ist Einheit in der Liebe und zielt auf die immer größere Gemeinschaft in der Liebe. Sie hebt die Individualität der Menschen und die Singularität der Völker nicht auf, sondern fordert sie um des „überfließenden Reichtums der Gnade" (vgl. Eph 2, 7) willen: „So kann der einzige, allgegenwärtige, transzendente und allen innewohnende, subtile und souveräne Geist, der die Freiheit respektiert und sie mächtig zu inspirieren vermag, den Plan Gottes vorantreiben, der sich mit den Worten wiedergeben läßt: Communio, viele (vieles) in Einem, ‚Unipluralität'. Am Ende wird Gott ‚alles in allem' sein (1 Kor 15, 28), d. h., ein einziges Leben wird eine Vielfalt beseelen, ohne das innere von irgend jemand zu profanieren . . . Der Geist ist eine eschatologische Wirklichkeit. Er ist ‚der Verheißene', wir haben hienieden von ihm bloß die Vorgabe. Er ist die Kommunikation Gottes bis aufs äußerste, Gott als Gnade, Gott in uns und in diesem Sinn außer sich. Diese Selbstmitteilung und dieses Innesein führen nicht zu einer Verschmelzung, sondern zu einem gegenseitigen Ineinanderwohnen, er in uns und wir in ihm, ohne Verwischung der Personen. So kommt das Innesein jedes in jedem zustande, worin das Katholische besteht: kath' holon, dem Ganzen gemäß sein. Der Geist bewirkt, daß alle eins sind und daß die Ein-

---

[112] H. de Lubac, Die Kirche. Eine Betrachtung. Einsiedeln 1968, S. 189f.

heit Vielheit ist. Er ist so das Prinzip der Gemeinschaft der Heiligen . . . und der Gemeinschaft schlechthin. Diese besteht darin, daß
man als bewußtes Glied eines organischen Ganzen lebt und sich
verhält und somit in einer ‚harmonischen Ineinanderbewegung
zahlloser Geister' im Geist und Herzen aller denkt und empfindet
und will . . .“[113] Die Einheit des Geistes und im Geiste weist gleichsam von innen nach außen: von dem im Herzen des Glaubenden
wohnenden Geist auf sein Leben und Tun, vom Geheimnis und von
der Seele der Kirche zu ihrer äußeren Erscheinung und Gestalt in
Raum und Zeit, von der einen Kirche zu den Kirchen, von der
Kirche als dem Zeichen des Heils zur Welt, zur Geschichte und gesamten Schöpfung.

Das Attribut der *Heiligkeit* verbindet Geist und Kirche miteinander in ausdrücklicher Weise. Es gründet in der Bezeichnung der
Kirche als einem „heiligen Tempel“ (vgl. Eph 2, 21) oder einer
Wohnung des Hl. Geistes (vgl. Joh 14, 15–17; 1 Kor 3, 16f.;
1 Joh 4, 12 f.). Der Geist ist gleichsam die Seele, die den Leib bzw.
das Haus der Kirche belebt und erfüllt, die ihr ihre Qualitäten mitteilt und den Geist oder die Atmosphäre der Wohnung Gottes unter
den Menschen bestimmt. Ergänzt und vertieft wird diese biblische
Perspektive durch das Bild von der Kirche als Braut des Lammes
oder des Geistes (vgl. Eph 5, 25–31; 2 Kor 11, 2; Offb 19, 6–8; 21,
2; 22, 17). Die Zielvorstellung von der Hochzeit dient dazu, um
einerseits die Sehnsucht und den Läuterungsprozeß der Braut, andererseits das bereitende und vollendende Wirken des Geistes an ihr
und für sie zu unterstreichen. Bild und Weg der Kirche stehen im
Zeichen jener Spannung, deren Enden durch Genesis und Apokalypse angedeutet werden. Diese Spannung wird in der Macht und
im Einfluß der Sünde innerhalb der Kirche erfahrbar. Es gibt die
Heiligkeit der Kirche nicht ohne die Anfechtung durch die Sünde.
Im Schoß der Kirche haben auch die Sünder ihren Platz, ihr gewisses Wohn- und Heimatrecht. Wir dürfen diese Realität der Sünde in
der Kirche nicht trennen von der nicht weniger wirksamen Präsenz
des Geistes der Heiligkeit. Wenn der Geist als Geist der Verheißung
der Kirche zugesagt und verliehen ist, dann partizipiert an diesem
Verheißungscharakter wohl auch die Heiligkeit der Kirche. Das

[113] Y. Congar, a. a. O. 170 f.

heißt: die der Kirche eigene Heiligkeit trägt pneumatologische Züge, hat Vorgabe- und Verheißungsstruktur, sie ist mehr und anderes als eine statische Qualität. Was es an Heiligkeit in der Kirche gibt, verdankt sich dem die endzeitliche und vollendete Heiligkeit der Kirche hervorrufenden, hervorlockenden und herausläuternden Wirken des Geistes: „Der Heilige Geist ist es, der die Heiligkeit zum Strahlen bringt."[114] Am Phänomen der Heiligkeit wird die schöpferische Dimension des Geistes besonders greifbar. Der Geist erschafft nicht nur Heilige, sondern auch die „ecclesia sanctorum" und die Kirche als heilige Kirche.

Gewiß wird diese Heiligkeit der Kirche nirgendwo als ein widerspruchsfreier Sachverhalt faßbar, dennoch kennt die Tradition und Praxis des Glaubens bestimmte Einrichtungen und Erscheinungen, an denen der Heiligkeitsgrund der Kirche aufleuchtet. Da gibt es eine Reihe von heiligen Dingen, Zeiten oder Veranstaltungen; daneben stehen die verschiedenen Gruppen von heiligen Menschen, die kraft ihres Amtes, ihrer Stellung oder Verpflichtung an der Heiligkeit der Kirche partizipieren; dazu kommen schließlich die von der Kirche offiziell heiliggesprochenen Verstorbenen, die der Kirche der Vollendung angehören. Geht man dem Phänomen der Heiligkeit in seinen vielfachen kirchlichen Brechungen auf seinen pneumatologischen Grund, dann könnte dadurch der Blick für das allgegenwärtige heiligende Wirken des Geistes geschärft werden.

Pneumatologie verbietet, die Heiligen nur oder vorwiegend unter moralischen und asketischen Gesichtspunkten zu betrachten. Nichts widerspricht so sehr dem Wesen und Selbstverständnis des Heiligen wie eine abstrakte oder periphere Klassifizierung und Schematisierung. Jeder Heilige ist ein „individuum ineffabile" (unaussagbares Eigenwesen).[115] Damit soll nicht einem kirchlichen Pluralismus das Wort geredet werden, sondern vielmehr einer uniformen und entleerten Betrachtung des Geistes und seines Wirkens eine klare Absage erteilt werden. Der Hl. Geist ist Leben, Fülle, Phantasie, Freiheit, Einfallsreichtum, Vielfalt, Fruchtbarkeit, Abwechslung, Einmaligkeit und Einzigartigkeit, Neuerer und Erneue-

[114] Y. Congar, a. a. O. 208.
[115] Vgl. D. Wiederkehr, Die Kirche als Ort vielgestaltiger christlicher Existenz. In: J. Feiner – M. Löhrer (Hrsg.), Mysterium Salutis, Bd. 4, 2. Einsiedeln 1973, S. 389f.

rer; seine Rolle als „creator spiritus" besagt auch, daß er sich nicht wiederholt, sondern als der schöpferische Anwalt des in Wahrheit Neuen auftritt. In diese Richtung weist die Verschiedenheit der Charismen, die Notwendigkeit von Reformen, die Entstehung großer Initiativen, die Existenz von Ordensgemeinschaften, der Ursprung großer Werke des Glaubens und der christlichen Caritas.[116] Die schöpferische und erneuernde Wirksamkeit des Geistes muß keineswegs einen Gegensatz zum Alltäglichen, Gewöhnlichen oder Üblichen bedeuten, da sie sich gerade darin bewährt und dem wahrhaft Neuen gegenüber dem Verbrauchten zum Durchbruch verhilft. Das Prinzip der Heiligkeit ist die Liebe, diese ist der Inbegriff des Geistes und seiner Gaben; in ihr und durch sie ist die verwandelnde Kraft des Geistes am Werk. Die „communio sanctorum" erweist sich als „communio caritatis" (Gemeinschaft der Liebe) im Geist. Ihre Spannweite ist so breit und weit wie der Geist selber. Die Kirche stellt das „Sakrament" des heiligen und heiligenden Geistes dar.

Den Maßstab für die Einheit und Heiligkeit der Kirche bildet das *Katholische*. Der Geist ist es, der sie in Entsprechung zum Ganzen sowohl eins wie auch heilig sein und werden läßt; er ist das Prinzip der Katholizität.[117] Der Geist „definiert", was katholisch ist und heißt. Das hängt zutiefst mit dem Sendungscharakter des Geistes zusammen, der auf den Vater als den Sendenden schlechthin und damit auf das Geheimnis der Sendung überhaupt zurückver-

---

[116] Vgl. O. Clément, Esprit Saint et monachisme aujourd'hui. In: OCist 38 (1976), S. 73–94; W. H. Criswell, The Holy Spirit in Today's World. Grand Rapids 1966; A. Dilschneider, Geist als Vollender des Glaubens. Gütersloh 1978; D. Ewert, The Spirit and the Age to Come. In: Direction 1 (1972), S. 8–18; J. Galot, Der Geist der Liebe. Mainz 1960; R. Laurentin, Le redécouverte de l'Esprit Saint et des charismes dans l'Église actuelle. In: D. Coppieters de Gibson (Hrsg.), a.a.O. 11–38; J. McLelland, The Mundane Work of the Spirit. In: ThTo 22 (1965), S. 205–217; H. Ott, Heiliger Geist und säkulare Wirklichkeit. In: TZ 33 (1977), S. 336–345; F. Urbina, Geist und Geschichte. In: Conc (D) 14 (1978), S. 630–634; E. Weron, Die Charismen des Heiligen Geistes im Leben und Apostolat der Laien. In: CoTh 42 (1972), S. 45–56; H. Saake, Pneumatologia Paulina. Zur Katholizität der Problematik des Charisma. In: Cath (M) 26 (1972), S. 212–223.

[117] Vgl. Y. Congar, a.a.O. 176–190; G. Bavaud, Note sur la mission du Saint-Esprit. In: FZPhTh 19 (1972), S. 120–126; M. D. Poinsenet, Je vous enverrai l'Esprit Saint. Brüssel 1975.

weist.[118] Der Geist ist durch und durch missionarisch. Er ist in gewissem Sinn der erste Missionar, der aus allen Völkern der Erde das eine Volk Gottes versammelt und zusammenruft: „Diese Eigenschaft der Weltweite, die das Gottesvolk auszeichnet, ist Gabe des Herrn selbst. In ihr strebt die katholische Kirche mit Tatkraft und Stetigkeit danach, die ganze Menschheit mit all ihren Gütern unter dem einen Haupt Christus zusammenzufassen in der Einheit seines Geistes." [119] Quelle und Ursprung der Katholizität der Kirche liegen im dreifaltigen Gott und dessen Leben. Dieses trägt den Urstempel der Katholizität, sofern der Wille des Vaters und das Werk des Sohnes sich auf alle und das Ganze richten. Diese Grundorientierung geht in den Geist ein und spiegelt sich wider in seinem Wirken: „Der Heilige Geist ist den Aposteln gesandt und der Kirche als Seele gegeben worden. Er wirkt kein anderes Werk als das Werk Christi, aber er schafft es im Innern jedes Menschen und von innen her. Er, in allen der gleiche, gibt jedem den Reichtum Christi zu eigen und bewirkt, daß die verschiedenen Gaben, die Initiativen des einzelnen und aller zur Einheit streben. Er legt ins Innere eines jeden den Schatz des gottgemäßen Lebens, der in Jesus Christus und in den kirchlichen ‚Überresten' seiner erlösenden Menschwerdung begründet ist; er schenkt die persönlichen Gaben des einzelnen und aller, sogar jener, die nicht sichtbar dem kirchlichen Leib zugehören, auch den andern Gliedern, und richtet sie auf den Aufbau des ganzen Leibes aus: denn er durchdringt die ganze Welt und weckt darin die Wahrheit und das Gute. So nimmt die Katholizität durch den Heiligen Geist die Besonderheiten in sich auf, ohne sie zu zer-

---

[118] Vgl. C. Journet, La mission visible de l'Esprit Saint. In: RThom 65 (1965), S. 357–397; G. Leblond, Point de vue sur la procession du Saint-Esprit. In: RThom 78 (1978), S. 293–302; J.-H. Nicolas, Quand le Saint-Esprit devient un feu dévorant. In: NV 54 (1979), S. 277–291; G. Kaitholil, a. a. O. 20–32; E. Schlink, a. a. O. 98–115; J. Saraiva Martins, Dimensione pneumatologica dell'evangelizzazione. In: Euntes Docete 32 (1979), S. 3–32; A. Seumois, Esprit Saint et dynamisme missionaire. In: Euntes Docete 32 (1979), S. 341–364; J. V. Taylor, Der Heilige Geist und sein Wirken in der Welt, Düsseldorf 1977.

[119] K. Rahner – H. Vorgrimler, Kleines Konzilskompendium. Freiburg 9 1974, S. 138; vgl. A. Laminski, a. a. O. 392–405; R. Coggi, a. a. O. 133–153; R. Moretti, L'azione dello Spirito Santo nella Chiesa nell'insegnamento de Vaticano II. In: Lo Spirito Santo nella vita spirituale. Roma 1981, S. 61–86; A. M. Charue, a. a. O. 19–40.

stören. Sie ist so mehr als die unbegrenzte Ausdehnung einer monistischen Einheit: sie nimmt auf dem Weg einer Communio die Früchte der Pluralität von Personen auf. Durch den Heiligen Geist trifft die von unten stammende Quelle der Katholizität mit ihrer von oben kommenden Quelle zusammen und vereinigt sich mit ihr." [120]

Es ist der Geist, der die Kirche „katholisch" macht und in der Katholizität erhält. Das geschieht durch die Gaben und Charismen, die er zum Nutzen und Segen der Kirche als Gemeinschaft verleiht und verteilt (vgl. 1 Kor 12, 7). Die Katholizität der Kirche dient ihm dazu, die Fülle der Gnade, der Reichtümer und Gaben Christi ans Tageslicht und zum Ausdruck zu bringen. In der Existenz vieler und verschiedener Orts- und Teilkirchen wird die gegenseitige Bereicherung, Einheit und Gemeinsamkeit des Katholischen sichtbar. Wo die Kirche ihre Katholizität als Glaubens-, Hoffnungs- und Handlungssatz ernst nimmt, dort wird ihr Ringen um eine Welt und um eine Kirche in wachsendem Maß pneumatologische Züge annehmen. Das Programm der Katholizität lautet: Der ganze Christus für die ganze Welt in der ganzen Kirche. Von dieser „Ganzheit" gibt es keine Dispens. Nicht zuletzt für die ökumenische Bewegung vermag eine pneumatologische Besinnung auf die Katholizität der Kirche wertvolle Impulse zu vermitteln. Der Geist der Katholizität verpflichtet alle. Eine stärkere pneumatologische Orientierung zeigt die dogmatischen Positionen in einem neuen Licht, weicht Fronten und Fragestellungen auf, ergänzt und vertieft tradierte Perspektiven. Sie nötigt dazu, sich über das Selbstverständnis von Kirche von einem übergeordneten Standpunkt aus klarzuwerden. Das Wissen um das in der Kirche gegenwärtige und wirksame Pneuma läßt vor allem deutlich werden, daß der Glaube immer mehr ist als Theologie und Einheit im Glauben mehr involviert als theologische Konsenserklärungen.

Der Geist lehrt, nach der wahren Einheit und Katholizität der Kirche zu fragen und zu suchen. Die ihm attribuierte „katholisierende" Wirkung entläßt die Kirche in die Zeiten und läßt sie die Zeichen der jeweiligen Zeit erkennen, sie führt sie aber zugleich immer

---

[120] Y. Congar, Die Wesenseigenschaften der Kirche. In: J. Feiner – M. Löhrer (Hrsg.), Mysterium Salutis, Bd. 4, 1. Einsiedeln 1972, S. 490 f.

weiter in das Geheimnis Christi, den Heilsplan Gottes mit dieser
Welt, den Geist der Hl. Schrift und das Wort Gottes, den Sinn des
Glaubens und der Geschichte ein.[121] Der Geist ist das Band zwischen Protologie und Eschatologie, Christologie und Soteriologie,
Ekklesiologie und Theologie, der sie miteinander zum Ganzen verbindet und für das Ganze zugleich öffnet: „Der Heilige Geist aktualisiert das Pascha Christi der Eschatologie der Schöpfung entgegen.
Er aktualisiert auch die Offenbarung Christi. Er treibt das Evangelium vorwärts in das Noch-nicht-Gekommene der Geschichte hinein. Christus wurde nur einmal geboren, hat nur einmal gesprochen, ist nur einmal gestorben und auferstanden; doch dieses Einmal muß entgegengenommen werden, Wurzel fassen und Frucht
tragen in einer Menschheit, die sich durch die Kulturen, die
menschlichen Räume und den Ablauf der Zeit hindurch vervielfäl-
tigt und unendlich diversifiziert. Es muß eine Verbindung hergestellt werden zwischen dem Gegebenen und dem Unverhofften,
zwischen dem ein für allemal Feststehenden und dem beständig Un-
erhörten und Neuen. Es ist der Heilige Geist, der Geist Jesu, Jesus
als der Geist, der dies alles leistet, und man versteht, daß er ebensosehr ‚Geist der Wahrheit‘ wie der Freiheit ist. Um so mehr als die
Wahrheit, biblisch verstanden, eschatologisch ist; sie ist das, woraufhin Gott die Dinge bestimmt. Konkret besagt dies, daß die uns
bekannten Formen, so richtig und respektabel sie auch sein mögen,
für die Wirklichkeiten, die sie wiedergeben, nicht das letzte Wort
sind: die Dogmen lassen sich vervollkommnen, die Kirche ist in ihren Strukturen ein offenes System... Das Wort ist die Form, der
Geist ist der Hauch. Jesus hat eine Eucharistie eingesetzt, ein Evangelium verkündigt. Der Geist aktualisiert sie im je Neuen der Weltgeschichte, er verbindet den strotzenden, erfinderischen ersten
Adam mit dem eschatologischen Adam, dem Omega der Welt, die
auch deren Alpha ist, mit dem Omega und Alpha der Kirche. Der
Geist wirkt dies in der Wahrheit dessen, der bloß in Erinnerung ruft
(Joh 14, 26) und von dem, was Christus gehört, nimmt (Joh 16, 14),
und zugleich in der Freiheit dessen, der weht, wo er will (Joh 3, 8).
Der Geist ist... ,mitbegründend‘. So hat uns Gott in einem gewissen Sinn in Jesus Christus alles gesagt und alles gegeben, und doch

---

[121] Vgl. Y. Congar, Der Heilige Geist, S. 180–187.

gibt es Neues, passiert wirklich etwas in der Geschichte." [122] Der Geist besorgt die „Katholisierung" des Christusereignisses. Diesem Ziel ist die Katholizität der Kirche zugeordnet.

Damit sowohl die Kirche wie die ihr eigene Katholizität das bleiben, was ihr Name besagt, bedürfen sie zugleich der *Apostolizität*. Die Apostel verkörpern den bleibenden Ursprung der Kirche. Anliegen der Apostolizität ist es, die Identität zwischen Anfang und Ende sowie die Kontinuität zwischen beiden zu wahren. Die Verbindung der Apostolizität mit dem Geist ist nicht nur zufälliger Art. Diese Qualität der Kirche verdankt sich zutiefst dem Geist, meint also alles andere als ein mechanisch gehandhabtes Traditionsprinzip. Die Apostolizität der Kirche ist eine Frucht des Geistbeistandes und -wirkens. Der Hinweis auf den Geist ist unerläßlich, um diese Wesenseigenschaft von Kirche nicht mißzuverstehen. In den Aposteln lebt und geht die Sendung Jesu weiter. Ihre Sendung blickt zurück und nach vorne zugleich. Der Geist ist als der andere Paraklet mit der Verwirklichung dieser Sendung in ausschlaggebender Weise verknüpft (vgl. Joh 14, 15). Ihm obliegt die Aufgabe, die Jünger in die „ganze Wahrheit" dessen zu führen, was sie zu Lebzeiten Jesu noch nicht zu tragen vermochten (vgl. Joh 16, 13). Trotzdem wird der Geist nicht aus sich heraus reden, sondern nur an alles das erinnern, was der Herr selber gesagt hat (vgl. Joh 14, 26; 16, 13). Die Apostel verkörpern die Keimzelle der Kirche; darum sammelt sich im Begriff des Apostels gleichsam alles, was das Sein, Leben und Handeln der Kirche ausmacht. Sie sind die berufenen Zeugen, die Erben des alten Gottesvolkes und die Repräsentanten des neuen Israel, die Uradressaten des Evangeliums und der Verheißung, ihnen ist das Wort und Sakrament anvertraut. Der ganze Prozeß ihrer Bestellung, ihrer Formung und Sendung steht unter dem Zeichen des Geistes; darum kann das Amt des Apostels nur im Geist wahrgenommen werden. Im Apostel sind Charisma und Institution eine Einheit. In ihm sind die Sendung durch Christus und der Geist am Werk. Der Geist bedient sich des Amtes, der Apostolat ist durch und durch offen, empfänglich und transparent auf das Wirken des Geistes hin. Die Apostolizität ist eine Qualität der ganzen Kirche, sie geht in ihr Wesen und Sein, ihr Zeugnis und Handeln, ihr Leben,

[122] Y. Congar, a. a. O. 189.

Glauben und Dienen ein; der Geist aber ist das Prinzip dieser Apostolizität, das dafür sorgt, daß die Kirche apostolisch bleibt und zugleich es mehr und mehr wird.

Die Apostolizität der Kirche kennt nach katholischer Auffassung bestimmte Konzentrationspunkte, wie z. B. das apostolische Glaubensbekenntnis bzw. den apostolischen Glauben, die apostolische Tradition oder die apostolische Sukzession: „Die ‚Übergabe/ Übermittlung‘ des Geistes, die der Kirche die Glaubenstreue und -einheit sichert, ist an die Bischöfe gebunden. Der Prozeß, der sich in den Pastoralbriefen ankündigte, wird zu Beginn und im Lauf des 2. Jahrhunderts ganz klar bezeugt: ‚Man muß den Priestern (Bischöfen) der Kirche gehorchen, die ... Nachfolger der Apostel sind. Sie haben mit der Nachfolge des Episkopats das sichere Charisma der Wahrheit nach dem Wohlgefallen des Vaters empfangen.‘ Seitdem können wir im Lauf der Jahrhunderte zu Dutzenden Zeugnisse darüber sammeln, daß sich die Kirche bewußt war, ‚assistiert‘, ja ‚inspiriert‘ zu sein durch den Heiligen Geist, der ihr verheißen und gegeben worden ist, um dem von den Aposteln erhaltenen Glauben immer treu zu bleiben. Das ist für die Gesamtkirche ganz besonders von den ‚im Heiligen Geist versammelten‘ Ökumenischen Konzilen bezeugt worden in bezug auf die pastorale Leitung ganz allgemein und ganz besonders in bezug auf das Lehramt des Bischofs von Rom. All dies gehört zur Apostolizität der Kirche.“ [123] Alle Äußerungen der Apostolizität im strikten Sinn sind eingebettet in jene globale Apostolizität, welche Kirche und Glaube mit den Aposteln verbindet und in der Gemeinschaft mit ihnen erhält. Aufgrund des geistgewirkten Charakters der Apostolizität ist es geradezu unmöglich, daß sich deren Erscheinungsweisen von ihrer „geistlichen" Verankerung loslösen und dem Geist isoliert gegenübertreten können. Alle amtlichen Strukturen und Aktionsweisen der Apostolizität dienen dem Geist und stehen unter einer bleibenden epikletischen Verwiesenheit.

Das Verhältnis von Geist und Kirche bzw. Apostolizität ist unumkehrbar: „Deshalb steht die Ekklesiologie im Rahmen der Pneumatologie. Der Geist ist dabei zunächst nicht dritte göttliche Person, sondern die Macht, durch die das Heilshandeln Gottes in

---

[123] Y. Congar, a. a. O. 196 f.

Jesus Christus in der Geschichte gegenwärtig ist. Die Kirche ist also
der konkrete Ort, wo das Heilswerk Gottes in Jesus Christus durch
den Hl. Geist gegenwärtig wird. Die Ekklesiologie ist eine Funktion der Pneumatologie. In der neuzeitlichen Theologie dagegen
gewinnt man oft den Eindruck, daß die Pneumatologie zu einer
Funktion der Ekklesiologie wird; der Geist wird zum Garanten der
Institution Kirche, die Pneumatologie zum ideologischen Überbau
über der Ekklesiologie." [124] Mittels des Charismas der Apostolizität
sorgt der Geist dafür, daß das Nacheinander und Gegenüber von
Pneumatologie und Ekklesiologie sich nicht in ein Gegeneinander
oder Auseinander verwandelt. Es wäre zu wenig, dem Geist und der
Pneumatologie dabei nur die Funktion eines Korrektivs oder eines
Supplements einzuräumen; er sorgt dafür, daß die Kirche ihre Verbindung nach rückwärts mit ihrem Anfang nicht verliert, er hält diesen Anfang lebendig und vergegenwärtigt ihn, er bewahrt ihn vor
dem Verfallen an und in die Vergangenheit. Der Geist bewahrt und
bewährt die normierende Kraft des apostolischen Ausgangspunktes
der Kirche. Nimmt man das im Gedanken der Apostolizität stek-
kende Motiv der Sendung ernst, dann erweist sich ihre retrospektive
Komponente als eine gleichzeitig prospektive und dynamische
Größe. Die Apostolizität der Kirche bedeutet Sendung bzw. Fortsetzung der Sendung Christi und der Apostel hinein in die Welt, in
die Zukunft, in die Zeit und die Geschichte. Die Treue zum apostolischen Ursprung dient der Identität dieser Sendung der Kirche in die
Zeit und durch sie hindurch. Sie konzentriert sich in dem ihr eigenen Charisma der Unfehlbarkeit, das in besonderer Weise mit dem
Lehramt der Kirche verbunden ist.

2. Institution und Charisma

Alle Aussagen über den „sakramentalen" Charakter der Kirche
und ihre Kennzeichen entspringen ihrem pneumatologischen Wur-
zelgrund und bleiben in ihn eingebunden. Da es sich dabei um eine
von der Geschichte und dem Erscheinungsbild her keineswegs immer eindeutige und transparente Perspektive handelt, konnten Fra-

---

[124] W. Kasper, Einführung in den Glauben. Mainz 1972, S. 121.

gestellungen wie die nach dem Zueinander von Institution und Charisma oder Kirche als Institution und Ereignis entstehen.[125] Das damit benannte Spannungsverhältnis hat seinen Grund in einer einseitigen Sicht der Kirche, einer isolierten Behandlung des institutionellen Elementes in der Kirche und einem abstrahierenden Verständnis des Charisma. Schon von ihrem Ursprung her erscheint die Kirche als Ereignis und Institution, wobei letztere in ersterem enthalten ist. Die Christusherkunft der Institution, ihre Verankerung in der Geschichte läßt sich vom pneumatologischen Kontext nicht trennen, wenn man damit ernst macht, daß schon der historische Jesus Träger des Geistes ist und vom „Geistereignis" im Christusereignis die Rede sein kann.[126] Der Geist besitzt ein wesentliches Kriterium für seine Echtheit im Bekenntnis zu Jesus als dem Kyrios (vgl. 1 Kor 12, 3). Dadurch wird der Gegensatz von Institution und Charisma erheblich relativiert: „Die Kirche ist also von ihrem Ursprung her beides: Stiftung Jesu Christi und deren Verwirklichung im Geist. Sie ist Institution und Ereignis. Sie besagt Bindung an den konkreten Ursprung und zugleich geistliche Freiheit zu deren schöpferisch-geschichtlicher Vergegenwärtigung. Sie steht in der Spannung zwischen Buchstabe und Geist, sakramentaler amtlicher Struktur und lebendigem Charisma. Sie ist eine komplexe Wirklichkeit: Sie ist Kirche der Sünder und Gemeinschaft der Heiligen, d. h. Gemeinschaft durch Teilhabe am einen Heiligen Geist und seinen Gaben. Sie ist in einem sichtbaren menschlichen Gefüge die wirksame Gegenwart und geschichtliche Existenzform des Geistes Jesu Christi. Sie ist biblisch gesprochen ‚Bau im Heiligen Geist' (1 Kor 3, 16 f.; Eph 2, 22), dogmatisch formuliert ‚Sakrament des Geistes'. Damit ist sie im Geist das unter den Völkern aufgerichtete Signal (Jes 11, 12), die vorläufige Verwirklichung des Sinnziels der Geschichte: Einheit und Frieden (schalom) unter den Menschen und Völkern durch ihre Einheit mit Gott."[127]

In der Kirche sind Institution und Charisma in gleicher Weise präsent. Erstere erfährt von letzterem her sowohl ihre Begründung

---

[125] Vgl. W. Kasper, Die Kirche als Sakrament des Geistes. In: ders. – G. Sauter, Kirche – Ort des Geistes. Freiburg 1976, S. 37–54; M. Kehl, Kirche als Institution. Frankfurt 1976, S. 315–321.

[126] Vgl. O. Semmelroth, Institution und Charisma. In: GuL 36 (1963), S. 446 f.

[127] W. Kasper, a. a. O. 40 f.

wie ihre Begrenzung, ohne daß sie sich deswegen darauf reduzieren ließe. Die relative Selbständigkeit des Amtes ist dort gefordert, wo die Mehrdeutigkeit der Erscheinungsform des Charisma in ihrer Ungeschütztheit zur Debatte steht. Dadurch wird die fundamentale Zusammengehörigkeit und Verwiesenheit beider keineswegs aufgehoben: „Die Institution kann nicht verlorengehen, da Christus ihr Beständigkeit verheißen hat. Und das Charisma hört nicht auf, in der Kirche zu leben, da die Verheißung Christi gerade dies zum Inhalt hat, daß die Institution nie ihres Sinnes entleert wird, sakramentales Gefäß der von oben kommenden Gnade zu sein." [128] Die Koexistenz von Institution und Charisma gleicht einem Spannungsverhältnis, dessen pneumatologischer Index nicht übersehen werden sollte und das in der Lebenseinheit beider realisiert werden muß. Abstrakt läßt sich diese Relation als ein Nebeneinander bzw. Gegeneinander im Füreinander und Miteinander beschreiben, wobei die jeweilige Situation die entsprechende Akzentuierung besorgt. Im Rahmen dieser letztlich nur pneumatologisch zu lösenden Aufgabe treten selber eminent pneumatologische Fragen zutage.

Hier ist vor allem die Frage nach dem Geist als der *Legitimationsinstanz des Amtes* zu nennen. Dahinter verbirgt sich ein Thema von ökumenischer Relevanz. Spricht man von einer pneumatologischen Legitimation des Amtes, dann darf man dabei keineswegs ein minimalistisches Verständnis des Geistes zugrunde legen. [129] Die Souveränität des Geistes ist in ihrer Relation zur sendenden Vollmacht und Repräsentanz Christi sowie in ihrer bindenden Indienstnahme für das Gegenüber der Kirche zu sehen. Die Rede vom Charisma des Geistes stellt keinen Gegensatz zum Amt dar, wenn man bedenkt, daß es sich beim Amt um Mitteilung des Geistes handelt. Die Realität des Geistes ist dabei alles andere als nur eine aktuale und freischwebende; die dem Geist eigene Kondenszendenz verbietet es keineswegs, daß dieser sich inkarniert. In dem dadurch geschaffenen pneumatischen Bezugsrahmen erhalten Größen wie apostolische Sukzession, Tradition, Vollmacht, Dienst, Repräsentation, Charakter des Amtes ihre pneumatologisch-theologische

[128] O. Semmelroth, a. a. O. 450.

[129] Vgl. H. Häring, Der Geist als Legitimationsinstanz des Amtes. In: Conc (D) 15 (1979), S. 534–539; H. F. Woodhouse, The Authority of the Holy Spirit. In: SJTh 20 (1967), S. 183–197.

Berechtigung; letztere aber beinhaltet wohl auch die Möglichkeit, die Realität des Geistes und des Pneumatischen in ontologischen Kategorien auszusagen.

Dem Amt in der katholischen Kirche wird evangelischerseits das Amt als „Amt des Wortes" gegenübergestellt. Hier ist es das Wort, welches das Amt legitimiert. Der Geist erscheint als an das Wort gebunden. Aus dieser Gegenüberstellung erhebt sich die Frage nach dem Zueinander von Geist und Kirche: „Wieweit hat die Auffassung von der Wortgebundenheit des Geistes nicht zunehmend den ekklesialen Wirklichkeiten (kirchliche Tradition, kirchliche Ämter usw.) ihre pneumatische Dimension abgesprochen, die man ihnen in der Reformation durchaus zubilligte, auch wenn man meinte, sie am ‚Wort' verifizieren und ‚legitimieren' zu müssen? Man könnte es vielleicht auch so formulieren: Wie kann gleichzeitig mit der ‚Wortgebundenheit des Geistes' die ‚Geistgebundenheit des Wortes' wieder eingesehen und ernstgenommen werden?"[130] In dieser Formulierung kommt das urevangelische Anliegen des Zueinander von Wort und Geist zum Ausdruck. Ihm zufolge ist alle theologische Rede vom Geist daran zu messen, daß sie die schöpferische Alleinwirksamkeit Gottes in der Rechtfertigung des Sünders hinreichend zur Geltung bringt. Katholische Theologie betont demgegenüber die christologische Verankerung von Geist, Wort und Sakrament, die nicht zuletzt in einer christologisch unterfangenen und ausgewiesenen pneumatologischen Konzeption des Amtes wirksam wird.[131] Im Amt als einem Kristallisationspunkt des Verhältnisses von Wort und Geist liegt gleichfalls ein Ausgangspunkt für ein katholischeres Verständnis beider, das Kirche als „charismatisch strukturierte, eschatologisch bewegte, apostolisch tätige, synodal geleitete, sakramental artikulierte und mystisch beseelte Gemeinschaft der Glaubenden" begreifen lehrt.[132] Schließlich gilt, daß auch

---

[130] H. Meyer, Amt und Geist: Protestantische Stellungnahme. In: Conc (D) 15 (1979), S. 543.

[131] Vgl. die Kontroverse zwischen E. Schillebeeckx, Das kirchliche Amt. Düsseldorf 1981, und W. Kasper, Das kirchliche Amt in der Diskussion. In: ThQ 163 (1983), S. 46–53.

[132] A. Ganoczy, Wort und Geist in der katholischen Tradition. In: Conc (D) 15 (1979), S. 523–528; vgl. J. H. Yoder, Die Schwärmer und die Reformation. In: Conc (D) 15 (1979), S. 519–522; I. Lonning, Die Reformation und die Schwärmer. In: Conc (D) 15 (1979), S. 515–518.

das theologische Verständnis des Wortes in Bewegung geraten ist. Die gegensätzliche Betrachtung von Wort und Sakrament dürfte der Vergangenheit angehören. Will man bestimmte vereinseitigende Auffassungen beider vermeiden, so wird man sie sinnvollerweise auf das zwischen Gott und Mensch erfolgende „Kommunikationsgeschehen" beziehen können, dessen Ausdruck und Ziel die „communio" Gott-Mensch darstellt und worin sich die Wirksamkeit des Pneuma artikuliert.[133]

Ein Ableger der Diskussion um das Zueinander von Geist und Amt begegnet in der Diskussion um das *Petrusamt*. Diesem Amt ist von seinem Ursprung wie von seiner Ausübung her ein fundamentaler Bezug zum Geist eigen, der sowohl in den umfassenden Rahmen des Konnexes zwischen Geist und Kirche eingebettet ist als auch eine diesem Kontext zugeordnete eigenständige Note aufweist.[134] In der Erhellung dieses Zusammenhangs durchdringen sich Überlegungen und Konsequenzen theoretischer wie praktischer Art. Grundsätzlich kann kein Zweifel darüber bestehen, daß das Petrusamt radikal in jenen Geist eingebunden ist, der dem Glauben an den Messias Jesus dient. Spricht man von diesem Amt als einem Dienst an der Einheit der Glaubenden und der Kirche, so wird es damit vertieft als ein Instrument sichtbar, das im Dienste der Verwirklichung eines Uranliegens des Geistes steht. Kontroverse Fragen ergeben sich, sobald man an die Verbindung von Geist und päpstlicher Unfehlbarkeit denkt. Die einschlägigen Aussagen des Vatikanum I sprechen von einer eher negativen Assistenz des Geistes und von jener Unfehlbarkeit, womit der Erlöser seine Kirche ausgestattet wissen wollte.[135] Hierbei handelt es sich gewiß nicht um maximalistische Aussagen, die zudem einer weiteren Klärung bedürfen wie auch dafür offen sind. Das bestätigen einerseits die Verlautbarungen des Vatikanum II zur Kollegialität der Bischöfe, andererseits die Diskussion über den Problemkomplex der päpstlichen Unfehlbarkeit. Die Besinnung auf die pneumatisch-pneuma-

---

[133] Vgl. R. Schulte, Die Wort-Sakrament-Problematik in der evangelischen und katholischen Theologie. In: J. Pfammatter – F. Furger (Hrsg.), Theologische Berichte 6. Zürich 1977, S. 81–122.

[134] Vgl. B. Mondin, Der Heilige Geist als Legitimation des Papstamtes. In: Conc (D) 15 (1979), S. 529–533.

[135] Vgl. DS 3065–3074.

tologische Verfaßtheit der Kirche wie des Petrusamtes könnte zu einer Relativierung einer allzu isolierenden Behandlung, noch mehr aber zu einer sachlichen Annäherung und Durchdringung der anstehenden Fragestellungen führen.

An einen weiteren neuralgischen Punkt der Pneumatologie, der von einer erheblichen Breitenwirkung sein dürfte, rühren wir, wenn wir die Frage nach der *Unterscheidung der Geister* stellen. Ihre Aktualität wird durch die Berufung unterschiedlichster Bewegungen in der Gegenwart auf den Geist hinreichend begründet. Wo vom Geist die Rede ist, da ertönt immer auch der Ruf nach der Scheidung und Unterscheidung der Geister. 1 Kor 12, 10 geht von der Voraussetzung aus, daß der Geist Gottes in den vielfältigen Charismen der Kirche am Werk ist, und kennt eine eigene Gabe der Unterscheidung der Geister. Paulus hat außerdem erste Kriterien oder Prinzipien für die Einordnung der Charismen in das Leben seiner Gemeinden aufgestellt. Der Wert der Geistesgaben entscheidet sich nach ihm an der Anerkenntnis und dem Bekenntnis Jesu Christi als Herr (vgl. 1 Kor 12, 3). Dazu kommt als ergänzender Maßstab der aufbauende und dienende Beitrag der Charismen am Leib und Leben der Kirche (vgl. 1 Kor 12, 7). Das Problem der „discretio spirituum" (Unterscheidung der Geister) begleitet seitdem den Weg der Kirche. Die Patristik, speziell das Mönchtum, entwickelte eine besondere Sensibilität dafür. Die Didache stellt als Grundprinzip für die Unterscheidung der Geister auf: „Nicht jeder, der im Geiste redet, ist ein Prophet, sondern nur, wenn er die Lebensweise des Herrn hat."[136] In der weiteren Geschichte der „discretio" spielt das Agraphon: „Werdet erprobte Geldwechsler, die die falschen Münzen zurückweisen und nur die echten behalten" eine erhebliche Rolle.[137] Dieses Wort kennt neben der exegetisch-dogmatischen auch eine asketische Variante. Über Hermas, Origenes und Athanasius kommt es zur Lehre von der Unterscheidung des guten und des bösen Geistes im Menschen und dessen Wirkungen.[138] In der Mönchsaskese erhält die Diskretion enormen Stel-

---

[136] Didache XI, 8 (ed. Funk I, 28).

[137] A. Rosenberg, Verborgene Worte Jesu – Christusmeditationen aus der frühen Kirche. Freiburg 1981, S. 36.

[138] Vgl. G. Bardy – J. Guillet – H. Martin – J. Pegon – F. Vandenbroucke, Discernement des esprits. In: DSAM III (1957), S. 1222–1291.

lenwert. Johannes Cassian rückt sie ganz in den Mittelpunkt: „Mutter, Wächterin und Lenkerin aller Tugenden ist die Discretio."[139] Den eigentlichen Prüfstein der Unterscheidungsgabe bildet die Demut. Auf die Präsenz des göttlichen Geistes im Menschen verweisen Freude, überströmendes Gefühl, reines und bereitwilliges Gebet, Fröhlichkeit und Heiterkeit des Herzens, während Angst, unvernünftige Trauer, Trockenheit und Abscheu vor der Zelle Wirkungen des bösen Geistes darstellen.[140] Die Aufgabenstellung eines geistlichen Menschen wird folgendermaßen umrissen: „Alle Gedanken, die in unseren Herzen auftauchen, müssen in einer scharfsinnigen Unterscheidung ihrer Ursachen geprüft werden, indem man ihren Ursprüngen und Urhebern von Anfang an nachgeht, damit wir nach dem Gebot des Herrn kundige Wechsler werden."[141] Die Wirkungsgeschichte dieses Stückes patristischer Tradition reicht über das Mittelalter weiter und läßt sich beispielhaft an der Lehre des Ignatius von Loyola über die Unterscheidung der Geister studieren.[142]

Durch die neupfingstlerischen und charismatischen Erneuerungsbewegungen ist der Ruf nach Kriterien zur Unterscheidung der Geister über die Grenzen einer individualisierenden Behandlung hinaus laut geworden. Verstärkend kommen die verschiedensten gesellschaftlichen, politischen, kulturellen und humanitären Strömungen hinzu. Damit erhält das Problem der Unterscheidung der Geister eine über die individuell-ethische Ebene und die Auseinandersetzung mit den Schwärmern im Laufe der Geschichte hinausragende Bedeutung. Die darin sich meldende Frage nach den Früchten des Geistes droht zu einer Schicksalsfrage von Religion, Glaube, Kirche und Theologie zu werden: „Die Frage nach dem Beweis des Geistes und der Kraft ist heute für die Christen herausfordernd, rücksichtslos und umfassend gestellt. ‚An ihren Früchten sollt ihr sie erkennen‘ wird zum Motto einer Kritik an der Religion in Geschichte und Gegenwart, von der das Christentum durch

---

[139] Johannes Cassian, Spannkraft der Seele. Freiburg 1981, S. 123.

[140] Johannes Cassian, Collatio IV, 2 (Pl 49, 585 B–586 A); IV, 4 (PL 49, 587 B–588 A).

[141] Johannes Cassian, Collatio I, 20 (PL 49, 510 B); II, 9 (PL 49, 537 A).

[142] Vgl. H. Rahner, Ignatius von Loyola als Mensch und Theologe. Freiburg 1964, S. 312–343.

keine Privilegien mehr ausgenommen wird. Die Abrechnung mit
einer ‚Theologie ohne Folgen' ist zur Parole derer geworden, die
allein in der gesellschaftlichen Effektivität das Wahrheitskriterium
auch der Theologie sehen."[143] Dem wachsenden Bedürfnis nach
Unterscheidung steht die sich komplizierende Schwierigkeit, wirklich zu unterscheiden, gegenüber. Sicher lassen sich aufgrund der in
der Schrift und der Tradition vorgegebenen Daten bestimmte objektive Kriterien anführen wie der Glaube an Jesus Christus, die
Übereinstimmung mit der in Schrift und Überlieferung enthaltenen
Offenbarung, der kirchliche und diakonische Charakter der Charismen, das Wachstum von Einheit und Brüderlichkeit, die Manifestation der Früchte des Geistes, namentlich der Liebe.[144]

Die Gabe der Unterscheidung der Geister wird sowohl in individueller wie in gemeinschaftlicher Regie ausgeübt werden können.
Sie wird in ihrer heutigen Praxis auch von den Erkenntnissen der
Anthropologie und Humanwissenschaften nicht abstrahieren können: „Die Gabe der Unterscheidung in ihrer besten Bedeutung läßt
sich nicht in Schulen erlernen, es sei denn in Schulen von meisterli-
chen Vätern und von geistlichen Führern, die sowohl durch die Geschichte der Spiritualität wie durch die weisen Techniken der Psychologie geformt wurden. Sie wird ernten, die Dinge in Angriff
nehmen, umwandeln, sich die Fähigkeit des Zuhörens, der Intuition, der Feinfühligkeit und der Psychologie zu eigen machen. All
dem wird sie einen Hauch von Humor hinzufügen. In der Tat
wächst und vertieft sich jede Gabe in dem Maße, in dem sich Umkehr, Evangelisation, Kultur und gründliche Versöhnung desjenigen, der sie empfängt, vermehren. Die Unterscheidung wird sich
also in verschiedene Richtungen vervollkommnen: in der Fähigkeit
zuzuhören desjenigen, der unterscheiden soll, in der Möglichkeit,
denjenigen, der nach Licht fragt, wirksam und diskret zu begleiten,
in der glaubwürdigen Verwurzelung in der Gemeinschaft, in der die
Unterscheidung stattfinden soll. Tatsächlich ereignet sich Unterscheidung niemals außerhalb einer lebendigen Gemeinschaft. Im
allgemeinen geht es zwar um persönliches Handeln, aber dieses

---

[143] G. Ebeling, Wort und Glaube, Bd. III. Tübingen 1975, S. 398.
[144] Vgl. I. Pantschowski, Geist und Geistesgaben: Orthodoxe Stellungnahme. In:
Conc (D) 15 (1979), S. 555f.

Handeln läßt die soziale Dimension desjenigen, der unterscheidet, und desjenigen, der um Unterscheidung bittet, nicht außer acht."[145]

Alles, was sich auf den Geist und seine Erfahrung beruft, muß sich letztlich auf das in der Geschichte Jesu Christi gipfelnde Offenbarungsgeschehen Gottes, dessen Grundintention und Grundstruktur, den darin ergehenden Ruf zu Umkehr und Erneuerung zurückführen, daran messen und beurteilen lassen. Wo der Geist Jesu Christi am Werk ist, dort kommt es zur personalen Begegnung mit Christus und dem absoluten Du Gottes. Dabei muß man immer auch mit der List und den Überraschungen des Geistes rechnen, die menschlichen Vorstellungen und Erwartungen zuwiderlaufen können. Die Gaben des Geistes bleiben dabei immer unverdientes Geschenk für die anderen, die die Nüchternheit des Verstandes, die Bewährung des Empfangenen in der Zeit und Mühsal des Lebens nicht ausschließen; ihre kritische Stärke zeigt sich vor allem im Leiden, im Dienst und in der brüderlichen Solidarität den Geringen und Letzten gegenüber.[146] Unterscheidung der Geister in diesem Sinn kann und will dem Geist selber nicht vorgreifen. Als genuine Gabe des Geistes entspringt sie weder der Angst vor dem Geist noch seiner Verdächtigung, sondern allein dem Vertrauen in und auf ihn. Sie weiß, daß eine Scheidung und Unterscheidung der Geister nicht ohne Konflikte bestehen kann; sie verwechselt ihre Aufgabe auch nicht mit einer Harmonisierung um jeden Preis. Wahre „discretio" kann nur auf dem Weg der Unterscheidung das Entscheidend- und Unterscheidend-Christliche zum Vorschein bringen. Das aber ist nur möglich im offenen Dialog mit den gegenwärtigen Verhältnissen und Herausforderungen, aber auch im mutigen Vertrauen auf jenen Geist, der in der Praxis der Nachfolge Jesu am Werke ist.

---

[145] J. R. Bouchet, Die Unterscheidung der Geister. In: Conc (D) 15 (1979), S. 550f.

[146] Vgl. J. Schlageter, Unterscheidung der Geister. In: A. Rotzetter (Hrsg.), Geist und Geistesgaben. Zürich 1980, S. 23–26; J. Sudbrack, Probleme – Prognosen einer kommenden Spiritualität. Würzburg 1969, S. 140–151; ders., Herausgefordert zur Meditation. Freiburg 1977, S. 136–140.

3. Charismatische Erneuerung

Von charismatischer Bewegung und Erneuerung kann man eigentlich nicht im Singular sprechen. Ihren Erscheinungsformen ist eine Art Geisterfahrung als Grunderlebnis gemeinsam. Dabei gilt es zu berücksichtigen, daß sich ein enthusiastisches Erleben der Transzendenz auch in nichtchristlichen Religionen findet.[147] Aus dieser Parallelität ergeben sich sowohl Analogien wie auch Differenzen zwischen außerchristlichen Erlebnissen enthusiastischer Art und den gnadenhaften Erfahrungen der Transzendenz christlicher Provenienz.[148] Ein Vergleich beider wird vor allem die dialogische Grundstruktur, den inkarnatorisch-sakramentalen Charakter, die Forderung der Umkehr und Entscheidung, das Moment der Erfahrung, der Personalität, der Leibhaftigkeit und der Gnade betonen. Selbst innerhalb der christlichen Kirchen und Gemeinschaften weist das Phänomen der charismatischen Bewegung ein sehr unterschiedliches Gefälle auf.[149] Beschränkt man sich

---

[147] Vgl. C.-A. Keller, Enthusiastisches Transzendenzerleben in den nichtchristlichen Religionen. In: C. Heitmann – H. Mühlen (Hrsg.), a. a. O. 49–63.

[148] Vgl. K. Rahner, Das enthusiastisch-charismatische Erlebnis in Konfrontation mit der gnadenhaften Transzendenzerfahrung. In: C. Heitmann – H. Mühlen (Hrsg.), a. a. O. 64–80; G. B. Langemeyer, Gotteserfahrung und religiöses Erleben. In: A. Rotzetter (Hrsg.), Geist wird Leib. Zürich 1979, S. 113–126; H. Hülsmann, Technik – Tao und Mania. In: A. Rotzetter (Hrsg.), Geist und Welt. Zürich 1981, S. 117–138.

[149] Vgl. J. De Baciocchi, Le Saint-Esprit et la signification du monde. In: VC 81 (1967), S. 1–25; J. A. Burns, The Phenomenology of the Holy Spirit. Diss. Marquette University 1968; C. W. Carter, The Person and Ministry of the Holy Spirit. Grand Rapids 1974; W. H. Criswell, The Holy Spirit in Today's World. Grand Rapids 1966; R. Laurentin, Le redécouverte de l'Esprit Saint et des charismes dans l'Église actuelle. In: D. Coppieters de Gibson (Hrsg.), a. a. O. 11–38; M. J. Guillou, Les témoins sont parmi nous. Paris 1976; H. Mühlen, Der gegenwärtige Aufbruch der Geisterfahrung und die Unterscheidung der Geister. In: W. Kasper (Hrsg.), a. a. O. 24–53; ders., Einübung in die christliche Grunderfahrung, 2 Bde. Mainz ³1979; ders., Geistesgaben heute. Mainz 1982; D. R. Shepard, The Sensibility of „Holy Spirit". Diss. University of Nebraska 1968; F. Stagg, The Holy Spirit Today. Nashville 1973; W. Stählin, Die Bitte um den Heiligen Geist. Stuttgart 1969; L. J. Suenens, Redécouvrir le Saint-Esprit. In: ME 99 (1974), S. 118–125; A. W. Tozer, Die vergessene Kraft. Wuppertal ²1975; E. Walter, „Und du erneuerst das Antlitz der Erde". Stuttgart 1981; J. F. Walvoord, The Holy Spirit at Work Today. Chicago 1973; H. Wansbrough, The Coming of the Spirit. In: CleR 54 (1969), S. 357–360.

auf die charismatische Erneuerungsbewegung in der katholischen Kirche, so steht man selbst hier vor einer verwirrenden Fülle von Eindrücken, die sich nicht auf einen Nenner bringen lassen.[150] Ihre Bandbreite reicht von den Basisgemeinschaften Südamerikas bis zu den verhältnismäßig nüchternen Gebetskreisen der Bundesrepublik.[151] Von der Peripherie her betrachtet treten bestimmte aufsehenerregende Charismen wie Glossolalie, Prophetie, Heilungen oder die „Taufe im Geist" in Erscheinung.[152] Im Grunde handelt es sich dabei um eine neue Entdeckung von Kirche und Erfahrung des spirituellen Charakters christlicher Existenz. Besonderer Rang kommt dabei der eigenen religiösen Erfahrung und der Gruppe zu. In diesem Rahmen vollzieht sich eine Wiedergewinnung der Gnade des Gebetes, des sakramentalen Lebens, vor allem der Eucharistie, der Firmung, der Taufe und der Buße, eine Neubesinnung auf das Wort und den Wert der Schrift, eine Wiederbelebung der christli-

[150] Vgl. E. D. O'Connor, The Pentecostal Movement in the Catholic Church. Notre Dame 1971; K. McDonnell, Die Erfahrung des Heiligen Geistes in der katholischen charismatischen Erneuerungsbewegung. In: Conc (D) 15 (1979), S. 545–549; ders., Charismatical Renewal and the Churches. New York 1976; ders., Charismatical Renewal and Ecumenism. New York 1978; A. Favale, a. a. O. 268–326; E. Lanne, Lo Spirito Santo e la Chiesa. Una ricerca ecumenica. Roma 1970, S. 8–36; J. Roseto, Called by God in the Holy Spirit. Pneumatological Insights into Ecumenism. In: ER 30 (1978), S. 110–126; W. J. Hollenweger, Enthusiastisches Christentum. Zürich 1969; P.-R. Régamey, La Rénovation dans l'Esprit. Paris 1974; R. Laurentin, Pentecôtisme chez les catholiques. Paris 1975, S. 119 ff.; E. D. O'Connor, Le renouveau charismatique. Paris 1975, S. 51–60; A. Bittlinger, Die charismatische Erneuerung der Kirchen. In: C. Heitmann – H. Mühlen (Hrsg.), a. a. O. 19–35; E. Mederlet – K. McDonnell, Charismatische Erneuerung der Katholischen Kirche. Schloß Craheim 1972; J. McKinney, Die charismatische Erneuerung in der römisch-katholischen Kirche. In: C. Heitmann – H. Mühlen (Hrsg.), a. a. O. 36–48.

[151] Vgl. T. Neufeld, Christliche Basisgemeinschaften. In: A. Rotzetter (Hrsg.), Geist und Welt. Zürich 1981, S. 163–187; R. J. Kleiner, Basisgemeinden in der Kirche. Graz 1976; G. Deelen, Basisgemeinden in Brasilien. In: HerKorr 32 (1978), S. 76–81; N. Greinacher, Die Kirche der Armen. München 1980; L. Boff, Die Neuentdeckung der Kirche – Basisgemeinden in Lateinamerika. Mainz 1980; G. Hartmann, Christliche Basisgruppen und ihre befreiende Praxis. Mainz 1980; J. Bommer, Gemeinde an der Basis – Zelle der Kirche. In: J. Pfammatter – F. Furger (Hrsg.), Volkskirche – Gemeindekirche – Parakirche. Zürich 1981, S. 47–79.

[152] Vgl. J. D. G. Dunn, Baptism in the Holy Spirit. London 1970; L. Schmieder, Geisttaufe. Paderborn 1982; Y. Congar, Der Heilige Geist, S. 282–300.

chen Diakonie, eine christlich-brüderlich motivierte Solidarisie-
rung mit den Notleidenden und Notsituationen der Gegenwart,
eine Öffnung und Sensibilisierung für soziale und politische Wirklichkeiten, die sich mit einem ausgesprochenen Laienethos verbinden.[153]

Unter dem Titel: ›Verheißungsvolles und Fragwürdiges‹ hat
Y. Congar eine abgewogene theologische Stellungnahme zum Phänomen der charismatischen Erneuerung der Kirche im Geiste in
Angriff genommen.[154] An dieser Stelle wird in seltener Eindringlichkeit die Verschränkung von Geist und Kirche deutlich. Eine
pneumatologische Auswertung der charismatischen Bewegungen
muß notgedrungen immer auch eine ekklesiologische sein. Damit
ist automatisch ausgesagt, daß eine theologische Urteilsbildung
unmöglich von den vorhandenen Ambivalenzen und Relativitäten
abstrahieren kann. Sicher sind der charismatischen Erneuerung bei
aller fundamentalen Relevanz des Geistes für die Kirche insofern
Grenzen gezogen, als sie nicht zu einem universalkirchlichen Programm umgebogen werden kann, sondern immer nur eine partiku-
läre Bedeutung für sich reklamieren können wird. Unter dieser Einschränkung wird man ihr mit guten Gründen einen positiven kirchlichen Stellenwert bescheinigen: „Die Erneuerungsbewegung hat
das Gute, daß sie den übernatürlichen Charakter des Gottesvolkes
an der Basis sichert; daß sie die Charismen sichtbarer in Erscheinung treten läßt, ohne ein Monopol auf sie zu beanspruchen; daß sie
in das gewöhnliche christliche Leben Tätigkeiten wie die ‚Prophetie‘ und nicht nur geistige, sondern auch physische Heilungen
bringt. Ja, sie ist auf ihrer Ebene, auf ihre Weise eine Antwort auf
die von Johannes XXIII. geäußerte Erwartung, daß ein neues
Pfingsten anbrechen werde. Auch Paul VI. hat gesagt: ‚Die Kirche
hat ein beständiges Pfingsten nötig.‘ Dies ist . . . der Platz, den die
Erneuerungsbewegung in der heutigen Lage der Kirche und der
Ekklesiologie einnimmt. Die Erneuerungsbewegung trägt die Vitalität der Charismen ins Herz der Kirche. Sie hat keineswegs das
Monopol über sie, trägt aber sehr sichtbar ihr Etikett und gibt dem

---

[153] Vgl. A. Rotzetter (Hrsg.), Geist wird Leib. Zürich 1979; ders., Geist und Geistesgaben, Zürich 1980; ders., Geist und Welt. Zürich 1981; ders., Geist und Kommunikation. Zürich 1982.
[154] Vgl. Y. Congar, a. a. O. 271–282.

Thema Publizität. Sie stellt die Institution nicht in Frage, sondern möchte sie von neuem beseelen. Sie verwirft die Institution nicht, kritisiert sie nicht einmal. Dadurch, daß sie sich im Innern der Kirche entfaltet, zeigt sie, daß diese etwas ganz anderes ist als eine große Gnadenmaschinerie, eine, wenn auch sakramentale, Rechtsinstitution.“ [155]

Fragt man nach konkreten politischen Auswirkungen der charismatischen Gemeindeerneuerung, dann wird man vor allem an die Neuentdeckung der fundamentalen Relevanz der sakramentalen Dimension von Glaube und Kirche erinnern können. Diese haftet teilweise an dem mißverständlichen Phänomen der Geisttaufe, die katholischerseits keineswegs als Konkurrenz zur Taufe verstanden sein will und sinnvollerweise als „Tauferneuerung“ oder „Erneuerung im Geist“ charakterisiert wird. Ihr Anliegen ist die persönliche Lebensübergabe, die nicht selten die vom Evangelium geforderte Umkehr zu Gott nachvollzieht.[156] In diesem Rahmen kommt es zugleich zu einer Aktualisierung des den Glaubenden gemeinsamen Priestertums. In engem Zusammenhang damit wird gleichfalls eine Erneuerung der Firmung propagiert, das Firmsakrament selber als eine geschichtliche Fortdauer der Geisterfahrung Jesu und der ersten Pfingsterfahrung gedeutet. In Verbindung damit legt sich eine Erneuerung des Ehe- und Weihesakramentes bzw. der Ordensgelübde nahe.[157] Von der darin erfolgenden Verlebendigung der Geistesgaben wird auch der Empfang der übrigen Sakramente und der Vollzug christlicher Existenz intensiviert.

Eine sehr wesentliche Frucht und Hoffnung der charismatischen Erneuerung liegt in ihrem segensvollen Einfluß auf die ökumenische Bewegung und die Einheit der Kirche. Der Geist und die Erfahrung des Geistes schaffen einen neuen Horizont, in dem die vorhandenen ökumenischen Fragen und Aufgaben gewertet und angegangen werden. Die pneumatisch-pneumatologische Ebene trägt entscheidend zur Verwesentlichung und Relativierung bestehender

---

[155] Y. Congar, a. a. O. 272.
[156] Vgl. neben der Literatur von Anm. 152: J. B. Banawiratma, Der Heilige Geist in der Theologie von Heribert Mühlen. Frankfurt 1981, S. 160 f.
[157] Vgl. H. Mühlen, Die katholisch-charismatische Gemeinde-Erneuerung. In: StZ 193 (1975), S. 806 f.; ders., Die Firmung als sakramentales Zeichen der heilsgeschichtlichen Selbstüberlieferung des Geistes Christi. In: ThGl 57 (1967), S. 285.

Differenzen bei. Sie schafft vor allem ein neues Klima der Kommunikation, das nicht ohne Rückwirkung bleibt für die Erfahrung von Kirche und Gemeinschaft im Glauben. Der Geist verleiht dem, was unter getrennten Christen möglich ist, eine personalisierende und verinnerlichende Dimension und Tiefe: „Darin, daß sie miteinander beten, miteinander das Gotteswort meditieren, beieinander offensichtliche Gaben Gottes feststellen, erkennen sich die Teilnehmer an ökumenischen Zusammenkünften und erst recht die Angehörigen der Erneuerung als echte Christen und als mögliche, weil schon wirkliche Brüder. Ohne die Schwierigkeiten, die sie nicht leugnen, schon gelöst zu haben, ahnen sie, daß diese eines Tages überwunden werden. Was sie eint, ist stärker als das, was sie trennt." [158] Ein betont spirituelles Niveau kommt den Bemühungen und Anliegen der Ökumene sicher zugute.

Sucht man nach einer unmittelbaren Konsequenz davon, so wird man vor allem auf eine erneute und vertiefte Achtsamkeit auf die verschiedenen Charismen aufmerksam machen. [159] Das Wort von den verschiedenen Gnadengaben (vgl. 1 Kor 12, 4) besitzt auch eine ökumenische Relevanz. Der Geist lädt die einzelnen Kirchen und Gemeinschaften dazu ein, sich auf ihre spirituelle Überlieferung, ihre spezifischen Gnadengaben, ihren spirituellen Reichtum wie ihr spirituelles Defizit zu besinnen und einzulassen. Diese Selbstbesinnung führt zur Selbstfindung im Geist. Die Erfahrung und das Wissen darum, daß keine Kirche im vollen Besitz aller Charismen ist, lassen das Wozu der eigenen Berufung und Existenz wie auch das Zueinander der Kirchen in einem neuen Licht erscheinen. Hellhörigkeit und Gehorsam dem Geist gegenüber bewahren vor einer konstruierten und erzwungenen Einheit im Glauben. Kirche wie Ökumene können nur von innen, vom Geist her werden und wachsen.

Was daraus entsteht, wird offenbleiben müssen. Es wäre zu einseitig, wollte man sich vom Geist und von der Erneuerung in ihm die Lösung der Unterschiede und Spannungen im Glauben erwarten. Geist und Kirche sind bei aller Einheit und Gemeinsamkeit

---

[158] Y. Congar, a. a. O. 302.
[159] Vgl. G. Hasenhüttl, Charisma. Ordnungsprinzip der Kirche. Freiburg 1970; A. Rotzetter (Hrsg.), Geist und Geistesgaben. Zürich 1980; Y. Congar, a. a. O. 276–279.

nicht identisch: „Die Kirche ist Sakrament und nicht nur Gemeinschaft im und durch den Geist. Sie ist Wort und Glaubensbekenntnis; sie ist Feier der Eucharistie und der Sakramente; sie ist Gemeinde und Dienstämter; sie ist persönliche und gemeinschaftliche Zucht, und darin sind wir noch nicht eins. Deshalb ist die Erneuerungsbewegung als solche nicht *die* Lösung für das monumentale ökumenische Problem. Dieses erheischt noch weitere Anstrengungen, die heute gottlob ernstlich unternommen werden . . . Die Bewegung setzt die Wahrheit ins Leben um, daß die Kirche sich von innen her aufbaut, daß die Gemeinschaft in der Liebe über jede Organisation oder äußere Vermittlung den Primat hat. Aber sie darf nicht von sich annehmen, sie verwirkliche die Einheit über die bestehenden Unterschiede hinweg und trotz ihrer. Das ekklesiologische Problem bleibt in der Form der christologischen Bezugnahme auf die Institution des Herrn, auf das ‚sacramentum' Kirche, das von ihm grundgelegt ist. Man kann dies nicht im Namen der unmittelbaren Erfahrung des Geistes und seiner Früchte einfach unter den Tisch wischen." [160]

Es fehlt nicht an konkreten Überlegungen zur Wiederherstellung der Einheit der Kirchen auf der Basis der charismatischen Erneuerung. Die dritte Europäische Charismatische Konferenz vom 23. bis 28. Juni 1975 hat dazu einen Dreischritt vorgeschlagen, der durch die Stichworte: „Selbstfindung – Öffnung – Übernahme" gekennzeichnet wird. [161] Die Besinnung auf sich selber soll jede Kirche des Propriums ihres Kircheseins überführen, ihres unaufgebbaren Charismas, aber auch der ungerechtfertigten Verabsolutierungen desselben. Die daraus resultierende Umkehr und Offenheit schließt sowohl die Einsicht in die eigene Mitschuld an der Spaltung der Kirche wie die Empfänglichkeit für die Gnadengaben der anderen Kirchen in sich. Auf dem Weg des Dialogs, der Konvergenz und des Konsenses kann es dann zu einem Austausch und zu einer Übernahme der Charismen bis hin zum gemeinsam formulierten Bekenntnis und Vollzug der Kircheneinheit kommen. Bei allem Bedenkenswerten, das hier zur Einheit der Kirche geäußert wird,

[160] Y. Congar, a. a. O. 302 bzw. 306.
[161] Vgl. J. B. Banawiratma, a. a. O. 162–165; H. Mühlen, Morgen wird Einheit sein. Paderborn 1974; L. J. Suenens, Gemeinschaft im Geist. Salzburg 1979, S. 5–19.

bleibt die Frage bestehen, ob sich die Differenzen der Kirche samt
und sonders und so unmittelbar auf einen charismatischen Nenner
zurückführen und von der gemeinsamen Erfahrung des Geistes her
überwinden lassen. Der Geist ist bei aller Souveränität und Freiheit
immer auch sehr konkret und führt in die konkrete und konkretisierende Wirklichkeit des Glaubens hinein. Es fragt sich, ob der Geist
die Geschichte und die geschichtlichen Tatsachen des Glaubens so
ohne weiteres ignoriert. Die Einheit des Glaubens, die im Namen
des Geistes und unter Berufung auf ihn erhofft, erstrebt und urgiert
wird, darf keine spiritualisierte, über dem Erfahrungs- und Frage-
stand der Glaubenspositionen schwebende sein. Die Äußerungen
des Geistes lassen keine eindeutige, vom „Unten" unserer Vorstellungen und Erfahrungen her festlegbare Klassifizierung zu. Das gilt
auch von der Einheit im Glauben. Letztere besagt wohl mehr als
eine Einheit, die dem Zuschnitt unserer euphorischen oder unter
Druck produzierten Modelle entspricht. Unter diesem Aspekt
macht uns der Geist ein viel umfassenderes und alle Dimensionen
des Glaubens und Lebens umschließendes Suchen nach Einheit zur
Pflicht.

Die charismatische Erneuerungsbewegung fordert zur Stellungnahme heraus. Eine solche kann um der Redlichkeit willen auch auf
bestimmte Anfragen und kritische Anmerkungen nicht verzichten.
Diese erstrecken sich vor allem auf das, was als charismatische oder
Geisterfahrung ausgegeben wird. Für sie scheint eine fraglose Unmittelbarkeit der Beziehung und des Umgangs mit dem Geist bzw.
mit Gott charakteristisch zu sein. Diese schlägt sich nieder in einem
fast naiv anmutenden Glauben an das Wirken des Geistes, in
einer fundamentalistisch erscheinenden Weise der Lektüre der
Hl. Schrift, in einer gewissen Vorliebe für individuelle und kollek-
tive Erlebnisse, die leicht in die Nähe des Sensationellen gelangen
können.[162] Im Zusammenhang damit kann es leicht zu einem Ge-
meindemodell und zu einem Verständnis von Kirche kommen, das
sich im Sinne einer Elite von der bestehenden Vielheit und Verschiedenheit absetzt und sich als anfällig erweist für ein bestimmtes
Anspruchsdenken von Kirche. Des weiteren äußert man die Be-

---

[162] Vgl. K. Rahner, Gnade als Mitte menschlicher Existenz. In: HerKorr 28
(1974), S. 91; Y. Congar, a. a. O. 279–282.

fürchtung, die charismatische Bewegung könnte sich an der Vertikalen des Glaubens so sehr berauschen, daß dabei die Horizontale des Evangeliums in ihrer sozialen und gesellschaftlichen Erstreckung vernachlässigt würde. „Die Frage stellt sich vor allem in den zugleich tiefreligiösen und armen, ja ungerecht ausgebeuteten Ländern, für welche die Befreiung vom Elend und von einer Unrechtssituation genaue Analysen und kritische Engagements verlangt. Da der Vorwurf immer wieder formuliert wird, ist er vielleicht begründet. Doch die Mitglieder der Erneuerung antworten darauf nicht nur mit einer theoretischen Rechtfertigung, sondern durch Taten. Nicht nur kämpfen sie in der Gewerkschaftsbewegung und Politik mit, sondern die Mitglieder erfüllen so gut wie andere eine Berufsaufgabe, für die sie in der Forschung, in der Industriearbeit, in der Stadtgestaltung, in der Lehrtätigkeit sich aktiv einsetzen. Die Kirche ist weder nur die Erneuerungsbewegung noch nur die Theologie der Befreiung. Die Kirche ist Fülle. Doch die Glieder der Kirche verwirklichen diese Fülle nie voll, ja verraten sie zuweilen." [163] Insofern wird man den Platz der charismatischen Erneuerungsbewegung mit guten Gründen unter den Charismen des Geistes für die Kirche und Zeit von heute suchen können, die keineswegs mit dem Sein und Weg der Kirche identisch sind und jenem Urteil unterliegen, das lautet: „An ihren Früchten werdet ihr sie erkennen" (Mt 7, 16; vgl. Gal 5, 22; Eph 5, 9).

VI. Der Heilige Geist als der Geist des Gebetes

Geist und Gebet gehören in einem fundamentalen Sinn zusammen. Diese Zusammengehörigkeit gründet sowohl in der Eigenart des Geistes wie dessen, was christlicherseits Gebet genannt wird. Das Pneuma bildet geradezu die Wirklichkeit des Gebetes und durchdringt in dieser Hinsicht alles Sein und Tun der Kirche wie des Christen. Diese gegenseitige Verschränkung soll an einigen exemplarischen Punkten aufgewiesen werden.

---

[163] Y. Congar, a. a. O. 282; vgl. W. Smet, Ich mache alles neu. Kirchliche Erneuerung im Heiligen Geist. Regensburg 1975.

1. *Der Hl. Geist als „Beter"*

Fragt man nach der Eigentümlichkeit christlichen Betens, so kann man an der zentralen Aussage von Joh 4, 21–24 nicht vorbeigehen: „Grundlegend für das christliche Gebet . . . ist die Tatsache, daß es sich um einen geistlichen Kult, einen Kult im Heiligen Geiste handelt. Der Hauptwirkende beim Beten ist nicht der Beter selbst, sondern der Heilige Geist, der in ihm betet, sein menschliches Tun tauft und sein Leben durchdringt, um es in eine Opfergabe, einen ‚Kult' umzugestalten. So gesehen wird das Erlernen des Betens vor allem eine Erziehung zur Aufnahme des Heiligen Geistes."[164] Diese Präsenz des Geistes im Beter und im Gebet macht geradezu jenes Charisma der Verborgenheit aus, von dem Jesus in Mt 6, 5f. spricht. Von dieser radikalen Verwiesenheit her begreift man auch, wieso das Gebet als Inbegriff des Geistes und seiner Gaben gelten kann (vgl. Lk 11, 13).

Der Gabe-Charakter des Geistes des Gebetes setzt an der Erfahrung unserer Ohnmacht und Schwachheit an, wie sie in Röm 8, 26f. formuliert wird: „Denn wir wissen nicht, worum wir in rechter Weise beten sollen; der Geist selber tritt jedoch für uns ein mit Seufzen, das wir nicht in Worte fassen können. Und Gott, der die Herzen erforscht, weiß, was die Absicht des Geistes ist: Er tritt so, wie Gott es will, für die Heiligen ein." Der Geist weiß um die im Seufzen sich äußernde Ohnmacht der Kreatur. Als Helfer unserer Schwachheit bringt er unser Unvermögen nicht zum Verstummen, sondern verschafft ihm in einer Weise Ausdruck, wie wir es nicht vermögen und wie Gott es versteht. Das Gebet hört damit auf, ein Können oder Wissen des Menschen zu sein, es erscheint als das Werk des Geistes. Als Paraklet vollbringt er im Gebet jenes Erinnern und Lehren, von dem Joh 14, 26 handelt. Der Geist ist gleichsam unser Vor- und Für-Beter. Das wird gerade am elementarsten Gebetswort und Ausdruck des Geistes deutlich, der Abba-Anrede an Gott (vgl. Röm 8, 15; Gal 4, 6). Das Gebet läßt sich mit der Gegenwart und Wirksamkeit des Geistes im Glaubenden aufs engste in

---

[164] P. Jacquemont, Der Heilige Geist, Lehrmeister des Gebetes. In: Conc (D) 18 (1982), S. 630; vgl. F. Guimet, Gott empfangen im Heiligen Geist. In: IKZ 2 (1973), S. 109–132; A. C. Barnard, De Heilige Geest en de Prediking. In: NGTT 12 (1971), S. 52–60.

Verbindung bringen. Es bedeutet, sich gewissermaßen ins Schlepptau des Geistes zu begeben und sich auf seine Kurslinie bringen zu lassen.

Der Geist bestimmt zutiefst die Qualität des Betens. Diese zeigt sich, wenn man auf die Ebene des Gebetes achtet. Diese wird von Paulus folgendermaßen definiert: „Alle, die sich vom Geist Gottes leiten lassen, sind Söhne Gottes. Denn ihr habt nicht einen Geist empfangen, der euch zu Sklaven macht, so daß ihr euch immer noch fürchten müßtet, sondern ihr habt den Geist empfangen, der euch zu Söhnen macht, den Geist, in dem wir rufen: Abba, Vater! So bezeugt der Geist selber unserem Geist, daß wir Kinder Gottes sind" (Röm 8, 14–16). Der Geist des Gebetes spricht Gott den Abba-Namen zu; in ihm macht sich der Beter das Gebet Jesu selber zu eigen. Gleichzeitig damit, daß er Gott als Vater anruft, wird er seiner Position als Sohn Gottes inne. Diese Erfahrung und Wirklichkeit geschieht entscheidend im Gebet und stellt eine zutiefst „geistliche" Angelegenheit dar. Nur im Geist können und dürfen wir zu Gott „Vater" sagen, nur im Geist wird uns die Sohnesbeziehung zugesprochen und eröffnet. Damit wird das Gebet zu einer Grundvollzugsweise jener Freiheit und „parresia" (Redefreiheit), die das Merkmal der Söhne und Kinder Gottes bildet.[165] Eben das ist das Werk des Pneuma: Der Geist „macht den Vater im Herzen des Beters gegenwärtig, ruft dessen Macht und Liebe herbei (Röm 8, 15; Gal 4, 6)"[166]. Der Geist, der uns zum Gebet ermächtigt, bewirkt unsere Gleichgestaltigkeit mit dem Sohn Gottes und stellt unsere Konformität mit dem Willen Gottes her. Im Licht des Geistes enthüllt sich das Gebet als der Weg sohnschaftlicher Freiheit, der zugleich immer tiefer in das Geheimnis und die Realisierung dieser Freiheit hineinführt.

Solches Beten im Geist kennt keine Grenze; es läßt sich keineswegs auf Formen und Formeln einengen, es zielt auf das Leben, da es an der Wirklichkeit des Geistes ganz und gar partizipiert. Das Pneuma „verbindet sich unserem Geist in jedem Augenblick und macht so aus unserem Leben ein einziges Gebet. Auch wenn es für das innere und das gemeinsame Beten zu Recht besonders geweihte

---

[165] Vgl. H. Thielicke, a. a. O. 117f.
[166] F. Wulf, Gebet. In: HThG II (²1974), S. 61.

Zeiten gibt, so geschieht doch das Beten im Geist in der gerade anstehenden Zeit, jeder Zeit. Der Heilige Geist belebt das ganze Leben des Getauften und verwandelt es in einen ‚Gott angenehmen Kult'. Der Kult, den Gott von uns erwartet, ist diese Opfergabe unseres ganzen Lebens . . . Die Gegenwart des Heiligen Geistes wird unser ganzes Sein zu lebendigen Steinen für ein Haus des Gebetes gestalten . . . Unser ganzes Leben wird von der beherrschenden Kraft des Heiligen Geistes, der es in Gebet umformen will, erfaßt . . . Durch den Heiligen Geist, den Meister des Gebetes, wird das Beten zum Atemholen des gläubigen Lebens." [167] Der Geist formt aus dem Leben das Gebet, er formt es um in Gebet. Der Reichtum des Gebetes richtet sich nach der Vielfalt des Lebens.

Wenn man sich diese Perspektiven des Gebetes aneignet, dann wird man jener patristisch-monastischen Anschauung allerhand Bedeutung abgewinnen können, wonach das Charisma des Gebetes geradezu identisch ist mit der bei der Taufe empfangenen Gnade: „Der sogenannte Stand der Gnade bedeutet auf der Ebene des Herzens tatsächlich Zustand des Gebets. Dort, im Innersten unserer selbst sind wir seither in beständiger Fühlung mit Gott. Der Heilige Geist hat uns dort ergriffen und völlig von uns Besitz genommen: er ist Atem von unserem Atem, Geist von unserem Geist. Er nimmt unser Herz sozusagen ins Schlepptau und kehrt es zu Gott. Der Geist ist es, der nach Paulus unserem Geist unablässig bezeugt, daß wir Kinder Gottes sind. Immerfort schreit der Geist in uns und fleht ‚Abba–Vater', bittend und seufzend in unübersetzbaren, aber niemals abbrechenden Worten (Röm 8, 15; Gal 4, 6). Diesen Gebetszustand tragen wir allzeit in uns, wie einen verborgenen Schatz, dessen wir uns nicht oder kaum bewußt sind." [168] Der Erweckung des Geistes des Gebetes dienen die verschiedenen Gebetsformen und -techniken, die entscheidend um das lebendige Wort der Schrift kreisen. Musterbeispiele christlichen Betens sind die Psalmen, in denen sich der Dialog von Geist zu Geist vollzieht. Das Gebet verkörpert auf dieser Stufe eine ganze christliche Anthropologie. Der Geist erweckt den ganzen Menschen und versetzt ihn in den Zu-

---

[167] P. Jacquemont, a. a. O. 632 f.
[168] A. Louf, In uns betet der Geist. Einsiedeln ²1976, S. 17 f.; vgl. M. Dietz, Kleine Philokalie. Zürich 1976.

stand des Gebetes, sein Herz und seinen Leib. Das Gebet gräbt sich tief in die Lebensgestalt eines Menschen ein; es schafft in ihm ein neues Herz und fügt den Menschen auch in den Dimensionen seiner Leiblichkeit in die Wirklichkeit des Gebets ein. Im Gebet vollzieht sich am Menschen gleichsam das Pascha des Herrn, der Überschritt vom Tod zum Leben. Die Väter bezeichnen diesen Zustand als „die kleine Auferstehung" oder als „die Auferstehung vor der Auferstehung".[169] Der im Geist frei- und einsgewordene Beter wird gleichsam zum Mund und Brennpunkt für die Menschheit und die Welt, die durch seinen Mund Gott ihre Danksagung darbringen.

2. Der Hl. Geist in der Liturgie

Der fundamentale Zusammenhang von Geist und Gebet findet seinen theoretischen und praktischen Ausdruck in der Liturgie der Kirche. Den Inhalt der Liturgie bildet das Werk der Erlösung der Menschen und der Verherrlichung Gottes; dieses besitzt sein Vorspiel in den göttlichen Machterweisen am alttestamentlichen Bundesvolk, gipfelt im Pascha-Mysterium Jesu Christi und findet in der Verkündigung und im Vollzug des Heilswerkes durch die Apostel seine legitime und normative Fortsetzung. Das alles aber steht letztlich unter der Klammer des Geistes, wenn die Liturgiekonstitution des Zweiten Vatikanums sagt: „All das aber geschieht in der Kraft des Heiligen Geistes."[170]

Für eine nähere Bestimmung der Liturgie bietet sich der Begriff des „opus Dei" an, d. h. Liturgie ist sowohl Werk oder Handeln Gottes an uns wie auch Werk für Gott. Erstere Perspektive hat in folgendem Gebet ihre klassische Formulierung gefunden: „Wir bitten Dich, o Herr: laß uns immer würdig an diesen Geheimnissen teilnehmen, da ja das Werk unserer Erlösung vollzogen wird, sooft

---

[169] Vgl. A. Louf, a. a. O. 82.
[170] Konstitution über die heilige Liturgie, Nr. 6; vgl. A. M. Triacca – A. Pistoia (Hrsg.), L'Esprit Saint et la Liturgie. Conférences Saint-Serge, XVI Semaine d'Études Liturgiques. Roma 1977; K. Richter, Der Geist Gottes in der Liturgie. In: KatBl 103 (1978), S. 849–854; A. M. Triacca, Spirito Santo e Liturgia. Linee metodologiche per un approfondimento. In: G. J. Békés – G. Farnedi (Hrsg.), Lex orandi – lex credendi. Roma 1980, S. 133–164.

man das Gedächtnis dieses Opfers feiert."[171] Dieser Vollzug des Erlösungswerkes verdankt sich wesentlich der Präsenz und der Wirksamkeit des Geistes. Er folgt dem christologisch-trinitarischen Strukturgesetz der Liturgie, das lautet: „Vom Vater durch Christus im Heiligen Geist zum Vater."[172] Der Geist bezeichnet gleichsam die Nahtstelle und den Wendepunkt der Bewegung von Gott zum Menschen und des Menschen zu Gott. Es ist die zutiefst heilsgeschichtliche Sicht, welche die liturgische Vision des Geistes bestimmt. Der Geist, von dem in der Liturgie die Rede ist, ist der Geist des Vaters, Jesu Christi und der Kirche. Die Liturgie interessiert sich vor allem für seine Wirkungen: sein schöpferisches, lebenspendendes und lebenerhaltendes, heilendes und rettendes Handeln; er schenkt Einheit, Frieden, Erkenntnis und Kraft zum Zeugnis; er erweckt Anbetung, Danksagung und Gebet.

Der Liturgie eignet bereits insofern eine grundlegende Beziehung zum Geist Gottes, als sich jede Versammlung der Kirche und ihr Gebet immer im Hl. Geist vollziehen. Die Kirche erfährt und versteht sich als jene messianische Heilsgemeinschaft, über die der Geist ausgegossen ist; in ihr sind die Gaben des Geistes wirksam. Das ist unausdrückliche bzw. ausdrückliche Realität, sobald sich die Gemeinde zum Gebet versammelt: „Gott ist das Subjekt des liturgischen Handelns. Nur sein Geist vermittelt der glaubenden Gemeinschaft die volle Wirklichkeit des gottesdienstlichen Geschehens. Die Kirche ist hier in der Funktion des Bittens, des Sichöffnens und Sicheinlassens, des Empfangens."[173] In diesem Sinne sagt beispielsweise Justin: „Bei allem . . . preisen wir den Schöpfer des Alls durch seinen Sohn Jesus Christus und durch den Heiligen Geist."[174]

Im Zusammenhang mit den arianischen Streitigkeiten kommt es dann zu einer Erweiterung des Orationsschlusses durch die Beifügung des Hl. Geistes in der Wendung: „In der Einheit des Heiligen Geistes."[175] Ihr kommt in der kirchlichen Gebetspraxis eine zen-

---

[171] A. Schott, Das vollständige Römische Meßbuch. Freiburg 1963, S. 638.

[172] Vgl. C. Vagaggini, Theologie der Liturgie. Einsiedeln 1959, S. 139–171.

[173] A. Rotzetter, Liturgische Spiritualität. In: ders. (Hrsg.), Geist wird Leib. Zürich 1979, S. 104.

[174] Justin, Apologie I, 67.

[175] Vgl. C. Vagaggini, a. a. O. 154.

trale Position zu. Sie findet sich in der Schlußdoxologie der neuen Hochgebete des römischen Meßbuchs sowie in der großen Konklusionsformel des Tagesgebetes bei der Eucharistiefeier und im Stundengebet. Die Doxologie der Hochgebete denkt dabei sowohl an die Verherrlichung des Vaters durch den menschgewordenen und erhöhten Sohn wie auch durch die Kirche, in deren Augen die Einheit des Hl. Geistes die Einheit mit ihrem Herrn und die Einheit der Glaubenden einschließt. Als mehrdeutig erweist sich die Schlußwendung der Oration: „Die Unbestimmtheit des lateinischen Textes läßt . . . in einer einzigen Formulierung drei wichtige Grundaussagen der Pneumatologie zu: – Gott ist in drei Personen einer im Heiligen Geist, – Gott kommt, heilt, rettet . . . durch Christus im Heiligen Geist, – die Kirche betet zum Vater durch Christus und geeint im Heiligen Geist. Die Mehrdeutigkeit läßt denselben Text immer wieder neu erscheinen, weil unsere Aufmerksamkeit immer nur die eine oder andere Aussage erfassen kann." [176]

In der Auseinandersetzung mit den Arianern kommt es zu einer Revision der Gebetssprache, die ausdrücklich die auf dem 1. Konzil von Konstantinopel (381) definierte Personhaftigkeit und Gottheit des Geistes hervorhebt. Im Sinne einer Vervollständigung der Trinität werden frühchristliche Hymnen und Doxologien um einen pneumatologischen Teil ergänzt. Einen festen Platz nimmt innerhalb der Liturgie die Bitte um den Geist ein. Das epikletische Moment durchzieht praktisch die gesamte Gebetssprache, angefangen von den Hochgebeten über die Weihepräfationen bis zu den Tages-, Gaben- und Schlußgebeten. Die direkte Anrede des Hl. Geistes ist für die Liturgien des Westens nur in Hymnen, Akklamationen, Sequenzen, Responsorien und Antiphonen, nicht aber in Orationen bezeugt. Als Riten der Geistmitteilung sind Handauflegung und Salbung in den verschiedensten Zusammenhängen bekannt. [177]

---

[176] Ph. Harnoncourt, Vom Beten im Heiligen Geist. In: J. G. Plöger (Hrsg.), Gott feiern. Freiburg ²1980, S. 110.

[177] Vgl. I. H. Dalmais, L'Esprit Saint et le mystère du salut dans les épiclèses eucharistiques syriennes. In: Ist. 18 (1973), S. 147–154; ders., Le Saint-Esprit dans la liturgie et dans la vie spirituelle des Eglises syriennes. In: C. Kannengießer – Y. Marchasson (Hrsg.), Humanisme et foi chrétienne. Paris 1976, S. 579–586; V. E. Fiala, L'imposition des mains comme signe de la communication de l'Esprit Saint dans les rites latins. In: Edizioni Liturgiche. Roma 1977, S. 87–104; B. Neunheuser, Taufe

Innerhalb des Kirchenjahres ist für den Hl. Geist die Zeit zwischen Christi Himmelfahrt und Pfingsten in besonderer Weise reserviert: „Hier macht die Liturgie deutlich, daß die Verwirklichung der Erlösung in den Einzelseelen in Spiritu geschieht, durch den Heiligen Geist, der die Kirche beseelt. Christus steht zu dieser Zeit vor allem als der vor uns, der uns den Heiligen Geist verdient hat und uns durch ihn belebt; der Vater als der, der uns auf die Fürsprache Christi hin den Heiligen Geist sendet und zu dem uns der Geist zurückführen will." [178]

In der Gestalt ihrer Liturgie bringt die Kirche vernehmbar zum Ausdruck, was das Werk des Geistes ist und was sich auf dem Grunde von Welt und Geschichte zuträgt: die doxa (Herrlichkeit) Gottes. Der Geist erfüllt den Erdkreis (vgl. Weish 1, 7), er ist überall am Werk. Er sammelt und verbindet alles, was darin ist, zu einer stummen oder lauten Doxologie des Vaters (vgl. Joh 4, 23). Diese Doxologie wird im Eschaton ihre Vollendung finden. Für sie gelten die Worte des Klemens von Alexandrien: „Also hat der Logos Gottes die Leier und die Zither, seelenlose Instrumente, beiseite gelassen, um durch den Heiligen Geist sich die ganze, im Menschen zusammengefaßte Welt gleichzustimmen; er bedient sich ihrer als eines vielstimmigen Instrumentes, und sich mit ihrem Gesang, dem Instrument Mensch, begleitend, spielt er für Gott." [179] Die Kirche sammelt in ihrer Liturgie gleichsam die Doxologie des Alls ein und läßt sie ausdrücklich werden.

3. Der Hl. Geist in den Sakramenten

Die Sakramente stellen in gewissem Sinn einen Sonderfall der Liturgie dar. Das rechtfertigt es, ihre Beziehung zum Pneuma gesondert zu betrachten. Dabei kann es sich nicht um eine entfaltete

---

im Geist. Der Heilige Geist in den Riten der Taufliturgie. In: Edizioni Liturgiche. Roma 1977, S. 121–140; V. Palachovsky, Les „Pneumatica" des antiphones graduelles. In: Edizioni Liturgiche. Roma 1977, S. 141–148; D. Webb, La doctrine du Saint-Esprit dans la liturgie eucharistique d'après les théologies anglais des 17e et 18e siècles. In: Edizioni Liturgiche. Roma 1977, S. 165–181.

[178] C. Vagaggini, a. a. O. 169f.

[179] Zit. bei Y. Congar, a. a. O. 314; vgl. dort S. 311–317.

Sakramententheologie handeln, sondern nur um eine Beschränkung auf die Erhellung ihrer pneumatologischen Komponente. In dieser Hinsicht teilen die Sakramente zunächst einfach das, was über die Rolle des Geistes in der Liturgie ausgeführt wurde. Ohne Zweifel lassen sich die Sakramente auch als Wort- und Gebetsgeschehen begreifen.[180] Die Wirksamkeit des Wortes erweist sich als eine höchst pneumatische. Ähnliches gilt vom Sakrament als Gebetsgeschehen: „Ein Sakrament ist ebenfalls eine dynamische Wirklichkeit, wenn man es nicht einfach als Erzeugnis, sondern als Vorgang auffaßt, worin die Kirche ihre responsive Identität als Kirche verwirklicht und so die Gegenwart Christi im Geist sakramental hervorbringt, d. h. indem sie diese Gegenwart in den von Christus gegebenen Zeichen zum Ausdruck bringt."[181] Der Hinweis auf den Geist könnte der trinitarischen Perspektive der Sakramente stärkeres Profil verleihen und manche Fragen und Lösungen der Sakramententheologie auf eine sachgemäßere Ebene heben. Er verhütet gleichfalls, daß die Sakramente christologisch und ekklesiologisch vereinnahmt werden.

In den Sakramenten selber spielt die Anrufung des Hl. Geistes, die Epiklese, eine grundlegende Rolle. Das gilt von Taufe, Firmung und Eucharistie genauso wie von der Ordination zum kirchlichen Amt und der Buße. Die Sakramente besitzen eine „epikletische" Note, die sich in das gesamte christliche Leben hinein fortsetzt. Wenn man an der Dynamik des Geistes festhält, dann wird damit keineswegs einer Nivellierung des Geistes Vorschub geleistet. Auf diese Weise wird die indikativische Auffassung der Sakramente und ihrer Wirksamkeit einer gewissen Korrektur ausgesetzt, sofern sie einem epikletischen Rahmen eingefügt und damit ihr tieferer Hintergrund deutlich wird. Die Kirche selber erscheint dann nicht nur

---

[180] Vgl. Th. Schneider, Zeichen der Nähe Gottes. Mainz 1979; A. Ganoczy, Einführung in die katholische Sakramentenlehre. Darmstadt 1979; H. Luthe (Hrsg.), Christusbegegnung in den Sakramenten. Kevelaer 1981.

[181] B. McDermott, Das Sakrament als Gebetsgeschehen. In: Conc (D) 18 (1982), S. 627; vgl. M. J. Francisco, Lo Spirito Santo e i Sacramenti. Bibliografia. In: Notitiae Nr. 131–132 (1977), S. 326–335; A. G. Fuente, El Espíritu Santo y los Sacramentos. In: Ang. 55 (1978), S. 366–414; J. R. Villalón, L'Esprit Saint dans l'Economie Sacramentelle. Rom 1970; ders., Sacraments dans l'Esprit. Paris 1977; Th. Schneider, Gott ist Gabe. Freiburg 1979.

als Hüterin und Verwalterin des Geistes, sondern noch viel mehr als
dessen Empfängerin. Der sakramentale Indikativ wird damit in der
Bitte um das Kommen des Geistes verankert. In den Sakramenten
nimmt die Bitte um das Kommen des Geistes eine höchst offizielle
Form an. Hier engagiert sich die „ecclesia orans" (betende Kirche)
in ihrer ganzen „parresia" (Freiheit der Rede). Gleichzeitig wird sie
sich dabei auf intensivste Weise der Präsenz und Wirksamkeit des
Geistes in ihr als ihrer Seele bewußt. Alles sakramentale Handeln
der Kirche entspringt dem Geist, ist von ihm geleitet und inspiriert.
Der Geist ist Ursprung, Medium und Ziel des sakramentalen
Geschehens zugleich.

Aufgrund dieser Zusammenhänge wird man die den Sakramenten
eigene Kausalität als eine zutiefst pneumatische ansprechen dürfen.
Von hier aus ergäbe sich auch eine stärkere Annäherung zwischen
den Wirkungen des Geistes und der Sakramente. Die Sakramente
wirken, was der Geist wirkt. Bei aller Berechtigung des „Der Geist
weht, wo er will" (vgl. Joh 3, 8) bleibt doch zunächst zu betonen,
daß der Geist in den Sakramenten am Werk ist und vermittelt wird.
Geist und Sakramente sind keine Konkurrenten. Die christologische
und ekklesiologische Perspektive in der Frage der Notwendigkeit,
der Einsetzung, der Siebenzahl oder des Spenders der Sakramente
haben sicher ihr gutes Recht, sie bedürfen aber einer pneumatologischen Auffüllung, wenn sie nicht gewissen monistischen Ver-
kürzungen zum Opfer fallen sollen. Der Geist stellt das unerläß-
liche Bindeglied zwischen Christus und der Kirche, zwischen der
Kirche des Anfangs und späterer Zeiten, zwischen dem Einst und
Heute, zwischen Schrift und Tradition, zwischen Traditionen und
dem Leben dar. Hier geht es um zutiefst charismatische Zusammenhänge, die nicht isoliert werden dürfen. Ihre Auslegung und
Aneignung, ihre Fruchtbarkeit und Zuverlässigkeit sind unbedingt
auf die Wahrung des gesamten Kontextes angewiesen. Versteht man
den Geist als eine dynamische und keineswegs eindimensionale
Größe, dann wird man ihn auch als Frucht oder Wirkung der Sakramente betrachten können, ohne deswegen um eine Nivellierung
des Geistes bzw. der Sakramente bangen zu müssen. Der Geist als
Lebensprinzip der Kirche sorgt dafür, daß Christus und Kirche,
daß die apostolische und die nachapostolische Kirche, daß die verschiedenen Traditionen sich nicht total entfremden. Er läßt sie als

die Macht der Vergegenwärtigung gegenwärtig und Gegenwart werden.

Fragt man nach dem konkreten Zusammenhang zwischen Geist und Sakrament, so ist zunächst an seine Rolle in der *Eucharistie* zu erinnern. Diese wird vornehmlich greifbar in der Epiklese, die mit dem Hochgebet geradezu identisch sein kann. Sinn des eucharistischen Hochgebetes ist es, das christliche Mysterium Wirklichkeit werden zu lassen. Die Eucharistie gilt als Inbegriff dessen, was Gott durch Jesus Christus für uns getan hat.[182] Die Epiklese ist in engem Zusammenhang mit der Anamnese zu sehen und bittet um das Kommen des Hl. Geistes, um die Opfergaben der Eucharistiefeier zu heiligen. Darin drückt sich ein sehr sensibler Glaube an die Präsenz und Wirksamkeit des Geistes aus: „Die Wirksamkeit des Hagion Pneuma in der Welt entfaltet sich gewiß auf vielerlei Weise, aber ihre besondere, bedeutsamste Stelle ist die Feier des Paschamysteriums des Todes und der Auferstehung Christi. Die Heiligung oder . . . die Konsekration der Gaben von Brot und Wein bringt den wichtigsten Beitrag zur Heiligung der gesamten Welt, zur consecratio mundi (Heiligung der Welt).“ [183] Man stellt sich diese heiligende Aktivität des Geistes gerne in Analogie zu seiner Rolle bei der Inkarnation und beim Pfingstereignis vor. Allerdings darf man die heiligende Wirkung des Geistes nicht der Epiklese allein zuschreiben, da diese der Anaphora als ganzer zukommt.

Die Epiklese kann die Bitte um Heiligung von den Gaben auch auf die Gläubigen ausdehnen. Auf diese Weise wird die Heiligungsmacht des Geistes mit dem Kommunionempfang in Verbindung gebracht. Infolge der mittelalterlichen Eucharistiestreitigkeiten kam es im Westen zu jener Auffassung, die den Einsetzungsworten die Konsekrationswirkung zuschrieb, eine Entwicklung, die erst durch die Erneuerung der Liturgie durch das Zweite Vatikanische Konzil korrigiert wurde. Daneben kennt der Westen auch Zeugnisse, die eine Mitwirkung des Geistes bei der Konsekration von Brot und Wein erwähnen.[184] Der Stellenwert der Epiklese rich-

---

[182] Vgl. Y. Congar, a. a. O. 465.

[183] Th. Schnitzler, Die drei neuen eucharistischen Hochgebete und die neuen Präfationen in Verkündigung und Betrachtung. Freiburg 1968, S. 119; vgl. B. Botte, In unitate Spiritus Sancti. In: MD 23 (1950), S. 49–53.

[184] Vgl. Y. Congar, a. a. O. 474–481.

tet sich nach jener adäquaten Konzeption, der zufolge in der Eucharistie das Heilsgut der Kirche in seiner ganzen Fülle präsent ist.[185]
Der Geist erscheint dabei als die Klammer der gesamten Heilsökonomie, die Christus und die Zeit der Kirche miteinander verbindet:
„Was der Geist in Christus gewirkt hat, um ihn zum Haupte zu machen, muß er in uns wirken, um uns zu seinen Gliedern zu machen,
um seinen Leib zu vollenden und zu heiligen. Dieser eine, gleiche
Geist ist in den drei Realitäten am Werk, die als ‚Leib Christi' bezeichnet werden und dynamisch miteinander verbunden sind: Jesus, der Sohn Marias, der gelitten hat, gestorben ist, auferweckt und
verherrlicht worden ist; die zur Eucharistie gewordenen Gestalten
von Brot und Wein; der gemeinschaftliche Leib, dessen Glieder wir
sind. Es gibt nur eine einzige Gnadenökonomie, worin ein und derselbe Geist den Leib Christi wirkt in dessen drei unterschiedlichen
und zugleich dynamisch miteinander verbundenen Gestalten zur
Ehre Gottes des Vaters."[186] Der Geist tritt in der Eucharistie als das
Band der Einheit und Kontinuität der Heilsökonomie in Aktion.

Der Zusammenhang zwischen *Taufe* und Geist ist fundamentaler
und vielfacher Natur. Im Blick auf den Geist als endzeitliche Gabe
kann von der Taufe mit dem Hl. Geist die Rede sein (vgl. Mk 1, 8);
Jesus spricht von der Geburt aus Wasser und Geist (vgl. Joh 3, 5).
Der Empfang des Geistes bildet das entscheidende Kennzeichen der
christlichen Taufe gegenüber der Taufe des Johannes (vgl. Apg 1, 5;
2, 38). Die Taufe besagt die Besiegelung und Salbung durch den
Geist (vgl. 2 Kor 1, 22; Eph 1, 12 f.; 4, 30). Der Geist übereignet den
Getauften an Christus (vgl. Röm 8, 4. 9. 14. 17 f.; Gal 4, 6; 2 Kor
3, 17), er ist der „erste Anteil des Erbes, das wir erhalten sollen"
(Eph 1, 14). Die Taufe wird als ein Wiedergezeugt- und Wiedergeboren-Werden bzw. als Erneuerung des Menschen und Teilnahme
an der Sohnschaft zu Gott verstanden, wovon sich der Anteil des
Geistes nicht trennen läßt (vgl. Joh 1, 13; 3, 3–8; Tit 3, 5–7);
1 Petr 1, 3. 23; Röm 8, 12–17; Eph 1, 3–13).

Bedenkt man außerdem, daß in der Taufe Gott als der Dreieine
am Menschen und für ihn handelt, dann läßt sich vom Taufgesche-

---

[185] Vgl. K. Rahner – H. Vorgrimler, a. a. O. 568; F. Guimet, Existenz und Ewigkeit. Einsiedeln 1973.

[186] Y. Congar, a. a. O. 487 f.

hen der Geist Gottes nicht ausnehmen.[187] Die Tatsache, daß der
dreifaltige Gott im Getauften Wohnung nimmt, hebt die andere
nicht auf, daß der Getaufte zugleich in besonderer Weise zu einem
Tempel des Geistes wird. Die Taufe begründet neben der Beziehung zu Vater und Sohn eben auch ein besonderes Verhältnis zum
Geist. Der Geist wird gleichsam zum besonderen Sensorium des
Glaubenden, das sein Empfinden für Gott wie für den Menschen
bildet und schärft: „Darin erfährt er eine Umwandlung seines Daseins, die ihn für Gott und die Menschen aufschließt. Er wird einbezogen in das Pfingstgeschehen, welches schon die Apostel als Berührung durch den Heiligen Geist verstehen. Es ist eine Berührung
mit dem Geist Gottes und so mit Gott selbst. Dies geschieht grundlegend in der Taufe, die Glaube, Hoffnung und Liebe schenkt,
wenn immer der Mensch sich Gott öffnet. Der Heilige Geist schafft
im Menschen eine Bewegung auf Gott hin, er befähigt ihn, mit Jesus
Christus auf den Vater hin zu leben. Er führt ihn zur Haltung des
Gebets, das Anbetung, Liebe und Gehorsam in einem ist."[188] Es ist
der Geist, der in der Liebe des Christen vor allem am Werk ist und
die prägende Mitte seiner Existenz bildet.

Dieser Bezug zum Geist findet seinen Ausdruck in der Liturgie
und im Ritual der Taufe. In einer feierlichen Epiklese wird der Geist
auf das Taufwasser herabgerufen. Das Wasser selber wird damit zu
einem sprechenden Sinnbild für den Geist; es erinnert an das lebendige Wasser, das in das ewige Leben strömt. Im Taufakt ist die Kraft
des Geistes am Werk. Darauf verweist schon die dreigliedrige Taufformel. Der Geist als das Prinzip der Einheit und Gemeinschaft fügt
den Täufling dem Schoß der Kirche ein. Die abschließende Salbung
des Neugetauften mit Chrisam unterstreicht die Verbindung von
Wiedergeburt, Sündenvergebung und Geistsendung.[189] Dieser
enge Zusammenhang von Taufe und Geist ruft nach einer entsprechenden Taufspiritualität im christlichen Leben und Bewußtsein.

Die Taufe findet ihre Besiegelung in der *Firmung*. Eine klare Abgrenzung beider Sakramente bereitet enorme theologische Schwie-

---

[187] Vgl. R. Schulte, Die Umkehr (Metanoia) als Anfang und Form christlichen
Lebens. In: J. Feiner – M. Löhrer (Hrsg.), Mysterium Salutis, Bd. 5. Einsiedeln
1976, S. 154–158.
[188] St. Horn, Die Taufe. In: H. Luthe (Hrsg.), a. a. O. 210f.
[189] Vgl. Y. Congar, a. a. O. 488f.

rigkeiten.[190] Will man den pneumatologischen Aspekt der Firmung präziser erheben, dann muß man sich zunächst daran erinnern lassen, daß die Kirche als Ganzes Geschöpf und Ort des Geistes ist, der in ihr gegenwärtig ist und wirkt. Davon sind alles Leben und alle Handlungen der Kirche betroffen. In diesem pneumatologisch-ekklesiologischen Rahmen erhält dann eine Theologie der Initiation ihren Stellenwert. Die Firmung ist ein Ausschnitt jener umfassenden Initiation, der es um das Heil des einen und ganzen Menschen geht. Das Heil, das in Taufe und Firmung vermittelt wird, läßt sich nicht punktuell auf den Augenblick der Spendung und des Empfangs fixieren. Der Empfang des Geistes zielt nicht auf ein bloß punktuelles Ereignis, sondern auf eine lebendige Personbeziehung, die im gesamten Verlauf des Lebens verwirklicht und entfaltet wird. Eine solche Beziehung kann sehr wohl ihre Geschichte haben. Unter diesem Blickwinkel muß man sowohl von der Einheit wie auch der Verschiedenheit von Taufe und Firmung sprechen.

Hält man am dynamischen und personalen Charakter der christlichen Initiation fest, dann kann man der Firmung durchaus eine relative Eigenständigkeit bescheinigen, sofern sie aus der Fülle des Heils die Gabe des Geistes besonders akzentuiert. Unter diesem Vorzeichen läßt sich die Firmung mit guten Gründen als Vollendung der Taufe, die das Wirken des Geistes ausdrücklich macht, als Sakrament des Glaubens, in dem der Glaube als Gabe des Geistes und persönliche Entscheidung des Menschen zusammenkommen, als Verleihung des Geistes Jesu Christi als Lebensprinzip, als Sendungsauftrag zum Aufbau des Leibes Christi begreifen.[191] Die

---

[190] Vgl. J. Amougou-Atangana, Ein Sakrament des Geistempfangs? Zum Verhältnis von Taufe und Firmung. Freiburg 1974; J. Auer, Das Sakrament der Firmung. In: ders. – J. Ratzinger (Hrsg.), Kleine Katholische Dogmatik, Bd. 7. Regensburg ²1979, S. 79–113; A. Benning, Gabe des Geistes. Hildesheim 1972; G. Biemer, Die Firmung als Sakrament der Eingliederung in die Kirche. Würzburg 1976; H. Küng, Was ist Firmung? Zürich 1976; W. Nastainczyk, Katechese. Grundfragen und Grundformen. Paderborn 1983, S. 127–140; P. Nordhues – H. Petri (Hrsg.), Die Gabe Gottes. Paderborn 1974; R. Ott, Die Firmung, München 1979; K. Rahner, Auch heute weht der Geist. München 1974; S. Regli, Firmsakrament und christliche Entfaltung. In: J. Feiner – M. Löhrer (Hrsg.), a. a. O. 297–344; Th. Schneider, Zeichen der Nähe Gottes, S. 107–127; Y. Congar, a. a. O. 454–463.

[191] Vgl. S. Regli, a. a. O. 317–340.

Neuordnung der Feier der Firmung durch Paul VI. hebt vor allem das Motiv der Besiegelung hervor: „Besiegelung . . . bedeutet von Gott her das gnadenvoll tragende und zugleich fordernde Ergreifen der Menschen durch Christus im Geiste. Weil das ganze Leben der Christen getragen ist und in die Zukunft hinein getragen sein soll vom Leben und Wirken des Geistes, deshalb soll in dieser sakramentalen Feier das gesamte Leben in bewußter gläubiger Verfügbarkeit unter die Führung des Geistes gestellt und so im Heiligen Geist gesiegelt werden. Die Firmung ist so im Anschluß an die Taufe die ausdrückliche, feierliche sakramentale Zusage, Herabrufung, Bestätigung der Geistverleihung über das ganze Leben des Firmanden. Besiegelung kann aber auch vom Empfänger der Firmung her eine Bedeutung haben: Firmung ist für den Firmanden die sakramentale Besiegelung seiner Bereitschaft, sich vom Geiste Gottes leiten zu lassen. Firmung ist die große Bereitschaftserklärung für das ganze Leben, das große offene Ja, sich vom Geiste Gottes immer neu und immer tiefer ergreifen, erfüllen und leiten zu lassen." [192]

Der Geist weist den Glaubenden hinein in das Leben und in die Welt; darin will er sein schöpferisches Werk entfalten. Dieses Werk darf nicht in strenger Isolierung auf das Individuum gesehen werden, sondern in dem entsprechenden kirchlichen Rahmen. Die Firmung ist ein Sakrament der Kirche. Sie ist Zeichen, Vollzug und Folge für die Präsenz und Wirksamkeit des Geistes in der Kirche. Aufgrund der Ausgießung des Geistes erscheint die Kirche in der Firmung in einem geweiteten Sinn als Spenderin und Empfängerin des Geistes. Die Dynamik des Geistes aber drängt über die Grenzen der Kirche hinaus; sie zielt auf die Heimholung der Welt und die Vollendung von Schöpfung und Geschichte. Gottes Geist, der in der Firmung verliehen wird, bricht ständig immer auch in die Kirche ein, damit sie aufbreche und im Aufbrechen verbleibe.

Der Sakramentalität der Firmung kommt in gewissem Sinn eine tiefe gleichnishafte Bedeutung zu; sie wird gleichsam zum Brennpunkt, in dem sich die verschiedenen Spektrallinien des Geistes, seiner Funktion und seiner Wirksamkeit sammeln. In ihr wird sich die Kirche auf konzentrierte Weise des Geistes als ihres Herrn und

[192] S. Regli, a. a. O. 340.

Lebendigmachers bewußt. Der Geist ist die „communio", die Gott und Mensch, Kirche und Welt, Heil und Geschichte, Schöpfung und Vollendung, Jenseits und Diesseits, übernatürliches und natürliches Leben, Glaube und Leben, Herz und Tat, Dogma und Ethos, Geist und Leib, Gnade und Zeichen miteinander verbindet und bindet. Der Hl. Geist ist das große, wahre und eigentliche „Und". Dies entspricht in gewisser Hinsicht seiner innertrinitarischen Stellung als dem, der in einem richtig zu interpretierenden Sinn aus dem Vater und dem Sohn hervorgeht; dies spiegelt sich wider und wiederholt sich in seiner schöpfungsgeschichtlichen und heilsökonomischen Rolle. Als der über den Wassern schwebende Geist des Anfangs verbindet er Licht und Dunkel, Land und Meer, Sonne und Sterne, Erde und Pflanzen bzw. Tiere wie Menschen. Der Geist ist es, der am Ende zusammen mit der Braut das vollendende „Komm!" spricht (vgl. Offb 22,17), nachdem er zuvor die Einheit von Christus–Haupt und Christus–Leib bewirkt und gewährleistet hat.

Der Blick auf den Hl. Geist sagt, daß alle Rede von ihm offenbleiben muß. Der Geist wohnt nicht im Satz. Alles Sprechen des Glaubens von ihm mündet ein in den Ruf nach seinem Kommen. Das Wissen darum ist Erfahrung des Glaubens. Für sie mag stellvertretend das Bekenntnis eines Blutzeugen des 20. Jahrhunderts stehen: „Der Heilige Geist ist der Atem der Schöpfung. Wie der Geist Gottes am Anfang über den Wassern schwebte, so und noch viel intensiver und dichter und näher rührt der Geist Gottes den Menschen an und bringt ihn zu sich selbst und über sich selbst hinaus. Theologisch ist das ganz klar. Das Herz der Gnade ist der Heilige Geist. Was uns Christus ähnlich macht, ist die Einwohnung des gleichen Geistes, der in ihm und in uns Prinzip des übernatürlichen Lebens ist. Glauben, Hoffen und Lieben, die Herzschläge des übernatürlichen Lebens, sind ja nichts anderes als die Teilnahme der begnadeten Kreatur an der Selbstbejahung Gottes, die im Heiligen Geist sich vollendet. So versteht man den heißen Atem des Veni. Es ist die erhöhte und sehr gesteigerte und dürstende Adventssehnsucht, die da ruft. Es ist der Wille, aus dem Kerker, aus der Enge, der Gebundenheit herauszukommen, der dieses Veni immer wieder anstimmen heißt. Nur wer die unendliche Sehnsucht der Kreatur zugleich mit ihrer endlichen Kümmerlichkeit erfahren hat, wird diesen Flehruf echt anstimmen. Und nur so wird es wirklich ein Ruf, auf den Antwort und Erfüllung folgt." [193]

Der Geist der Firmung ruft den Glaubenden wie die gesamte Kirche in den *Zeugenstand*. Für die Einheit von Geist und Zeugnis spricht die besondere Erwähnung durch den Geist (vgl. Apg 13, 2; Röm 1, 1; Gal 1, 15) sowie die für die Erfüllung des Zeugnisauftrags verheißene Präsenz des Geistes (vgl. Mt 10, 17–20; Lk 12, 11 f.; Joh 15, 26 f.; Apg 1, 8; 4, 1–21; 5, 8–33; 9, 16). Die dichteste Form dieses Zeugnisses, in dem der Geist am Werk ist, begegnet uns im Martyrium. Es dokumentiert, realisiert und manifestiert, was Geistempfang und Geistbesitz bedeuten: „Das Martyrium-Geschehen ‚repräsentiert' und vollendet in Höchstform als persönliche Erfüllungstat das, was in der Taufe (und in der Firmung als ihrer Vollendung) sakramental als Lebenssinn und Lebensform des Christen als Anfangsetzung Ereignis wurde. Im Martyrium wird also in für diese Zeit endgültige Erscheinung und Erfüllung gebracht, was christliche ekklesiale Existenz heißt. Das Martyrium-Geschehen konzentriert und kulminiert gleichsam die an sich das Leben dauernde Ausfaltung der Tauf-(und Firm-)Existenz des Christen, wie sie ja bis zum persönlichen . . . Tod währen und sich entfalten soll, auf diesen einen Moment des um Christi Namens willen Getötetwerdens." [194] Das Martyrium selber ist ganz Zeugnis, Opfer und Anbetung im Geist. [195]

Das Zeugnis, zu dem der Geist befähigt und verpflichtet, existiert nicht nur in seiner individuellen Erscheinung. Es gibt eine situationsbedingte Herausforderung des Glaubenszeugnisses, die an die Gemeinschaft der Kirche appelliert und extreme Ausmaße annehmen kann. In diesem Sinn werden den Jüngern Jesu ganz entschieden besondere Verfolgungen bis zum gewaltsamen Tod angesagt (vgl. Mk 8, 31. 34–36; 9, 31. 33–35; 10, 33–40; Lk 12, 8; 14, 26 f.; Joh 9, 22; 12, 42). Gewiß wird man sich vor einer einseitigen Apotheose der Zeit der Verfolgungen als der „Zeit der Kirche" hüten müssen,

---

[193] A. Delp, Im Angesicht des Todes. Frankfurt ²1948, S. 130.

[194] R. Schulte, a. a. O. 215; vgl. K. Rahner, Zur Theologie des Todes. Freiburg 1958, S. 73–106; N. Brox, Der Glaube als Zeugnis. München 1966; O. Semmelroth, Martyrium. In: SM III (1969), S. 363–367.

[195] Vgl. O. Hagemeyer, Ich bin Christ. Frühchristliche Martyrerakten. Düsseldorf 1961.

dennoch läßt sich das Zeugnis für die Kraft des Geistes von Leiden
und Verfolgungen nicht trennen.[196] Gerade in der Passion ist das
pneumatische Bewußtsein der Kirche lebendig und selten stark präsent. Der Weg des Geistes führt die Kirche in den Gehorsam des
Kreuzes und so in die Freiheit. Legt man diesen Schlüssel des Evangeliums den Kirchenerfahrungen unserer Zeit zugrunde, dann gehen gerade von der gegenwärtig bedrängten und bedrohten Kirche
überraschende Signale des Geistes aus, die auf ein neues Pfingsten
hoffen lassen.

---

[196] Vgl. O. Köhler, Die Kirche als Geschichte. In: J. Feiner – M. Löhrer (Hrsg.),
Mysterium Salutis, Bd. 4, 2. Einsiedeln 1973, S. 576 f.

LITERATURVERZEICHNIS

(Beiträge, die in Sammelwerken enthalten sind, werden hier nicht eigens aufgeführt.)

1. Artikel

Crouzel, H.: Geist (Heiliger Geist). In: RAC 9. Stuttgart 1976, S. 490–545.

Guillet, J. – Gribomont, J. – Smulders, P. – Vandenbroucke, F. – Tromp, S. – Witte, J.-L.: Esprit Saint. In: DSp IV. Paris 1960, S. 1246–1333.

Haag, H.: Geist Gottes. In: BL. Einsiedeln ²1964, S. 692.

Haubst, R.: Heiliger Geist. In: LThK V. Freiburg ²1960, S. 108–113.

Hermann, I. – Semmelroth, O.: Heiliger Geist. In: HThG I. München 1962, S. 642–652.

Käsemann, E. – Schmidt, M. A. – Prenter, R.: Geist. In: RGG II. Tübingen ³1958, S. 1272–1286.

Kleinknecht, H. – Baumgärtel, F. – Bieder, W. – Sjöberg, E. – Schweizer, E.: πνεῦμα. In: ThW VI. Stuttgart 1959, S. 330–453.

Koch, R.: Geist. In: BW. Graz 1959, S. 253–283.

Oeing-Hanhoff, L. – Verbeke, G. – Schrott, B. – Kohlenberger, H. K. – Nobis, H. M. – Marquard, O. – Fulda, F. – Rothe, K.: Geist. In: HWP 3. Basel 1974, S. 154–204.

Schmaus, M.: Heiliger Geist. In: SM 2. Freiburg 1968, S. 615–627.

Westermann, C.: Geist. In: THAT II. München 1974, S. 726–753.

2. Gesamtdarstellungen

Barth, K. – Barth, H.: Zur Lehre vom Heiligen Geist. München 1930.

Berkhof, H.: Theologie des Heiligen Geistes. Neukirchen-Vluyn 1968.

Bouyer, L.: Le Consolateur. Esprit Saint et grâce. Paris 1980.

Breuning, W.: Pneumatologie. In: H. Vorgrimler – R. Vander Gucht (Hrsg.), Bilanz der Theologie im 20. Jahrhundert, Bd. 3. Freiburg 1970, S. 120 bis 126.

Broomal, W.: The Holy Spirit. Grand Rapids 1963.

Bruner, F. D.: A Theology of the Holy Spirit. Grand Rapids 1970.

Brunk, G. R. (Hrsg.): Encounter with the Holy Spirit. Scottdale 1972.

Bulgakov, S.: Il Paraclito. Bologna 1971.

Cazelles, H. – Evdokimov, P. – Greiner, A.: Le mystère de l'Esprit Saint. Paris 1968.

Congar, Y.: La Pneumatologie dans la théologie catholique. In: RSPhTh 51 (1967), S. 250–258.

–: Je crois en l'Esprit Saint, 3 Bde. Paris 1979.

–: Der Heilige Geist. Freiburg 1982.

Dobbin, E. J.: Towards a Theology of the Holy Spirit. In: HeyJ 17 (1976), S. 129–149.

Ebeling, G.: Dogmatik des christlichen Glaubens, Bd. III. Tübingen 1979.

Fison, J. E.: The Blessing of the Holy Spirit. London 1950.

Galot, J.: L'Esprit d'amour. Toulouse 1959.

–: Chi è lo Spirito Santo? In: CCA 127 (1976), S. 427–442.

Heitmann, C. – Mühlen, H. (Hrsg.): Erfahrung und Theologie des Heiligen Geistes. Hamburg 1974.

Henry, A. M.: De Heilige Geest. Antwerpen 1960.

James, M.: I Believe in the Holy Spirit. Minneapolis 1972.

Kasper, W. (Hrsg.): Gegenwart des Geistes. Freiburg 1979.

Kern, W. – Congar, Y.: Geist und Heiliger Geist. In: Enzyklopädische Bibliothek 22 (1982), S. 59–116.

Laminski, A.: Der Heilige Geist als Geist Christi und Geist der Gläubigen. Leipzig 1970.

Lebauche, L.: Traité du Saint-Esprit. Paris 1950.

Menge, G.: Der Heilige Geist, das Liebesgeschenk des Vaters und des Sohnes. Hildesheim 1926.

Moule, C. F. D.: The Holy Spirit. London 1978.

Moule, H. C. G.: Person and Work of the Holy Spirit. Grand Rapids 1977.

Mühlen, H.: Una mystica persona. Paderborn ³1968.

–: Der Heilige Geist als Person. Münster ³1968.

–: Die Erneuerung des christlichen Glaubens. München ²1976.

–: Einübung in die christliche Grunderfahrung, 2 Bde. Mainz 1976.

Nebe, O. H.: Deus Spiritus Sanctus. Gütersloh 1939.

Palmer, E. H.: The Holy Spirit. Michigan 1958.

Pentecost, J. D.: The Divine Comforter: The Person and Work of the Holy Spirit. Chicago 1970.

Pink, A. W.: The Holy Spirit. Grand Rapids 1970.

Przybylski, B.: Der Heilige Geist im Leben der Kirche. Leipzig 1980.

Ryrie, C. C.: The Holy Spirit. Chicago 1965.

Strolz, W. (Hrsg.): Vom Geist, den wir brauchen. Freiburg 1978.

Thielicke, H.: Der Evangelische Glaube. Grundzüge der Dogmatik, Bd. 3. Tübingen 1978.

Thomas, W. H. G.: The Holy Spirit of God. Grand Rapids 1963.

Walvoord, J. F.: Contemporary Issues in the Doctrine of the Holy Spirit. In: BS 130 (1973), S. 12–23, 117–125, 315–328.

3. Biblische Pneumatologie

Betz, O.: Der Paraklet. Leiden 1963.

Borremans, J.: L'Esprit-Saint dans la catéchèse évangélique de Luc. In: LV 25 (1970), S. 103–124.

Bruce, F. F.: The Holy Spirit in the Acts of the Apostles. In: Interp. 27 (1973), S. 166–183.

Büchsel, F.: Der Geist Gottes im Neuen Testament. Gütersloh 1926.

Chevallier, M.-A.: Souffle de Dieu. Le Saint-Esprit dans le Nouveau Testament, Bd. 1. Paris 1978.

Dubarle, A. M.: L'Esprit Saint et la liturgie d'après l'Écriture Sainte. In: Edizioni Liturgiche. Roma 1977, S. 71–86.

George, A.: L'Esprit Saint dans l'œuvre de Luc. In: RB 85 (1978), S. 500–542.

Giesen, H.: Der Heilige Geist als Ursprung und Kraft christlichen Lebens. In: BiKi 37 (1982), S. 126–132.

Haes, P. de: Doctrina S. Joannis de Spiritu Sancto. In: CMech 44 (1959), S. 521 bis 525.

Hahn, F.: Die biblische Grundlage unseres Glaubens an den Heiligen Geist, den Herrn und Lebensspender. In: H. Bürkle – G. Becker (Hrsg.): Communicatio fidei. Regensburg 1983, S. 125–137.

Heer, J.: Der Geist ist es, der lebendig macht. In: BiKi 37 (1982), S. 139–142.

Horton, St. M.: What the Bible says about the Holy Spirit. Springfield 1976.

Isaacs, M. E.: The Concept of Spirit. A Study of Pneuma in Hellenistic Judaism and its Bearing on the New Testament. London 1977.

Kertelge, K.: Heiliger Geist und Geisterfahrung im Urchristentum. In: LebZeug 26 (1971), Heft 2, S. 24–36.

Knoch, O.: Der Geist Gottes und der neue Mensch. Stuttgart 1975.

Kothgasser, A. M.: Die Lehr-, Erinnerungs-, Bezeugungs- und Einführungsfunktion des johanneischen Geist-Parakleten gegenüber der Christus-Offenbarung. In: Sal. 33 (1971), S. 557–598; 34 (1972), S. 3–51.

Kremer, J.: Pfingstbericht und Pfingstgeschehen. Eine exegetische Untersuchung zu Apg 2, 1–13. Stuttgart 1973.

Laconi, M.: La Pentecoste e la funzione dello Spirito Santo nei Vangeli. In: RAMi 14 (1969), S. 209–232.

Laporte, J.: The Holy Spirit, Source of Life and Activity in the Early Church – Perspectives on Charismatic Renewal. In: University of Notre Dame Press 1975, S. 57–100.

Limbeck, M.: Vom Geist reden sie alle. In: BiKi 37 (1982), S. 118–126.

Locher, G. W.: Der Geist als Paraklet. In: EvTh 26 (1966), S. 565–579.

Merendino, R. P.: Des Geistes Kraft im Verkündigungswort. In: LebZeug 26 (1971), Heft 2, S. 37–56.

Milavec, D. A.: The Bible, the Holy Spirit and Human Powers. In: SJTh 29 (1976), S. 215–236.

Müller, U. B.: Die Parakletvorstellung im Johannesevangelium. In: ZThK 71 (1974), S. 31–77.

Porsch, F.: Anwalt der Glaubenden. Das Wirken des Geistes nach dem Zeugnis des Johannesevangeliums. Stuttgart 1978.

–: Gottes Kraft – genannt Geist. In: BiKi 37 (1982), S. 114–118.

–: Der „andere" Paraklet. In: BiKi 37 (1982), S. 133–138.

Ramsey, M.: Holy Spirit. A Biblical Study. London 1977.

Saake, H.: Pneuma: In: PRE Suppl. 14 (1974), S. 387–412.

Schäfer, D.: Die Vorstellung vom Heiligen Geist in der rabbinischen Literatur. München 1972.

Schedl, C.: Als sich der Pfingsttag erfüllte. Erklärung der Pfingstperikope Apg 2, 1–47. Wien 1982.

Schlier, H.: Der Heilige Geist als Interpret nach dem Johannesevangelium. In: IKaZ 2 (1973), S. 97–108.

–: Der Geist und die Kirche. Freiburg 1980.

Schweizer, E.: Heiliger Geist. Stuttgart 1978.

–: Was ist der Heilige Geist? Eine bibeltheologische Hinführung. In: Conc (D) 15 (1979), S. 494–498.

Serra, D.: The Eschatological Role of the Spirit in the Lord's Supper. In: DunR 11 (1971), S. 185–202.

Simpfendörfer, P.: Wesen und Werk des Heiligen Geistes in der Gottesoffenbarung Alten und Neuen Testamentes. Reutlingen 1937.

Weiser, A.: Pfingsten ohne Sturm und Feuer. In: LebZeug 26 (1971), Heft 2, S. 11–23.

Westermann, C.: Geist im Alten Testament. In: EvTh 41 (1981), S. 223–230.

Wood, L. J.: The Holy Spirit in the Old Testament. Grand Rapids 1976.

Wuest, K. S.: The Holy Spirit in Greek Exposition. In: Bibl. Sacra 118 (1961), S. 216–227.

4. Geschichte der Pneumatologie

Agaësse, P. – Solignac, A.: „Spiritus" dans le livre XII du De Genesi (Augustinus). In: BAug 49 (1972), S. 559–566.

Aranda, A.: El Espíritu Santo en los Símbolos de Cirilo de Jerusalén y Alejandro de Alejandría. In: ScrTh 5 (1973), S. 223–278.

Arsène-Henry, M.: Les plus beaux textes sur le Saint-Esprit. Paris 1968.

Bauch, H.: Die Lehre vom Wirken des Heiligen Geistes im Frühpietismus. Hamburg 1974.

Belval, N. J.: The Holy Spirit in Saint Ambrose. Rom 1971.

Bender, W.: Die Lehre über den Heiligen Geist bei Tertullian. München 1961.

Benoit, A.: Le Saint-Esprit dans la théologie patristique grecque des quatre premiers siècles. In: L'Esprit Saint et l'Église. Paris 1969, S. 125–152.

Benz, E.: Creator Spiritus. Die Geistlehre des Joachim von Fiore. In: ErJB 25 (1956), S. 285–355.

Boada, J.: El pneuma en Orígenes. In: EE 46 (1971), S. 475–510.

Bonnefoy, J. F.: Le Saint-Esprit et ses dons selon Saint Bonaventure. Paris 1929.

Bonner, G.: St. Augustin's Doctrine of the Holy Spirit. In: Sobornost 4 (1960), S. 51–66.

Bracanca, J. O.: L'Esprit Saint dans l'euchologie médiévale. In: Edizioni Liturgiche. Roma 1977, S. 39–54.

Brunner, E.: Vom Werk des Heiligen Geistes. Tübingen 1935.

Campbell, T. C.: The Doctrine of the Holy Spirit in the Theology of Athanasius. In: SJTh 27 (1974), S. 408–440.

Cavalcanti, E.: „Spirito di Verità – Somiglianza del Figlio" nel Dialogo VII, De Spiritu Sancto di Cirillo di Alessandria. In: Aug. 13 (1973), S. 589–598.

Christou, P. C.: L'enseignement de saint Basile sur le Saint-Esprit. In: VC 89 (1969), S. 86–99.

Clément, O.: Grégoire de Chypre „De l'ekporèse du Saint-Esprit". In: Ist. 17 (1972), S. 443–456.

–: Dialogue entre Anselme de Havelberg et Néchitès de Nicomédie sur la procession du Saint-Esprit. In: Ist. 17 (1972), S. 375–424.

Coman, J.: La démonstration dans le traité sur le Saint-Esprit de saint Basile le Grand. In: StPatr 9 (1966), S. 172–209.

Cramer, W.: Der Geist Gottes und des Menschen in frühsyrischer Theologie. Münster 1979.

Cruz, F. L.: Spiritus in Ecclesia. Las relaciones entre el Espíritu Santo y la Iglesia según el Cardenal Manning. Pamplona 1977.

Decarreaux, J.: Les Grecs au Concile de l'union Ferrare Florence. Paris 1970.

Dörries, H.: De Spiritu Sancto. Der Beitrag des Basilius zum Abschluß des trinitarischen Dogmas. Göttingen 1956.

–: Gesammelte Studien zur Kirchengeschichte des 4. Jh.s. Bd. I. Göttingen 1966.

Ebeling, G.: Luthers Ortsbestimmung der Lehre vom heiligen Geist. In: Wort und Glaube, Bd. III. Tübingen 1975, S. 316–348.

Fraenkel, P.: Le Saint-Esprit. Genf 1963.

Galloway, A. D.: Recent Thinking on Christian Beliefs. The Holy Spirit in Recent Theology. In: ET 88 (1976/77), S. 100–103.

Galtier, P.: Le Saint-Esprit en nous d'après les Pères Grecs. Rom 1946.

Garijo, M. M.: Aspectos de la pneumatología origeniana. In: ScrVict 13 (1966), S. 65–86, 172–216, 297–324; 17 (1970), S. 65–93, 283–320.

Garrigues, J.-M.: Le sens de la procession du Saint-Esprit dans la tradition latine du premier millénaire. In: Contacts 3 (1971), S. 283–309.

–: Procession et ekporèse du Saint-Esprit. Discernement de la tradition et réception oecuménique. In: Ist. 17 (1972), S. 345–366.

Gill, J.: Le concile de Florence. Paris 1966.

Guelluy, R.: Études récentes de pneumatologie. In: RTL 10 (1979), S. 86f.

Hanson, C.: Basile et la doctrine de la Tradition en relation avec le Saint-Esprit. In: VC 88 (1968), S. 56–71.

Hauschild, W.-D.: Die Pneumatomachen. Eine Untersuchung zur Dogmengeschichte des vierten Jahrhunderts. Hamburg 1965.

–: Gottes Geist und der Mensch. Studien zur frühchristlichen Pneumatologie. München 1972.

Heising, A.: Der Hl. Geist und die Heiligung der Engel in der Pneumatologie des Basilius von Caesarea. In: ZKTh 87 (1965), S. 257–308.

Hussey, M. E.: The Theology of the Holy Spirit in the Writings of St. Gregory of Nazianzus. In: Diakonia (USA) 14 (1979), S. 224–233.

Jaeger, W.: Gregor von Nyssas Lehre vom Heiligen Geist. Aus dem Nachlaß herausgegeben von H. Dörries. Leiden 1966.

Jansma, T.: Une homélie anonyme sur l'effusion du Saint-Esprit. In: OrSyr 6 (1961), S. 157–178.

Jaschke, H. J.: Der Heilige Geist im Bekenntnis der Kirche. Eine Studie zur Pneumatologie des Irenäus von Lyon im Ausgang vom altchristlichen Glaubensbekenntnis. Münster 1976.

Kinder, E.: Zur Lehre vom Heiligen Geist nach den lutherischen Bekenntnisschriften. In: FuH 15 (1964), S. 7–38.

Kretschmar, G.: Le développement de la doctrine du Saint-Esprit du Nouveau Testament à Nicée. In: VC 88 (1968), S. 5–55.

–: Der Heilige Geist in der Geschichte. Grundzüge frühchristlicher Pneumatologie. In: W. Kasper (Hrsg.), Gegenwart des Geistes. Freiburg 1979, S. 92–130.

Krusche, W.: Das Wirken des Heiligen Geistes nach Calvin. Göttingen 1957.

Ladaria, L. F.: El Espíritu en Clemente Alejandrino. Madrid 1980.

–: El Espíritu Santo en San Hilario de Poitiers. Madrid 1977.

Laminski, A.: Der Heilige Geist als Geist Christi und Geist der Gläubigen. Der Beitrag des Athanasios von Alexandrien zur Formulierung des trinitarischen Dogmas im vierten Jahrhundert. Leipzig 1969.

Lehmann, K. – Pannenberg, W. (Hrsg.): Glaubensbekenntnis und Kirchengemeinschaft. Das Modell des Konzils von Konstantinopel (381). Freiburg 1982.

Leidl, A.: Die Einheit der Kirchen auf den spätmittelalterlichen Konzilien von Konstanz bis Florenz (1439) als vorläufiges Modell eines kommenden Unionskonzils. In: ThG 63 (1973), S. 184–197.

Lienhard, M.: La doctrine du Saint-Esprit chez Luther. In: VC 76 (1965), S. 11–38.

Lubac, H. de: Geist aus der Geschichte. Das Schriftverständnis des Origenes. Einsiedeln 1968.

Luislampe, P.: Spiritus vivificans. Grundzüge einer Theologie des Heiligen Geistes nach Basilius von Caesarea. Münster 1981.

Mahoney, J.: The Spirit and Community Discernment in Aquinas. In: HeyJ 14 (1973), S. 147–161.

Manrique, A.: La pneumatología en torno a Nicea. In: Cristo, ayer y hoy. Salamanca 1974, S. 145–177.

Margerie, B. de: La doctrine de saint Augustin sur l'Esprit Saint comme communion et source de communion. In: Aug. 12 (1972), S. 107–119.

Marx, H. J.: Filioque und Verbot eines anderen Glaubens auf dem Florentinum. Steyl 1977.

Meinhold, P.: Les bases pneumatologiques de l'Office luthérien. In: Edizioni Liturgiche 1977, S. 105–120.

Meis, A.: La Fórmula de Fé „Creo en el Espíritu Santo" en el siglo II. Su formación y significado. Santiago 1980.

Meyer, M.: Das „Mutter-Amt" des Heiligen Geistes in der Theologie Zinzendorfs. In: EvTh 43 (1983), S. 415–430.

Montléon, A.-M. de: Le Saint-Esprit comme amour selon saint Thomas d'Aquin. In: Ist. 17 (1972), S. 425–442.

Niesel, W.: Das Zeugnis von der Kraft des Heiligen Geistes im Heidelberger Katechismus. In: ThLZ 88 (1963), S. 561–570.

Oeyen, C. A. M.: Oi protoktistoi: acerca de la pneumatología de Clemente Alejandrino. In: CiFe 18 (1962), S. 275–296.

Opitz, H.: Der Heilige Geist nach den Auffassungen der römischen Gemeinde bis ca. 150, Pneuma hagion im 1. Clemensbrief und im „Hirten" des Hermas. Berlin 1960.

Orbe, A.: La Teología del Espíritu Santo. Rom 1966.

Orphanos, M.: Ὁ Υἱὸς καὶ τὸ Ἅγιον Πνεῦμα εἰς τὴν τριαδολογίαν τοῦ Μ. Βασιλείου. Athen 1976.

Peinador, M.: Patris et Spiritus Sancti actio in Virginali Christi conceptione iuxta Rupertum a Deutz (Ps 44,1; Luc 1, 35). In: Clar. 6 (1966), S. 401–410.

Pigeon, M.: Notes sur le Saint-Esprit dans les sermons de Serlon de Savigny. In: Citeaux 26 (1975), S. 331–336.

Prenter, R.: Spiritus Creator. München 1954.

Principe, W. H.: St. Bonaventure's Theology of the Holy Spirit with Reference to the Expression „Pater et Filius diligunt se Spiritu Sancto". In: S. Bonaventura 1274 bis 1974. Grottaferrata 1974, S. 243–269.

–: Odo Rigaldus, a Precursor of St. Bonaventure on the Holy Spirit as "effectus formalis" in the Mutual Love of the Father and Son. In: MS 39 (1977), S. 498 bis 505.

Pruche, B.: Autour du traité sur le Saint-Esprit de saint Basile de Césarée. In: RSR 52 (1964), S. 204–232.

Quinn, J. F.: The Role of the Holy Spirit in St. Bonaventure's Theology. In: FrS 11 (1973), S. 273–284.

Ratzinger, J.: Das I. Konzil von Konstantinopel 381. Seine Voraussetzungen und seine bleibende Bedeutung. In: IKZ 10 (1981), S. 555–563.

Ritschl, D.: Geschichte der Kontroverse um das Filioque. In: Concilium 15 (1979), S. 499–504.

Ritter, A. M.: Das Konzil von Konstantinopel und sein Symbol. Göttingen 1965.

Rondet, H.: L'Esprit Saint et l'Église dans saint Augustin et l'augustinisme. In: L'Esprit Saint et l'Église. Paris 1969. S. 153–194.

Rosato, P. J.: Karl Barths Theologie des Heiligen Geistes. Gottes noetische Realisierung des ontologischen Zusammenhangs zwischen Jesus Christus und allen Menschen. Diss. Tübingen 1975.

Rosenberg, A.: Joachim von Fiore. Das Reich des Heiligen Geistes. Planegg 1955.

Rüsch, Th.: Die Entstehung der Lehre vom Hl. Geist bei Ignatius, Theophil von Antiochien und Irenäus. Zürich 1952.

Saake, H.: Minima Pneumatologica. In: NZSTh 14 (1972), S. 107–111.

–: Das Präskript zum ersten Serapionsbrief des Athanasios von Alexandreia als pneumatologisches Programm. In: VigChr 26 (1972), S. 188–199.

Sabugal, S.: El vocabulario pneumatológico en la obra de S. Justino y sus implicaciones teológicas. In: Aug. 13 (1973), S. 459–467.

Schmid, K. D.: Luthers Lehre vom Heiligen Geist. In: V. Herntrich – Th. Knolle (Hrsg.), Schrift und Bekenntnis. Hamburg 1950, S. 145–164.

Schultze, B. S.: Bulgakovs „Utêsitel'" und Gregor der Theologe über den Ausgang des Heiligen Geistes. In: OrChrP 39 (1973), S. 162–190.

–: Die Pneumatologie des Symbols von Konstantinopel als abschließende Formulierung der griechischen Theologie (381–1981). In: OrChrP 47 (1981), S. 5–54.

Schumacher, A.: „Spiritus" and „Spiritualis": A Study in the Sermons of Saint Augustine. Mundelein 1957.

Siman, E. P.: L'expérience de l'esprit par Église dans la tradition syrienne d'Antioche. Paris 1971.

Simone, R. J. de: The Holy Spirit according to Novatian, De Trinitate. In: Aug. 10 (1970), S. 360–387.

Spidlik, Th.: Grégoire de Nazianze. Introduction à l'étude de sa doctrine spirituelle. Rom 1971.

Staats, R.: Gregor von Nyssa und die Messalianer. Berlin 1968.

Stephens, W. M.: The Holy Spirit in the Theology of Martin Bucer. London 1970.

Swete, H. B.: The Holy Spirit in the Ancient Church. A Study of Christian Teaching in the Age of the Fathers. Grand Rapids 1966.

Tanner, R. G.: Πνεῦμα in Saint Ignatius. In: TU 115 (1975), S. 265–270.

Tossou, K. K. J.: Streben nach Vollendung. Zur Pneumatologie im Werk Hans Urs von Balthasars. Freiburg 1983.

Trapé, A.: Nota sulla processione dello Spirito Santo nella teologia trinitaria di S. Agostino e di S. Tommaso. In: San Tommaso. Fonti et riflessi del suo pensiero. Roma 1974, S. 119–128.

Tugwell, S.: Reflections on the Pentecostal Doctrine of „Baptism in the Holy Spirit". In: HeyJ 13 (1972), S. 268–281, 402–414.

Van der Linde, S.: De Leer van den Heiligen Geest bij Calvijn. Wageningen 1943.

Vergara, J. G.: La Teología del Espíritu Santo en Mario Victorino. Roma 1964.

Vergés, S.: Pneumatología en Agustín. In: EE 49 (1974), S. 305–324.

Verhees, J. J.: God in beweging. Een onderzoek naar de pneumatologie van Augustinus. Wageningen 1968.

–: Pneuma. Erfahrung und Erleuchtung in der Theologie des Basilius des Großen. In: OstKSt 25 (1976), S. 43–59.

–: Die Bedeutung des Geistes Gottes im Leben des Menschen nach Augustinus' frühester Pneumatologie (bis 391). In: ZKG 88 (1977), S. 161–189.

–: Mitteilbarkeit Gottes in der Dynamik von Sein und Wirken nach der Trinitätslehre des Basilius des Großen. In: OstKSt 27 (1978), S. 19–24.

Vischer, L.: Basilius der Große. Untersuchungen zu einem Kirchenvater des 4. Jahrhunderts. Basel 1953.

Walgrave, H.: Instinctus Spiritus Sancti. Proeve van Thomas-verklaring. In: Ecclesia a Spiritu Sancto edocta. Gembloux 1970, S. 153–168.

Wendebourg, D.: Geist oder Energie. Zur Frage der innergöttlichen Verankerung des christlichen Lebens in der byzantinischen Theologie. Diss. München 1978.

Woodhouse, H. F.: Some Pneumatological Issues in Tillich's Systematic Theology. In: IThQ 41 (1974), S. 104–119.

Yamamura, K.: The development of the Doctrine of the Holy Spirit in Patristic Philosophy: St. Basil and St. Gregory of Nyssa. In: SVTQ 18 (1974), S. 3–21.

5. Orthodoxe Pneumatologie
(vgl. Literatur unter 1, 2 und 4)

Berry, D. L.: Filioque and the Church. In: JES 5 (1968), S. 535–554.

Dalmais, I. H.: L'Esprit de Vérité et de Vie. Pneumatologie d'expression grecque et d'expression latine: opposition ou complémentarité? In: LV 27 (1972), S. 572–584.

Dvornik, F.: Le schisme de Photius. Histoire et légende. Paris 1950.

Emilianos, Metropolit von Kalabrien: Der Heilige Geist und das Mysterium in der orthodoxen Theologie. In: LR 26 (1976), S. 208–213.

Evans, K. L.: The East, the Holy Spirit and the West. In: Diakonia (N. Y.) 7 (1972), S. 108–136.

Evdokimov, P.: L'Esprit Saint dans la tradition orthodoxe. Paris 1970.

Fahey, M.: Sohn und Geist: Theologische Divergenzen zwischen Konstantinopel und dem Westen. In: Concilium 15 (1979), S. 505–509.

Halleux, A. de: Orthodoxie et Catholicisme: du personalisme en pneumatologie. In: RTL 6 (1975), S. 3–30.

–: Pour un accord oecuménique sur la procession de l'Esprit Saint et l'addition du „Filioque" au symbole. In: Irén. 51 (1978), S. 451–469, 535.

Haugh, R.: Photius and the Carolingians. The Trinitarian Controversy. Belmont 1975.

Jugie, M.: De Processione Spiritus Sancti ex fontibus Revelationis et secundum Orientales dissidentes. Rom 1936.

Lossky, V.: Die mystische Theologie der morgenländischen Kirche, Graz 1961.

–: Schau Gottes. Zürich 1963.

Marx, H. J.: Filioque und Verbot eines anderen Glaubens auf dem Florentinum. St. Augustin 1977.

O'Connor, T.: Homoousios and Filioque: An Ecumenical Analogy. In: DR 83 (1965), S. 1–19.

Pantschowski, I.: Geist und Geistesgaben: Orthodoxe Stellungnahme. In: Conc (D) 15 (1979), S. 552–556.

Pelikan, J.: The Spirit of Eastern Christendom. Chicago 1974.

Romanides, J.: The Filioque. In: Kl. 7 (1975), S. 285–314.

Schultze, B.: Die dreifache Herabkunft des Heiligen Geistes in den östlichen Hochgebeten. In: OstKSt 26 (1977), S. 105–143.

Stylianopoulos, T.: Sohn und Geist: Orthodoxe Stellungnahme. In: Concilium 15 (1979), S. 510–514.

„Vom Wirken des Heiligen Geistes." Protokoll des theologischen Gespräches zwischen Vertretern der Russisch-Orthodoxen Kirche und der Evangelischen Kirche in Deutschland im Dreifaltigkeits-Sergius-Kloster Sagorsk, vom 21. bis 25. Oktober 1963. In: EvTh 25 (1965), S. 512–565.

6. Einzelfragen

Afanassieff, N.: L'Église du Saint-Esprit. In: Ecclesia a Spiritu Sancto edocta. Gembloux 1970, S. 81–90.

Allmen, J. J. von: Le Saint-Esprit et le culte. In: RThPh 9 (1959), S. 12–27.

Amougou-Atangana, J.: Ein Sakrament des Geistempfangs? Zum Verhältnis von Taufe und Firmung. Freiburg 1974.

Baciocchi, J. de: Le Saint-Esprit et la signification du monde. In: VC 81 (1967), S. 1–25.

Balthasar, H. U. von: Le Saint-Esprit: l'inconnu au delà du Verbe. In: LV (L) 13 (1964), S. 115–126.

–: Pneuma und Institution. Einsiedeln 1974.

Banawiratma, J. B.: Der Heilige Geist in der Theologie von Heribert Mühlen. Bern 1981.

Barnard, A. C.: De Heilige Geest en de Prediking. In: NGTT 12 (1971), S. 52–60.

Bavaud, G.: Note sur la mission du Saint-Esprit. In: FZPhTh 19 (1972), S. 120–126.

Benning, A.: Gabe des Geistes. Hildesheim 1972.

Benz, E.: Norm und Heiliger Geist in der Geschichte des Christentums. In: ErJb 1977, S. 137–182.

Bertetto, D.: Lo Spirito santo e santificatore. Roma 1977.

Beumer, J.: Die Inspiration der Heiligen Schrift. Freiburg 1968.

Biederwolf, W. B.: A help to the study of the Holy Spirit. Grand Rapids 1974.

Biemer, G.: Die Firmung als Sakrament der Eingliederung in die Kirche. Würzburg 1976.

Biffi, G.: Sullo Spirito di Dio. Milano 1974.

Bishop, J. R.: The Spirit of Christ in Human Relationships. Grand Rapids 1968.

Blaser, K.: Vorstoß zur Pneumatologie. Zürich 1977.

Bobrinskoy, B.: Le Saint-Esprit dans la Liturgie. In: StLi 1 (1962), S. 47–60.

–: Quelques réflexions sur la pneumatologie du culte. In: EL 90 (1976), S. 375–384.

Böckeler, M.: Das große Zeichen. Die Frau als Symbol göttlicher Wirklichkeit. Salzburg 1940.

Bohren, R.: Vom Heiligen Geist. Fünf Betrachtungen. München 1981.

Bolotov, B.: Thesen über das Filioque. In: RITh 6 (1898), S. 681–712.

Botte, B.: In unitate Spiritus Sancti. In: MD 23 (1950), S. 49–53.

Bouchet, J. R.: Die Unterscheidung der Geister. In: Conc (D) 15 (1979), S. 550–552.

Bourassa, F.: Sur la propriété de l'Esprit Saint. In: SE 28 (1976), S. 243–264; 29 (1977), S. 23–43.

–: L'Esprit Saint, „communion" du Père et du Fils. In: SE 29 (1977), S. 251–281; 30 (1978), S. 5–37.

Bruner, F. D.: The Holy Spirit: Conceiver of Jesus. In: Ecumenism and Vatican II. Manila 1973, S. 64–74.

Buck, V. de: Essai de conciliation sur le dogme de la procession du Saint-Esprit. In: EtRel 2 (1857), S. 305–351.

Buess, E.: „Geist und Gericht" in der Gemeinde. In: EvTh 41 (1981), S. 243–258.

Burns, J. A.: The Phenomenology of the Holy Spirit. Diss. Marquette University 1968.

Carr, W.: Towards a Contemporary Theology of the Holy Spirit. In: SJTh 28 (1975), S. 501–516.

Carter, C. W.: The Person and Ministry of the Holy Spirit. Grand Rapids 1974.

Charue, A. M.: L'Esprit Saint dans Lumen Gentium. In: Ecclesia a Spiritu Sancto edocta. Gembloux 1970, S. 19–40.

Cherian, M. C.: The New-Creativ Spirit. In: Jeevadhara 8 (1978), S. 231–242.

Clément, O.: De l'ekporèse du Saint-Esprit. In: Ist. 17 (1972), S. 442–456.

–: Esprit Saint et monachisme aujourd'hui. In: CCist 38 (1976), S. 73–94.

Coffey, D.: The Gift of the Holy Spirit. In: IThQ 38 (1971), S. 202–223.

Congar, Y.: Pneumatologie ou „christomonisme" dans la tradition latine? In: Ecclesia a Spiritu Sancto edocta. Gembloux 1970, S. 41–64.

–: Actualité renouvelée du Saint-Esprit. In: LV 27 (1972), S. 543–560.

–: Actualité d'une pneumatologie. In: POC 23 (1973), S. 121–132.

–: Pour une Christologie pneumatologique. Note bibliographique. In: RSPhTh 63 (1979), S. 435–442.

Coppieters de Gibson, D.: Une session théologique pluridisciplinaire sur l'Esprit Saint. In: RTL 8 (1977), S. 504–509.

Corcoran, P.: Some Recent Writing on the Holy Spirit. In: ITQ 39 (1972), S. 276–287, 365–382; 40 (1973), S. 50–62.

Criswell, W. H.: The Holy Spirit in Today's World. Grand Rapids 1966.

Cuncliffe-Jones, H.: Two Questions concerning the Holy Spirit. In: Theol. 75 (1972), S. 283–298.

Dagens, Cl.: L'Esprit Saint et l'Église. In: NRT 96 (1974), S. 225–244.

Dalmais, I. H.: L'Esprit Saint et le mystère du salut dans les épiclèses eucharistiques syriennes. In: Ist. 18 (1973), S. 147–154.

–: Le Saint-Esprit dans la liturgie et dans la vie spirituelle des Églises syriennes. In: C. Kannengiesser – Y. Marchasson (Hrsg.), Humanisme et foi chrétienne. Paris 1976, S. 579–586.

Dantine, W.: Der Heilige und der unheilige Geist. Stuttgart 1973.

Delfs, H.: Pfingstkirchen. In: Religion und Theologie 3 (1971), S. 176–178.

Delhaye, Ph.: L'Esprit Saint et la vie morale du chrétien. In: Ecclesia a Spiritu Sancto edocta. Gembloux 1970, S. 141–152.

Dewar, L.: The Holy Spirit and Modern Thought. An Enquiry into the Historical, Theological and Psychological Aspects of the Christian Doctrine of the Holy Spirit. London 1959.

Dilschneider, A.: Geist als Vollender des Glaubens. Gütersloh 1978.

Dockx, S.: L'Esprit Saint, âme de l'Église. In: Ecclesia a Spiritu Sancto edocta. Gembloux 1970, S. 65–80.

Duncan, G. B.: The Person and Work of the Holy Spirit in the Life of the Believer. Atlanta 1975.

Dunn, J. D. G.: Baptism in the Holy Spirit. Philadelphia 1970.

Ebeling, G.: Die Beunruhigung der Theologie durch die Frage nach den Früchten des Geistes. In: ders.: Wort und Glaube, Bd. III. Tübingen 1975, S. 388–404.

Emery, P. Y.: Le Saint-Esprit présence de communion. Taizé 1980.

Evdokimov, P.: L'Esprit Saint et l'Église d'après la tradition liturgique. In: L'Esprit Saint et l'Église. Paris 1969, S. 85–124.

Ewert, D.: The Spirit and the Age to Come. In: Direction 1 (1972), S. 8–18.

Fiala, V. E.: L'imposition des mains comme signe de la communication de l'Esprit Saint dans les rites latins. In: Edizioni Liturgiche. Roma 1977, S. 87–104.

Fitch, W.: The Ministry of the Holy Spirit. Grand Rapids 1974.

Fleisch, P.: Die Pfingstbewegung in Deutschland. Hannover 1957.

Flesseman – van Leer, E.: De Heilige Geest en de katholiciteit van de kerk. In: Rondom het Woord 10 (1968), S. 178–182.

Ford, J. M.: The Spirit and the Human Person. Dayton 1969.

Gabus, J. P.: Signification de la redécouverte de l'Esprit Saint pour la théologie. In: FV 72 (1973), S. 58–74.

Galot, J.: Der Geist der Liebe. Mainz 1960.

Ganoczy, A.: Wort und Geist in der katholischen Tradition. In: Concilium 15 (1979), S. 523–538.

–: Der Heilige Geist als Kraft und Person. In: H. Bürkle – G. Becker (Hrsg.): Communicatio fidei. Regensburg 1983, S. 111–123.

Garrigues, J.-M.: Procession et ekporèse du Saint-Esprit. Discernement de la tradition et réception oecuménique. In: Ist. 17 (1972), S. 345–366.

Gatzweiler, K.: L'Esprit Saint et l'Église. In: FoiTe 4 (1974), S. 256–269.

Gessler, G. – Bannach, K.: Geist – Schöpfer des Lebens. Stuttgart 1982.

Gleason, R. W.: The Indwelling Spirit. Staten Islands 1966.

Graaf, J. de (Hrsg.): De Spiritu Sancto. Utrecht 1964.

Greisch, J.: Le témoignage de l'Esprit et la philosophie. In: D. Coppieters de Gibson (ed.), L'Esprit Saint. Bruxelles 1978, S. 65–96.

Guillet, J.: Le Saint-Esprit dans la vie du Christ. In: LV 27 (1972), S. 561–571.

Guimet, F.: Gott empfangen im Heiligen Geist. In: IKZ 2 (1973), S. 109–132.

–: Existenz und Ewigkeit. Einsiedeln 1973.

Häring, H.: Der Geist und die Erneuerung der Kirche. In: BK 31 (1976), S. 14–22.

–: Der Geist als Legitimationsinstanz des Amtes. In: Conc (D) 15 (1979), S. 534–538.

Hanson, R. P. C.: The Divinity of the Holy Spirit. In: ChQ 1 (1968), S. 298–306.

Harnoncourt, Ph.: Vom Beten im Heiligen Geist. In: J. G. Plöger (Hrsg.), Gott feiern. Freiburg ²1980, S. 100–115.

Hasenhüttl, G.: Charisma, Ordnungsprinzip der Kirche. Freiburg 1970.

Haya-Prats, G.: L'Esprit force de l'Église. Paris 1975.

Heitmann, C. – Schmelzer, F. (Hrsg.), Im Horizont des Geistes. Hamburg 1971.

Hendry, G. S.: The Holy Spirit in Christian Theology. Philadelphia 1965.

Henry, P.: Contre le „Filioque". In: Irén. 47 (1975), S. 170–177.

Hollenweger, W. J.: Enthusiastisches Christentum. Zürich 1969.

Hornus, J. M.: La divinité du Saint-Esprit comme condition du salut personnel. In: VC 89 (1969), S. 33–62.

Hutten, K.: Seher – Grübler – Enthusiasten. Stuttgart ¹¹1968.

Huyghe, G.: Growth in the Holy Spirit. Westminster 1966.

Ivey, O. M.: Toward a Contemporary Understanding of the Holy Spirit. In: C. Courtney (Hrsg.), Hermeneutics and the Worldliness of Faith. Drew University 1975, S. 131–157.

Jacquemont, P.: Der Heilige Geist, Lehrmeister des Gebetes. In: Conc (D) 18 (1982), S. 630–634.

Journet, C.: La mission visible de l'Esprit Saint. In: RThom 65 (1965), S. 357 bis 397.

Kaitholil, G.: The Holy Spirit and the Mission of the Church. In: The Living Word 82 (1976), S. 20–32.

Kaltenbrunner, G. K.: Ist der Heilige Geist weiblich? In: US 32 (1977), S. 273–279.

Kasper, W.: Der Gott Jesu Christi. Mainz 1982.

Kasper, W. – Sauter, G.: Kirche – Ort des Geistes. Freiburg 1976.

Kern, W.: Philosophische Pneumatologie. Zur theologischen Aktualität Hegels. In: W. Kasper (Hrsg.), Gegenwart des Geistes. Freiburg 1979, S. 54–90.

Kinghorn, K. C.: Gifts of the Spirit. Nashville 1976.

Kothgasser, A. M.: Gegenwart des Geistes. Aspekte der Pneumatologie. Ein Tagungsbericht. In: Sal. 41 (1979), S. 489–499.

Kuen, A.: Der Heilige Geist. Ratingen 1980.

Küng, H.: Was ist Firmung? Zürich 1976.

–: Wie heute vom Heiligen Geist reden? In: Conc (D) 15 (1979), S. 557f.

Küng, H. – Moltmann, J.: Der Heilige Geist im Widerstreit. In: Conc (D) 15 (1979), S. 493.

Lampe, G. W. H.: God as Spirit. Oxford 1977.

Landau, R.: „Komm, Heiliger Geist, du Tröster wert . . ." Gestaltungen des Heiligen Geistes. In: EvTh 41 (1981), S. 187–211.

Laurentin, R.: Pentecôtisme chez les catholiques. Paris 1975.

–: La redécouverte de l'Esprit Saint et des charismes dans l'Église actuelle. In: D. Coppieters de Gibson (Hrsg.), L'Esprit Saint. Bruxelles 1978, S. 11–38.

Lavocat, M.-H.: L'Esprit de vérité et d'amour. 3 Bde. Paris 1968.

Leblond, G.: Point de vue sur la procession du Saint-Esprit. In: RThom 78 (1978), S. 293–302.

Lefèbvre, G.: L'Esprit de Dieu dans la sainte Liturgie. Paris 1958.

Le Guillou, M. J.: Les témoins sont parmi nous. Paris 1976.

Lehmann, K.: Heiliger Geist, Befreiung zum Menschsein – Teilhabe am göttlichen Leben. Tendenzen gegenwärtiger Gnadenlehre. In: W. Kasper (Hrsg.), Gegenwart des Geistes. Freiburg 1979, S. 181–204.

Le Saint-Esprit dans la Liturgie. Conférences Saint-Serge XVIᵉ, Semaine d'Études Liturgiques. Paris 1969.

Lieb, F.: Der Heilige Geist als Geist Jesu Christi. In: EvTh 23 (1963), S. 281–298.

Louf, A.: In uns betet der Geist. Einsiedeln ²1976.

Luislampe, P.: Die Bedeutung des Heiligen Geistes im Wachstumsprozeß des Glaubens. In: Monastische Informationen Nr. 36 (1983), S. 11–17.

Lull, D. J.: The Spirit and the Creative Transformation of Human Existence. In: JAAR 47 (1979), S. 39–55.

Malevez, L.: L'existence chrétienne dans sa relation à l'Esprit. In: Ecclesia a Spiritu Sancto edocta. Gembloux 1970, S. 127–140.

Marinelli, F.: Ven Espíritu Santo. In: Estudios Trinitarios 2 (1968), S. 359–373.

Martelet, G.: D'une définition de l'Esprit Saint à travers la génération multiforme du Christ. In: LV 27 (1972), S. 585–605.

Martin, J. P.: El Espíritu Santo en los orígenes del cristianésimo. Zürich 1971.

Martinez, L. M.: Le Saint-Esprit, Bd. I: La vraie dévotion au Saint-Esprit. Paris 1958.

–: Le Saint-Esprit. Bd. II. Le Don aux Sept Formes. Paris 1961.

Mascarenhas, M.: What the Spirit says to the Churches. In: Jeevadhasa 8 (1978), S. 247–267.

McDonnell, K.: Charismatical Renewal and the Churches. New York 1976.

–: Charismatical Renewal and Ecumenism. New York 1978.

–: Die Erfahrung des Heiligen Geistes in der katholischen charismatischen Erneuerungsbewegung. In: Conc (D) 15 (1979), S. 545–549.

McGorman, J. W.: The Gifts of the Spirit. Nashville 1976.

McLelland, J.: The Mundane Work of the Spirit. In: ThTo 22 (1965), S. 205–217.

McNamara, K.: The Holy Spirit in the Church. In: IThQ 32 (1965), S. 281 bis 294.

McNamee, J. J.: The Role of the Spirit in the Pentecostalism. Diss. Tübingen 1974.

Mederlet, E. – McDonnell, K.: Charismatische Erneuerung der Katholischen Kirche. Schloß Craheim 1972.

Meyer, H.: Amt und Geist: Protestantische Stellungnahme. In: Conc (D) 15 (1979), S. 539–544.

Meyer, H. – McDonnell, K. – Hollenweger, W. J. – Vajta, V. – Aagard, A. M.: Wiederentdeckung des Heiligen Geistes. Frankfurt 1974.

Moltmann, J.: Kirche in der Kraft des Geistes. München 1975.

–: Trinität und Reich Gottes. München 1980.

–: Heiliger Geist in der Geschichte. In: Orientierung 47 (1983), S. 128–130.

Mondin, B.: Der Heilige Geist als Legitimation des Papstamtes. In: Conc (D) 15 (1979), S. 529–533.

Monios, C. M.: The Giver of Life. In: Diaconia (New York) 7 (1972), S. 271–276.

Moody, D.: Spirit of the living God. Nashville 1976.

Mühlen, H.: Die Firmung als sakramentales Zeichen der heilsgeschichtlichen Selbstüberlieferung des Geistes Christi. In: ThGl 57 (1967), S. 263–286.

–: L'Esprit dans l'Église, 2 Bde. Paris 1969.

–: Die Erneuerung des christlichen Glaubens. München 1974.

–: Morgen wird Einheit sein. Paderborn 1974.

–: Die katholisch-charismatische Gemeinde-Erneuerung. In: StZ 193 (1975), S. 801–812.

–: (Hrsg.): Geistesgaben heute. Mainz 1982.

Mühlen, H. – Kopp, O.: Ist Gott unter uns oder nicht? Dialog über die charismatische Erneuerung in Kirche und Gesellschaft. Paderborn 1977.

Neunheuser, B.: Der Heilige Geist in der Liturgie. In: LuM 20 (1957), S. 11–33.

–: Taufe im Geist. Der Heilige Geist in den Riten der Taufliturgie. In: Edizioni Liturgiche. Roma 1977, S. 121–140.

Nicolas, J.-H.: Quand le Saint-Esprit devient un feu dévorant. In: NV 54 (1979), S. 277–291.

Niederwimmer, K. – Sudbrack, J. – Schmidt, W.: Unterscheidung der Geister. Kassel 1972.

Nordhues, P. – Petri, H. (Hrsg.): Die Gabe Gottes. Paderborn 1974.

Oates, W. E.: The Holy Spirit in Five Worlds: the Psychedelic, the Nonverbal, the Articulate, the New Morality, the Administrative. New York 1968.

O'Connor, E. D.: The Pentecostal Movement in the Catholic Church. Notre Dame 1971.

–: Le renouveau charismatique. Paris 1975.

Ott, H.: Heiliger Geist und säkulare Wirklichkeit. In: TZ 33 (1977), S. 336–345.

Ott, R.: Die Firmung. München 1979.

Pagé, J. G.: L'appropriation, jeu de l'esprit ou réalisme. In: LTP 33 (1977), S. 227–240.

Pailin, D. A.: The Holy Spirit and Theology. In: ET 82 (1971), S. 292–296.

Palachovsky, V.: Les „Pneumatica" des antiphones graduelles. In: Edizioni Liturgiche. Roma 1977, S. 141–148.

Pardington, G. P.: Spirit Incarnate: the Doctrine of the Holy Spirit in Relation to Process Philosophy. Diss. 1973.

Patfoort, A.: La „fonction personelle" du Saint-Esprit. In: Ang. 45 (1968), S. 316–327.

Pawelitzki, R.: Zeitgeist und Heiliger Geist. In: ZRGG 29 (1977), S. 97–104.

Péteul, M. B.: L'„Operatum amoris" et le Saint-Esprit. In: EtFr 19 (1969), S. 239–250.

Peyrot, L.: Le Saint-Esprit et le prochain retrouvé. Paris 1974.

Philipon, M. M.: Les Dons du Saint-Esprit. Paris 1963.

Pocknee, C. E.: The Invocation of the Holy Spirit in the Eucharistic Prayer. In: CQR 169 (1968), S. 216–219.

Poinsenet, M. D.: Je vous enverrai l'Esprit Saint. Brüssel 1975.

Potvin, Th. R.: Esprit Saint et l'Église. In: Thom. 36 (1972), S. 483–511.

Preiss, Th.: Das innere Zeugnis des Heiligen Geistes. Zürich 1948.

Putscher, M.: Pneuma, Spiritus, Geist. Vorstellungen vom Lebensantrieb in ihren geschichtlichen Wandlungen. Wiesbaden 1973.

Rahner, K.: Erfahrung des Geistes. Meditation auf Pfingsten. Freiburg 1977.

Ranaghan, K. und D.: Le retour de l'Esprit (Le pentecotisme catholique aux Etats Units). Paris 1972.

Régamey, P.-R.: Le Rénovation dans l'Esprit. Paris 1974.

Regli, S.: Firmsakrament und christliche Entfaltung. In: J. Feiner – M. Löhrer (Hrsg.), Mysterium Salutis, Bd. 5. Einsiedeln 1976, S. 297–344.

Renard, C.: L'appel de l'esprit. Paris 1976.

Rotzetter, A. (Hrsg.): Geist wird Leib. Zürich 1979.

–: Geist und Geistesgaben. Zürich 1980.

–: Geist und Welt. Zürich 1981.

–: Geist und Kommunikation. Zürich 1982.

Roustang, F.: Growth in the Spirit. New York 1966.

Saake, H.: Pneumatologia Paulina. Zur Katholizität der Problematik des Charisma. In: Cath(M) 26 (1972), S. 212–223.

Sahi, J.: Indian Symbols of the Holy Spirit. In: Jeevadhara 8 (1978), S. 243–246.

Salgado, J. M.: Pneumatologie et Mariologie: Bilan actuel et orientations possibles. In: Div. 15 (1971), S. 421–453.

Sanders, J. O.: The Holy Spirit and His Gifts. Grand Rapids 1970.

Sanderson, J. W.: The Fruit of the Spirit. A Study Guide. Grand Rapids 1972.

Sandfuchs, W. (Hrsg.): Die Gaben des Geistes. Würzburg ²1977.

Sauter, G.: Geist und Freiheit. In: EvTh 41 (1981), S. 212–223.

Schauf, H.: Die Einwohnung des Heiligen Geistes. Freiburg 1941.

Scheffczyk, L.: „Gegenwart des Geistes, Aspekte der Pneumatologie." Ein Tagungsbericht. In: MTZ 30 (1979), S. 59–63.

Schilson, A.: Auf dem Weg zu einer neuen Geistes-Gegenwart. Zu Yves Congars neuer Pneumatologie. In: HerKorr 36 (1982), S. 609–613.

Schlink, E.: The Holy Spirit and the Catholicity of the Church. In: ER 21 (1969), S. 98–115.

Schmieder, L.: Geisttaufe. Ein Beitrag zur neueren Glaubensgeschichte. Paderborn 1982.

Schneider, Th.: Gott ist Gabe. Freiburg 1979.

Schütz, C.: „Der Geist des Glaubens" (2 Kor 4, 13). Überlegungen zur pneumatologischen Dimension von Glaube und Glaubensbegründung. In: H. Bürkle – G. Becker (Hrsg.): Communicatio fidei. Regensburg 1983, S. 209–219.

–: Vom „Geist" des Glaubens. In: Monastische Informationen Nr. 34 (1983), S. 10–14.

Semmelroth, O.: Institution und Charisma. In: GuL 36 (1963), S. 443–454.

Senarclens, J. de: Le Saint-Esprit et la sanctification des chrétiens. In: FV 62 (1963), S. 113–128.

Shepard, D. R.: The Sensibility of „Holy Spirit". Diss. University of Nebraska 1968.

Smet, W.: Ich mache alles neu. Kirchliche Erneuerung im Heiligen Geist. Regensburg 1975.

Stählin, W.: Die Bitte um den Heiligen Geist. Stuttgart 1969.

Stagg, F.: The Holy Spirit Today. Nashville 1973.

Subilia, V.: Le Mystère de l'Esprit. In: RRef 18 (1967), S. 21–43.

Sublon, R.: L'Esprit Saint dans la perspective psychoanalytique. In: D. Coppieters de Gibson (Hrsg.), L'Esprit Saint. Brüssel 1978, S. 97–130.

Suenens, L. J.: Redécouvrir le Saint-Esprit. In: ME 99 (1974), S. 118–125.

–: Gemeinschaft im Geist. Charismatische Erneuerung und Ökumenische Bewegung. Salzburg 1979.

Sullivan, F.: Baptism in the Holy Spirit. In: Gr 55 (1974), S. 49–68.

Thomas, W. H. G.: The Holy Spirit of God. Grand Rapids 1963.

Torrance, T. F.: Spiritus Creator. In: VC 89 (1969), S. 63–85.

Torrey, R. A.: Der Heilige Geist. Sein Wesen und Wirken. Frankfurt o. J.

Tozer, A. W.: Die vergessene Kraft. Wuppertal ²1975.

Urbina, F.: Geist und Geschichte. In: Conc (D) 14 (1978), S. 630–634.

Van de Walle, A. R.: De vergeten Geest. In: Tijdschrift voor Geest 29 (1973), S. 363–385.

Verhees, J.: Nieuwe vraag naar een pneumatologie? In: TTh 9 (1969), S. 406–430.

Villalón, J. R.: L'Esprit Saint dans l'Economie Sacramentelle. Rom 1970.

–: Sacraments dans l'Esprit. Paris 1977.

Walter, E.: „Und du erneuerst das Antlitz der Erde." Stuttgart 1981.

Walvoord, J. F.: The Holy Spirit at Work Today. Chicago 1973.

Wansbrough, H.: The Coming of the Spirit. In: CleR 54 (1969), S. 357–360.

Watson, D. C. K.: One in the Spirit. London 1973.

Webb, D.: La doctrine du Saint-Esprit dans la liturgie eucharistique d'après les théologies anglais des 17ᵉ et 18ᵉ siècles. In: Edizioni Liturgiche. Roma 1977. S. 165–181.

Weron, E.: Die Charismen des Heiligen Geistes im Leben und Apostolat der Laien. In: CoTh 42 (1972), S. 45–56.

Wolinski, J.: Le mystère de l'Esprit Saint. In: D. Coppieters de Gibson (Hrsg.), L'Esprit Saint. Brüssel 1978, S. 131–164.

Woodhouse, H. F.: The Authority of the Holy Spirit. In: SJTh 20 (1967), S. 183–197.

–: The Role of the Life Giver. In: MCM 16 (1972/73), S. 128–136.

–: The Holy Spirit and Mysticism. In: IThQ 44 (1977), S. 58–66.

Younger, P.: A New Start towards a Doctrine of the Spirit. In: CJT 13 (1967), S. 123–133.

Penner, S. J. G.: *The Flip*, Salon.com, 9 June 1999; ... ...

Shelton, A. J.: *Japanese Samurai* ... ...

Turow, Joseph: *Media Industry* ... ...

Valentine, P. W.: *The Structure* ... ...

Waters, H.: *Techno-non ...* ... ...

Webster, M. W. / K. ... ...
4, 2:31-55.

Weaver, D.: *Mass ...* ... ...

Welling, J. B. / ... ...
36; repr. in ... ... 277-296.

Wilson, J. ... ...

Winston, B.: *The Flash* ... ...

Wolf, Mark J. P.: ... ...

Wood, M.: *America* ... ...

Woolacott, J.: ... ...
mainstream ... ...
7, 1:80-106.

Wolton, D.: *War ... ...*
10, 1:31-35.

Wurtzel, A. H. / ... ...
4, 2:31-55.

Woodward, H. P.: *The Audience* ... ...
pp. 84-102.

— : *The ...* ... ...

— : *Health Issue* ... ...

Youmans, W. L.: ... ...
11, 2:143-163.

PERSONENREGISTER

SACHREGISTER

Aus dem weiteren Programm

4610-2 Beyschlag, Karlmann:
Grundriß der Dogmengeschichte. Band 1: Gott und Welt.
1982. XVIII, 284 S., kart.

Der hier vorgelegte „Grundriß" ist erstmals sowohl für protestantische als auch für katholische Leser bestimmt. Er will nicht nur dem Studierenden bei der Bewältigung eines grundlegenden theologischen Sachgebietes behilflich sein, sondern wendet sich darüber hinaus an Dozierende, ja an den Theologen schlechthin.

9054-3 Günzler, Claus (Hrsg.):
Ethik und Lebenswirklichkeit. Theologische und philosophische Beiträge zur ethischen Dimension von Gegenwartsproblemen. Festschrift für Heinz Horst Schrey zum 70. Geburtstag.
1982. VII, 180 S., 1 Frontispiz, Gzl.

Das Buch will wesentliche Probleme des heutigen Lebensverständnisses aus verschiedenen Positionen der theologischen und philosophischen Ethik verdeutlichen und damit zugleich die Fruchtbarkeit historischer ethischer Ansätze für die Gegenwartssituation aufzeigen.

8549-3 Gerdes, Hayo:
Sören Kierkegaards 'Einübung im Christentum'. Einführung und Erläuterung.
1982. X, 138 S., kart.

Zusammen mit der „Krankheit zum Tode" ist die „Einübung im Christentum" Kierkegaards theologisches Hauptwerk. Dieser Kommentar möchte dem Leser die Hauptgedanken Kierkegaards nahebringen. Dabei ist nicht so sehr an die Fachspezialisten gedacht als vielmehr an jeden an Kierkegaard Interessierten.

6030-X Harnisch, Wolfgang (Hrsg.):
Gleichnisse Jesu. Positionen der Auslegung von Adolf Jülicher bis zur Formgeschichte. (WdF, Bd. 366.)
1982. VIII, 457 S., Gzl.

Der Band bietet einen Abriß neutestamentlicher Gleichnisauslegung von der Jahrhundertwende bis zur Gegenwart. Bei den zusammengestellten Aufsätzen und Buchauszügen handelt es sich um Beiträge, die sich mit methodologischen Problemen der Exegese befassen, den Gleichnisstoff der synoptischen Tradition also unter prinzipiellen Fragestellungen angehen.

8314-8 Harnisch, Wolfgang (Hrsg.):
Die neutestamentliche Gleichnisforschung im Horizont von Hermeneutik und Literaturwissenschaft. (WdF, Bd. 575.)
1982. IX, 441 S. mit schemat. Darst., Tab., Formeln, Übers. u. Zeichn., Gzl.

Die vorliegende Sammlung thematisiert neue Wege der Gleichnisforschung. Im Vordergrund des Interesses steht einerseits das Bemühen, Prinzipien und Verfahren der modernen Literaturwissenschaft innerhalb der exegetischen Arbeit an Gleichnistexten des Neuen Testaments zu erproben. Als anderer Pol erweist sich das Problem der Hermeneutik. Denn inwieweit sich Gott in der Sprache der Welt zur Erfahrung bringt, ist eine Frage hermeneutischer Besinnung.

WISSENSCHAFTLICHE BUCHGESELLSCHAFT
Hindenburgstr. 40   D-6100 Darmstadt 11